D0296761

ZOETE LEUGENS

SUSAN ISAACS

Zoete LEUGENS

TOREN
BOEKEN

Oorspronkelijke titel
After all these years
Uitgave
HarperCollins*Publishers*, Inc., New York
© 1993 by Susan Isaacs

Vertaling
Gea Scheperkeuter
Omslagontwerp
Julie Bergen
Omslagfoto
Tony Hutchins

All rights reserved.
Niets uit deze uitgave mag worden verveelvoudigd en/of openbaar gemaakt door middel van druk, fotokopie, microfilm of op welke andere wijze ook, zonder voorafgaande schriftelijke toestemming van de uitgever.

ISBN 90 246 0255 6   CIP   NUGI 340

Opgedragen aan mijn tante en oom,
Sara en George Asher,
die ervoor zorgden dat ik geen enig kind bleef.

Dankzegging

Ik had feiten, assistentie, wijsheid en technische deskundigheid nodig en dat is precies wat ik vond bij de mensen die hieronder staan genoemd. Ik ben hen zeer erkentelijk, en bied tegelijkertijd mijn excuses aan mocht ik de door hen verstrekte waarheid hebben aangepast om het beter in mijn boek te kunnen verwerken.

Arnold Abramowitz, Janice Asher, Mary Elizabeth Bliss, Barbara Butler, Edmond Coller, Jonathan Dolger, Mary FitzPatrick, Nancy Frankel, Lawrence S. Goldman, Leonard Klein, Edward Lane, John McElhone, Gail Mallen, Mathias Mone, James Nininger, Bill Scaglione, Cynthia Scott, Chris Speziali, Connie Vaughn, Susan Zises, en (natuurlijk) Justin Zises, Lara Zises, Samantha Zises, en Jay Zises.

Ik dank Susan Lawton voor de tips met betrekking tot antiek en binnenhuisarchitectuur, en Anthony Lepsis en Brian Whitney voor de landschapsbeschrijvingen.

Ik wil alle mensen die bij de volgende instanties werken bedanken voor hun hulpvaardigheid: de Port Washington (N.Y.) Public Library en de Audubon Society of Huntington (N.Y.), the New York Public Library en de Billy Rose Theater Collection afdeling van de New York Public Library for the Performing Arts (Theater Research Division).

Alle waardering ook voor mijn vriendinnen, de docenten Engels, die hun studenten – en mij – weten te inspireren: Barbara Kaplan-Halper, Edith Tolins en de geweldige, ontzagwekkende Docente van het Jaar, Mary Rooney.

Over vriendinnen gesproken, de echte Jane Berger is een fantastisch mens.

Ik wil mijn kinderen, Andrew en Betsy Abramowitz, hartelijk bedanken voor hun liefde, vriendschap en redactionele adviezen. En een speciaal bedankje voor hun school- en studievrienden, omdat ze prima gezelschap waren.

Mijn assistente, AnneMarie Palmer, heeft me te vaak om op te noe-

7

men behoed voor gekte. Zoals altijd, ben ik haar zeer dankbaar voor haar inzet en gevoel voor humor.

Mijn zaakwaarnemer, Owen Laster, is niet alleen een wijs en rechtschapen heer maar ook een schat.

Larry Ashmead, mijn redacteur, heeft me inmiddels door vijf boeken heen helpen worstelen. Ik geloof niet dat er een vakkundiger man in de uitgeverswereld te vinden is.

En na al die jaren, is mijn man, Elkan Abramowitz, nog altijd de beste vriend van de hele wereld.

1

Na bijna een kwart eeuw huwelijk, wilde Richie Meyers, mijn man, dat ik hem Rick noemde. Vervolgens maakte hij er een gewoonte van zijn haar strak achterover te kammen met behulp van Engelse pommade à vijfendertig dollar per pot. Goed, ik geef toe dat het me stoorde. Maar in alle redelijkheid, Richie had toch zeker recht op een midlife-crisis? Over twee jaar werd hij al vijftig. Zijn kaak was niet meer zozeer uit graniet danwel uit aardappelpuree gebeeldhouwd. Zijn haarlijn en zijn tandvlees weken ongeveer in hetzelfde tempo terug. En als hij zijn overhemd uittrok, keek hij vol ongeloof naar zijn borsthaar, alsof een of andere grappenmaker een grijs toupetje tussen zijn borstspieren had geplakt.

Nou, ik kon met hem meevoelen. Ik was elf maanden jonger dan Richie en dus bepaald niet piep. Hoe dan ook, tenzij de voorkeur van een man uitging naar vroegrijpe melkmeisjes met vlechten, kwam ik op de schaal tussen aantrekkelijk en ronduit knap waarschijnlijk ergens halverwege. Glanzend donker haar. Gave huid. Gelijkmatige trekken. Lichtbruine ogen met groene spikkels, die ik zelf graag bestempelde als smaragdgroene vonkjes. Plus een stel wimpers om u tegen te zeggen. En bovendien geen onaardig figuur, hoewel in de strijd tussen mij en de zwaartekracht, de zwaartekracht aan de winnende hand was; hoeveel buikspieroefeningen ik ook deed, ik zou nooit weer verleid worden tot een erotische fantasie waarin mijn slipje midden op de dag van mijn lijf werd gerukt.

Net als Richie was ik niet bepaald gelukkig met de naderende ouderdom, vooral niet omdat ik begon in te zien dat onsterfelijkheid zeer onwaarschijnlijk was. Iemand die in staat is hartelijk te lachen in de confrontatie met het eeuwige niets is een flapdrol. Nogmaals, ik leefde volkomen met hem mee. En ik deed mijn uiterste best hem Rick te noemen. Maar na al die jaren van 'Richie', wilde ik me nog wel eens vergissen – in bed bijvoorbeeld. Dan riep ik uit: 'O, God! Ga door, Rich... Rick.' Maar dan was het al te laat en schrompelde hij ineen en binnen enkele seconden leek het alsof hij met plakband een garnaal aan zijn onderbuik had bevestigd.

Zeker, er waren signalen te over. Ik pikte ze alleen niet op. Vandaar dat ik zo verbaasd was toen Richie, op de helderblauwe junimorgen nadat we ons zilveren huwelijksfeest hadden gevierd op wat onze makelaar het Grandioze Gazon achter ons huis noemde, in een witte tent versierd met roomkleurige rozen en duizenden fonkelende witte lichtjes, me verliet voor de adjunct-directeur van zijn bedrijf, voor – zoals hij eerst met zachte, toen met vertederde stem zei – Jessica.

Jessica Stevenson was de vorige avond een van de tweehonderd gasten geweest. Sterker nog, Richie had met haar de foxtrot gedanst op een Cole Porter-medley, waaronder het nummer 'You'd Be So Nice To Come Home To'. Inderdaad, Jessica was jonger dan ik. Maar niet aanstootgevend veel jonger. Richie was niet een van die vijftigers die er met tweeëntwintig jaar oude Lufthansa-stewardessen vandoor gaan. Met haar achtendertig lentes was Jessica slechts negen jaar jonger dan ik. Helaas had ze stralende zeegroene ogen en volgde ze puur voor de lol een cursus Japans.

Op wat later ons allerlaatste feest als echtpaar zou blijken te zijn, bleef ik maar hopen dat Richie zou zeggen: 'Kijk mijn Rosie toch eens! Nog even mooi als op onze trouwdag!' Hij zei het niet. In de vochtige avondlucht kleefde de witte, geplooide avondjurk in Griekse stijl die mijn rondingen in de paskamer van Bergdorf Goodman zo prachtig had doen uitkomen met kwaadwillige opzet aan mijn borsten en benen.

Jessica zag er uiteraard allerminst uit als iemand die zich in een nat laken had gehuld. Nee. Ze straalde in een goudlamé body die haar schouders bloot liet met daaroverheen een doorzichtige, roomkleurige chiffon blouse die – als de blaadjes van een bloem – in zachte plooien om haar bovenlichaam viel. Een goudkleurige leren riem van zo'n tien centimeter breed vormde de scheiding tussen haar blouse en haar rok. Het spreekt voor zich dat ze een slanke taille had, hoewel haar boezem – om heel eerlijk te zijn – niet zodanig was dat Richie daar normaliter over naar huis zou schrijven. Ze was tamelijk plat, afgezien van die overdreven enthousiaste tepels waar mannen zo dol op zijn, de soort die te vergelijken is met de gummetjes op nr. 2-potloden.

Ik had haar nota bene een kushandje toegeworpen toen ik voorbijsnelde, op zoek naar de cateraar om hem mee te delen dat de vriendin van Richies bankier een weekend eerder veganistisch vegetariër was geworden. Jessica, die verbazingwekkend hoge, goudkleurige pumps droeg, stond lachend bij een groepje andere directieleden van Data Associates, terwijl ze een partje citroen boven haar glas uitkneep. Ze wuifde met haar gebruikelijke enthousiasme terug. 'Rosie! Hallo!' Met haar goudkleurige body en de bronsachtige glans in haar donkergoudblonde haar, zag ze er stralend uit, betoverend bijna, als een zeemeermin.

Maar dat Richie mij werkelijk voor haar zou dumpen? Ga weg! Hij en ik deelden ons verleden. In hemelsnaam, we hadden elkaar achter in de jaren zestig ontmoet, toen we allebei lesgaven op Forest Hills High School in Queens. We hadden samen een leven opgebouwd. Een rijk leven, lang voordat het geld binnen begon te stromen. We hadden kinderen. Dus ja, ik wàs verbaasd. Verbijsterd, eigenlijk.

Aan de andere kant van onze slaapkamer liepen Richies olijfzwarte ogen vol. Hij haalde luidruchtig adem en klonk zo verstikt dat ik hem nauwelijks kon verstaan. 'Ik kan niet geloven dat ik dit zeg, Rosie.' Hij veegde zijn tranen met de rug van zijn hand weg en wist huilen tot een mannelijke daad te verheffen. 'Wat mij zo verbaast' – zijn borstkas ging zichtbaar op en neer – 'is dat' – hij snikte, niet in staat zich te beheersen – 'het zo verdomd afgezaagd klinkt.'

'Alsjeblieft, Richie, ik wil het weten.'

'Voor het eerst in jaren voel ik me echt springlevend.'

Het was warm die ochtend en de lucht rook naar het suikerachtige van de kamperfoelie, een voorbode van de zalige, zweterige zomerseks die ons de komende weken te wachten stond. Maar zoals het verhaal wil, niet voor mij. Ondanks de tijd van het jaar rilde ik en ik trok de deken strak om me heen. Zeker, ik had het koud, maar ik neem aan dat ik onbewust hoopte dat ik er, helemaal in elkaar gedoken en met trillende onderlip, onweerstaanbaar uitzag.

Maar ik was allerminst onweerstaanbaar.

Richie daarentegen wel. Met zijn achterovergekamde staalgrijze haar, zijn rijkeluisteint, zijn op maat gemaakte witte pantalon en kraakwitte overhemd en witte mocassins van hagedisseleer, zag hij eruit als een ex-echtgenoot die zijn vrouw was ontgroeid. Maar zijn gezicht was nat. Zijn tranen waren echt. 'Rosie, het spijt me zo.'

Ik hoefde niet te rekenen op zijn terugkeer. En dus huilde ik. Hij verplaatste zijn gewicht van de ene op de andere mocassin, en weer terug. De confrontatie was ofwel vreselijk kwellend voor hem of het duurde langer dan hij had voorzien, terwijl hij dringend naar een lunchafspraak moest. 'Richie,' riep ik snikkend uit, 'je komt wel over haar heen!' Waarop ik het zo snel mogelijk veranderde in: 'Rick, alsjeblieft! Je weet toch hoeveel ik van je hou!' Maar het was al veel te laat.

Die zomer doorliep ik alle fasen van het gekrenkte-eersteechtgenote-syndroom. Hysterie. Verlamming. Ontkenning: natuurlijk zou Richie een wereldse, succesvolle, vruchtbare, briljante financieel deskundige met maatje 38 opgeven voor een middelbare-schooldocente Engels uit de voorsteden. Wanhoop: ik bracht mijn avonden door onder invloed van Xanax-tabletten die ik me door mijn gynaecoloog op listige wijze had laten voorschrijven, vol berouw dat ze geen algehele narcose tot gevolg hadden.

Ik was volslagen alleen. Man ervandoor. Kinderen groot en uitgevlogen. En als klap op de vuurpijl stierf Irving, onze beagle, in de eerste week van augustus. Ik doolde door het huis, jankend, en dacht aan Richies lichaamswarmte, de liefde van de kinderen en Irvings koude, toegenegen neus.

Gelukkig was ronddolen ook een vorm van beweging. Toen Richie eenmaal zijn grote slag had geslagen, geloofde hij niet meer in de stelling minder is meer. Meer was meer. De ene dag woonden we in een nederig optrekje, met een originele avocadogroene keuken stammend uit het begin van de jaren zestig, ongebruikelijke voorzetramen en een verwrongen basketbalring aan de garage, die slechts aan één auto ruimte bood; de volgende zaten we vier kilometer verderop, aan de Long Island Sound in Great Gatsby-land, in een Georgiaans huis dat zo statig was dat het een naam had. Gulls' Haven.

Toegegeven, een nachtelijke zwerver, gekleed in een New York Shakespeare Festival T-shirt, zinloos sexy zwarte lingerie en PanAm-sokken die we hadden overgehouden aan onze laatste vlucht eerste-klas naar Londen (vóór Richie zo stinkend rijk werd dat hij met de Concorde reisde), die geneigd is tot omzwervingen in een verlaten huis met een vochtige prop Kleenex in de vuist geklemd, was niet het beeld dat Gulls' Haven zou moeten oproepen. Maar het was een waarheidsgetrouw beeld. Zo lag de situatie die noodlottige nacht.

Noodlottig? Om u de waarheid te zeggen, die nacht kwam me niet meer of minder onheilspellend voor dan welke dan ook. Toen we verhuisden, had Richie de digitale wekkerradio op zijn nachtkastje weggedaan voor een koperen reiswekker, dus ik zal nooit weten hoe laat ik precies wakker werd, of belangrijker, waarvan ik wakker werd. Maar het was rond halfvier. Ik besefte dat ik niet opnieuw zou kunnen inslapen, omdat ik niet nog meer Xanax-pillen durfde innemen. Die pech had ik weer, de eerstvolgende pil zou me mogelijk doen belanden in wat artsen bestempelden als een hardnekkig vegetatieve toestand. Richie, gedreven door schuldgevoelens, zou de best mogelijke verzorging betalen, zodat ik de laatste dertig jaar van mijn leven kosmisch eenzaam en niet in staat tot lezen zou moeten doorbrengen, een gevangene in mijn eigen lichaam.

Ik bleef ronddolen. Toen Richie die laatste week van juni de benen had genomen, was hij aan de ruim veertig kilometer lange reis westwaarts naar Manhattan begonnen met niet meer dan een weekendtas vol spullen in zijn hand. Hoe kon een man zijn hele leven achter zich laten? Maar ik was het stadium voorbij dat ik snotterend voor zijn kleerkasten stond, die uitpuilden van de op maat gemaakte pakken, en de neuzen van zijn handgemaakte schoenen streelde. Ik kon er langs lopen, net als langs zijn badkamer, die uit een en al donkergroen marmer en overdadige gouden accessoires bestond. Op de avond van de eerste dag dat we in ons nieuwe huis woonden, hadden we in zijn douchecabine de liefde bedreven.

Op dat moment rommelde mijn maag. Ik dacht: een beker magere yoghurt zou geen kwaad kunnen. Diep vanbinnen wist ik, toen ik de trap afliep, dat ik eenmaal beneden naar de diepvries zou lopen en – O! Moet je dat zien! – één van de salami-gehaktballetjespizza's die ik had gekocht voor het geval de jongens onverwacht thuiskwamen, zou vinden. Of misschien zou ik een hot dog in de magnetron stoppen, wat er ongetwijfeld drie zouden worden. Sinds Richie me had verlaten, had ik een buikje ontwikkeld. Nou ja, buikje is niet het woord. Nog een week van onafgebroken tussendoortjes en ik zou eruitzien alsof ik drie maanden zwanger was, niet bepaald flatterend voor iemand in de overgang.

Ik liep de donkere keuken in de vorm van een basketbalveld in en vroeg me af of ik wel hot dog-broodjes in huis had of dat ik de worstjes zodanig moest mishandelen dat ze op een hamburgerkadetje pasten en ook vroeg ik me af, puur uit intellectuele belangstelling, of het echt mogelijk was een dikke moutdrank te maken in een Cuisinart keukenmachine. Op dat moment struikelde ik.

Struikelde? Godallemachtig! Ik viel over een of ander groot – wat was het in vredesnaam? – ding. Mijn eigen doodskreet, die aan het krankzinnige grensde, joeg me de stuipen helemaal op het lijf. Ik strompelde achteruit tot ik tegen de opwarmende oven van het enorme ijzeren gasfornuis aanbotste. Wat het ook was, het bewoog niet. Ik hoorde mijn eigen gejammer, een zielig, blatend geluid. In paniek keek ik naar het paneel van het alarmsysteem naast de achterdeur. Groen licht, dat betekende dat iemand het alarm had uitgezet. Ik was ervan overtuigd dat ik het had ingeschakeld. Opnieuw jammerde ik. Lieve God, nee. Maar toen...

Alexander! Natuurlijk! Hij was blut, dus was hij naar huis gekomen en had, zoals gewoonlijk, zijn rugzak op de keukenvloer gedumpt. Zijn gitaar had hij ongetwijfeld liefkozend mee naar zijn kamer genomen. Ik zei: 'Shit!' vanwege zijn nonchalance. Maar ik was vervuld van

13

blijdschap dat een van mijn kinderen thuis was. Ik strekte mijn hand uit en knipte het licht aan.

Maar het was Alex' rugzak niet, daar op de vloer.

Het was Richie. Hij lag op zijn rug. Zijn lippen vormden een smalle, ontevreden streep.

Geen wonder. Er stak een mes rechtop in zijn lichaam.

Wat heb ik geschreeuwd! 'O God! O, God!' Een minuut lang rende ik, flapperend met mijn armen, als een kip zonder kop in het rond. Compleet over de rooie. Ik botste zo hard tegen het esdoornen dressoir uit Wales dat een Delfts blauw bord waarop Nederlandse meisjes waren afgebeeld en een soepterrine in de vorm van een kalkoen kletterend op de vloer kapot vielen. Opnieuw zette ik het op een gillen. Misschien had ik te veel films gezien. Want wat doet een vrouw die op een lijk stuit? Ze slaakt een kreet zo bloedstollend dat het God bijna zou overhalen van gedachten te veranderen.

Ik knielde, raakte Richies huid aan. Koud. Maar goed, hij lag tenslotte op de vloer. 'Richie?' fluisterde ik. Toen schreeuwde ik: 'Richie?' Geen reactie. Geen teken van leven. Ik legde mijn vinger onder zijn neus om te beoordelen of hij ademhaalde. Nee. Maar al was de kans nog zo klein; hij kon nog in leven zijn. 'Richie, alsjeblieft!' Gedreven door hysterie – nee, door hoop – greep ik het heft van het mes en probeerde het mes eruit te trekken. Het maakte een zompig geluid, maar echt bewegen deed het niet. Net zomin als Richie. Op dat moment wist ik dat hij echt dood was.

Wat ik werkelijk voelde? Mijn hart veranderde in kil steen. Ik voelde me dood. Nee, dat is niet helemaal waar. Richie was de enige echte dode. Terwijl ik naar hem keek, realiseerde ik me dat ik niet onophoudelijk zijn naam schreeuwde omdat hij er zo levenloos bij lag, maar juist omdat hij zo levendig keek. Hij kon elk moment zijn blik op mij richten, zijn neus ophalen vanwege dit huiselijk drama en het mes uit zijn lijf rukken. Maar dat gebeurde niet.

Het bloed op zijn torso vormde een driebladige rode bloem, waarbij het zwarte heft een reusachtige meeldraad voorstelde. Afschuwelijk. Ik voelde me vreselijk duizelig. Ik legde mijn handen als een kommetje over mijn mond en neus, zodat ik mijn longen een paar keer kon volzuigen met kooldioxyde. Pas toen drong het tot me door. Waar ik naar zat te staren, was bepaald geen zelf toegebrachte wond. Alleen 's werelds gevoeligste microfoon, aan het halsgat van mijn T-shirt vastgemaakt, zou mijn gefluisterde uitroep geregistreerd hebben: 'Moord!'

Richie was dood omdat iemand hem had vermoord.

Ik dwong mezelf naar hem te kijken. Zijn lichaam lag dwars over de donkere houten vloerplanken. Zijn handen waren tot losse vuisten gebald. Zijn rechterhand was bij de pols gedraaid en zijn vingers en duim maakten het 'Goed zo!'-teken, iets wat gezien de omstandigheden akelig ongepast leek. Mijn eigen vingers kriebelden, wilden het verhelpen.

Maar ik had het mes ook al aangeraakt. Ik wist dat de politie daar niet blij mee zou zijn. Want weet u, ik was niet bepaald een groentje op het gebied van moord en doodslag. Ik had meer misdaadromans gelezen dan goed voor me was. Shit Lit noemde mijn beste vriendin en voorzitter van de sectie Engels, Cass, het genre. Spottend. Maar ik had onderhand zoveel detectives gelezen en krimi's op de televisie gezien dat ik zelfs op dat afschrikwekkende moment had moeten weten de misdaadlocatie niet te bevlekken. Stel dat ik de vingerafdrukken van de moordenaar onherkenbaar had gemaakt? Of een beslissende huidcel had verwijderd die de politie voor een DNA-analyse had kunnen gebruiken?

Ik schoof centimeter voor centimeter achteruit en dwong mezelf te kijken – objectief te kijken. Nou ja, niet helemaal objectief, omdat me allereerst opviel dat Jessica zijn kleding had uitgezocht: kleren linea recta uit een modetijdschrift. Ik had een man in het echt nog nooit zo modieus gekleed zien gaan. Hoge gymschoenen, en niet van die vuile, grijs-zwarte versleten die hij op de middelbare school voor basketbal zou hebben gedragen, maar inktzwarte, gladde, modieuze. Ze kostten waarschijnlijk meer dan de maandelijkse huur die we voor ons eerste flatje hadden moeten neertellen. Verder een opzettelijk wijde broek van donkergrijze katoen die aan de uiteinden door veters strak was getrokken. En een ruim vallende sweater.

Ik keek naar de plek waar hij lag: de vloer was bevuild met donkere, leemachtige stukjes grond die een spoor vormden dat bij de keukendeur begon. Mijn maag keerde zich om. Ik kon er niet meer tegen. Een brullende kreet van verschrikking bleef in mijn keel steken, deed me kokhalzen. Maar ik moest kijken. De modder kon een aanwijzing zijn. Ik haalde diep en trillend adem en liep toen met een grote boog om Richie heen. En jawel, er zat modder in de groeven van zijn schoenzolen, met name in de linker. Kennelijk had hij de modder naar binnen gelopen.

Dat was het. Meer bewijs was er, voorzover ik kon beoordelen, niet. Maar Moordzaken zou het wel vinden. Ik draaide Richie mijn rug toe en wachtte in stilte tot de politie de keuken zou komen binnenstormen. Hoe onaangenaam ook, ik moest vertellen dat ik het messeheft had aangeraakt. Waar bleven ze toch?

Uiteindelijk realiseerde ik me waarom ik stond te wachten. Richie

15

en ik waren alleen, en Richie had 911 in ieder geval niet gebeld. Dus moest ik het doen. Een vrouw met een Spaans of Portugees accent nam op: 'Politie. Met de alarmcentrale.' Ik zei: 'Ik wil een moord melden.' Toen begon ik te ratelen: Er is geen huisnummer, maar als u Hill Road uit rijdt en Anchorage Lane volgt en vervolgens het grindpad aan uw rechterhand inslaat – daar waar een bord staat met 'Eigen Weg' – dan komt u bij Gulls' Haven uit. Ik voegde eraan toe: 'O, het slachtoffer...' Ze wachtte. Ik kreeg geen woord over mijn lippen. Ik werd gehypnotiseerd door een koperen koekepan die in het pannenrek hing. Daarin zag ik Richies lijk klein en in de verte weerspiegeld. 'Ja, het slachtoffer?' drong ze aan. Waarop ik antwoordde: 'Mijn man.'

Ik prefereerde de kunst boven het leven, omdat kunst altijd verstandiger opgebouwd lijkt te zijn. Bovendien is zij doorgaans minder saai. In detectives die zich afspelen in een Engels landhuis bijvoorbeeld, vindt iemand het lijk en roept: 'Lieve help, de pastoor!' Je hoeft niet zestig pagina's te wachten tot de autoriteiten eindelijk verschijnen. Geen zenuwslopende wachtperiode: het hoofdstuk eindigt en het volgende begint meteen daarna; meteen in de eerste zin schenkt iemand de hoofdcommissaris zijn thee in. In een *film noir* wordt ook niet rondgelummeld. De camera schiet van een mond, verwrongen door een doodskreet, rechtstreeks naar de sigaret die tussen de lippen van de cynische detective zit geplakt.

Het zou me volkomen natuurlijk zijn voorgekomen als ik ogenblikkelijk het *taa-tuu-taa-tuu*-geluid van de sirene had gehoord en het geruststellende geknerp van grind als gevolg van politiewagens die de oprit op scheurden. Maar nadat ik had opgehangen, was ik moederziel alleen. De stilte was beklemmend. In een donker, met rag bedekt hoekje van mijn geest, zag ik een doorzichtige Richie oprijzen uit het sterfelijke omhulsel dat zijn lichaam vormde, over het middelste kookeiland zweven en om de geelkoperen kandelaar op tafel krullen totdat – met een helse zucht – de geest werd opgezogen door het metalen luchtrooster vlak bij de plint. Ik hoorde mezelf zeggen: 'Grote griezels, hier ben ik niet blij mee.'

Maar pas toen kreeg ik echt de bibbers. Want hoe kwam ik erachter hoe lang hij al dood was voor ik over hem was gestruikeld? Vijf uur? Tien minuten? Voor de vorm, riep ik: 'De politie is onderweg!' Mijn stem miste echter overtuiging. Het was er bijna kirrend uitgekomen, à la Marilyn Monroe.

Zenuwen, hield ik mezelf voor. Ontspan je. Maar net toen ik mijn ogen sloot en een diepe, reinigende Lamaze-ademhaling toepaste, begonnen mijn oogleden te trillen. Er klopte iets niet. Maar wat? Ik nam de keuken zorgvuldig op: en mijn ogen kwamen uiteindelijk tot rust op het wit betegelde kookeiland, tussen de extra gaspitten die we gebruikten voor grotere gezelschappen en de kleine gootsteen om groente en fruit te wassen. Op een andere aanwijzing: het eikehouten messenblok. Er was één gleuf leeg, die waar het grote vleesmes in behoorde te staan – maar die nu in mijn echtgenoot stak.

O, God, ik werd me toch ineens draaierig!

Hou op met die onzin, sprak ik mezelf streng toe. En begin niet weer over geesten te ouwehoeren. Denk na! Was het een inbreker die het eerste het beste wapen had gegrepen dat hem geschikt leek toen Richie hem verraste? Was het iemand die samen met Richie was binnengekomen? Wacht eens even! Wat had Richie eigenlijk naar huis gevoerd? Mijn advocate, Honi Goldfeder, een vrouw die kussens als schoudervullingen leek te gebruiken, had erop gestaan dat ik de code van het alarmsysteem wijzigde zodat hij niet binnen zou kunnen komen: 'Schat, verander die code nou en laat hem weten dàt je hem hebt veranderd. En vertel me niet dat hij er geen enkel belang bij heeft hier te komen, want *je weet het maar nooit* en als hij *wel* naar binnen sluipt dan doet hij dat niet om je aangenaam te verrassen, als je begrijpt wat ik bedoel.' Ik had geweigerd haar te geloven. 'Mannen veranderen wel eens van gedachten. Ik zou niet graag willen dat Richie denkt dat ik hem buitensluit.' Ze had met haar 2,5 cm lange, koraalrode vingernagel in mijn richting gewezen: 'Jij kunt je niet veroorloven een zacht ei te zijn!' Natuurlijk was ik dat wel.

Maar *wat* had Richie hierheen gevoerd?

De voordeurbel liet zijn protestantse, dank-voor-de-maaltijd viertonige galm klinken. Ik rende naar de voordeur. De kilte van de marmeren vloer in de hal steeg dwars door mijn PanAm-sokken naar boven. Mijn dijbenen waren ineens een en al kippevel. Ik holde naar de garderobe en greep een trenchcoat, een van de drie dure Burberry's die Richie had gekocht tijdens zijn eerste hevige aanval van anglofilie nadat zijn schip was binnengekomen.

Ik knipte de buitenlampen aan. Zes geüniformeerde politiemannen stonden onder de drie gewelven die de entree van Gulls' Haven vormden. Toen ik de deur opende, stapte een van hen, een man wat ouder en met een wat dikkere snor dan de rest, naar voren en vroeg: 'Mevrouw Meyers?' Ik liet hen binnen en deed het licht in de hal aan. Langzaam en bewonderend namen ze de blakers, het lijstwerk van kalfstanden en het groen-witte dambordpatroon van het marmer op, alsof ze langskwamen voor een late uitzending van het programma *Decorators Showcase*.

'Mevrouw Meyers?' De politieman was veel langer dan ik. Hij stond zo dichtbij dat ik kon zien dat hij zijn neusharen over zijn snor had gekamd. 'Mevrouw Meyers. We kregen een telefoontje over uw man. Mevrouw, kunt u ons laten zien waar hij is?'

Ik stelde me voor dat het bloed op Richies overhemd bruin begon te worden en een gebarsten korst rond het lemmet had gevormd.

'Mevrouw Meyers, we zijn hier om u te helpen.'

Een paar regels uit *Othello* schoten me te binnen. Ik had ze eens voorgedragen aan Richie, nadat we de hele nacht hadden liggen vrijen. Wat waren we allebei verbaasd en kwaad toen we zagen dat het licht begon te worden. 'Perdition catch my soul / But I do love thee! / And when I love thee not, / Chaos is come again.' (Verderf mag mijn ziel treffen / Maar ik hou van u! / En wanneer ik niet meer van u hou, / Is de chaos wederom nabij.)

'Mevrouw Meyers!' De stem van de agent was veel te luid.

Waarschijnlijk ben ik op dat moment flauwgevallen.

2

Brigadier Carl Gevinski van de afdeling Moordzaken in Nassau County zou een knappe man zijn geweest, ware het niet dat zijn gezicht het verbruide. Hij had fraai, sluik, grijzend blond haar dat hij voortdurend van zijn voorhoofd streek, rimpelige Walter Cronkite-ogen en een vriendelijke dikke buik. Maar zijn gezicht was een grote cirkel met in het midden een bolvormige clownsneus, zo eentje waarbij je de verleiding nauwelijks kunt weerstaan erin te knijpen zodat hij luid toetert, hoewel deze door een ongeluk of een vechtpartij zodanig was platgedrukt dat hij haast niet boven zijn wangen uit steeg. Sterker nog, wanneer je hem recht aankeek, leek zijn gelaat volkomen plat, slechts uit twee dimensies te bestaan, als het gezicht van de maan.

'Gaat het weer?' vroeg hij.

'Ja hoor. Ik had even een black-out.'

Op een of andere manier hadden de agenten me naar de bibliotheek gedragen of anderszins geholpen. Ondertussen hadden zich nog meer surveillancewagens voor het huis verzameld. Ongeveer twintig minuten nadat Gevinski en de technische recherche van Moordzaken waren gearriveerd.

Ik wilde Richies trenchcoat kwijt, maar terwijl ik nadacht over een excuus om mezelf te willen omkleden zonder lichtzinnig te lijken, begonnen mijn benen hevig te trillen, alsof ik mijn knieën met opzet tegen elkaar sloeg in een wanhopige poging een Jane Fonda-oefening uit te voeren. Ik greep de dichtstbijzijnde stoel, eentje aan de leestafel, beet en zonk neer. De tafel en de stoelen behoorden tot een van Richies eerste aanwinsten van Engels antiek. De laden van de tafel waren in koper ingelegd met de letters van het alfabet. Een tijdlang vond hij het leuk om tegen genodigden te zeggen: 'Amusant, niet-waar? Op een veiling in Londen gekocht.' Maar op een avond lachte zijn nicht Sylvia, die in de kunstnagelhandel zat, hem vierkant in zijn gezicht uit, waarna hij 'amusant' besloot te veranderen in 'interessant'. Uiteraard werd Sylvia voorgoed van de gastenlijst geschrapt.

19

Gevinski zat tegenover me. 'Ik vind het vervelend u zo te moeten overrompelen, maar het tijdsaspect speelt een belangrijke rol,' zei hij. 'Ik weet het. Ik moet u, voor we verder praten, bekennen dat ik iets stoms heb gedaan.'

Hij knikte me bemoedigend toe. 'Laat maar horen,' spoorde hij me aan, verdraagzaam en vergevingsgezind, als een wereldlijke priester die bereid was de meest ijzingwekkende bekentenis aan te horen.

'Begrijp me niet verkeerd,' verzekerde ik hem. 'Wat ik bedoelde was, het kan zijn dat ik uw onderzoek op de plaats van handeling in de war heb gestuurd.'

'Wat hebt u gedaan?'

'Ik dacht heel even dat Richie nog leefde, dus toen heb ik...'

'Toen hebt u wat?'

'Toen heb ik geprobeerd het mes uit zijn borstkas te rukken.' Hij schreeuwde niet tegen me, snauwde zelfs niet. Hij zei helemaal niets. 'Ik weet dat ik dat niet had moeten doen, maar ik was mezelf niet. Ik dacht: hij ligt daar zo stil, misschien leeft hij nog. Als ik dat mes er maar uit krijg, zal hij ongelooflijk opgelucht weer gaan ademhalen. Het spijt me, brigadier Gevinski. Het spijt me echt.'

'Wat deed u er uiteindelijk toe besluiten dat hij werkelijk dood was?'

'Ik weet het niet. Ik geloof dat ik het meteen al wist, maar dat ene ondoordachte moment hoopte ik...'

'Ik begrijp het. Kunt u het aan nog een paar vragen te beantwoorden?'

'Natuurlijk.' Mijn hoofd was helder. Ik was hysterisch noch overmand door verdriet. Mijn handen trilden niet. Alleen toen ik mijn benen over elkaar wilde slaan, had ik daar niet de kracht voor.

Gevinski keek op zijn horloge. De wijzerplaat bestond uit zo'n geel lachebekje, met twee ogen en een halve cirkel die een grijns uitbeeldden.

Ik had wel eens politieprocedures gelezen: tijd speelde een essentiële rol. Ik kende de Tweeënzeventig-uurs Regel: als de politie de dader niet binnen drie dagen na de moord vindt, neemt de kans dat ze dat ooit lukt zienderogen af.

'Zou u me zijn volledige naam kunnen geven?' Gevinski sprak zo onverwacht, dat ik ineenkromp.

'Rose – ' Mijn God, hoe moest ik dit aan Ben vertellen? En aan Alex? Hij en Richie waren zo kwaad op elkaar geweest. En hoe kon ik het in vredesnaam aan mijn moeder uitleggen?

'De naam van de overledene, alstublieft.'

'Richard Elliot Meyers.'

Hij leek me geen stereotiepe rechercheur, zo'n agent gekweld door onaflatend verdriet over de menselijke aard, het type dat altijd wordt gespeeld door depressieve acteurs als Dana Andrews of Tom Berenger. Nee, Gevinski was uit ander hout gesneden, hij had veel meer van de pafferige, aseksuele, doughnut etende partner.

'Beroep?'

'Hij was president-directeur van de Data Associates.'

Gevinski's blik dwaalde door de bibliotheek. Het was een immense, gelambrizeerde kamer met drie divans en Joost mag weten hoeveel fauteuils, ottomanes en bijzettafeltjes. Een palmboom die mijn buurvrouw in haar broeikas had gekweekt. Twee kroonluchters. En boeken, dat spreekt voor zich. Toen Richie besloot een bod uit te brengen op Gulls' Haven, daagde ik hem uit: dit is niets voor ons, Richie, en dat weet je. Er was een enigszins norse uitdrukking op zijn gezicht verschenen; zo'n soort opmerking had hij van mij wel verwacht. Ik vervolgde: het zou ons een generatie lang kosten de weg vanaf de wijnkelder terug te vinden. En wat moesten we in godsnaam in die bibliotheek zetten? Jouw *Introductie tot Differentiaalrekenen*? Mijn *Complete Shakespeare in één Deel*? Mijn misdaadpockets? Dit is zonder meer een ruimte strikt voor gebonden uitgaven, hoewel je moeder misschien wil overwegen haar verzameling Reader's Digest Verkorte Uitgeven aan ons te schenken. Hij reageerde pissig met: Mijn moeder leest tenminste.

Maar de eigenaar van Gulls' Haven, uitvoerend producent van een geflopte soapserie (die het landgoed had gekocht van de gokverslaafde achterkleinzoon van een maffiabaron), was reuze enthousiast dat hij de inhoud van zijn bibliotheek aan Richie kon overdoen; hij had de boeken ooit gekocht van een firma met de naam Boeken-Per-Meter. Wat natuurlijk ruzie opleverde. Het kan zijn dat ik begonnen ben door Richie voor een parvenu uit te maken. Maar het eindigde ermee dat hij pimpelpaars werd en tegen me tekeerging dat ik niet het recht had hem pretentieus te laten voelen, alleen omdat hij toevallig waardering had voor mooie dingen.

Kortom, hij kocht het landhuis dat hij niet geërfd had. En ik kreeg een collectie in leer gebonden boekdelen over luchtvaartkunde, katholieke heiligen, de geschiedenis van Spanje (in het Spaans) en numismatiek. Alleen mensen die buitengewoon oppervlakkig ademhaalden konden het vleugje schimmel dat af en toe opsteeg uit de boekbanden negeren, en zo lang je niet wanhopig op zoek was naar een goed boek, was de bibliotheek een behoorlijk imposante ruimte.

'Komt de rijkdom uit de zaak of de familie?' vroeg Gevinski.

'Hij en een partner begonnen het bedrijf. Mijn enige hoop was dat

we genoeg zouden verdienen om de jongens naar een goede universiteit te kunnen sturen en misschien de keuken cen keer op te knappen. Wie had dit alles kunnen voorzien?'
'Wat doet het bedrijf eigenlijk?'
'Onderzoek. Ze zoeken uit wat je maar wilt over elk willekeurig onderwerp. Hun motto is: "Kennis is macht". Het staat zelfs op hun briefpapier. Met aanhalingstekens, maar zonder bronvermelding.' Gevinski reageerde niet, dus ik neem aan dat dit schaamteloze gebrek aan toekenning hem niet stoorde. Toch voegde ik eraan toe: 'Francis Bacon. *Meditationes Sacrae.*'
'Doen ze vertrouwelijk speurwerk?'
'Nee. Gewoon diepteonderzoek. Ze zijn begonnen als een bedrijf dat met behulp van een databank inlichtingen verstrekte, wat behoorlijk is uitgegroeid. Tegenwoordig hebben ze vierhonderd full-time onderzoekers aan het werk in alle grote bibliotheken ter wereld, plus nog eens honderd medewerkers die alle gegevens in de computer invoeren.'
'Hebben ze zoveel geld verdiend met literatuuronderzoek?'
'In hun klantenkring tref je Fortune 500-bedrijven, advocatenkantoren, kandidaten voor politieke functies. Ontwikkelde mensen, hoewel ze kennelijk niet weten hoe ze een kaartcatalogus moeten gebruiken.' Mijn elleboog schoot plotseling van de armleuning en ik viel opzij. Toen ik weer rechtop zat, merkte ik dat mijn armen en schouders trilden. Mijn benen begonnen ook weer tegen elkaar te slaan. 'Ik zou graag iets innemen,' zei ik tegen hem. Gevinski's gezicht toonde geen enkele emotie. 'Ik wil een kalmeringsmiddel.'
'Nog één vraag, Mevrouw Meyers. Bent u de hele nacht op geweest?'
'Nee. Ik ben opgestaan en naar beneden gegaan. Ik had trek.'
'Hoe laat bent u naar bed gegaan?'
'Vroeg. Ik was moe. Ik denk tegen een uur of halftien, tien.'
'En opgestaan om?'
'Rond halfvier.'
'Hebt u iets gehoord?' Ik schudde mijn hoofd. 'Kan het zijn dat u iets hoorde waardoor u wakker bent geworden?'
'Ik dacht het niet, maar ik weet het niet honderd procent zeker.'
'Misschien hebt u geruzie gehoord. Er zijn wat borden gebroken.'
'Nee, dat is ook mijn schuld. Sorry, dat heb ik vergeten te melden. Toen ik hem daarstraks zag, werd ik in eerste instantie geloof ik een beetje krankzinnig, ik rende maar wat rond en wist niet wat ik moest doen. Ik ben tegen die kast aangebotst. Een bord en een soepterrine vielen te pletter.'

'Was er – behalve u – nog iemand in huis?'

'Nee. Onze kinderen zijn volwassen. We hebben ooit een echtpaar gehad dat bij ons inwoonde, maar ze werken nu bij mijn man op kantoor.' Hij knikte. 'Twee keer per week heb ik een huishoudelijke hulp over de vloer.' Ik wachtte tot hij zo'n typische, schamperende politieopmerking zou maken in de trant van: 'Ik wil wedden dat het meer dan twee dagen kost om deze tent te stofzuigen,' maar dat deed hij niet. 'We hebben een redelijk geavanceerd alarmsysteem,' vervolgde ik. Gevinski zat en luisterde, streek nu en dan over zijn stropdas, waarvan de donkergrijze kleur hier en daar werd onderbroken door kleine, gele esdoornblaadjes. 'Ik heb het alarmsysteem ingeschakeld toen ik naar bed ging,' vertelde ik. 'Dat weet ik zeker. Maar Richie kende de code.'

'Waarom ook niet?'

'Hij woont hier niet meer.'

Hij hield op met zijn das te spelen. 'Waar woont hij dan wel?'

'In de stad.'

'Zijn jullie gescheiden?'

'Uit elkaar. Bijna gescheiden. De advocaten hebben de strijd om de uiteindelijke scheidingsovereenkomst zo goed als gestreden. Maar hij is eind juni al verhuisd.'

Gevinski telde de maanden op zijn vingers af: een, twee, drie, vier. Oktober! 'Hebt u hem de deur gewezen?' Het klonk zo sympathiek dat als ik bevestigend had geantwoord, hij waarschijnlijk had gezegd: 'En gelijk heb je!'

'Nee. Hij heeft me verlaten. Voor een andere vrouw.'

Hij reikte in de binnenzak van zijn jas en haalde er een spiraalgebonden notitieblokje uit. 'Altijd hetzelfde liedje, nietwaar?' zei hij vriendelijk.

'Daar lijkt het op.'

'Weet u haar naam?' Ik gaf hem Jessica's naam, het adres van haar maisonnette en haar telefoonnummer; ik kende het uit mijn hoofd, omdat Richie daar ook had gewoond toen ze op zoek waren naar wat hij noemde 'een plek waar we kunnen groeien'. Om mijn onthullingen vooral volledig te laten zijn, vertelde ik erbij dat Richie van plan was met haar te trouwen zodra onze scheiding definitief was. Aangezien het mij niet werd gevraagd – maar ik de routine politieprocedures ken – gaf ik hem ook mijn volledige naam, mijn leeftijd en mijn beroep. Hij bedankte me en noteerde alles. 'Kunt u hier nog even wachten?' vroeg Gevinski. Ik zei dat dat geen probleem was. 'Hartelijk dank voor de medewerking.' Daarop liep hij de kamer uit.

Ik trommelde met mijn vingers op tafel, maar het oude gepoetste hout dempte het geluid. Ik ijsbeerde door de kamer. De Perzische tapijten vingen het lawaai van mijn voetstappen op. Elke kamer in Gulls' Haven was ontworpen om datgene wat het bevatte te verfijnen. Maar dat was Richies keuze geweest. Ik herinner me hoe hij opvrolijkte toen de binnenhuisarchitecte hem met haar nasale, aristocratische stem meedeelde dat de bestelde meubelstof – ellenlange rollen chintz met daarop koolrozen – 'een tikje later dan gebruikelijk' werd verwacht, omdat het met de hand werd geverfd in vaten thee zodat de stof een gelige, enigszins versleten voorkomen zou krijgen. Het uiterlijk van oude chic.

Maar tegen de tijd dat het materiaal er was, walgde Richie ervan. Bovendien verachtte hij de binnenhuisarchitecte en hij zei tegen mij dat haar poging om nieuwe rijkdom op eeuwenoude rijkdom te doen lijken alleen bedoeld was om de nouveau riche te paaien. Hij zei dat ze een hooghartige trut was en riep: 'Ontsla haar.' Ik zou het met alle plezier hebben gedaan, maar ze had wijd opengesperde, afkeurende Faye Dunaway-neusgaten en maakte me bang, dus zei ik tegen hem dat hij het zelf mocht doen. 'Met genoegen,' reageerde Richie. Maar hij is er nooit toe gekomen, waardoor we nog eens een klein fortuin hebben uitgegeven aan damasten gordijnen en 'Adam-style' schoorsteenmantels voor ze eindelijk uit ons leven verdween.

Ze kunnen me de pot op, dacht ik. Ik moet wat anders aan en een kalmeringsmiddel. Ik stevende op de deur af, maar toen ik naar buiten stapte, stond daar een geüniformeerde agent met zijn hand omhoog alsof hij wilde gebaren: STOP! Oversteekplaats voor schoolkinderen!

'Ik moet me omkleden,' legde ik uit. Hij schudde zijn hoofd. 'Waarom niet?' Hij haalde de schouders op. Zijn gezicht was volkomen nietszeggend. 'Alsjeblieft. Ik wil alleen even naar boven.'

'Ik moet brigadier Gevinski vragen of het mag.' Maar hij maakte geen aanstalten.

Stampend liep ik de bibliotheek weer in. Ik probeerde zo weinig mogelijk aan Richie te denken. Iemand had hem *vermóórd*. Had hij tijdens zijn laatste ademhaling, zijn laatste hartslag zijn moordenaar in de ogen gekeken, of hoopte hij zelfs toen nog dat hij gered zou worden? Had het pijn gedaan, toen de mespunt zijn huid doorboorde, door zijn spieren sneed en in zijn bot prikte? Of was het daarvoor te snel gebeurd? Had Richie tijd gehad te beseffen dat hij stervende was? Mijn hart klopte als een razende in mijn keel.

Waarom deed die smeris zo lomp? En dan brigadier Gevinski: hij had de mededeling dat ik het mes beet had gehad wel heel erg gelaten aangehoord. Was hij werkelijk zo begripvol? Zag hij wat ik had gedaan als een heel normale huisvrouw-reflex, zoals ze een vleesthermometer uit het gebraad zou trekken wanneer dat gaar is?

24

Ik kon er niet tegen nog een minuut langer in de trenchcoat van een overledene te lopen. Met grote passen liep ik weer naar het inhumane wezen bij de deur. 'Heb je brigadier Gevinski gevraagd of ik naar boven kan?' vroeg ik.

'Nog niet. Hij zei dat hij zo terug zou zijn, dus u kunt beter even rustig op hem wachten.'

Ik krabbelde terug, te geschokt om assertief te zijn. Had ik niet alle reden om geschokt te zijn? Mijn man lag met een vleesmes van Williams-Sonoma in zijn borst, dood. Mijn mes, althans bijna. Volgens de scheidingsovereenkomst, waarvan onze advocaten hadden beloofd dat die aanstaand weekend ter ondertekening zou klaarliggen, zouden Richie en ik de opbrengst van de verkoop van Gulls' Haven verdelen. Ik kreeg de inhoud van het huis, waaronder toevalligerwijs ook een fantastische messenset. Plus: zijn advocaat bood wat mijn advocaat een belediging noemde, twee miljoen dollar. Maar in plaats van beledigd te reageren, vertelde Honi me dat ze de andere advocaat eenvoudig in zijn gezicht had uitgelachen en acht miljoen had geëist. Anders ging het feest niet door. Ze legde me uit dat dat betekende dat ze vrijdag op de helft zouden uitkomen.

Twee avonden eerder had mijn laatste gesprek met Richie plaatsgevonden. Hij had geschreeuwd door de telefoon: 'Jessica kon niet geloven wat jouw advocaat eist! Wil je weten wat ze zei?' Ik zei van niet, maar natuurlijk vertelde hij het toch: 'Ze zei dat het enige wat ze zo in jou had bewonderd, was dat jij altijd zo tevreden leek met wie je was!'

'Rustig nou, Richie.'

'Wie ben jij verdomme om mij te vertellen wat ik moet doen?' Zijn geschreeuw kwam dicht in de buurt van een hoge falsetstem. Zijn laatste woorden tegen mij waren: 'Wat heb jij ooit uitgevoerd dat miljoenen dollars waard is?' En nu lag hij op onze keukenvloer met een groepje Nassau County-ambtenaren om zich heen die een meetlint langs hem spanden, hem fotografeerden en met een pincet onder zijn vingernagels plukten.

Wat gebeurde hier eigenlijk precies? Wat waren dit voor mensen? Gevinski had gezien dat ik de bibbers had; zijn hart zou naar mij moeten uitgaan. Hij had moeten brullen: 'Hé, laat iemand haar huisarts bellen, meteen. Arme vrouw, ze moet hoognodig gekalmeerd worden.' Maar in plaats daarvan, was hij neutraal beleefd.

Gevinski keerde terug, zich geruisloos verplaatsend in zijn zwarte, orthopedisch verantwoorde schoenen. Ze waren van het voorgevormde soort, die waarbij iedere teen individuele aandacht krijgt. 'Sorry. Moest even de assistent-officier van justitie spreken over de zaak.'

'Is er nieuws?'

'Wat zou er voor nieuws kunnen zijn?' Hij keek even op zijn horloge. 'Had mevrouw Meyers vijanden?' Hij leek geen nieuwe onthullingen te verwachten; zijn notitieblok zat weer in zijn binnenzak.

'Nee.'

'Heb je hem onlangs kwaad of overstuur gezien vanwege iemand anders?'

'We spraken niet meer met elkaar. Voor zover ik weet, was ik de enige op wie hij boos was.'

Gevinski's wenkbrauwen begonnen als twee minuscule plukjes haar aan weerszijden van de neusbrug en kwamen uit in lange lijnen die omhoog wezen; het leken net blonde correctie V-tjes. Hij trok ze een fractie van een centimeter op. 'Hoe boos was hij precies?'

Gevinski, besloot ik op dat moment, was niet iemand die erg geboeid is door de nuances van intermenselijke relaties. Aangezien Richie even verderop *en brochette* in de keuken lag en ik gezegd had het mes te hebben vastgepakt, besefte ik dat ik mijn antwoord moest modificeren. 'Hij was kwaad, maar het was niet meer dan gebruikelijke vijandelijkheid die aan een scheiding voorafgaat. Onze advocaten waren verwikkeld in de laatste details van de financiële regeling, dus het was logischerwijs niet allemaal koek en ei.' Ik produceerde een onzeker, weduwe-waardig lachje. 'Of hij daarnaast wrok jegens iemand koesterde, weet ik niet. Hij nam mij niet meer in vertrouwen.'

Het was niet zozeer dat brigadier Gevinski mijn lach niet beantwoordde. Maar het baarde me zorgen dat hij me, onder zijn peinzende glimlach, blijkbaar allerminst... Ik probeerde het juiste woord te vinden. Sympathiek? Meelijwekkend? Precies: hij vond me sympathiek noch meelijwekkend. Maar er was meer. Hij accepteerde alles wat ik zei – Mhh-mmm. Juist. Ik hoor u. Maar hij leek niets te geloven.

Overmatige spanning, bijvoorbeeld veroorzaakt door een politieagent van Moordzaken die twijfelt aan je woord, werkt als een wachtwoord voor elk symptoom van de menopauze: kom maar op! Plotseling licht in mijn hoofd, smachtend naar slaap, moest ik mijn kaken op elkaar klemmen om een geeuw te onderdrukken. Tegelijkertijd had ik een opvlieger. En even later, toen ik steun zocht aan de rugleuning van een stoel, was ik even bezweet als een marathonloper. Ik veegde mijn voorhoofd af aan de achterkant van mijn mouw, maar plotsklaps realiseerde ik me dat het niet mijn mouw was; het was de mouw van Richies Burberry en waterafstotend bovendien. Gevinski hield me nauwlettend in de gaten.

'Eens denken. Had Richie vijanden...' begon ik weer, in een poging iets naar boven te halen wat hem tevreden zou stellen. Het was beslist niet zo dat Richie onaardig werd gevonden. Integendeel. Geweldige vent, zeiden mensen altijd over hem. *Charmant.* Geen vijanden. Maar ook geen vrienden. Zelfs tijdens onze beginjaren in de bungalow in Shorehaven, waar de huizen zo dicht op elkaar stonden dat je in de keuken van je buren kon kijken en wist welk merk diepvrieswafels ze bij het ontbijt nuttigden, waar de familiariteit een enthousiaste, op en top Amerikaanse, wij-hebben-geen-geheimen-voor-elkaar-vriendelijkheid voortbracht en waar buren om de haverklap bij elkaar binnenwipten om dragonmosterd te lenen of een sneeuwschuiver, was Richie niet een van de jongens.

Niet dat hij een buitenstaander was. Hij was degene naar wie je ging als je moest weten hoeveel vierkante meter Mexicaanse tegels je moest bestellen voor de verbouwing van de badkamer beneden, en zeker degene met wie je over sport wilde praten, want wie anders kon de meest esoterische veldstatistieken over de Brooklyn Dodgers van 1947 oplepelen en toch interessant blijven? Iedereen zei: geen wonder dat hij zo'n prima leraar is. Hij is niet alleen goed in wiskunde; hij is *fantastisch* met mensen. En dat was zo. Geweldig gezelschap op een strandpicknick, een geestige fan op een Super Bowl-feest. Maar in al die jaren dat we getrouwd waren, heeft een andere man hem geloof ik nooit gevraagd voor een lift naar de houtwerf of hem in vertrouwen genomen over een zeurderige echtgenote of een moeilijk kind.

In die tijd, voor hoge piefen als Carter Tillotson hem nauwelijks met een kort knikje erkenden als ze hem bij de booraccessoires in de ijzerwarenhandel tegenkwamen, laat staan met hem wilden tennissen, had Richie geeneens een vaste tennispartner onder de gewone jongens; hij viel in voor de zieken en geblesseerden op de openbare tennisbanen van Shorehaven Park. Soms keek ik toe als hij de auto waste of het gazon maaide en dan vroeg ik me zorgelijk af waarom hij niet geliefder was. Populariteit was iets waar de kinderen die ik lesgaf door geobsedeerd waren, en ik schaamde me dat ik wenste dat Richie meer leek op de mannen van ons blok die, zonder zelfbewust te zijn, een barbecueschort met daarop een idiote tekst konden dragen.

Ik heb hem eens gevraagd wie zijn beste vriend was. Hij deed het af met: dat ben jij. Waarop ik zei: kom nou, Richie. Stel dat je werkelijk problemen had met mij? Met wie zou je daarover praten? Hij lachte. Dat veelbelovende, scheve lachje. Met jou. En nu moet je erover ophouden, Rosie. Mannen hebben geen vriendschappen zoals vrouwen die hebben. En begin me niet over die angst-voor-intimiteit-onzin. Hij trok me naar zich toe en legde mijn hand op zijn intiemste plekje. Richie was nooit van het type ouwe jongens, krentenbrood.

'Ik weet niet of je hem als een vijand moet beschouwen, maar

Richies voormalige zakenpartner was heel erg kwaad op hem. Zijn naam is Mitchell Gruen.'

'Vertel,' zei Gevinski, eerder ontstemd dan nieuwsgierig, omdat hij nu nog een bladzijde zou moeten typen voor zijn rapport.

'We gaven eind jaren zestig alledrie les op een middelbare school in Queens. Richie was leraar geworden omdat hij op die manier onder Vietnam uit kon komen. Hij was bevoegd voor wiskunde en maatschappijleer. Mitch gaf wiskunde. En hij was weg van computers.' Gevinski sloeg zijn armen kruiselings over zijn buik en wierp nog eens een blik op zijn lachebek-horloge. Ik begon sneller te praten. 'Hoe dan ook, nadat ons eerste kind was geboren hadden we het niet echt breed. Ik nam een jaar zwangerschapsverlof en dus moest Richie een bijbaantje zoeken. Mitch had er al eentje: hij bezocht mensen thuis om computers te demonstreren. Als de klant een computer kocht, kreeg deze elke week een docent op bezoek tot hij of zij de beginselen onder de knie had.'

'Maar?' merkte Gevinski op.

'Maar Mitch was een slechte verkoper. Hij was weg van computers, maar niet bepaald dol op mensen. Het bedrijf liet weten dat als hij niet meer zou verkopen, hij de laan uitgestuurd zou worden. Hij had dringend geld nodig om zijn computerhobby te financieren, en dus smeekte hij Richie om mee te gaan op huisbezoek, om zijn partner te worden.'

'Ik wil u niet opjagen, mevrouw Meyers, maar de tijd dringt.'

Gevinski was niet zozeer kortaf alswel oprecht ongeïnteresseerd in wat ik te zeggen had. Ik hield mezelf voor dat mijn nervositeit absurd was. Hoe dan ook, de echtgeno(o)t(e), met name een afgewezen echtgeno(o)t(e), is meestal de hoofdverdachte in Amerikaanse misdaadliteratuur. Zeker wanneer de moord thuis heeft plaatsgevonden, met een onderdeel uit het familiebestek als wapen. En als de vingerafdrukken van die bewuste echtgeno(o)t(e) op het moordwapen staan? Vergeet het maar!

Het was niet zo dat ik geloofde dat Gevinski me werkelijk als verdachte zou bestempelen zonder eerst meer van Richies achtergrond af te weten, maar ik had graag gewild dat hij zich wat nieuwsgieriger had getoond inzake de dader.

'Richie besloot met Mitch in zee te gaan,' vervolgde ik met klem. 'Ze werkten vier avonden per week tot tien, elf uur 's avonds. Na ongeveer zes maanden waren ze een groot succes. Het bedrijf gaf hun een groter afzetgebied. Maar na nog een jaar realiseerde Richie zich dat het grote geld niet zat in de computer hardware, en zelfs niet in het huur-een-leraar-concept.'

'Waarin dan wel?'

'In de informatie. Een van hun klanten was een man in de kleding-industrie. Hij vroeg Richie en Mitch of ze onderzoek voor hem wilden doen; er was een textielontwerpbedrijf in Californië dat hij wilde kopen. Om een lang verhaal kort te maken, Mitch liep de databank na. Ik deed het speurwerk in de bibliotheek. Ik schreef trouwens ook het verslag. Richie wist zich perfect uit te drukken, maar hij had de pest aan schrijven, en Mitch had nooit geleerd wat volledige zinnen waren.'

'Wat deed meneer Meyers?'

'Hij was onze p.r.-man. Hij was geweldig. Zelfs met volslagen vreemden... Dan belde hij mensen in Californië op die uit het computeronderzoek naar voren waren gekomen en dan draaide het er dikwijls op uit dat ze Richie hun levensverhaal vertelden. En hij was ook fantastisch met de klant, liet aanvankelijk kleine brokjes informatie vallen van datgene wat Mitch en ik hadden opgeduikeld en wel op zo'n manier dat de klant razend enthousiast werd, steeds meer wilde. Weet u, Richie was een geboren verleider; hij wist precies wat hij in het verslag moest zetten om een klant warm te laten lopen. Korte, spitsvondige zinnen. Geen lange, intimiderende woorden. Computerjargon om het wetenschappelijk te doen klinken. En nu en dan verbood hij me om een voetnoot te maken bij een verwijzing; dan moest ik schrijven: "Onze bronnen melden ons..." En het werkte! In plaats van het honorarium van vijfhonderd dollar dat was afgesproken, gaf die klant hen een cheque van duizend dollar. Hij huurde hen opnieuw in om onderzoek te doen naar een nieuwe methode om Schotse ruiten te combineren, èn hij introduceerde hen met aanbeveling aan een lid van zijn golfclub, die hen op zijn beurt weer aan iemand anders voorstelde. De klanten kwamen altijd terug voor meer. Tegen 1977 verdienden ze per persoon twintigduizend dollar extra. Tegen 1979 wist Richie Mitch eindelijk over te halen zijn baan als docent op te zeggen. Toen hebben ze Data Associates opgericht.'

'Met Mitchell Gruen als het interne brein en meneer Meyers die de klanten bewerkte?'

'Ja. Na een paar jaar haalde het bedrijf zo rond de tien miljoen dollar bruto per jaar binnen. Halverwege de jaren tachtig was dat twintig miljoen. Ondertussen deed Mitch hetzelfde fundamentele onderzoekswerk dat hij altijd had gedaan, maar hij kreeg wel de helft van de winst. Ik denk ook niet dat dat helemaal eerlijk was tegenover Richie. Het bedrijf had inmiddels zo'n honderd leraren in dienst en die deden precies hetzelfde werk als Mitch.'

'Dus uw echtgenoot heeft hem eruit gewerkt?'

'Ja. Ik geloof dat dat het daaropvolgende jaar was. Hij schakelde een beleggingsadviseur van de bank in, die het bedrijf grondig analyseerde. Een briljant stukje werk. Richie ging met de analyse naar Mitch en zei: "Ik ben bereid de zaak van je te kopen... of hem aan jou over te doen. In beide gevallen is de prijs zeven miljoen dollar. Maar we kunnen geen partners blijven." Nou ja, het hele leven van Mitch draaide om Data Associates. Hij had vrij toegang tot alle apparatuur waar hij ooit van had gedroomd, èn hij was rijk. Hij was zelfs in een limousine gaan rijden. Arme Mitch, hij had het juist zo naar zijn zin.

Hoe dan ook, Richie kocht hem uit, Mitch richtte zijn eigen bedrijfje op. Daarna deed hij een aantal beroerde investeringen. Grote bedragen. Hij was een geboren sul zonder een greintje zakeninstinct. Hij had de zeven miljoen er binnen afzienbare tijd door gejaagd en flipte waarschijnlijk enigszins. Hij achtte Richie verantwoordelijk voor al zijn problemen. En toen, ongeveer drie jaar geleden, startte hij zijn computer op en kraakte de nieuwe code voor het complete computersysteem van Data Associates. Hij wiste al hun programmatuur. Voor Mitch was het waarschijnlijk een handigheidje, maar het kostte zes maanden en ongeveer twee miljoen dollar om de boel te herstellen.'

'Is meneer Meyers naar de politie gestapt?'

'Ja.'

'Mitch naar de gevangenis gestuurd?'

'Nee, maar hij werd veroordeeld tot een boete van honderdduizend dollar, wat hij gewoon niet had. Nadat hij ook in hoger beroep had verloren, belde hij Richie op en zei: "Ik heb jou je leven gegeven. Jij hebt mij het mijne ontnomen." Hij was gedwongen het overgrote deel van zijn computerapparatuur te verkopen om aan de eerste termijn van de boete te kunnen voldoen.'

Eindelijk haalde Gevinski zijn notitieblokje te voorschijn: 'Kunt u de naam van deze gozer even spellen.' Ik deed het. 'Waar is hij nu?'

'Ik weet het niet zeker. Hij woont in het centrum. O ja, ik weet wel iemand die misschien meer van hem weet: degene die tegenwoordig de public relations voor Data Associates doet. Jane Berger. Zij kent Mitch beter dan wie ook. Het is verwonderlijk; ze is een van de drukst bezette vrouwen in New York, maar op een of andere manier heeft ze altijd tijd weten te vinden om in contact met hem te blijven – via haar modem. Ik heb die vriendschap nooit goed begrepen. Ze is volkomen gezond van geest, maar Mitch is lichtjaren voorbij het excentrieke. Hoe dan ook, zij heeft Richie verteld dat Mitch een kluizenaar is geworden. Hij laat zijn gordijnen dicht en verlaat de flat waar hij woont soms maanden achtereen niet. Hij bestelt zelfs zijn maaltijden per fax, zodat hij met niemand hoeft te praten.'

'Heeft hij ooit bedreigende opmerkingen geuit tegenover uw man of gebaren?' Ik liet zelden iemand zakken voor Engels, maar ik had Gevinski graag terecht willen wijzen voor die belabberde zinsopbouw. 'Niet dat ik weet.'

Plotseling, zonder een woord, stond Gevinski op en liep met grote passen naar de deur. Geef de man het voordeel van de twijfel, hield ik mezelf voor, terwijl ik hem nakeek. Misschien gaat hij een opsporingsbevel voor Mitch uitvaardigen.

Ik riep hem na: 'Ik denk dat hij wel in het telefoonboek van Manhattan staat.' Gevinski's mondhoeken krulden op in dat automatisch lachje van hem. 'Ik heb nog iets vergeten te melden,' vervolgde ik, veel luider nu. Hij knikte me toe, ten teken om verder te praten, maar bleef staan waar hij stond. 'De beleggingsadviseur: degene die de analyse van Data Associates deed. Dat was Jessica Stevenson. De vrouw voor wie hij me verliet. Richie was zo onder de indruk van de manier waarop ze het Mitch-probleem uit de wereld had geholpen, dat hij een jaar lang bezig is geweest haar over te halen ontslag te nemen om bij Data Associates te komen werken.'

'Heb geduld,' riep hij op zijn beurt.

En dus was ik geduldig... de eerstvolgende twee minuten. Ik bestudeerde een paar boekenplanken. Vervolgens bestudeerde ik de telefoon. Ik wist dat ik de jongens weldra zou moeten bellen. Jongens? Nou ja, wat zaken betreft die ons na aan het hart liggen, beschouwde ik mijn zoons waarschijnlijk net als mijn leerlingen: als grote, boeiende, seksueel actieve kinderen. Maar hoe vertel je een kind in godsnaam dat zijn vader is vermoord?

Ben was vierdejaars student medicijnen aan de Universiteit van Pennsylvania. Ik toetste het nummer van zijn studentenflat, wetend dat hij om halfzes 's ochtends mogelijk in het ziekenhuis was, maar ik troostte mezelf door aan zijn klinkende, geruststellende stem die me zou begroeten te denken. Toen ik zijn vriendin aan de lijn kreeg, die Alex Wantrouwige Miep noemde, had ik de neiging neer te leggen. Maar ik zei: 'Je spreekt met Rose Meyers. Ik zou Ben graag even spreken.'

Doorgaans was ik wel in staat enige hartelijkheid te tonen jegens Wantrouwige Miep in de vorm van 'Hoe gaat het met je?' Nu en dan, informeerde ik zelfs hoe het hooikoorts-seizoen verliep. Het was nooit een sprankelende conversatie, maar waar moest ik het anders over hebben met een vijfendertigjarige, oersaaie allergiepatiënt die samenwoonde met mijn vierentwintigjarige zoon en met hem wilde trouwen?

'Mam?' Ben was vrijwel meteen aan de lijn.

'Ben...'

Hij begreep dat het ernstig was. 'Wat is er?'

'Papa,' zei ik, en pas toen realiseerde ik me dat ik had moeten zeggen: Jc vader.

'Is hij gewond?' Hij wachtte niet op antwoord. Hij fluisterde: 'Dood?' Ik knikte. 'Mam?'

'Het spijt me zo, Benjy.'

'Waaraan?' Zijn stem klonk kordaat, klinisch, alsof hij wachtte op het rapport over een patiënt die de ochtend niet had gehaald.

'Hij is gedood, lieverd.'

Eerst kon hij niets uitbrengen, en toen hij dat uiteindelijk wel kon, piepte zijn stem. 'Een ongeluk?'

Ik legde hem, beknopt, uit wat er was gebeurd. Hij vroeg naar het mes. Waar en hoe diep zat dat in het lichaam? Wist ik hoe groot de hoek was? Ik begreep Ben wel. Het was niet zozeer dat hij als dokter dol was op bloed en ingewanden; hij wilde zichzelf er eenvoudig van verzekeren dat zijn vader niet meer geholpen had kunnen worden. 'Het lijkt erop dat het mes de aorta heeft doorgesneden,' merkte Ben op. 'Hij zou geen enkele kans hebben gehad.' Toen vroeg hij: 'Mam, gaat het een beetje?'

'Ik weet het niet. Ik heb het gevoel dat ik elk moment door het lint kan gaan, zo afgrijselijk is het. Aan de andere kant voel ik me vreselijk afstandelijk, alsof ik een van die sensatieartikelen over moord en doodslag in *New York Magazine* zit te lezen waarin ze om de haverklap met woorden als "hybris" smijten!'

'Rustig nou, mam.'

'In hemelsnaam, ik ben rustig! Maar ik ging naar beneden voor een bakje yoghurt en het eindigt ermee dat ik struikel over... O. Het spijt me zo.'

'Het geeft niet. Heb je Alex al gebeld?'

'Nog niet.' Als iets wat ik zei Bens verdriet kon verlichten, waren het die woorden wel.

'Heb je enig idee wie dit heeft kunnen doen?'

'Ik betwijfel het. Het is te vers. O, Ben, hij ligt daar nog steeds! In de keuken.'

We konden een minuut lang geen van beiden iets uitbrengen. Uiteindelijk vond Ben de kracht om de stilte te doorbreken. 'Luister, mam. Ik ga me aankleden en dan stap ik in de auto. Ik ben er voor je er erg in hebt. Oké? Je zult niet alleen zijn. We zullen elkaar opvangen.'

Dat klonk heel bemoedigend, alleen had ik het gevoel dat Ben niet het beeld voor de geest had van Mam en Haar Jongens die Elkaar Troostten maar eerder het drietal bestaande uit hem, mij en... ik kon haar naam nooit onthouden. Melissa? Marissa? Miranda? Ze had eens een openhartig gesprek met Alex gevoerd, nadat hij drie keer had geniesd en zij reageerde met: 'Het is iets dat je eet. Geen uitvluchten: ik wil dat je een lijst maakt met verdachte voedingsmiddelen.' Vanaf dat moment noemde Alex haar Wantrouwige Miep achter haar rug, en bleef gewoon niezen. Ik had destijds ook lopen niezen, maar ze heeft mij nooit aangeraden een lijstje op te stellen.

Ze kon het gesprek doen verstommen op een familiebijeenkomst, domweg door uit te roepen: 'Jullie zouden versteld staan hoeveel maïsprodukten ik kan aanwijzen in het voedingspatroon van de gemiddelde eter.' Ben beweerde dat hij van haar hield.

Ik belde Alex, maar die was natuurlijk niet thuis. Op zijn eenentwintigste, in de vakantie van de Universiteit van Massachusetts, verdiende hij zijn brood als gitarist en zanger van Cold Water Wash, een band waarvan hij me verzekerde dat deze naam begon te maken in het alternatieve popcircuit van New England. De boodschap op zijn antwoordapparaat was kort en koel: 'U zei...?'

Wat kon ik zeggen? 'Ik bel even om te zeggen dat je volgend jaar juni geen cadeautje voor vaderdag hoeft te kopen?' Zoals de zaken ervoor stonden, werd ik zozeer van mijn stuk gebracht door het elektronische u-kunt-inspreken-na-de-pieptoon van het apparaat dat ik niet meer kon uitbrengen dan iets als: 'Bel even naar huis, het is dringend.' Het verbaasde me niet dat die ene keer dat ik Alex om halfzes in de ochtend nodig had, hij nergens te bereiken was.

Misschien was hem ook iets afschuwelijks overkomen.

Om kwart voor zes keerde Gevinski terug in de bibliotheek, luidruchtig nippend aan een kartonnen bekertje met daarin wat rook naar gekookte koffie uit een zelfbedieningszaak. Ik lachte elegant en straalde, naar ik hoopte, bereidheid tot medewerking uit. 'Ik had met alle plezier koffie of thee voor u willen zetten, hoor.'

'Denkt u echt dat het een goed idee zou zijn u nogmaals op de plaats van handeling los te laten?' grapte hij. 'De keuken is ècht een misdaadlocatie, snapt u wel.'

'Ik heb al gezegd dat het me speet.'

'Natuurlijk. Dat zit wel goed.' Maar Gevinski leek het niet te menen. Hij haalde zijn notitieblokje te voorschijn en bladerde er zo gehaast door dat een van de bladzijden losscheurde. 'Uw man heeft u dus verlaten voor Jessica Stevenson?'

'Ja,' antwoordde ik. 'Hebt u al met haar gesproken?'

'Ik wou het hier bij houden, als u het niet erg vindt.'

'Nee, hoor.'

'Bedankt. Zei u daarnet dat meneer Meyers eind juni zijn koffers heeft gepakt?'

'Dat klopt.'

'Wat heeft u sinds die tijd gedaan?'

'Ik ben meteen na Labor Day, toen de school haar deuren opende, weer les gaan geven.'

'En wat hebt u de afgelopen zomer gedaan?'

'Nou ja, Richie en ik waren van plan in juli een cruise rond de Griekse eilanden te gaan maken, en ik zou augustus benutten om wat non-fiction opnieuw te lezen. *The Silent Spring, The Fate of the Earth, Mornings on Horseback.*' Ik moet gehoopt hebben dat Gevinski de titels zou noteren, omdat ik teleurgesteld was dat hij het niet deed. 'Ik wilde ten minste een van die boeken in mijn lesplan opnemen.'

'Maar wat is het uiteindelijk geworden?'

'Ik heb twee maanden lang elke dag op de trap gezeten die naar het strand leidt, en naar de zee gestaard. Ik was een wrak.'

'En uw man was met zijn hele hebben en houden verhuisd?'

'Zijn kleren en vrijwel al zijn andere bezittingen zijn er nog, maar hij was weg.'

'Maar was hij ècht voorgoed verdwenen? Hij is niet één keer teruggekomen na zijn vertrek... de ene nacht hier bij u, de andere bij Jessica?'

'Nee.'

'Hebt u hem, nadat hij is vertrokken, nog weer gezien?'

'Eén keer, bij mijn advocaat op kantoor. Hij was samen met de zijne.'

'En behalve dat?'

'Nee. Hij zei dat het minder pijnlijk voor ons allebei zou zijn als we de dingen die nog geregeld moesten worden telefonisch zouden afhandelen.'

'Er is één ding dat ik niet helemaal begrijp, mevrouw Meyers.'

'En dat is?'

'Help me eens even. Als meneer Meyers zo definitief vertrokken was, waarom is hij dan uitgerekend gisteravond – onuitgenodigd – langsgekomen, juist op tijd om zich te laten vermoorden?'

3

Even na halfzeven kwam een van Gevinski's mannen, die was gekleed in iets dat ik nooit eerder had gezien, een kastanjebruin kostuum, terug naar de bibliotheek. Hij deelde mee dat als ik een paar minuten naar boven wilde, dat nu mocht. Pas toen ik stond te luisteren naar de neerkletterende waterstralen op mijn douchemuts drong het tot me door dat de politie waarschijnlijk even in de bibliotheek wilde rondsnuffelen. Maar wat viel er te snuffelen? Zes in leer gebonden, met goud bewerkte boekdelen over het leven van Sint Bruno van Querfurt? Familiefoto's uit gelukkiger dagen, wij vieren, grijnzend en met onze snorkelmaskers op? De luciferboekjes uit restaurants die Richie in de onderste bureaula had verzameld tot hij zich realiseerde dat het verzamelen van luciferboekjes een platvloerse gewoonte was? Ik was altijd een beetje bezorgd geweest dat ze spontaan in brand zouden vliegen, zodat Gulls' Haven als Thornfield zou eindigen.

Ik deed mijn schoolkleren aan, ruitjesbroek, een gele zijden blouse en een trui, nam een Xanax en stopte een tweede tablet in mijn zak. Ik verfoeide het dat ik zo'n slappeling uit de betere kringen was die kalmeringsmiddelen nam in plaats van iemand bij wie een flinke slok whiskey volstond. Maar ik was niet zo sterk meer als vroeger en kon niet tegen een stoot drank.

Toen de Amerikaanse Droom voor Richie en mij bewaarheid werd, veranderden we langzaam maar zeker van trotse Amerikanen in menselijke schoothondjes. Ten eerste maakten anderen ons huis schoon. Ze bereidden onze maaltijden, schikten onze bloemen, bemestten onze tomaten. Er kwamen meer mensen; ze zagen erop toe dat ons huishoudgeld toereikend was, filterden het water in ons zwembad, regelden alles wat met belasting te maken had en investeerden onze centen. We huurden een leraar Frans in voor Ben, een psychiater voor Alex, een persoonlijk adviseur voor Richie, een manicure-aan-huis voor mij en een gezinstherapeut voor ons allemaal. Ik leed aan slapeloosheid onder lakens van Egyptische katoen en kussenslopen die gestreken waren door een wasvrouw.

Ik had me nooit gerealiseerd hoe ingewikkeld geld het leven kan maken. En dan hebben we het niet over de belastingteruggaveformulieren ter dikte van een roman van Trollope. Ik heb het over hoe we langzaam maar zeker de wereld zoals die was uit het oog verloren en ons enkel bewogen in het geurkaarsjes-universum van de rijken.

Dat is als volgt gebeurd: als onze vrienden van vroeger de chauffeur zagen die onze Mercedes bestuurde of de kok die bezig was een tonijnsalade te bereiden, lachten ze en riepen: 'Krijg nou wat!' Dit wekte Richies woede op en bracht mij in verlegenheid, zodat we onze vrije tijd meer en meer doorbrachten met andere mensen die chauffeurs en koks hadden, mensen die ook in huizen met twintig à dertig kamers woonden. Geleidelijk aan schoven we onze vroegere vrienden terzijde. Het was verbazingwekkend gemakkelijk. We zeiden tegen elkaar dat ze moeilijk in de omgang waren, omdat ze jaloers waren op ons succes of omdat ze niet zagen dat, ondanks alle geld, wij dezelfde vertrouwde Richie en Rosie waren gebleven.

In plaats van zaterdags kippepootjes te roosteren op de barbecue voor een handjevol buren, gingen we liever naar een liefdadigheidsbijeenkomst in een tent in East Hampton. Iemand die we daar ontmoetten, een man uit Athens in de staat Georgia, die groot was geworden door overal winkelcentra te bouwen, nodigde ons uit op zijn jacht voor een cruise over de Middellandse Zee. En dus gingen we niet langer naar het huisje in de Adirondacks, waar we de afgelopen vijftien jaar elke zomer waren gaan hengelen. Verdwaasd door een overdosis zon en Dramamine, hingen we rond op een groot schip met tientallen vreemden in witlinnen pantalons. Ik kwam er helemaal niet aan toe *The Wings of the Dove* te lezen. Ik had de tijd er niet voor; ik moest een uiteenzetting over de intriges van een verfoeilijke arbitrageant doornemen omdat iedereen dat las en ik anders aan tafel, onder het genot van een veel te kleine portie in perkament gebakken zeebaars, niet mee kon praten.

Gulls' Haven, ons droomhuis, stond op een rots die een stukje uitstak over de Long Island Sound. Als je op tijd voor zonsopgang in de hoofdslaapkamer wakker werd – alleen een heel diepe slaper haalde ongestoord het ochtendgloren vanwege de zeemeeuwen die al bijtijds en krijsend hun eerste duikvlucht van de dag maakten om op ons dak te poepen – kon je heerlijk uit de ramen aan de achterkant staren, over het gazon en in het westen over het blauwgrijze water. In de verte zag je Manhattan liggen, een gouden stad die glinsterde in de eerste stralen van de zon. Als je in de slaapkamer van Ben of Alex

ontwaakte, in de oostelijke vleugel, had je uitzicht op de groenfluwe-
len landerijen van de Westchester County-villa's aan zee.

Als je de achterkant van Gulls' Haven nooit verliet, zou je je leven
lang in de waan blijven dat Amerika overal zo mooi was.

Maar aan de voorzijde van het huis was het momenteel niet zo fraai. Ik
drukte mijn neus tegen het glas van de hoge ramen boven aan de trap.
Onder me zag ik politiewagens, een busje van de technische recherche, een ambulance en verderop een mobiele unit van WCBS-TV, die
onze oprit op scheurde, met op de zijkant van de bestelbus het vuil
geworden oog-logo van het televisiestation. Twee geüniformeerde
agenten slenterden het busje hoofdschuddend tegemoet en gebaar-
den met hun duim dat ze moesten oprotten; nadat de t.v.-ploeg met
grote tegenzin – over mijn azaleastruiken heen! – was omgekeerd, verdween het busje via de oprijlaan, richting doorgaande weg uit het
zicht.

Ik liep op hoge poten terug naar de bibliotheek, klaar om Gevinski de
volle laag te geven: wie had de pers ingelicht? Wat gebeurde er eigenlijk allemaal? Hij was er niet.

Goddank was mijn vriendin Cass er wel. 'Hoe heb je het gehoord?'
vroeg ik haar.

'Rosie,' begon ze, 'dit is verschrikkelijk.' Cass was een zeer imposante dame. Allerminst qua lengte, hoewel ze door haar kaarsrechte
rug langer leek dan de breedgebouwde één meter zestig die ze in werkelijkheid was. Maar haar ebbehouten gelaatstrekken waren zo fijn
gevormd dat het mensen zelden opviel dat haar delicate, Yoruba-
hoofd vastzat aan het lichaam van een boeddha. En als ze sprak, was
ze helemaal indrukwekkend. 'We stonden op je te wachten voor ons
rondje joggen om kwart voor zeven. Toen je niet kwam opdagen, besloten we hierheen te gaan en steentjes tegen je raam te gooien.' Cassandra Higbee sprak op die ontspannen manier, kenmerkend voor af-
gestudeerden van goede, liberale letterenopleidingen, die ervan
uitging dat de wereld zou wachten tot zij haar gedachten had geformu-
leerd, wat de wereld – kennelijk – ook bereid was te doen.

Cass was dan misschien geen geboren aristocraat, ze wist de rol wel
heel goed te spelen. Ja, de vijf-kilometerloop van die ochtend was afgelast. Wegens de moord op de echtgenoot van een van de deelneem-
sters. En ja, precies op dat moment rolden twee gespierde mannen
met blauwe jassen waarop 'Medical Examiner' stond een brancard op
wieltjes langs de openstaande deur van de bibliotheek. Cass greep me
onverstoord bij de schouders, draaide me om en begeleidde me naar

de bank. Door dat te doen, lukte het haar bijna mij het zicht te ontnemen op de derde man die langsliep en een zwarte plastic zak droeg.
'Een lijkezak,' zei ik.
'Stil toch, Rosie.'
'Wat nou, het ìs toch zeker een lijkezak.'
'Als je meer tijd zou spenderen aan het lezen van Edith Wharton in plaats van aan die vreselijke detectives waarin de aan alcohol verslaafde rechercheur zijn oude vlam vaarwel kust op haar ontbindende lippen, dan beschikte je tenminste niet over dat soort grievende informatie.'
'Edith Wharton was een antisemitisch kreng.'
'Dat heb je me al eerder verteld,' zei ze troostend. 'Maar ik ben hier nu om je te helpen. Wat kan ik voor je halen? Een cognacje als ontbijt?'
'Ik heb Xanax-pillen als ontbijt gehad.'
'Ga eerst maar eens zitten. We kunnen praten als je dat wilt, of ik hou je gewoon gezelschap.'
De twee andere vrouwen die met ons hardliepen, Stephanie en Madeline, zouden zich nooit zo beheerst gedragen kunnen hebben. Stephanie Tillotson, hoe volmaakt ook als vrouw, zou haar kalmte slechts lang genoeg bewaard hebben om twee of drie soorten pâté te maken en een half dozijn baguettes te bakken voor onverwachte gasten die nog vóór de lijkschouwing langskwamen en wel een hapje lustten. Madeline Berkowitz anderzijds zou zichzelf waarschijnlijk drie weken opsluiten om uiteindelijk te voorschijn te komen met het zoveelste zogenaamde kunstwerk, iets met een naam als: 'Moord: Ode aan de Executie van een Zondige Echtgenoot.'
Maar Cass hield het hoofd koel, hoewel de aanblik van de lijkezak toch, heel even, een zekere grijsheid in haar huid opriep – zoals zwarte mensen bleek worden. Maar met schijnbaar moeiteloze gratie zette ze de ene van een Nike-schoen voorziene voet achter de andere en zonk neer op de bank. Ondanks het donkerblauwe joggingpak en de rode coltrui was ze, als altijd, zeer bedaard en zo keurig, dat je zou verwachten dat een bediende in livrei elk moment het thee-serveerwagentje kon binnenrollen zodat zij de thee kon gaan inschenken. Ze sprak zachtjes: 'Stel je voor. We kwamen bij het begin van de oprijlaan en stuitten daar op zo'n geel plastic lint met het schreeuwende woord "Misdaadlocatie".'
Ik kon Gevinski en zijn mannen in de keuken horen. Ze waren kennelijk aan het overleggen, hoewel het gebrom van de mannenstemmen zo zachtjes was dat ik niet eens de strekking van hun gesprek kon volgen. 'Hebben de agenten niet geprobeerd je tegen te houden?' vroeg ik.

Cass sloeg een denkbeeldige muskiet weg om te illustreren hoeveel moeite ze had gehad langs de politie van Nassau County te komen. Daarna klopte ze op het kussen naast haar; ik ging zitten. Ze nam mijn hand in de hare. 'Ik vind het heel erg, Rosie.'

'Toen hij me verliet, dacht ik dat dat het ergste was wat me ooit kon overkomen.' Cass reikte in de mouw van haar trui en haalde er een katoenen zakdoek uit; ze geloofde niet in tissues. Ik wreef driftig met de zakdoek over mijn ogen. Ik wilde wel huilen, maar kon het niet.

'Het is echt verschrikkelijk,' zei ze. 'Maar weet je, je zult er overheen komen. En als je het even niet meer ziet zitten, kun je altijd bij mij terecht.'

Ik had nog maar één keer in aanwezigheid van Cass gehuild, te weten de zondag dat Richie me in de steek liet, maar dat was een goede test geweest. Het was geweldig uithuilen bij haar. Ze snikte niet mee uit medeleven, sloeg geen bemoedigende kletspraat uit, ergerde zich niet aan het heidense feit dat ik mijn zelfbeheersing verloor en drukte me ook niet tegen haar borst om mij eervol tot *soul sister* te benoemen. In plaats daarvan hield ze me gewoon gezelschap.

Ze nam haar zakdoek terug, verfomfaaid door mijn zweterige handen. 'Nee, dank je,' zei ze, voor ik een woord kon uitbrengen. 'Je hoeft hem niet voor me te wassen.' Ze schoof de zakdoek weer in haar mouw. 'O ja, bijna vergeten. Madeline en Stephanie sturen hun innige deelneming.'

'Zijn zij ook hier?' vroeg ik met een stem, die waarschijnlijk nogal bezorgd klonk.

'Natuurlijk niet. Madeline zei dat ze naar huis moest. Ik weet zeker dat ze wilde proberen in aanraking te komen met het kindvrouwtje in haar, zodat ze Literatuur kan scheppen. Is er nou echt niemand die haar kan tegenhouden?' Cass' kille, perfecte uitspraak, zoals die door de gevestigde orde in het oosten van de VS op middelbare scholen werd gehanteerd, werd een tikje milder door het wat lijzige accent van Bedford-Stuyvesant; daar had ze de eerste veertien jaar van haar leven doorgebracht. 'En Stephanie.' Ze zuchtte vermoeid enkel en alleen bij de gedachte aan Stephanies vitaliteit. 'Ik wil wedden dat ze op dit moment al een boek zit te lezen over joodse rouwrituelen.'

'Terwijl ze tegelijkertijd gerookte zalm pekelt. Zie je haar ook al met een grote schaal op de stoep staan?' Stephanie had haar carrière in de advocatuur opgegeven om het toonbeeld van voorstedelijke vrouwelijkheid te worden.

Cass zei: 'Rosie, zeg maar wat ik voor je kan doen. Ik hoop niet dat er zalm aan te pas hoeft te komen, want dat zou wel eens buiten mijn deskundigheid kunnen vallen.'

'Kun je mijn zaakjes op school regelen voor de komende...' De ingrijpendheid van wat er in mijn keuken was gebeurd, begon langzamerhand te dagen.

'Je zult ten minste twee à drie weken nodig hebben,' besloot Cass. 'Misschien tot het eind van dit semester. Of mogelijk neemt het, en dat is niet ondenkbaar, de rest van dit schooljaar in beslag.' Als je dierbaarste vriendin tevens voorzitter is van de vakgroep waar je werkt, kan het gevoelig liggen. In de tien jaar dat we collega-docentes waren, had ik Cass evenwel nooit om een gunst gevraagd. 'Neem alle tijd die je nodig hebt. Als de regels dwarsliggen, zal ik ze buigen of breken.'

Cass' hand was groot en warm en troostrijk. Opeens realiseerde ik me dat ik er al een hele tijd in zat te knijpen. Ik liet haar hand los.

'Cass?'

'Ja?'

'Het kan zijn dat ik problemen krijg.'

Ze toonde haar gave om slechts één wenkbrauw op te trekken. 'Met wie?'

'Met de brigadier van politie die het onderzoek leidt. Volgens mij gelooft hij me niet.'

Cass strekte haar nek uit en tilde haar onderkin op alsof ze cruciale gegevens probeerde op te vangen, onhoorbaar voor het gewone menselijk oor. Toen ze genoeg had gehoord, keek ze me strak aan. 'Rosie, even een geheugensteuntje. Dit is de harde realiteit, geen Shit Lit.'

'Weet ik, maar mijn gevoel zegt dat het de verkeerde kant op gaat.'

'Waarom denk je dat je last met hem krijgt?'

'Hij beschouwt het als essentieel dat Richard op zijn eerste bezoekje aan zijn ex wordt vermoord.'

'Dat is voor de verandering niet eens volkomen uit de lucht gegrepen.'

'Zou je wat minder ironisch kunnen zijn? En misschien wat meer medeleven kunnen tonen?'

'De kern van wat hij beweert is gegrond. Dat wil niet zeggen dat hij op het punt staat je naar een verhoorcel te slepen om je met een rubber slang te bewerken. Waarom was Richie hier eigenlijk?'

'Hoe moet ik dat weten?'

'Je had hem niet uitgenodigd? Zelfs niet met een bescheiden: "Wip gerust eens langs als je in de buurt bent"?'

'Nee. Hij wist wel dat hij geen uitnodiging nodig had. Maar waarom midden in de nacht?'

Cass knabbelde op de binnenkant van haar wang. Ze was een geboren kauwer. Haar hersenen functioneerden beter als haar kaak in beweging was. Kauwgom stond op haar lijstje met onuitsprekelijke verdorvenheden, maar ze ging zelden van huis zonder een zakje Charleston Chew in haar handtas.

'Wil je een zoute krakeling of zo?' vroeg ik.

'Voorlopig voldoet mijn wang wel, dank je. Zeg eens, waarom zou Richie hier om je huis willen sluipen?'

'Misschien wilde hij me zien.'

'Midden in de nacht?'

De woorden tuimelden naar buiten. 'Hoor eens, als Richie om een of andere reden had besloten bij me terug te komen, zou het me niets verbazen als hij stiekem naar boven wilde sluipen om zo weer bij me in bed te rollen. Hij was... theatraal, opwindend. Ik bedoel, kijk om je heen in Shorehaven. Je weet zelf hoe anders hij was dan de meeste kerels van zijn leeftijd. Negentig procent van hen zijn eunuchen met lage stemmen. Seksloos. Grijs.'

'Theodore is beige, om precies te zijn.' De man van Cass was uitgever van het conservatieve tijdschrift *Standards*. 'En hij is niet seksloos, hoewel hij de mythe wat betreft de seksuele superioriteit van zwarte mannen helaas weerlegt.'

'Maar Richie was anders. Hij was...'

Cass sprak op vriendelijke toon. 'Vorige week, toen we in dat nieuwe Japanse restaurant zaten te eten, zei je dat het eindelijk tot je was doorgedrongen dat hij niet meer van je hield, dat hij van Jessica hield en met haar ging trouwen.'

'Dan heb ik me misschien vergist vorige week. Misschien begon hij genoeg van haar te krijgen.'

'Waarom zou hij?'

'Tja, nu moet je niet lachen.'

'Ik zal me inhouden.'

'Ze is geen warme persoonlijkheid.'

'Heeft zijn advocaat de jouwe opgebeld en gesuggereerd dat Richie zich met je wilde verzoenen omdat hij jouw warmte miste?' Het was een feit, dat Cass heel goed wist dat zijn advocaat me een dag eerder had opgebeld, snaterend dat Richie zoveel haast had met Jessica te trouwen dat hij vrijwel al onze eisen inwilligde. 'Is het echt waarschijnlijk dat hij langskwam om jou in extase te brengen en zijn liefde te betuigen?'

'Het zal wel niet.'

'In welke richting moeten we het dan zoeken?' vroeg Cass. Het lukte me mijn schouders even lusteloos op te halen. 'Rosie, je kunt niet werkeloos toezien op momenten als deze. Denk na! Neem zo'n flutdetective in gedachten! Wat zou... hoe heet dat slaapverwekkende personage in die roman van Dorothy Sayers die ik van jou moest lezen ook weer?'

'Lord Peter, en hij is niet slaapverwekkend.'

'Die boeken hebben je verstand gewoon tot moes vermalen. Hoe dan ook, wat zou Lord Peter doen?'

'Hij zou uitzoeken waarom Richie hier was. Waarschijnlijk zou hij ook nieuwsgierig zijn of Richie met iemand samen was gekomen... O! Cass! Misschien was hij met Jessica!'

'Waarom zou hij haar meenemen?'

'Hoe moet ik dat weten?'

'Om met haar van een seksuele uitspatting op jouw keukentafel te genieten? Om jouw smaak in placemats belachelijk te maken?'

'Ik heb een prima smaak wat placemats betreft.'

'Die met dat opgeborduurde fruit, zeker? Doe me een lol! Hoe dan ook, even bij de les blijven : Richie zou Jessica hier nooit mee naartoe nemen. Jij weet dat, ik weet dat en ongetwijfeld beseft de politie dat ook.'

Ik verborg mijn gezicht in mijn handen en mompelde: 'Misschien niet. Maar wie weet is ze hem gevolgd.' Ik gluurde tussen mijn vingers door. Deze hypothese werd door Cass niet geestdriftiger ontvangen dan mijn andere verklaringen. 'Luister nou even naar dit scenario. Richie vertelt Jessica dat hij zich heeft vergist. Dat hij nog steeds van mij houdt. Of misschien kan hij het gewoon niet uitstaan dat hij een flinke hap uit zijn fortuin moet missen. Hoe dan ook, hij besluit naar me terug te gaan. En dus volgt ze hem en vermoordt hem!'

'Waarom?'

'*Waarom*?'

'Die vrouw is een koele kikker. Ze verdient een jaarsalaris van...'

'Een half miljoen dollar.'

'Dank je. Ze zou ergens anders gemakkelijk evenveel kunnen verdienen, zo niet meer. Klopt, nietwaar? Waarom zou een vrouw van haar kaliber een man vermoorden simpelweg omdat hij terugkeert naar zijn vrouw?'

'Misschien was ze razend...' Ik wilde zeggen razend jaloers, maar ik wist dat daar geen sprake van was. Jessica mocht dan verliefd zijn op Richies rijkdom, gecharmeerd van zijn vitaliteit, opgetogen over zijn kwaliteiten in bed. Maar als hij haar zou verlaten... ik geloofde werkelijk niet dat Jessica dan zou instorten. Ze zou wellicht overstuur zijn. Een paar dagen niet kunnen eten. Een tiental kilo's verliezen. 'Oké, misschien zou ze niet in razernij uitbarsten. Maar ze zou wel vreselijk de pest in hebben.'

'Mensen die de pest in hebben, steken geen medemensen overhoop, liever. Mensen die de pest in hebben, laten hun advocaat supergunstige scheidingsvoorwaarden bedingen.'

Nadat Cass was vertrokken om zich klaar te maken voor school, wachtte ik de terugkeer van Gevinski af. Hij kwam niet, maar aangezien er dit keer geen geüniformeerde klerenkast bij de deur stond die me in de bibliothcck probeerde te houden, ging ik naar boven, naar mijn werkkamer. Het was een kamer die, voor Gulls' Haven althans, redelijk gezellig aandeed, hoewel er objectief gezien voldoende vierkante meters waren om een complete uitvoering van de *Aïda* te brengen. In de Edwardiaanse hoogtijdagen van het huis was dit de kleedkamer van de vrouw des huizes geweest. Nu stond er niet veel meer dan een oud bureau, een stoel en een karmozijnrode sofa, die eerder geschikt was voor een vermoeide hoer dan voor een echte dame. Ik ging languit op de bank liggen. Minder dan twaalf uur eerder, had ik hier aan het bureau gezeten, nippend van citroenthee en de laatste opstellen met als onderwerp 'De invloed van liefde in *Pride and Prejudice*' nakijkend.

Via het raam tegenover me, aan de zijkant van het huis, kon ik de lage stenen muur zien die de afscheiding vormde tussen Gulls' Haven en Emerald Point, het hoger gelegen landgoed van de familie Tillotson, alsmede het dichtbeboste terrein dat tussen de twee landerijen lag en, een zandpad over de kaap volgend, de statige lindebomen die de tennisbaan van de Tillotsons beschermden tegen wat het ook was waartegen tennisbanen beschermd moesten worden. Hun huis stond zo'n eind van de tennisbaan dat ik niet meer dan een streepje van het blauw-grijze leien dak kon ontdekken.

Het was een opbeurend, vertrouwd uitzicht. Maar onder al die herfstkleurige bomen bewoog zich iets. Ik sprong als gestoken van de bank. Aan de rand van het bos, in het niemandsland tussen de twee landgoederen, vlak naast de weg, zaten een paar mannen in blauworanje gekleurde windjacks op hun knieën. Naast hen rees een reusachtige blauwe spar de lucht in. Ik kon niet zien wat ze daar deden, dus rende ik naar Bens kamer, zocht de verrekijker die hij met zijn bar mitswa had gekregen op en haastte me terug naar mijn werkkamer.

De blauw-oranje windjacks waren een sterk staaltje van wansmaak in wat Nassau County's officiële herenmode bleek te zijn. Ik stelde de kijker scherp. Een zwarte man was bezig witte smurrie te gieten over wat waarschijnlijk de sporen van autobanden waren; de andere man had kennelijk geen andere taak dan tegen de smurrie-gieter te praten. Ik schoof het raam zo stil mogelijk een stukje open, maar ik hoorde niets.

Ik kon eigenlijk ook niet veel zien, althans geen veelbetekenende zaken. De smurrie-man verdeed zijn tijd waarschijnlijk. Het bos zou geen nuttige aanwijzingen opleveren, want vrijwel iedereen die tenniste met Stephanie Tillotson of haar man Carter parkeerde op diezelfde plek omdat het dichter bij de tennisbaan was dan het huis zelf. Volgens Stephanie die, aangeboren, alles wist over Oude Rijkdom, waren de mensen die de landhuizen aan de noordkust hadden laten bouwen er hartstochtelijk van overtuigd geweest dat, als je het plonkgeluid van de bal als deze het racket raakte kon horen, de tennisvelden verdorie te dicht bij huis waren gesitueerd.

Maar toen had ik het beeld opeens scherp. Wat ik in eerste instantie had aangezien voor een van die grote zwarte kasten van de kabeltelevisie die in de berm van de weg staan, half verborgen achter sparretakken, was in werkelijkheid de zijbumper van een auto. Een sportwagen. Ik rende naar de aangrenzende ruimte, mijn badkamer, om beter zicht te krijgen. Daar stond-ie: zo laag en aërodynamisch perfect dat je nauwelijks meer zag dan een zwarte, ongelijkzijdige driehoek. Toegegeven, ik had geen jota verstand van sportauto's. Desondanks kwam ik tot de conclusie dat het een Lamborghini Diablo moest zijn. Richie had me eens toevertrouwd dat de Diablo zijn droomauto was, maar hij was zo duur dat hij alle genotzucht te boven ging. Het zou moreel onfatsoenlijk zijn geweest er een te kopen, had hij verklaard. Een uitspatting van 239.000 dollar. Misschien had hij hem voordelig op de kop kunnen tikken.

Ik was nog verzonken in gedachten over wat het grote geld met mij en Richie had gedaan, dat ik pas toen ik de grote, gebogen stenen trap afliep het geschuifel beneden hoorde. Ik leunde over de reling net op tijd om de ambulancebroeders naar buiten te zien rollen wat ooit mijn echtgenoot was geweest, gehuld in een lijkezak. Een geüniformeerde politieman schoot naar voren om de deur open te houden.

In films zijn lijkezakken altijd fraai van snit en voorzien van een dikke rits die op de geluidsband een wreed raspend geluid maakt. Maar dat gold voor Hollywood. Dit was Long Island. Vanwaar ik stond, kon ik geen rits ontdekken; de politie van Nassau County maakte kennelijk gebruik van extra grote vuilniszakken. Richie zou diep verontwaardigd zijn geweest dat hij op deze manier werd afgevoerd. Wat een armzalig einde voor zo'n stijlvolle man! De geüniformeerde agent hield toezicht terwijl het ambulancepersoneel de brancard naar de ziekenwagen rolde. Ik rekte mijn hals uit. De achterdeuren van het voertuig stonden open, klaar om het lichaam te verwelkomen.

Ik tuurde in de verte. Iets vertrouwds... net achter het gele lint, maar dan een stuk naar links. Een zonnebril met spiegelglazen. In zwarte tricot gehulde benen. Een zwart Gore-Tex windjack en een zwarte motorhelm. Madeline Berkowitz. Haar verbolgen dichter-uiterlijk werd ietwat ondermijnd door de roze angora oorwarmers. Ze had tegen Cass gezegd dat ze naar huis moest, maar daar stond ze, elke seconde van Richie Meyers laatste momenten in Gulls' Haven in zich opnemend. Ze deinsde terug toen de ambulancedeuren werden dichtgeslagen, maakte rechtsomkeert en rende de oprit af, sneller en sneller terwijl het grind opspatte.

De telefoon rinkelde en een stem zei: 'Hé.'

Alex zou, vanzelfsprekend, nooit zoiets simpels of directs zeggen als: 'Hallo', of 'Je zei dat het dringend was en nu maak ik me vreselijke zorgen, dus vertel alsjeblieft wat er aan de hand is.'

'Alex?' vroeg ik, hoewel er geen vergissing mogelijk was wat die stem betrof, een welluidende bariton die een tikje hees klonk. Een kanjer van een rock 'n' roll stem. Als hij ooit een bekende popzanger zou worden, zouden fans de radio aanzetten en na één toon roepen: 'Alex Meyers!'

'Wat is er loos?'

'Waar heb je in hemelsnaam gezeten? Het is acht uur 's morgens.'

Stilte. 'Alex, luister. Er is iets verschrikkelijks gebeurd.'

'Wat?'

'Wie, zul je bedoelen. Het is je vader.'

'Wat heeft-ie dan?' Gespeelde onverschilligheid. Een klant die wachtte tot de voorgerechten in een onbestemd restaurant werden opgesomd: hartaanval, auto-ongeluk, straatoverval. De relatie tussen Alex en Richie was sinds de middelbare school nogal verbitterd, toen de politie Alex om drie uur 's nachts dronken thuisbracht. Richie legde hem huisarrest op. Alex reageerde door allemaal kussens en truien onder zijn dekens te proppen, de Sav-Ur-Life-brandladder onder zijn bed vandaan te halen en zijn sociale leven tot in de kleine uurtjes voort te zetten met zijn basgitaar spelende, in heroïne handelende vriend Danny Reese en de andere jongens van de band. We ontdekten zijn nachtelijke uitstapjes op een morgen na een nacht van zware regenval, toen de huishoudster ons wees op modderige voetstappen op zijn vensterbank. Zodoende liet Richie sensoren op Alex' slaapkamerramen aanbrengen; zodra er een raam werd geopend, ging er een oorverdovend alarm af. Alex wreekte zich door een magnetisch apparaatje uit te vinden dat de sensoren te slim af was.

Wonder boven wonder haalde Alex niet alleen zijn diploma, maar werd hij bovendien toegelaten tot de Universiteit van Massachusetts, waar hij tot drie keer toe werd bestraft met een proefperiode. De derde schorsing was volgens hem schandalig onterecht. Om het de universiteit betaald te zetten, verliet hij Amherst en verhuisde naar een sloppenwijk in de buurt van Cambridge, waarna hij de studenten-decaan een briefje stuurde dat hij verlof nam. Hij belde Richie om te melden dat hij besloten had full-time muzikant te worden. Richie gaf zijn mening over dit besluit door Alex' American Express creditcard in te laten trekken. Alex gaf uiting aan de zijne door Richies Platinum card te stelen – of te 'lenen' zoals hij het zelf noemde – en er een splin-ternieuwe versterker mee te betalen, alsmede een diner in een restau-rant in Boston dat hij naar binnen werkte onder het genot van een fles Château Margaux à tweehonderdvijftig dollar. En dat alles door een joch dat alleen hield van cocktails met namen als 'Aardbeienspeeksel'. Richie stuurde Alex vervolgens een aangetekende brief waarin stond dat als Alex niet onmiddellijk bij zijn verstand kwam, hij geen cent meer van zijn ouweheer hoefde verwachten.

Ik vertelde Alex wat zijn vader was overkomen. Geen 'O, mijn God!' Niet eens een korte, diepe zucht.

'Ik wil dat je thuiskomt,' zei ik tegen hem. Stilte. 'Alex, ik wil dat je vandaag nog naar huis komt.' Niets. 'Begrijp je?'

'Jaaah.'

'Moet ik je geld sturen voor de thuisreis?'

'Nee.'

'Heb je genoeg om een kaartje voor de pendeldienst te kopen?'

'Ja. Maar ik zal eerst terug moeten naar Boston.'

'Waar zit je nu dan?'

'Waar? In New Hampshire.'

'Had je een optreden of zo?' Geen antwoord. 'Kom zo snel je...' Ik kreeg de kans niet mijn zin af te maken. Alex had de hoorn op de haak gesmeten.

Tot wie kon ik me nu wenden? De hele zomer had ik hoe-overleef-ik-mijn-scheiding-handboeken verslonden met de intensiteit die ik ooit had gewijd aan *The Tempest*. Ze kwamen allemaal met hetzelfde advies op de proppen: je staat er alleen voor, schat. Maar sinds mijn tweeëntwintigste was ik niet alleen geweest. Richie was er voor me geweest: voor wat betreft mijn sociale leven, mijn gezinsleven, mijn seksleven en mijn financiële welzijn. Hij was degene die ik eens per jaar opbelde om te zeggen: hé, mijn mammografie was oké.

Ik wist dat de handboeken gelijk hadden, dat ik op mezelf was aan-gewezen; ik had geen keus, aangezien niemand anders zich beschik-baar stelde. Maar zelfs nadat Richie was vertrokken, zou hij, als er iets desastreus op de aandelenmarkt zou voorvallen of mijn mammografie zou positief blijken, degene zijn wie ik opbelde zodra de wederzijdse hatelijkheden over de scheiding achter de rug waren. Natuurlijk, ik wist wel dat hij hoog boven Gracie Square waarschijnlijk met zijn ogen zou rollen en met een vermoeide uitdrukking 'Rosie' mimede tegen Jessica (die op zijn schoot zou zitten en hem meelevende kusjes in de hals zou drukken, terwijl hij me te woord stond), maar als puntje bij paaltje kwam zou hij me helpen. Goed, goed, hij zou me niet meer persoonlijk helpen. Hij zou een tweeëndertigjarige, aan Wharton afgestudeerde accountant aan mijn zaak zetten. Maar binnen een paar uur zouden hele teams boekhoudkundigen opgetrommeld worden of al het ziekenhuispersoneel geraadpleegd. Deze vrouw heeft hulp nodig! Doe iets!

Wie kon me nu helpen? Ik had één kind met een paardestaart en een gitaar dat het grappig vond 'scum' op 'come' te laten rijmen in zijn songs. Terwijl mijn andere kind, smachtend, een vrouw met valse wimpers aanbad die tien jaar ouder was dan hij en die tijdens het familiediner een half uur lang uitweidde over een consult van een kwartier met een patiënt wiens nek onder de puisten zat.

Mijn vader kon ik niet om hulp vragen. Hij was al vijftien jaar dood. Mijn moeder leefde nog, maar haar verstandelijke vermogens takelden in hoog tempo af. Ze leed niet aan de gevreesde ziekte van Alzheimer, maar gewoon aan ouderdomsdementie. De keren dat ze zich mijn echtgenootloze staat kon herinneren, werd ze woest op me, ervan overtuigd dat ik Richie aan de kant had gezet zodat ik mijn affaire met een man die zij 'Lover Boy' noemde kon voortzetten. In de intieme sfeer van de kledingafdeling van Lord & Taylor, waar ik haar mee naartoe had genomen om een nieuwe badjas uit te zoeken, schreeuwde ze tegen me: 'En wat heeft Lover Boy wat je man niet heeft?'

Richies zuster, Carol, was behalve mijn schoonzus ook mijn vriendin geworden. We hadden de babyuitzet voor onze eerste kinderen samen gekocht. Een week nadat Richie me had verlaten, nam ze me mee uit lunchen in de stad, waar ze me onder het genot van angel hair met jonge asperges en mini-aubergines adviseerde hem met enige gratie te laten gaan. Voor mijn eigen gemoedsrust. Dit was geen bevlieging. Rick was echt verliefd op Jessica. Tot over zijn oren. Hopeloos verliefd. Waanzinnig ver... Ik stond eenvoudig op en liep weg. Ik heb nooit meer wat van haar gehoord.

Kon ik me tot Richies zakenpartners wenden? Na al die diners, na de honderden avondjes met rubberachtige *coq au vin* die we elkaar opdrongen, was er niet één medewerker van Data Associates – zelfs niet een van de echtgenotes – die contact had gezocht na Richies vertrek. Om u de waarheid te zeggen kwam dat niet bepaald als een verrassing, noch als een groot verlies.

Het enige echte maatje dat Richie eigenlijk de afgelopen zeven tot acht jaar had gehad, was Joan, de vrouw van zijn grootste cliënt, Tom Driscoll. Ik had ze nota bene zelf aan elkaar voorgesteld. Jaren geleden, toen ik nog in Brooklyn woonde, en vóór Tom een elitaire snob werd en de koelste kikker van heel Manhattan, was hij een toffe jongen geweest. Op de lagere school waren we goed bevriend en hoewel we uit elkaar groeiden, vonden we elkaar in het laatste jaar van de middelbare school – zij het tijdelijk – terug, omdat we verkering kregen.

Joan Driscoll was mager, gewiekst en wreed, en voldeed dus aan de voorwaarden die New York stelde om een sociaal succes te worden. Tijdens haar eerste bezoek aan Gulls' Haven noemde ze Richie 'Jonkheer Meyers'. In plaats van haar met een schop tegen haar benige achterste de deur uit te trappen, lachte Richie. Voor hem was Joan de personificatie van raffinement. Misschien was ze dat inderdaad. Nadat hij me verliet, belde ik haar op en smeekte haar om alsjeblieft een goed woordje voor ons huwelijk te doen. Zij en Tom waren al eeuwen samen, misschien kon ze Richie overhalen dat hij en ik het in ieder geval nog eens moesten proberen, of anders een deskundige moesten raadplegen. Ze zei: 'Met het risico hardvochtig over te komen, liefje, het laatste wat Rick wil is raad van een professional. De man is zo gelukkig als wat.'

Mijn oude vriendinnen? Mijn hartsvriendin op Brooklyn College dreef tegenwoordig een groothandel in fitnessapparatuur in San Diego. Mijn tweede beste vriendin had het de afgelopen twee jaar beredruk gehad met een hartstochtelijke verhouding, een scheiding, een nieuw huwelijk, een kind-op-de-valreep en probeerde op dit moment in een of andere commune in de Berkshires – waar ze geen telefoon hadden – te herstellen van een inzinking.

Weliswaar had ik Cass, maar hoeveel kon ik verlangen van een vrouw die een full-time baan had, een man, en drie kinderen die, hoewel ze ogenschijnlijk uit huis waren en op dure kostscholen zaten, vrijwel voortdurend aanwezig leken te zijn vanwege hun herfstvakanties, lange weekenden, kerstrecessen, winterstops en voorjaarsvakanties.

Ik had natuurlijk mijn collega's, maar in tegenstelling tot Cass en mij beschikten zij niet over huishoudelijk personeel dat voor hen kookte, schoonmaakte, de was streek, de kinderen verzorgde en boodschappen deed. Hun leven zag eruit zoals dat van mij er tot voor kort had uitgezien; ik wist dat ze – ten hoogste – een half uur vrije tijd per dag hadden.

Dan waren er mijn twee andere sportvriendinnen. Stephanie had het schrijven van pleidooien verruild voor handwerk. Momenteel werkte ze aan een haardkleedje met een rand van plantesymbolen, variërend van paaslelies tot rode Valentijnsdagrozen, die Een-Jaar-Uit-Het-Leven van de Tillotsons vertegenwoordigden. Stephanie en ik gingen elke vrijdagmiddag samen bakken en we winkelden getweeën, hoewel we met het uitwisselen van vertrouwelijkheden nooit verder waren gekomen dan die keer dat ze me toevertrouwde dat haar moeder ooit had geweigerd Stephanie haar goudgele sabelbontjas te lenen, maar dat was niet zo verrassend want haar moeder was tenslotte altijd ontoegankelijk, superegoïstisch en superoppervlakkig geweest.

Of zou ik me tot Madeline de Dichteres moeten wenden, die twee dagen nadat Richie 'm was gesmeerd aan me vroeg: 'Alleen / In het kosmopolitische universum van / Het Postmaritale / Waarom?'

In feite was alleen brigadier Gevinski op dit moment aanspreekbaar. Hij moest een hapje gegeten hebben. Hij had zijn stropdas in zijn overhemd gestopt, waardoor alleen de knoop zichtbaar was. Een broodje of een bagel, besloot ik, toen hij dichterbij kwam; er zaten sesamzaadjes op zijn kin. Kon ik me tot brigadier Gevinski wenden?

'Mevrouw Meyers.'

'Ja?'

'Ik zou het waarderen als u de eerstkomende dagen in de buurt blijft. Niet dat u veel zin zult hebben om uit te gaan, maar er kunnen nieuwe dingen aan het licht komen. U weet hoe dat gaat. Misschien duiken er vragen op.'

'Ik zal er zijn,' verzekerde ik hem.

'Mooi,' zei hij. 'We zouden niet willen dat u op de vlucht sloeg.' Hij knipoogde: een grapje. We lachten geen van beiden.

4

Ik had trouw aan de vlag moeten zweren in mijn eigen klas. In plaats daarvan kreeg ik van brigadier Gevinski toestemming om mijn buurvrouw op te zoeken. Twee seconden later schoot ik als een kanonskogel weg, zoals de leerlingen dat noemden.

Hemelsbreed was Emerald Point, hoewel op een hogere rots gelegen, helemaal niet ver. Maar zelfs al struikelde je niet over de kleverige klimplanten en eeuwenoude dode, omgevallen bomen, het bos dat ons scheidde stond zo overvol met brandnetels en gifsumak dat een enkele stap kon resulteren in huiduitslag, dus een weg binnendoor was er niet echt. De gemakkelijkste route was de houten trap achter in onze achtertuin af te dalen naar het strand en over het zand naar de stenen trap te lopen die toegang verschafte tot het erf van de Tillotsons – een uitkomst wanneer een van ons geen ketchup meer in huis had. Doorgaans reden Stephanie en ik echter. Maar dit keer nam ik bewust de lange route, de vierhonderd meter van onze oprijlaan naar Anchorage Lane en vervolgens via Hill Road omhoog naar Emerald Point. Ik moest er even tussenuit. Ik wist niet zeker of ik afleiding zocht of mogelijke aanwijzingen.

Voor het huis was niets bijzonders te zien, behalve groepjes politiemensen in uniform en burger die wat rondslenterden. De agenten waren vrijwel zonder uitzondering zo blank als het maar kon, wat erop leek te wijzen dat, hoewel de politie van Nassau County erg bedreven was in het aantrekken van aanbiddelijke, blauwogige mannen, ze bij lange na niet in aanmerking kwam voor een prijs op Martin Luther King Dag.

Het busje van de technische recherche, dat er vanuit huis zo veelbelovend had uitgezien, verborg zijn geheimen achter donker getint glas. De man in de kastanjebruine outfit die ik eerder op de dag had gezien, schoof de deur van het busje net ver genoeg open om naar binnen te glippen en knalde hem toen achter zich dicht.

De smurrie-aanbrenger op Hill Road was minder geheimzinnig. Tegen de tijd dat ik het hele eind ernaartoe had afgelegd, was hij bezig het laatste witte goedje in de sporen te scheppen. Vervolgens kwam de man die hem tot dan toe gezelschap had gehouden in actie. Hij bleek fotograaf te zijn. Kennelijk was hij zeer geboeid door zijn onderwerp; hij kroop, rekte zich uit, maar in plaats van de dieprode, goudgele en warme oranje tinten van het bos te vangen, nam hij uit alle mogelijke hoeken foto's van de brede witte strepen en hun directe omgeving. Ik kneep mijn ogen een beetje toe: zeker weten, autobandensporen. Ik was te nerveus om lang te blijven rondhangen en zo nog meer argwaan op te wekken dan ik al had gedaan, maar de twee leken publiek gewend te zijn; Shorehaven Estates, met een bevolkingsdichtheid van één smaakvol persoon per vier smaakvolle vierkante kilometer, was vermoedelijk nogal saai in hun ogen. Ze knikten als twee hoffelijke gastheren. Ik knikte op mijn beurt – een geraffineerde gast – en bekeek hun werk. Naast de sporen die Richies autobanden hadden gemaakt, waren andere. Eén paar sporen was in mijn ogen even prominent als dat van Richie, de bandafdruk in de grond leek even diep, en ongeveer even breed, niet door wind of herfstbuien uitgesleten.

'Hoe weet u in welke sporen u dat spul moet gieten?' vroeg ik.

'We doen ze gewoon allemaal,' antwoordde de fotograaf.

'Precies,' zei de andere vent, 'allemaal.' Ze grinnikten om wat waarschijnlijk de grap van de week was op het gerechtelijk laboratorium. 'Maar deze staan boven aan de lijst,' voegde hij eraan toe, wijzend op de afdrukken die rechtstreeks naar de banden van de Lamborghini leidden.

Het leek klinkklaar dat Richie simpelweg was afgeslagen en daar, achter de rij bomen die het dichtst bij de weg stonden, had geparkeerd. Geen briljant gekozen schuilplaats, maar op zich afdoende effectief. Aangezien hij ontelbare keren had getennist met Carter, kende Richie de plek daar vlak naast de weg die voorkwam dat je je door de gifsumak in het bos moest worstelen om de onverharde weg die naar de tennisbaan leidde te bereiken, maar die er wel voor zorgde dat je auto aan het oog werd onttrokken. Niet dat iemand in de vriendenkring van de Tillotsons ook maar iets te verbergen had. Ze wilden een passerende autodief die op jacht was eenvoudig niet verleiden met hun vlammend rode, nieuwe Jaguar of zich door de plaatselijke politieagenten laten bekeuren omdat ze op straat parkeerden, iets wat in de Estates werd beschouwd als banaal en dus ongehoord.

De spooronderzoekers namen het witte goedje en hun camera's mee en vertrokken. Net als ik. Voorwaarts en naar boven, maar de weg naar Emerald Point leek steiler dan ooit. Hoewel ik elke dag een kwieke vijf kilometer hardliep, voelden mijn kuiten bij elke stap branderig aan en piepte mijn borst bij elke ademhaling. De weg naar het huis leek eindeloos, een uit elk tijds- en plaatsverband gerukte *Twilight Zone*-wandeling zonder doel of eind. Hijgend en een beetje bang, zag ik het huis eindelijk voor me opdoemen. Nadat ik de hoge, stenen treden had beklommen, zocht ik even steun aan de enorme, mahoniehouten voordeur. Het in tudorstijl opgetrokken huis van de familie Tillotson was zo verrekt groot dat het donkere geluid van de voordeurbel binnen weergalmde. Het verbaasde me altijd weer hoe dat klokgelui de semi-ontwikkelde medemens tot grootspraak aanspoorde: 'Vraag niet voor wie de klok luidt...,' leek het te zeggen, terwijl je wachtte tot de meest recente bediende in het personeelsbestand van de Tillotsons de deur open kwam doen.

Ik wist mijn ademhaling niet te reguleren, en de pijnlijke steek in mijn borststreek was ook al niet bevorderlijk. Wanhopig probeerde ik me voor de geest te halen wat ik in het gezondheidskatern van de *New York Times* had gelezen over hoe je kunt voelen dat je stervende bent, toen de mannelijke helft van het echtpaar dat sinds kort het huishouden van de Tillotsons bestierde de deur openzwaaide. Volgens Stephanie was hij geen gewone butler. Hij had meer weg van wat in trendy romans wordt beschreven als een Japanse huisman, met dit verschil dat hij een Noor was: Gunnar, een pezige man in een wit jasje. Schijnbaar was hij opgegroeid op die ene vierkante hectare in Scandinavië waar mensen Engels niet als tweede taal spreken.

'*Ja?*'

'Stephanie?' vroeg ik, om het simpel te houden. Maar juist op dat moment kwam Stephanie zelf al van de achterzijde van het huis aangesneld. Ze had haar gebruikelijke loopkleding – tricot sportbroek, T-shirt van de rechtenfaculteit van de University of Michigan en een windjack – verruild voor een roze coltrui met daaroverheen een denim tuinoverall met talloze zakjes aan de voorkant. Ze was blijkbaar weer aan het kruisbestuiven geweest; op het puntje van haar neus zat gelig poeder. Ze kon uren achtereen in haar broeikas doorbrengen met een vergrootglas en een wattenstaafje, waarmee ze wat volgens mij de botanische variant van kunstmatige inseminatie genoemd kan worden bewerkstelligde, terwijl een bediende de kleine Astor tevreden hield door joekels van huizen te bouwen met LEGO-blokken.

Een tondeuse, wattenstaafjes en een miniatuurspade staken uit Stephanies broekzakken en een getand stuk gereedschap dat eruitzag alsof het de middelvinger tegen je opstak, hing als een buideldierjong uit een andere zak. 'Rosie!' Ze sloeg haar armen om me heen. Ik had net tijd genoeg om me half om te draaien, zodat ik niet lek geprikt werd door het vingervormige gereedschap. Stephanie was jong, net tweeëndertig. Ze was bovendien mooi, of eigenlijk perfect, een vrouwelijk wonder van één meter achtenzeventig. Een wonder voortgekomen uit een goede familie, een Long Island-bewoner met blauw bloed. Haar vader, achterneef van John Foster Dulles, was een topman op de beurs van Wall Street. Haar moeder, nakomelinge van de wat mindere Astor-tak en de gegoede Whitney-tak, was in 1957 Debutante van het Jaar geweest alsmede een geplaceerd tennisster. Door haar fantastische uiterlijk en bevoorrechte positie werd niet van Stephanie verwacht dat ze normaal menselijke emoties zou ervaren. Maar dat deed ze wel. Haar verrassend hartelijke omhelzing troostte me, hoewel ze zo atletisch sterk was dat haar knuffel iets te hard aankwam.

'Dank je, Gunnar,' zei ze, toen ze me losliet. De huisman verdween in het niets. 'Een nachtmerrie,' mompelde ze. Voor de verandering leek ze eens niet op haar personeelsproblemen, maar op de moord te doelen. 'Kom, laten we naar de muziekkamer gaan. Ik heb brioches in de oven staan. Speciaal voor jou gemaakt. Een complete nachtmerrie! Ik zal Inger vragen ze te brengen. Met cappuccino? Koffie? Thee?'

De muziekkamer was ontworpen in een tijd dat muziek inhield dat je vijftig gasten uitnodigde om te genieten van Schuberts *Forellen-kwintet*. De meest recente aankoop van de Tillotsons, een grote, grandioze vleugel, zou voor een poppenhuis gebouwd kunnen zijn, zo weinig ruimte nam hij in beslag. In tegenstelling tot Richie, die stinkend rijk was geworden, was dokter Carter Tillotson, drieëndertig en nu al de derde op de lijst van meest gevraagde plastisch chirurgen in Manhattan, niet meer dan uitermate welgesteld. Hij was geboren in een gezin dat zich in 1697 op Long Island had gevestigd. Ongelukkigerwijs verloren de Tillotsons, die één van de eerste rijke families in Shorehaven werden, hun veevoederwinkels in de krach van 1893 en de rest van hun kleine fortuin tijdens de Grote Depressie zesendertig jaar later. Carter was zo arm geweest, had Stephanie ons eens toevertrouwd, dat zijn ouders zich niet konden veroorloven hem naar een kostschool te sturen. Gelukkig bleek hij sociaal niet gedoemd. Stephanie was voldoende rebels om een man te trouwen die financiële steun nodig had om medicijnen te gaan studeren. Tot grote teleurstelling van Stephanies familie en tot vreugde van de Tillotsons leek zowel het huwelijk als Carter zelf een groot succes te worden, hoewel hij nog steeds ploeterde om zijn vierde miljoen binnen te halen.

Om hun tijdelijke tekortkomingen in het meubilair te verbloemen had Stephanie de muziekkamer – en de rest van het huis – opgevuld met bomen in potten. Ze wist dat dit niet haar moeders idee was van een fatsoenlijk ingericht huis, maar ze rekende erop dat Carter, nadat hij nog een paar honderd liposucties had verricht, haar toestemming zou geven om met royale beurs op zoek te gaan naar kasten en divans, kroonluchters en fauteuils. Maar zelfs die zouden opgeslokt en verloren lijken in de gapende leegte van Emerald Point.

Hoe dan ook, in aanmerking nemend dat het een immens herenhuis betrof, deed Stephanies woning redelijk huiselijk aan. We gingen zitten op bij elkaar passende clubstoelen, omringd door een regenwoud van Chinese waaierpalmen, kamerpalmen en sagopalmen. Het lichtmosgroene tapijt onder onze voeten voelde zo dik en geruststellend aan, dat het uit de vloer omhoog leek te groeien.

'Wil je erover praten?' vroeg Stephanie. Naar middelbare-schoolmaatstaven zou Stephanie een zeer hechte vriendin zijn: we bakten niet alleen samen, we liepen antiekwinkels af, bezochten vlooienmarkten en reden samen naar Manhattan om onze echtgenoten te ontmoeten. Maar ik had geen zin om met haar over Richie te praten, voornamelijk omdat ze zelden iets verhelderends wist te zeggen. Ik wilde evenwel bij haar zijn. Meer dan wat ook, had ik behoefte aan een flinke dosis van haar schouders-achteruit, kin-omhoog, meiden-onder-elkaar, niets-kan-ons-raken-zelfvertrouwen.

'Is het waar dat jij hem hebt gevonden, Rosie?' Ik knikte. Ik kon echt geen woord uitbrengen; mijn keel zat gewoon dicht. En Stephanie was ook niet bepaald in topvorm. Voor deze ene keer wist ook zij geen betekenisloze, geruststellende kreet te bedenken. 'Ik ben zo... zo *geschokt*,' zei ze. Alsof ze het moest bewijzen, begon ze te huilen. Tranen biggelden over de uitstekende jukbeenderen langs haar gezicht. 'Het spijt me dat ik me zo laat meeslepen,' verontschuldigde ze zich.

'Jij bent degene die het recht heeft te huilen.'

'Het geeft niet, Stephanie.'

'Ik weet hoe Richie was veranderd,' erkende ze. 'Maar zo lang het duurde... was hij toch echt fantastisch.'

'Dat klopt,' wist ik uit te brengen.

Stephanie tastte in een van haar vele broekzakken en vond uiteindelijk een oude lap die ze waarschijnlijk had gebruikt om aardewerken bloempotten mee schoon te maken. Ze stond op het punt haar ogen ermee af te vegen, maar ik greep hem uit haar handen.

'Dat ding is smerig. Straks krijg je last van geïrriteerde ogen.'

Voor het eerst keek ze naar de lap en schoof die vervolgens terug in haar zak. Daarna veegde ze de laatste paar tranen weg met de rug van haar hand. Nog steeds snotterend, strekte ze haar hand uit om een bruin omrand blad af te plukken van een van haar composities, een keramische kom vol bladplanten en een dun glazen buisje waarin een enkele bloem stond, die fraai oplichtte tegen de donkergroene achtergrond. 'Sorry dat ik begon te mekkeren, Rosie.'

'Ik wou dat ik kon huilen. Ik zal wel een shock hebben.'

'Vast en zeker. Heb je enig idee wat er is gebeurd?'

'Ik heb altijd gedacht dat Richie aan een hartaanval zou overlijden,' peinsde ik hardop, haar vraag vermijdend. Ik zei er niet bij hoe van harte ik hem dat had toegewenst. Bij voorkeur tijdens seks met Jessica. 'Ooo!' zou hij uitroepen, waarop zij iets jeugdigs zou zeggen als 'Geef 'm van katoen, Rick,' met dit verschil dat hij het niet meer zou kunnen. Of dat hij naar zijn borst zou grijpen, terwijl hij over de boulevard aan de oostelijke kant van de rivier liep te joggen of tijdens een partijtje tennis in Hampton. Of dat hij, skiënd in de Rocky Mountains, ineens als een vis naar lucht begon te happen in een wanhopige poging meer zuurstof aan de ijle lucht te onttrekken.

'Natuurlijk heb je een shock,' reageerde Stephanie. 'Wie zou dat niet hebben? Maar je redt het wel. Geloof me.' Dat hielp wel een beetje, maar ik had niet de hele afstand naar Emerald Point afgelegd voor een snel helende shot blank-protestantse zelfverzekerdheid, hoewel God wist dat ik alle zelfvertrouwen in de wereld kon gebruiken. Ik had advies nodig.

Voor ze haar leven doorbracht met het aannemen en ontslaan van De Hulp, met Astor naar haar vriendinnetjes brengen, met het kweken van palmen, bromelia's en citroenbomen in haar broeikas, met kantklossen en borduren, het op smaak maken van haar zelfgemaakte olijfolie en met zich opwerpen ten gunste van mishandelde vrouwen en verontreinigd grondwater, voerde Stephanie processen als pleitbezorger bij een van die gigantische advocatenkantoren van New York die, geestdriftig en vol trots, petrochemische conglomeraten verdedigen in processen die voormalige, door kanker geplaagde werknemers tegen hen aanspannen.

'Ik heb mogelijk juridische bijstand nodig,' zei ik. En bracht haar op de hoogte van brigadier Gevinski's bestaan.

Ze zei een paar maal 'Jakkes!' en één keer 'Dit is toch niet te geloven!' Toen ik klaar was, zei ze: 'Ik zou maar oppassen voor hem.'

Ik was vreselijk opgelucht: ik was niet paranoïde. Ik had gelijk. 'Denk je dat werkelijk?'

Ze wreef met haar wijsvinger over haar volmaakte, om modieus te zijn ietwat te volle bovenlip. Een vreemde zou denken dat Carter haar een paar collageeninjecties had toegediend om haar een interessant gezicht te verschaffen, maar de vreemde zou het bij het verkeerde eind hebben. Verspreid over het huis hingen honderden ingelijste foto's van Carter en Stephanie in verschillende stadia van hun leven, met uitzondering van hun tijd in de baarmoeder. Carter was knap zoals de modellen in Cadillac-reclames: minzaam lachend, blond en kortgeknipt.

Maar Stephanie was anders. Van haar klassefoto van de Greenvale School tot de door Miss Porter genomen foto van het veldhockeyteam en van een kiekje van haar in toga op een of ander universiteitsfeestje tot haar verlovingsfoto, was ze onvervalst mooi. Bloedmooi, had Richie ingestemd, maar absoluut niet sexy. Ik was het niet met hem oneens. Mannen vergaapten zich op afstand aan Stephanie, maar ze kwamen zelden dichterbij, zoals ze wel deden bij minder mooie, maar meer toegankelijke vrouwen.

Stephanie deed niets om haar schoonheid te accentueren. Ze was te sportief om haar tijd te verdoen aan een ingewikkeld kapsel. Elke morgen jogde ze met ons, 's middags speelde ze tennis of ging paardrijden op een boerderij in de buurt en tegen het vallen van de avond deed ze fitnessoefeningen op haar StairMaster. Een tijdlang ging ze zelfs 's avonds laat met een reflecterend hesje aan hardlopen met een bevriende advocate, een vrouw die Mandy heette en in het centrum werkte, totdat ze ook zelf moest toegeven dat dit al met al iets te veel van het goede was. Stephanie kleedde zich altijd eenvoudig; zelfs als ze de jet-setters die tot Carters klantenkring behoorden ontving of bezocht, beperkte ze zich tot een basis van zwart en haar grootmoeders parelsnoer of een paar eenvoudige maar zeer grote diamanten oorbellen. Ze droeg nooit en te nimmer make-up en dat maakte haar schoonheid des te indrukwekkender. Stephanie was, in elk verbazingwekkend opzicht, gewoonweg perfect. Cass en ik vroegen ons af of Carter met haar getrouwd was omdat hij zo de kans kreeg haar elke ochtend tijdens het ontbijt aan te staren, elk deeltje in zich kon opnemen, en bij zichzelf zei: zo zou een kin eruit moeten zien. Of was hij met haar getrouwd om potentiële klanten te lokken: goeie genade, zouden ze denken, kan hij me er zo uit laten zien?

Maar Stephanie was niet alleen mooi, ze was ook slim.

'Ja,' zei ze. 'Die vent van Moordzaken is knettergek dat hij jou van wat ook maar beschuldigt. Maar ìk ken je.'

'Moet ik een advocaat in de arm nemen?'

'Ik weet niet wat ik je moet aanraden, Rosie. Ik was gespecialiseerd in burgerlijk recht. Ons kantoor deed nooit criminele zaken.'

'Stephanie, ik heb hulp nodig.'

Ze begon opnieuw haar lip te masseren, intenser dit keer. 'Tja, het zou kunnen dat brigadier Gevinski denkt dat je iets te verbergen hebt... Rustig nou. Laat me uitpraten. Maar je bent een bemiddelde vrouw, een vrouw met aanzien in de gemeenschap. Je bent niet gewend dat de politie met je solt. Aangezien hij zich nogal onaangenaam gedraagt, alsof hij hevig aan je twijfelt, kan het geen kwaad dat iemand jouw rechten verdedigt, dat iemand voor je opkomt. Je weet wel, iemand die eist dat je de inspecteur of de commissaris of degene die echt de touwtjes in handen heeft te spreken krijgt.' Nerveus aaide ze met haar handen op en neer langs haar in overall gestoken benen. 'Dat je het mes hebt geprobeerd te verwijderen kan een probleem vormen.'

'Misschien moet ik een privé-detective inhuren.'

'Waarvoor?'

'Om uit te zoeken wie het gedaan heeft.'

'Rosie toch, weet je dan niet wat detectives in het echte leven doen? Ze maken foto's van overspelige echtelieden in schandelijke standjes, of ze sporen op de vlucht geslagen echtgenoten op.' Ze moet gevoeld hebben hoe ontmoedigd ik was, omdat ze eraan toevoegde: 'Misschien heb ik het mis. Ik zal eens een balletje opgooien. Wie weet is er wel een Sherlock Holmes die je van dienst kan zijn.'

'Moet ik me zorgen maken, Stephanie?'

'Ik wou dat ik volmondig nee kon zeggen. Maar ik kan me niet verplaatsen in de gedachten van die politieman. Is er enig bewijsmateriaal dat jou met Richie in verband brengt?'

'Natuurlijk niet.' Toen dacht ik na. 'Behalve het mes dan.'

Haar hele lichaam rilde. 'Ik zal niet meer vragen naar wat je hebt gezien. Het moet een diep traumatische ervaring zijn geweest, en die zul je allerminst willen herbeleven.' Stephanie drong niet aan, maar goed, dat hoefde ze nooit. Wie zou niet trachten haar te plezieren? Haar gezicht was een klassiek ovaal. Haar ogen waren helder blauwgrijs, groot, en altijd glanzend, zodat het leek alsof ze net was opgehouden te lachen of te huilen. Haar glanzende donkerbruine haar (recht afgeknipt tot op de schouders, net als op de foto's uit haar peuterjaren) viel perfect om haar fraaie gezicht heen. Hoewel ze veel te beschaafd was om bemoeizuchtig te zijn, lokte Stephanie onbewust vertrouwelijkheden uit omdat mensen smachtten naar haar goedkeuring. Gelukkig was ze wat dat betreft altijd heel vrijgevig. Ik kon me niet voorstellen dat iemand zich niet tot het uiterste zou inspannen voor haar. Behalve Carter dan. Hij was beleefd tegen haar. Hij kocht schitterende juwelen voor haar, hoewel, geen *voorname* juwelen, zo had Stephanie me eens toevertrouwd toen we zwarte walnoten aan het pellen waren.

Maar Cass en ik waren het erover eens dat Carter niet bepaald tot over zijn oren verliefd was. Misschien, bedacht Cass, toonde hij het gewoon niet. Maar vlak nadat Richie me had verlaten, kwam het in me op dat ook Carter verdacht lange dagen maakte. Maar ja, je kon het nooit weten. Als je iemand van Betckenis wilde zijn in de grote stad, was je met een baan van negen tot vijf niet klaar; en misschien was het wel gebruikelijk dat plastisch chirurgen in Manhattan hun patiënten om tien uur 's avonds ontvingen.

Stephanie klaagde nooit. Sterker nog, ze was uren bezig om exquise soupeetjes voor Carter te bereiden, bestaande uit drie tot vier lichte gangen die hem moesten verleiden als hij om kwart over twaalf 's avonds thuiskwam. 'Richie is vlak onder zijn borstkas gestoken,' vertelde ik haar. Ik raakte het middelpunt van mijn torso aan. 'Ben denkt dat het mes de aorta moet hebben geraakt, waardoor hij is doodgebloed.'

'Wat deed hij eigenlijk bij jou thuis?'

Ik begon het zat te worden dat mensen me dat voortdurend vroegen, en reageerde ietwat bot. 'Hoe moet ik dat nou weten?'

'Nee. Sorry, dat ik het vroeg.' Ze wachtte even en vervolgde toen op enthousiaste toon. 'Ik weet hoe gestresst je moet zijn, Rosie. Erger dan dat. Wat zeg je ervan als ik het een en ander voor je ga bakken, voor als je thuiskomt van de begraafplaats? Joodse gebakjes zijn zalig. Babka. Rugelach...' Voor ik de rest van het menu voorgeschoteld kon krijgen, kwam de andere helft van het Noorse echtpaar, Inger, een dienblad met brioches, jam en koffie binnenbrengen. 'Dank je, Inger,' zei Stephanie. Inger, een kleine vrouw met zilvergrijs haar, die veel weg had van een sardientje knikte haar zo kortaf toe dat het bijna onbeleefd was; daarna vertrok ze. Stephanies verfijnde neusgaten werden een fractie van een centimeter groter. Ik wist niet of het een reactie was op de bitse houding van de huishoudster of op het feit dat Inger een of andere gruwelijke fout in de etikette had gemaakt, bijvoorbeeld door de servetten bij de koffie in rechthoeken te vouwen in plaats van ze in ringen te steken. 'Ik zal de oudste vennoot van het advocatenkantoor eens bellen en hem vragen of hij een goede strafpleiter in Nassau County kan aanraden. Waarschijnlijk kun je het beste iemand uit de buurt nemen. Iemand die vertrouwd is met de officier van justitie.'

Ik geloof dat ik naar adem hapte.

'Het spijt me,' zei Stephanie. 'Dat was niet erg doordacht. Wat ik bedoelde was, je hebt iemand nodig die de telefoon pakt en de juiste mensen belt. Die deze brigadier Gevinski ervan weerhoudt achter jou aan te gaan. Hem op het juiste spoor zet.'

'Het spoor naar wie?'

Stephanie pakte een zilveren tang op en legde een brioche op een bordje. Ik brak er een stukje af. Hij was warm, geurig, vers uit de oven. 'Wie dan ook. Maar niet naar jou, Rosie.'

Ik had behoefte aan troost – een flinke portie ook – en hoopte dat Ben er zou zijn als ik thuiskwam. Maar ik kon nergens een meelevend gezicht ontdekken. Sterker nog, het eerste wat me opviel toen ik mijn huis betrad, waren politiemensen die plotseling links, rechts, naar beneden keken en er alles aan deden oogcontact met mij te vermijden. Ik ontwaarde dat fladderende gevoel in mijn buik dat voorafgaat aan openlijke paniek. Ik probeerde te doen alsof het niet bestond: geen wonder dat ze hun gezicht afwendden. Ze moesten onderhand weten dat Richie me in de steek had gelaten. Hoe konden ze hun medeleven tonen? Het is maar goed dat hij dood is, mevrouw. Kunt u zich voorstellen hoe het zou zijn om over een jaar te moeten beslissen of u al dan niet een cadeautje zou kopen voor de pasgeboren Stevenson Meyers baby?

Met dit verschil dat, nog voor brigadier Gevinski zijn vinger kromde en mij naar de eetkamer wenkte, ik begreep wat de werkelijke reden was dat de agenten me niet aankeken. Voor hen speelde niet langer de vraag wie het gedaan had? Wat Richies moord betrof, was het: zíj heeft het gedaan.

Ik liep naar binnen, en dacht er voor de verandering aan niet te struikelen over de franje van het rood-blauwe Saruk vloerkleed, dat eindelijk gebracht was op de dag voor ons zilveren huwelijksfeest. Voor Gevinski de kans kreeg om me een stoel aan te bieden en zijn gezag tentoon te spreiden, greep ik zelf de Papa Beer-stoel aan het hoofd van de tafel.

'Ik wil nog even een paar dingen op een rijtje zetten, mevrouw Meyers. U bent om ongeveer halftien, tien uur gaan slapen.'

'Rond die tijd, ja.'

'En u bent om halfvier wakker geworden?' Als we samen aan een diner zaten, zou hij vier gasten van me verwijderd zijn. Niet ver genoeg.

'Ja.'

'En u slaapt niet zo goed sinds de scheiding?'

Ik had genoeg detectives gelezen waarin volstrekt onschuldige mensen diep in de problemen komen doordat ze te veel loslaten tegenover een fantasieloze smeris. Ze werden altijd vrijgesproken in het laatste hoofdstuk, maar, hielp ik mezelf herinneren, dit was de harde werkelijkheid. Pas op!

Hoe dan ook, welke conclusies Gevinski ook voor zichzelf trok, over een paar uur zou ik de naam van een advocaat doorgekregen hebben die van Gevinski's superieuren zou eisen dat hij zich tot de kern van de zaak zou beperken, te weten het opsporen van de moordenaar. Ik overtuigde mezelf ervan dat ik gelijk had me relatief zelfverzekerd te voelen. Ze konden me niets maken, om de doodeenvoudige reden dat ik niets had misdaan.

Maar ondertussen zat ik daar met een droge mond, een wild kloppend hart... en Gevinski. 'Ik vroeg of u slaapproblemen hebt,' herhaalde hij.

'Ik neem aan dat ik tegen tienen sliep. Ik heb geen idee waarvan ik wakker werd.'

'Juist, ja. En u hebt ook niets gehoord toen u eenmaal wakker was. Wat mij dwarszit is dit: hoe kan het dat u lekker gaat slapen en patsboem, als bij toverkracht, komt uw ex – oké, aanstaande ex – langswippen.' Ik overwoog diverse reacties: gevat, eigenwijs, of ronduit hatelijk. Maar ik hield mijn mond. 'Weet u zeker dat het alarm was ingeschakeld?'

'Ja. Vrijwel zeker.'

'Hoe komt het dan dat u niet van schrik uit bed bent gevallen?'

'Richie kende de code.'

'U hebt die niet veranderd toen hij vertrok?'

'Nee.'

Hij keek even naar het plafond, toen naar zijn spiegelbeeld in de tafel. 'O, tussen twee haakjes,' zei hij nonchalant. 'De jongens van het lab hebben even vlug gekeken en ze zeggen dat het waarschijnlijk uw vingerafdrukken zijn die op het mes staan.' Hij zag dat ik me probeerde te ontspannen.

'Dat heb ik gisteravond toch uitgelegd.'

'Juist. Weet u, iedereen zou geneigd zijn een mes uit een lichaam te trekken, het lichaam van iemand die ze liefhebben. "Geneigd" is hier echter het essentiële woord. U hebt het daadwerkelijk gedaan. Het is een probleem, mevrouw Meyers. En dan is er nog een probleem.'

'Wat?'

'De scheidingsovereenkomst.'

'Wat is daar mee?'

'Volgens mevrouw Jessica Stevenson zouden u en meneer Meyers de overeenkomst dit weekend ondertekenen. Klopt nietwaar? Ze zweert – en we kunnen dat natrekken als het moet – dat u en uw aanstaande ex-man mondeling waren overeengekomen dat meneer Meyers zijn testament niet zou veranderen tot na de ondertekening van de overeenkomst. Zit ik nog goed? U had een meningsverschil gehad omdat hij uw zonen verschillend wilde behandelen in zijn testament, daar één van hen' – hij haalde zijn notitieblokje te voorschijn en bladerde in zijn aantekeningen – 'Alexander een probleemkind was. U wilde dat meneer Meyers Alexander en Benjamin gelijk behandelde. Dus een belangrijk deel van de onderhandelingen tussen uw advocaat en die van hem was ermee gemoeid dat meneer Meyers werd overgehaald om zijn beide kinderen gelijk te bejegenen. Bijvoorbeeld dat ze op dezelfde leeftijd aan hun toelage konden komen en dat ze een even groot percentage van het landgoed zouden erven. In dat geval was u bereid afstand te doen van uw aanspraak op het landgoed, zelfs voor de scheiding officieel een feit was. Klopt dat?'

'Ja. Richie en Alex konden niet met elkaar opschieten, maar ik was ervan overtuigd dat de bui zou overwaaien. Maar als Richie tot het zover was iets zou overkomen, zou het Alex ongelooflijk kwetsen en de relatie tussen de jongens ernstig verzieken.'

Als een peuter tijdens het rustuurtje, legde Gevinski zijn onderarmen op tafel en leunde er met zijn hoofd op. Ik had hem graag een dreun op zijn zompige neus verkocht. 'Maar ik ben meer in u geïnteresseerd, goed? Zodra u de overeenkomst had ondertekend, zou u van het toneel zijn verdwenen.'

'Met zo'n vijf miljoen dollar.' Wat een smak geld. Het had me enigszins misselijk gemaakt. Als het mezelf niet had betroffen, had ik precies hetzelfde gezegd als wat sommige oude buren, sommige collega's op school zouden zeggen: die arme Rosie. Ze zal de weg naar de bank huilend afleggen. Of: Rosie kan tenminste aangenaam verzorgd op vakantie om haar misère te vergeten. Ha-ha, ontelbare keren zelfs.

'Nou, mevrouw Meyers?'

'Nou wat?'

Hij ging rechtop zitten. 'In plaats van een deel van Richard Meyers' fortuin op te strijken na het komende weekend, krijgt u alles toegewezen. En "alles" betekent in dit geval omvangrijke, kapitale sommen geld. Ik weet zeker dat u begrijpt dat dat hier en daar opgetrokken wenkbrauwen zal veroorzaken.' Ik dacht: geef hem niets. Net als een stelletje mispunten in mijn klas, was Gevinski er zeer bedreven in mij zo van streek te maken dat ik voelde dat ik op het punt stond te doen wat hij van me verlangde: mijn zelfbeheersing verliezen. 'Wellicht hebt u iets waarmee ik die wenkbrauwen omlaag kan krijgen, mevrouw Meyers?' Ik reageerde niet. Hij wees op zijn lachebek-horloge. 'Momenteel wordt er autopsie op meneer Meyers verricht. Ze halen het vleesmes met uw vingerafdrukken erop uit het lichaam. Heel, heel voorzichtig.'

'Wat wilt u eigenlijk van me?'

'Een betere verklaring voor wat er is gebeurd dan die waarmee u tot nu toe op de proppen bent gekomen. Niet voor mij persoonlijk. Ik sta aan uw kant. Heus. Maar voor mijn superieuren en de officier van justitie. Ze pikken uw verhaal niet. Dus brand maar los, mevrouw Meyers. Wees openhartig. Laat mij u helpen.'

5

Ik had gekozen voor een natuurlijke bevalling en was klaarwakker toen ze me het jongetje met het lichte donshaar en het knopneusje in mijn armen legden. Kortom, ook al zag hij eruit als een doopsgezinde baby uit het Zuiden, ik wist dat Benjamin van mij was. Vanaf zijn geboorte was hij een schat van een kind. Vrouwen wilden zonder uitzondering in zijn wang knijpen; tegenwoordig was zijn wang alleen nogal moeilijk bereikbaar. Hij had het figuur van een bescheiden alp. Eén meter achtennegentig. Ruwweg honderdtien kilo. Het enige dat hij van Richie had geërfd waren zijn gevoelvolle zwarte ogen, maar die bevestigden in elk geval zijn vaderschap. 'Mam.' Zijn stem was laag en teder. 'Probeer te kalmeren.'

'Natuurlijk. Met een levenslange straf in een streng bewaakte gevangenis voor de boeg is het altijd beter kalm te blijven.'

Ik had het grootste gedeelte van de morgen besteed aan het omspitten van kasten en laden, het gluren onder stoelzittingen, het binnenstebuiten keren van elke zak in al Richies kleren in een poging vast te stellen waar hij naar op zoek was geweest. Behalve zijn gehele garderobe had hij alleen een jaarboek van de World Series in 1969 achtergelaten en een kiekje van ons tweeën dat hij jaren geleden in zijn portefeuille had gedragen. We hadden onze armen om elkaar heen geslagen en aan onze voeten lag ons visgerei. De foto was tijdens een zomervakantie, ergens in de jaren zeventig, bij Finger Lakes genomen. Richie had een snor als een walrus en ik droeg een spijkerbroek met wijde pijpen en een blouse met gigantische madeliefjes. We zagen er allebei afschuwelijk en heel gelukkig uit.

Het was ergens rond het middaguur. Een waterig zonnetje liet zijn witte licht door de ramen van de bibliotheek vallen. Wantrouwige Miep keerde met lege handen terug uit de keuken, nadat ze er niet in was geslaagd brigadier Gevinski te verleiden ons drie blikjes Coca-Cola light uit de koelkast toe te staan. 'Hij zei dat het allemaal bewijsmateriaal op misdaadlocatie betreft,' verontschuldigde ze zich.

'Ach ja,' zei ik. 'Er mochten eens vingerafdrukken op de broccoli zitten.'

Ben wierp Miep een glimlach toe die betekende: wees verdraagzaam. Altijd wanneer hij lachte, krulden ook zijn ogen zich tot lachebekjes op. Ik probeerde te ontdekken wat zij had dat hem op die manier deed lachen. Ze leek me volstrekt doorsnee, met dun bruin haar, doodnormale ogen, een middelmatig figuur en een plat, Middenamerikaans accent. Het enige dat haar wat levendig maakte was haar make-up, die veel te opzichtig was, alsof ze uit haar bol was gegaan bij de Estée Lauder-toonbank: braamkleurige oogleden, frambooskleurige wangen, aardbeirode lippen en dat alles aangebracht op een gezicht met een vanilleteint. Eindelijk hield Ben op met liefdevol te lachen en staren en herinnerde hij zich de lunch. Hij was even aangegaan bij die sjieke afhaaltent in de stad, een winkel die het verval van het yuppie-tijdperk op een of andere manier had weten te overleven. Hij trok het rode lint los dat om de bruine zak zat die volgestempeld was met het woord 'Kringloop!' en trok er milieuvriendelijke bakjes uit met couscous, wheatberry salade en iets dat leek op bleekselderijslierten in een ondefinieerbare kastanjebruine saus. Terwijl hij de sandwiches uitpakte, las hij de labels: 'Kip met gegrillde groenten. Eens kijken... Thaise tonijnsalade. En mozzarella met tomaat en basilicum. Wat wil jij, mam?'

Mijn maag voelde aan alsof ik net een vieze spons had doorgeslikt. Ik was me er bovendien van bewust dat Wantrouwige Miep haar oog op de kipsandwich had laten vallen. Ik besloot dat ik op dit moment best egoïstisch mocht zijn. 'Ik ga niet de minzame gastvrouw spelen. Gevinski zit me over een paar uur misschien niet meer op de huid, maar tot die tijd word ik bedreigd met levenslang in gezelschap verkeren van vrouwen die geen moer om Jane Austen geven. Ik wil de kipsandwich.'

'Bewonderenswaardig dat je onder deze omstandigheden gevoel voor humor blijft houden,' verklaarde Wantrouwige Miep. Ze hield de salades een voor een tegen het licht, een ritueel dat deel uitmaakte van haar nimmer aflatende speurtocht naar op de loer liggende allergenen.

'Mam,' zei Ben geduldig. 'Alles komt in orde. Ik weet zeker dat het een standaardprocedure is, bedoeld om mensen zenuwachtig te maken zodat ze, als ze iets te verbergen hebben, dat prijsgeven.'

'Nee. De normale politieprocedure is juist dat een verdachte nìet gestuurd wordt, want dat maakt dat mensen een verdedigende houding aannemen. Hij zou me moeten behandelen als de treurende weduwe.'

'Maar dat doet hij niet. Dat is goed.'

'Nee, dat is slecht. Het betekent dat hij twijfels heeft.'

'Lieverd,' zei Wantrouwige Miep tegen Ben, 'als je mij de autosleutels geeft, rij ik de stad even in om wat flessen water te halen.'

'Dat is niet nodig, schat,' reageerde hij.

'Het is echt geen moeite, hoor.'

'Wat een goed idee!' onderbrak ik hen en gaf haar een lijstje met gewenste frisdranken, waaronder Snapple French Cherry, Diet Mandarin Orange Slice en Schweppes Bitter Lemon. 'Alvast heel erg bedankt.' Met een beetje geluk zou ik een uur lang alleen met mijn zoon zijn.

'Je maakt je zeker zorgen over het leeftijdsverschil,' zei Ben, zodra ze de kamer uit was. 'En misschien ook over het verschil in godsdienst.'

'Nu niet, Ben.'

'Je moet haar wel een kans geven.'

'Ik weet zeker dat ze geweldige eigenschappen heeft, maar op dit moment kunnen die me gestolen worden. Stel je prioriteiten bij!'

'Wat bedoel je daarmee?'

'Dat je vader zojuist is vermoord en de politie je moeder verdenkt.'

'Mam, vind je jezelf niet een beetje melodramatisch?'

'Nee, dat vind ik niet. Maar al was het zo, laat me dan even.'

'Prima.'

'Ik wil dat je me de waarheid vertelt.'

'Dat doe ik altijd.' Bijna altijd. Ben was wezenlijk zo waarheidsgetrouw als iemand maar kon zijn. Bovendien had hij zo'n lichte huid dat, de zeldzame keer dat hij probeerde te liegen, zijn wangen felrood kleurden.

'Wanneer heb je je vader voor het laatst gesproken?'

'Afgelopen zondag.'

'Wie belde wie?'

'Hij belt me elke zondag.' Hij stond en ging een paar keer op de bal van zijn voeten staan. Hij zag er even ongedurig uit als een sportman die een verrassingsaanval verwacht.

'Heeft hij het huis in welk opzicht dan ook genoemd?'

'Nee.'

'Ik zal niet vragen wat hij over mij te zeggen had... tenzij je vindt dat het relevant is.' Ben kwam niet onderuitgezakt naast me op de bank zitten. Hij nam plaats in de beschermende omhelzing van een grote gele fauteuil. 'Het is belangrijk dat we informatie uitwisselen. We moeten uitzoeken wat zich afspeelde in papa's leven. We willen de politie een handje helpen in de zoektocht naar degene die dit heeft gedaan. En we willen mijn hachje redden. Afgesproken?'

'Ja. Pa vertelde me dat jullie elkaar in de haren zaten over het geld, maar dat hij wel begreep dat het jouw manier was je aan hem vast te klampen.'

'Je reinste gezeik!'

'Ik wist dat je zo zou reageren.'

'Benjy, ik had gewoon recht op een gunstige regeling. Ik heb hem geholpen Data Associates op te zetten. De eerste drie jaar heb ik alle rapporten geschreven en later alle belangrijke geredigeerd. Ik schreef de folders die ze naar klanten stuurden, ik schreef het *Dit is Data Associates* handboek dat ze aan al hun nieuwe werknemers geven. Ik heb zijn eerste echt grote klant binnengehaald.'

'Juist.' Hij had het verhaal nog maar een keer of vijfhonderd gehoord. 'Tom Driscoll.'

Ik had Tom Driscoll mijn hele leven gekend. We waren samen opgegroeid in een flatgebouw in Brooklyn; hij woonde een etage onder mij. Als kleine kinderen waren we heel nauw bevriend. Op een keer maakten we een telefoon van sinasblikjes en touw zodat we elkaar 's avonds laat konden bellen. We waren zo dolenthousiast over ons technische hoogstandje dat we compleet vergaten dat de telefoon niet echt werkte en we elkaar enkel konden horen omdat we vlak bij een open raam in de blikjes stonden te schreeuwen.

Maar tegen de tijd dat we naar de middelbare school gingen, waren Tom en ik uit elkaar gegroeid. Nou ja, niet helemaal. In de laatste klas vonden we elkaar opnieuw. Pas nadat Tom met een atletiekbeurs naar Dartmouth vertrok en ik naar Brooklyn College ging, verloren we elkaar compleet uit het oog. Door de jaren heen bleef mijn moeder me echter, met berekende nonchalance en spelend alsof ze eraan twijfelde dat ik was geïnteresseerd, nieuwsfeitjes over hem toespelen: Tom was getrouwd. Tom was vice-president van een zeer chique, zeer particuliere bank geworden. Tom de president. Tom in zijn eentje, de beursspeculant. Dus ik wist dat hij een geslaagd man was. Zeer geslaagd.

Ik weet niet waar ik de moed vandaan haalde, maar toen Richie en Mitch zich full-time gingen bezighouden met Data Associates, besloot ik Tom te bellen; het kostte me niettemin een half jaar om het lef te verzamelen hem mee uit lunchen te vragen. Ik nam een vrije dag en spendeerde twaalf dollar aan mijn kapsel. En ik wist hem de dienstverlening van Data Associates te verkopen. 'Weet je,' zei ik tegen Ben, 'dat Tom ter plekke, in het restaurant waar we lunchten, bereid was een jaarlijks honorarium vooruit te betalen. En weet je wat ik zei?'

'Je zei geen denken aan, dat hij papa's bedrijf eerst maar eens moest uitproberen.'

'Heb ik je dat ook al eens verteld?'

'Ja.'

'Je vader zou een rolberoerte hebben gekregen, maar ik wist dat Tom ervoor zou vallen; het betekende dat ik niet om een aalmoes vroeg, maar oprecht geloofde in wat papa en Mitch deden. En we hebben het geweten. Hij werd Data's grootste klant en zijn naam trok andere grote klanten aan. Dus ik heb echt een wezenlijke bijdrage geleverd aan het bedrijf. Het is niet te vergelijken met wat je vader ervoor heeft gedaan, maar hij had het nooit gehaald – althans niet met zoveel succes – zonder mij.'

'Rustig nou maar, mam.' Ik realiseerde me dat ik een van mijn vecht-of-beslecht-houdingen had aangenomen: schouders opgetrokken, kaken krampachtig op elkaar en het hoofd naar voren gestoken. Ik sloot mijn ogen en haalde vijf keer langzaam en ontspannen adem.

'Sorry dat ik verbitterd klink, jongen,' voegde ik eraan toe, duizelig van te veel zuurstof. 'Ik ben in een toornige bui. En sorry dat ik niet wat meer – nou ja, je weet wel – moederlijk ben. Mijn God, je hebt je vader verloren. Het spijt me vreselijk. Maar ik ben mezelf niet. Ik weet niet zeker wie ik op dit moment ben.'

'Geeft niet,' reageerde Ben.

'Vertel eens waar papa en jij het nog meer over hebben gehad.'

'Hij had het erover dat jij de werkelijkheid moest leren accepteren en dat hij hoopte dat je je eigen leven zou weten in te richten. En verder – even denken – dat hij me niet zou dwingen een vriendschappelijke band met Jessica aan te gaan maar dat hij ervan overtuigd was dat ik om haar zou gaan geven. En we hebben over de wedstrijd tussen de Eagles en de Giants gepraat. Wil je dat ook horen?'

'Natuurlijk niet.'

'Dat was het dan.' Hij zwaaide zijn lange benen over de armleuning van de fauteuil en sloeg zijn maat 44 gympies tegen elkaar ten teken dat het onderwerp wat hem betrof was afgesloten. Maar zover was het nog niet.

'Heeft hij nog iets over Data gezegd? Over nieuwe klanten, oude klanten?'

'Nee.'

'Nieuwe spanningen, oude spanningen?'

'Niet dat ik weet. Hij had het nooit over de zaak.'

'Niks over Mitch Gruen?'

'Nee. Die heeft hij in geen eeuwen genoemd.'

'Was hij misschien ergens kwaad of overstuur over?'

'Alleen over jou,' antwoordde Ben zachtjes. 'Sorry, mam.'

Alsof hij me wilde ontlasten van de melodramatische spanning, nodigde Gevinski me zo'n vijf minuten later uit om mee te gaan naar het hoofdbureau van politie. 'Uitnodigen' was trouwens niet het woord. Wat hij zei was: 'Ik wil graag dat u meegaat naar het bureau.' Ik zei dat ik op mijn advocaat wilde wachten en vroeg of hij me mijn Miranda-rechten niet moest voorlezen. Waarop hij vroeg: 'Hoe kent u de Miranda-regels eigenlijk?' Hij leek niet te luisteren toen ik hem uitlegde dat ik verzot was op het lezen van misdaadromans, en dus uiteraard de Miranda-rechten kende. Hij maakte duidelijk dat de Miranda-wet op dit moment niet van toepassing was en dat ik met hem naar het hoofdbureau moest komen. *Meteen.* En nee, mijn zoon Ben mocht niet mee.

De verhoorkamer op het hoofdbureau van politie werd weliswaar niet verlicht door een heen en weer zwaaiend peertje dat fel in mijn ogen scheen, maar de in twee kleuren groen geverfde muren, de grijsmetalen tafel, de grijsmetalen stoelen met leren zittingen en de grote, vieze zwarte prullenbak waren op zich weerzinwekkend genoeg.

'Maak het uzelf niet moeilijker dan het is,' zei Gevinski.

'Dat zou ik ook tegen u kunnen zeggen,' antwoordde ik. 'Dit is duidelijk een gewichtige zaak. Als u de verkeerde persoon arresteert, zullen er heel wat koppen rollen.'

'Dat weet ik, mevrouw Meyers. Denkt u dat we daar niet over nagedacht hebben?' Zijn stropdas zat nog steeds in zijn overhemd gestopt. Ik bleef hopen dat elk moment een inspecteur à la Harrison Ford zou binnenwandelen en zeggen: ik neem het vanaf hier over, brigadier. Maar de deur zat en bleef dicht.

'Ik begrijp best dat u moeite heeft met al die toevalligheden,' zei ik. 'Richie die thuiskomt en prompt wordt vermoord.'

'Precies.'

'Maar het leven zit vol toevalligheden.'

'Het spijt me. In dit geval zit het me tè vol.'

Ik zou woedend moeten zijn, maar ik was bang. Ik probeerde te slikken, zodat ik verder kon praten maar mijn keel zat compleet dichtgeknepen. Toen het uiteindelijk wel lukte, bracht ik een hard geluid voort dat in strips altijd als 'Goink!' wordt opgetekend. 'Is het nooit in u opgekomen dat mijn man werd achtervolgd?' vroeg ik.

'Dat hebben we overwogen en verworpen. Er is geen enkel bewijs voor.'

'Alstublieft, denk er nog eens over na. Misschien had iemand het op hem voorzien...'

'Die hem helemaal naar Long Island volgde om hem in uw keuken neer te steken?'

'Stel dat de moordenaar wist dat hij naar huis zou komen? Wat een kans! Richie thuis vermoorden. Ik krijg de schuld en de dader gaat vrijuit.'

Hij leunde achterover, strengelde zijn vingers ineen en liet zijn handen op zijn buik rusten. 'Rustig maar, mevrouw Meyers. Ik ben geen kwade vent. Ik weet alleen dat u met een probleem zit. Misschien is er een verklaring voor. Misschien sloeg hij. Bedreigde hij u. Was het zelfverdediging misschien?'

Ik wist dat ik mijn mond moest houden. Ik had tegen Ben gezegd dat hij Stephanie moest aansporen een advocaat te regelen. Elk moment kon er iemand met een attachékoffertje binnenkomen, die zei: vanaf nu zult u het met mij moeten doen, brigadier. Maar dit was mijn laatste kans om Gevinski te overtuigen van mijn onschuld. Of tenminste enige twijfel te zaaien.

'Er waren meer dan een paar autobandensporen.'

'Wat?'

'Ik zag uw mensen die witte pasta in de sporen van de auto van mijn man gieten. Maar dat waren niet de enige sporen.'

'Die plek wordt door iedereen die tennist met uw buren als parkeerplaats gebruikt.'

'Maar er was een spoor dat even vers leek als dat van Richie. Ik bedoel, ik ben er langsgekomen en ik vroeg me toch echt af waarom uw mannen daar geen ophef over maakten. Ze hebben er waarschijnlijk alleen maar een afgietsel van gemaakt omdat het protocol dat voorschrijft.'

Gevinski's borstkas rees met zijn rustige, ik-ben-heel-geduldigademhaling. 'Die sporen kunnen evengoed eerder zijn gemaakt, misschien wel een paar dagen.' Hij was zo verdomd ongeïnteresseerd. 'En zelfs al heeft iemand daar gisteravond zijn auto geparkeerd... wat dan nog? De auto van uw man stond zodanig geparkeerd dat iedereen die heuvelopwaarts reed de reflectoren op de achterbumper tussen de bomen door gezien kan hebben. Als ik zelf in een surveillancewagen had gezeten, was ik ook een kijkje gaan nemen. Maar het enige dat ik te zien zou krijgen was dat het een dure auto was, op slot, en zonder iemand erin. Ik zou gedacht hebben dat een van de buren autopech had en de wagen daarom had achtergelaten. Als ik het nummerbord vervolgens had doorgebeld, zou ik te horen hebben gekregen dat de auto van Meyers was en dan zou ik denken, oké, niks bijzonders en mijn weg vervolgen. En dat geldt ook voor die andere sporen: niks bijzonders.'

Als je hoofdhuid is gaan tintelen, je hart een slag heeft gemist en je handen gaan trillen, bereik je een mate van paniek waarin je in feite niets meer voelt.

'Iemand heeft dit alles tot in de puntjes uitgedacht,' zei ik tegen hem.

'En nu gaat u me zeker vertellen dat het zijn vriendin was, nietwaar? Zij wist dat hij naar uw huis zou gaan. Misschien heeft ze hem er zelfs toe aangezet. Waarna ze hem is gevolgd, uw vleesmes greep en hem heeft vermoord, en vervolgens een paar borden op de grond smeet om het oorspronkelijk te laten lijken.'

'Ik heb die borden gebroken. Dat heb ik u verteld.'

'O ja, dat klopt. Was ik even vergeten. Hoe dan ook, ze vermoordt hem.'

'Ik zeg niet dat zij het heeft gedaan.'

'Nou, dan zijn we het wat dat betreft eens. Ik geloof ook niet dat zij het was. Hoor eens, u bent niet dom. U bent uitstekend op de hoogte. En u leest graag misdaadromans. Dus u weet alles over motieven. Wat zou in godsnaam haar motief moeten zijn? Ze verliest een vriendje van tig miljoen die waanzinnig verliefd op haar is. En ù krijgt de tig miljoen.' Hij streek zijn haar met zijn vingers achterover. 'Welnu, wat zou, vanuit uw standpunt bekeken, het motief kunnen zijn? Hij heeft u voor een jongere vrouw laten zitten. Hij was bereid met gulle hand te geven, maar wie weet vond u wel dat u het allemaal verdiende.'

'Denk toch na! Ik ben inderdaad niet dom. Als ik hem wilde vermoorden, waarom zou ik het dan in mijn eigen huis doen?'

'Omdat wat u hebt gedaan geen kwestie was van dom of verstandig, mevrouw Meyers. Ik geloof niet dat u maandenlang hebt lopen broeden over de perfecte misdaad. U trof hem in uw huis aan, verloor alle zelfbeheersing en stak hem ter plekke neer.' Hij wierp me een meelevende blik toe en zuchtte verdrietig. 'Geloof me, ik weet best dat het leven niet zwart-wit is. Het bestaat uit grijstinten. U zou een volkomen aanvaardbare reden kunnen hebben. Dus ik vraag u nogmaals: verklaar u nader, dan kan ik wellicht iets voor u regelen. Klapt u naderhand uit de school, dan heb ik niets te bieden.'

'Er valt niets te zeggen.'

Hij stond op en wachtte tot ook ik was opgestaan. 'Ze geven het lichaam vanmiddag vrij. Dus de eerstvolgende keer dat we elkaar zien zal neem ik aan op de begrafenis zijn.' Hij schuifelde naar de deur en hield die open. 'Jammer dat we geen regeling konden treffen, mevrouw Meyers.'

6

'Ze lieten me nota bene achtervolgen op de terugweg!' Ik probeerde niet eens om de schrilheid uit mijn stem te halen. Ben kneep geruststellend in mijn schouder, maar zijn lippen waren wit, zoals ze ook waren de keren dat hij op de kleuterschool buikgriep kreeg en elk moment kon gaan braken. 'Twee kerels in een grijze auto!' Arm kind: moeders werden verondersteld zachtaardig te zijn, de warme melk der mensheid, maar daar stond ik, krijsend en trillend.

Wantrouwige Miep leek op het punt te staan zich ermee te bemoeien, maar bedacht zich op het laatste moment; wat ze in gedachten had was waarschijnlijk niet saai genoeg. Op dat moment slenterde Alex de kamer in.

Vergeet het schouderlange haar, baard van drie dagen, de gescheurde, gebleekte spijkerbroek en de vieze, versleten leren laarzen. Met zijn zwarte, diepliggende ogen en de diepe lijnen die van zijn wangen naar de rand van zijn kaken liepen, leek Alex zo sprekend op Richie dat ik mijn blik even moest afwenden. Toen ik weer durfde kijken, zag ik mijn kind staan, met zijn wilde popsterrenhaar dat zijn flaporen aan het oog onttrok. Voorzichtig legde hij zijn gitaar op de bibliotheektafel, waarna hij zijn rugzak en zijn leren jas op de grond liet vallen. Ik sloeg mijn armen om hem heen.

'Het is een grote nachtmerrie, Alex.'

'Ik weet het, mam.'

Ik denk dat hij me het liefst stevig wilde omhelzen, maar omdat zijn oudere broer erbij stond bleef hij me maar op de rug kloppen, zoals je bij baby's doet als ze moeten boeren.

Alex en Ben begroetten elkaar met wat mannelijk gestomp, gevolgd door een vluchtige kus op de wang.

'Ha die Alex.'

'Big Ben.'

'Kun jij het geloven?'

'Nee,' antwoordde Alex. 'Nee, ik kan er niet bij.'

'De laatste keer dat ik hem heb gesproken,' zei Ben, 'echt de laatste keer, vroeg ik hem om geld. Om zo'n t.v.-video-combinatie met stereo luidsprekers te kopen. Ik had het niet eens nodig. Wie heeft er tegenwoordig verdomme tijd om televisie te kijken?'

De rechterkant van Alex' mond trok half grijnzend omhoog, precies zoals Richies lach. 'De laatste keer dat ik hem sprak, heb ik gezegd dat-ie dood kon vallen.' Zijn grijns veranderde in een nerveus trekje.

Ben sloeg zijn armen om Alex heen, omhulde hem. Ik begreep niet hoe mijn twee zoons zo verschillend konden zijn. Groot, klein. Blond, donker. Gespierd, pezig. Openhartig, gesloten. Ze hadden tot een verschillende soort kunnen behoren.

Op het moment dat Alex zich ontspande in de armen van zijn broer, wierp ik Wantrouwige Miep een blik toe die zei: dit is een besloten familieaangelegenheid. Ze knipperde met haar zachte valse wimpers. Dus ik zei: 'Als je het niet erg vindt, zou ik graag even alleen zijn met mijn zoons.' Ze leek het te begrijpen. Ze mompelde dat ze iemand moest bellen die last had van uitslag onder zijn armen en vertrok.

Ik nam de jongens bij de hand. Bens hand was enorm, sterk, de huid uitgedroogd van al het handenwassen in het ziekenhuis. Alex' hand was kleiner, fijner gebouwd. Zijn vingertoppen waren hard van eelt door het vele gitaarspelen. Ik nam hem vluchtig op. Hij droeg een smerig hemd en zijn krullerige borsthaar stak uit de twee scheuren die erin zaten. 'Alex,' zei ik.

'Ja?'

'Wat er ook gebeurt, ik zou graag willen dat je een stropdas en een colbert draagt op de begrafenis.'

'Hoezo wat er ook gebeurt? Wat kan er nog meer gebeuren?'

'Mam zit met een klein probleem,' begon Ben.

'Mam zit met een reusachtig probleem,' onderbrak ik hem. Ik bracht hen op de hoogte van wat zich had afgespeeld op Gevinski's kantoor. Alex liet zijn hoofd zakken en staarde naar zijn laarzen. Ben ging op een divan zitten en sloeg de handen voor zijn gezicht. Toen zijn schouders begonnen te schudden, besefte ik dat hij huilde. Ik ging naast hem zitten, omhelsde hem en streek zijn zachte haar glad. 'Kalm nou, Benjy.'

'O, mam. Wat moet je nu?' vroeg hij.

Ik keek even naar Alex. Hij stond op en kwam aan de andere kant naast me zitten. 'Ik weet niet wat ik moet.' Minutenlang zwegen we. 'Ik kan niet geloven dat mij dit allemaal overkomt,' zei ik tegen hen. 'Ik moet een advocaat spreken. Ik wou dat Stephanie eens opschoot.'

'Hoe kunnen ze jou arresteren?' wilde Alex weten. 'Zoiets belachelijks heb ik verdomme nog nooit gehoord!' Hij knipperde voortdurend met zijn ogen. Misschien vocht hij tegen zijn tranen. Misschien was hij high van het een of ander. Het was moeilijk Alex te peilen.

Het was meer dan enkel die fysieke gelijkenis met Richie; Alex leek in zoveel opzichten op zijn vader. Net als bij Richie, kon je bij hem merken dat hij ergens over in zat, maar aangezien hij niemand in vertrouwen wilde nemen had je geen idee wat het was. De enige die hem echt had begrepen was Richie, die altijd beweerde dat Alex een gluiperig rotjoch was. Zo vader, zo zoon: geboren spelers, verleiders, charmeurs, mannen die ogenschijnlijk niet belast waren met een al te streng geweten. Wat Richie echter nooit had beseft, was dat Alex heel veel van hem hield. En daar, zo verzekerde ik mezelf, hield de vergelijking op. Richies meest verheven emotie was hartstocht. Alex daarentegen had een liefhebbend hart.

Natuurlijk hield Ben ook van zijn vader. Maar hoewel zijn sportieve en academische prestaties Richie voldoening hadden geschonken, was Ben als persoon veel te aardig om werkelijk interessant te zijn voor zijn vader.

'Alex, over dat laatste gesprek tussen jou en papa...' zei ik. 'Wanneer was dat precies?'

'Toen hij me op mijn lazer gaf dat ik zijn American Express-card had gebruikt, een paar maanden geleden.'

'Geen brieven?'

'Alleen die ene die ik moest ondertekenen en waarin stond dat, als ik niet snel ophield zo te kloten...'

'Moet dat nou?'

'Ma, je kent het woord.'

'Natuurlijk ken ik het woord. Maar ik heb liever niet dat je het in mijn aanwezigheid uitspreekt.'

'Goed, moeder. In de brief stond dat als ik me niet zou gedragen, hij me niet langer financieel zou steunen en me bovendien zou onterven.' Bij nader inzien, vroeg hij: 'Heeft hij dat gedaan?'

'Nee. Luister, allebei. Ik wil jullie niet nog erger van streek maken, maar je moet alles weten.' De jongens knikten. 'Ik hoop dat het als vanzelf spreekt dat ik jullie vader niet heb vermoord.'

'Doe niet zo raar,' riep Ben uit.

Alex draaide een lok van zijn lange haar om zijn vinger. 'Je snapt het niet, mam.'

'Wat snap ik niet?'

'Zolang deze Gevinski denkt dat jij de moordenaar bent, gaat hij niet op zoek naar degene die het wel heeft gedaan.'

'Geloof me, dat is tot me doorgedrongen.'

'Jezus Christus,' zei Ben, 'dan zou de zaak voorgoed gesloten worden.'

Ik stuurde de jongens naar boven om Richies zuster, Carol de Kasjmier-koningin, te bellen en de begrafenis te regelen. Ik zat zo stil dat ik mijn hartslag overal in mijn lichaam voelde. Ik luisterde naar het slaan van de grote staartklok die de uren in kwartieren deelde.

Even voor zeven kwamen Cass, Stephanie en Madeline met het warme eten aanzetten. Stephanie had, uiteraard, alles gekookt, maar Cass hielp haar de schalen naar binnen te dragen. Madeline vouwde en hervouwde de servetten. Ze rolde er eentje op en hield het zo vast dat het slapjes naar beneden hing. 'Het mannelijk orgaan!'

'Wat knap,' mompelde Cass. Ze had jaren terug met Madeline in de selectiecommissie van een bibliotheek gezeten. Ze had haar niet echt goed gekend maar ze wist wel dat Madeline een fervent lezer was. Dus toen Madeline haar had gevraagd of ze samen met ons drieën mocht hardlopen, waren we het allemaal eens geweest: een helder verstand verwelkomden we graag in ons midden. Madeline was bovendien heel attent. Ze knipte boekbesprekingen voor ons uit de krant of belde op als een favoriete auteur op een of ander obscuur kabelnet werd geïnterviewd. De andere kant van de medaille was dat ze soms plotseling stil bleef staan, net als we puffend het juiste tempo hadden gevonden, volkomen vervuld van Kunst. We maakten pas op de plaats terwijl zij declameerde: 'Er is geen fregat zoals een boek...' Maar sinds haar scheiding twee jaar geleden was ze zelf een feministisch *artiste* geworden en nu citeerde ze alleen uit eigen poëtisch werk.

'Mijn Huwelijk,' verkondigde ze ineens.

'Is dat een van je gedichten?' vroeg ik, mijn best doend om de angst en walging niet in mijn stem te laten doorklinken.

'Ja. Maar het gaat niet alleen over mijn huwelijk.'

'Het heeft een zekere universaliteit,' zei Cass vermoeid.

'Ja!' Madeline wierp een vluchtige blik op mij en beet op haar lip. 'Het spijt me. Dit is misschien niet het juiste moment.'

'Nee,' zei ik. 'Toe maar.' Ze was zo'n zielig hoopje mens in haar zwarte broek en sweater en Hell's Angels-hesje. Geen van ons drieën had ooit de moed te zeggen dat ze haar klep moest houden.

Madeline schraapte haar keel. 'Ik durfde geen adem te halen / Uit angst dat mijn ziel / Zou exploderen / Van de leegte binnenin.'

Ik wachtte, tot ik me realiseerde dat dat het hele gedicht was. 'Prachtig,' zei ik.

'Hoe komt het dan dat de *New Yorker* het heeft geweigerd?'

'Omdat ze zo trendgevoelig zijn,' antwoordde ik.

Madeline was nooit iemand geweest met wie je kon lachen, of die zelfs maar licht vermakelijk was, maar ze was wel heel lief. Tot ze door haar man in de steek werd gelaten, niet voor een andere vrouw maar voor ontelbare andere vrouwen. Ze verbitterde. Ik vraag me wel eens af of dat pijnlijker was geweest dan wat mij met Richie was overkomen. Hoe dan ook, Myron Michael Berkowitz, tandarts van beroep, verhuisde naar een appartementencomplex voor alleenstaanden dat zich beroemde op een binnenbad met waterval. Aan haar werk, het maken van kruiswoordraadsels, had Madeline nooit een dagtaak gehad, maar in plaats van meer puzzels te produceren om de terugval in inkomen te compenseren, hield ze haar baan voor gezien om een van alimentatie afhankelijke, full-time dichteres te worden.

Ik keek van de vlekkerige en verbitterde Madeline naar Stephanie, met haar perzikgave huidje. Ze had al het eten op de eetkamertafel uitgestald en haalde een metalen groentemandje uit haar linnen draagtas. Ze trok er een plukje waterkers uit en bracht daarmee een bladerrijke cirkel aan rond de gegrillde en gemarineerde groenten. Ze strooide willekeurig wat takjes dille op de gepocheerde zalm en plantte, na enige overpeinzing, een boompje van rozemarijn midden in de rode aardappelsalade. 'Dank je,' fluisterde ik, terwijl ze het touwkleurige zuurdesembrood en de zevengranenbroodjes die ze had gebakken in een rieten mandje schikte.

'Geen dank. Ik heb alle menu's al uitgedacht, dus je hoeft je geen zorgen te maken over het eten in je week van rouw. Het is werkelijk een heel verstandige gewoonte.' Ze gaf me een stukje papier, waarop de naam van een advocaat in Manhattan stond. Ze zei dat niemand in haar kennissenkring een goede strafpleiter op Long Island wist, en dat ze dacht dat ik onmiddellijk iemand nodig had die me vertegenwoordigde. 'Hij is een ervaren strafpleiter die werkt voor mijn voormalige werkgever,' vertrouwde ze me toe. 'Ik heb zelf nooit met hem samengewerkt, maar hij heeft een superreputatie.'

Onbewust vroeg ik me weer af of Stephanie het niet betreurde dat ze haar juridische carrière had opgegeven voor bladerdeeg. Het was niet de eerste keer dat ik medelijden had met haar, vanwege haar miskende schoonheid en haar ongeïnteresseerde echtgenoot. Maar medeleven kent zijn grenzen. Na haar opmerking over de rouwperiode, wist ik dat het een kwestie van seconden was eer ze een van haar prosemitische verhandelingen zou afsteken over Superieure Joden in Mijn Kennissenkring, Die Geen Van Allen Opdringerig Zijn. Ik vroeg me af of het me zou lukken een klein stukje gepocheerde zalm op een bordje mee te smokkelen naar mijn kamer boven.

Gelukkig kwamen Alex en Ben – en Wantrouwige Miep – op dat

moment binnen. Tot mijn grote verbazing had Alex zich niet alleen geschoren maar ook zijn haar naar achteren gekamd met behulp van ongeveer een vierde pot gel, wat de gelijkenis met Richie des te opzienbarender maakte. Zelfs Cass, die hem het best kende, knipperde met haar ogen. Madeline sloeg vol verbazing met de rug van haar hand tegen haar voorhoofd. 'Je bent een doorslag van je vader!' Stephanies mond viel eveneens van verbazing open; ze zag eruit alsof haar IQ zojuist met honderd punten was verminderd. 'O, mijn God!' bracht ze haperend uit.

'Alles kits, dames?' vroeg Alex hen alledrie tegelijk. Hij had ergens het taalgebruik opgepikt dat de rock 'n' roll wereld kenmerkt en klonk alsof hij in een hoerenkast in New Orleans was grootgebracht.

'Ja hoor, Alexander,' antwoordde Stephanie, die niet in staat leek haar ogen van hem los te maken. Nou ja, Cass had altijd beweerd dat Stephanie smoorverliefd op Richie was. Ik was het niet met haar eens: ik kende niemand die Stephanie een seksuele vrouw zou noemen, hoewel het me één keer, toen we een wedstrijdje gemengd dubbel met onze echtgenoten speelden, opviel dat Stephanie de controle over haar backhand verloor bij het zien van de bobbel in Richies tennisbroek.

Ondertussen kwam Madeline los. 'Ik hoop anders niet dat je op hem lijkt wat betreft je omgang met vrouwen,' zei ze tegen Alex.

'Madeline,' interrumpeerde Cass, 'wat dacht je van een muilkorf?'

Ze trok haar neus op voor Cass en wendde zich tot mij. 'Herinner je je "Menselijk Wezen" nog? Ik heb het vorig jaar geschreven: "Jij vertrok / Niet in stilte / Maar met luide kwaadaardigheid. / Je kwam niet terug / Dus je kon niet zien / Het gat dat in mijn hart achterbleef."'

'Ik weet het nog,' zei ik. 'Erg ontroerend."'

Cass zuchtte vermoeid en liep naar de jongens om ze met een kus te verwelkomen. Ben leek oprecht verheugd haar te zien. Ze had Wantrouwige Miep een keer eerder ontmoet en schudde haar nu, iets te enthousiast, de hand. Alex daarentegen was niet bepaald opgetogen over deze ontmoeting. Vier jaar eerder had Cass de moed gehad waaraan het haar collega-docenten op de middelbare school had ontbroken; ze had hem geweigerd haar Engelse lessen nog langer bij te wonen, en verklaarde tegenover hem dat haar collega's zich vergisten: dat hij niet onder zijn niveau presteerde maar gewoon te stom was.

Met ons zevenen gingen we aan tafel. Een paar ondraaglijke seconden lang hoorden we niets dan het getingel van de kroonluchterkristallen, veroorzaakt door onze ademhaling, en schoven we ongemakkelijk heen en weer op onze stoelen. Niemand had iets te zeggen. Ten slotte vroeg Cass Ben naar het verloop van zijn co-assistentschap en

Alex naar het soort publiek dat Cold Water Wash trok. Het getingel ging verloren in de conversatie. Het begon bijna als een normaal etentje aan te voelen.

Natuurlijk kon je het niet volkomen normaal noemen, zoals Madeline onoplettend Stephanies dillesaus op Cass' schoot morste en even later op hoge toon eiste: 'Stilte! Alsjeblieft, ik heb rust nodig,' waarschijnlijk om haar muze te kunnen horen. Gelukkig kon ze niets reciteren met haar mond vol.

Cass beweerde dat Madeline achter dat quasi-artistieke masker woest was dat ze haar man Myron niet langer de schuld kon geven dat ze, omdat hij haar artistieke ambities belachelijk maakte, dertig jaar lang als schrijver emotioneel geblokkeerd was geweest. Nu ze gescheiden was moest ze wel presteren of opgeven, en haar werk was zo abominabel dat zelfs de zeer tolerante *Shorehaven Sentinel* het niet wilde publiceren.

Mijn theorie was dat zolang ze de rol van mevrouw Berkowitz had gespeeld, ze moeite had gehad zich haar eigen naam te herinneren. Nadat Myron met zijn volmaakt gerestaureerde gebit het hazepad had gekozen, was ze wanhopig op zoek gegaan naar een eigen identiteit. Was het zo erg dat ze zichzelf als een poëet zag? Maar het was inmiddels twee jaar geleden dat M.M.B., tandarts, haar bij het grof vuil had gezet en ze had enkel een stapel afwijsbrieven verzameld.

Ik schoof wat met een plak aubergine over mijn bord. Er zaten donkere strepen van het roosteren op. Net ijzeren tralies, dacht ik. Of de streepjes van een gevangenispak. Ik kon geen hap door mijn keel krijgen. Ik kon niet bevatten wat me overkwam.

'Ik heb minimale olie gebruikt,' zei Stephanie bemoedigend. 'Extra jonge olijfolie.'

'Ik geloof dat je een beetje egocentrisch bent,' opperde Madeline. 'Dat is waarschijnlijk onvermijdelijk voor iemand als jij. Maar het ligt niet aan jouw eten; Rosie is gewoon niet in staat te eten. Heeft iemand *Women, Race and Class* van Angela Davis ooit gelezen?' Ze wachtte tot we bekenden van niet.

'Ja, ik,' antwoordde Cass. 'Wat heeft dat in vredesnaam te maken met het feit dat Rosie Stephanie's groente niet eet?'

'Juist jij zou dat moeten begrijpen,' reageerde Madeline.

'Ik begrijp het maar al te goed,' snauwde Cass.

'Ik ben buiten mezelf,' zei ik zachtjes, hen onderbrekend.

'O, Rosie!' riep Cass uit. 'Sorry, dat we ons zo onnozel gedragen.'

Stephanie zag eruit alsof ze liever in haar broeikas zou zijn, wroetend in de compost.

Madeline schudde zwaarmoedig haar hoofd om de aard van de

mens. 'Zou het de pijn verlichten als ik je hielp herinneren wat voor iemand hij was?' vroeg ze me.

'Hij was de vader van mijn zoons, Madeline, die hier toevallig ook aanwezig zijn.'

'Het zijn toch geen kinderen meer!' riep ze uit. Ben staarde op zijn bord. Alex pakte de schaal aardappelsalade op en overwoog zichtbaar of hij hem op Madelines hoofd te pletter zou slaan. Ze zag het en zei vlug: 'Ik hoop niet dat iemand dacht dat ik bedoelde dat hij verdiende te sterven.'

'Nog nieuws van de politie?' Stephanie was ongewoon opgewekt, maar wie weet deed ze werkelijk haar best Madeline ervan te weerhouden een haiku op te lepelen.

Ik schudde mijn hoofd: niets nieuws onder de zon. Ik kon hen niet over Gevinski vertellen. Ik geloof niet dat ik de kracht had hun medeleven te doorstaan.

'Hebben ze enig idee wie het gedaan heeft?' vroeg Madeline. 'Die minnares van hem?' Ik schudde mijn hoofd. 'Wie dan?'

'Ze hebben wel een verdachte,' zei ik zachtjes.

'Dat menen ze toch niet serieus, Rosie?' Stephanie leek diep geschokt.

'Heel serieus.'

'Alex,' zei Wantrouwige Miep, 'zou je de aardappelsalade even aan je broer willen doorgeven.'

'Wàt menen ze serieus?' wilde Madeline weten.

'Ze denken dat ik het heb gedaan,' wist ik uit te brengen.

'Het is te gek om los te lopen,' merkte Ben op, terwijl hij het stukje geroosterde rode paprika aan zijn vork omhoog hield.

'Wat je ook hebt gedaan, er is geen vrouw op deze aardbol die je zou veroordelen!' zei Madeline. 'Dat bedondert en bedriegt maar. Herinner je je het gedicht dat ik heb geschreven op de dag nadat hij je had verlaten, na de schijnvertoning die jullie zilveren huwelijksfeest was? "Een zilveren jubileum / Een nacht vol liefde / Ja, liefde en vrolijk gelach / Tot het loodkleurige van de ochtendschemer / Toen de man van staal / Zonder een spoor van ironie..."'

'Mevrouw Berkowitz,' zei Alex met zijn schitterende bariton.

Ze was kwaad dat ze werd onderbroken. 'Wat is er?'

'Hou verdomme uw kop eens!'

Ik verstijfde. Madeline verstijfde. Wij allemaal. Toen stond Madeline zo abrupt op dat haar stoel met een daverende knal tegen de vlakte ging. Ze wachtte, de handen demonstratief op haar heupen. Een seconde, twee, drie. Ze keek Alex woest aan. Hij staarde even woedend terug, waardoor ze haar blik afwendde en mij strak aankeek. Ik zei niets. Madeline stormde de kamer uit.

Stephanie stond opeens ook op, zette haar enthousiaste laat-mij-dit-maar-even-regelen-stem op en vroeg of we toestemming van de politie hadden om de keuken te gebruiken. Toen ik dat beaamde, begon ze de tafel af te ruimen. Alex, zo ontdekte ik, zat telkens als ze weer binnenkwam om vaat op te halen naar haar te gluren. Hij was niet alleen gefascineerd door Stephanies mooie gezicht, maar kennelijk ook heel nieuwsgierig naar wat er onder haar losjes vallende blauwe sweater en haar wijde tweed broek schuilging. Op een gegeven moment bood hij zelfs aan haar te helpen, maar ze zei dat hij zich echt niet druk hoefde te maken. Hij verzonk in haar grote, stralende ogen. Heel even, onwillekeurig, staarde Stephanie terug. Toen trok ze zich gehaast, blozend, terug in de beslotenheid van de keuken om de zalm in huishoudfolie te wikkelen. Ben zag haar – uiteraard – niet staan; hij en Wantrouwige Miep hielden onder tafel elkaars hand vast.

'Ik zag buiten een aantal mannen,' zei Cass kalm. 'Aan het begin van de oprijlaan, in een grijze auto. En twee anderen voor het huis.'

'Wat? Zonet, toen je binnenkwam?'

'Ja. Is het gebruikelijk dat ze zo voor je deur kamperen?'

'Nee. Dat betekent vierentwintiguursbewaking.'

'Idioten!'

'Heb je helemaal geen twijfels, Cass?'

'Waarover?'

'Of ik het al dan niet heb gedaan.'

'Geen enkele, Rosie.'

Het regende die nacht, een koude herfstige stortbui die een geluid maakte als trommelende vingers toen hij op de droge bladeren neerdaalde. Mijn laatste gedachten, voor ik wegggleed in wat meer leek op een coma dan op een normale slaaptoestand, waren dat de avondlucht lekker rook en dat ik een pot koffie had moeten zetten voor de twee agenten die buiten in de regen op wacht stonden.

De Weledelgeboren Heer Forrest Newel van de firma Johnston, Plumley en Whitbred zag eruit als een opgeblazen advocaat van de gevestigde orde die rechtstreeks uit een roman van Ross MacDonald was gestapt, zo iemand die allerlei weerzinwekkende geheimen over zijn cliënten weet. Zijn ouderwetse, metalen bril zat instabiel op zijn hoge neusrug. Uit het vestzakje van zijn krijtstreeppak bungelde een gouden horlogeketting. Ik droeg ook een pak, mijn enige: een trendy taupekleurig ding van het vorige jaar. Het kriebelde.

Achter Forrest Newel vormde het raam de omlijsting voor de torenflats en wolkenkrabbers van de Manhattan-skyline alsof het een schilderij betrof dat hij bezat. Hij hoorde mijn verhaal aan voor vierhonderd dollar per uur, schraapte luidruchtig zijn keel en verkondigde: 'Het lijkt erop dat u zich in een moeilijk parket bevindt, mevrouw Meyers.'

Doorgaans ben ik niet zo'n rationele, logisch denkende dame die A, B, C denkt en vervolgens ogenblikkelijk de onontkoombaarheid van D in de gaten heeft. Noch ben ik iemand die denkt in volledige zinnen. Maar meteen nadat Forrest Newel had gesproken, drong een rationele gedachte die tegelijkertijd een volledige zin was tot me door: als ik naar de gevangenis moet, ben ik een oude vrouw als ik vrijkom.

Kalm nou, waarschuwde ik mezelf. Dit is niet het moment om theatraal te worden. 'En ze kunnen me zomaar arresteren?'

'Dat zal waarschijnlijk pas na de begrafenis gebeuren, en bovendien hebben ze daarvoor een bevel tot inhechtenisneming nodig.'

'Is het moeilijk voor ze om daar aan te komen?'

'In uw geval, moet ik helaas bekennen, niet echt. Het komt door dat' – hij hield zich in voor hij 'verdomde' tegenover een dame had geuit – 'dat mes met uw vingerafdrukken maakt de situatie nogal penibel.' Ik wenste dat hij zijn wenkbrauwen zou fronsen of in zijn handen zou wrijven uit bezorgdheid om mijn netelige positie, maar hij zat volkomen bedaard op zijn bruin leren troon, zijn handen losjes voor zich gevouwen. Niks bezorgdheid: Forrest Newel was zo onbewogen dat hij zich niet eens verroerde. Als hij sprak, glipten de woorden tussen zijn nauwelijks geopende lippen door naar buiten. Ik had moeite hem te verstaan. 'Ik zal een bezoekje aan de officier van justitie bij voorbaat niet uitsluiten, maar ik denk dat arrestatie indien niet onvermijdelijk toch zeker aannemelijk is.'

'Maar ze hebben alleen indirecte bewijzen! Hij is in mijn huis met mijn vleesmes doodgestoken. Dat is alles.'

'Alles? Uw vingerafdrukken staan op het moordwapen.'

'Ik heb u toch gezegd...'

'Mevrouw Meyers, het probleem is dat er geen enkel bewijs is gevonden dat er een derde persoon in uw huis is geweest.'

'Maar er moet verdomme iemand geweest zijn!' brulde ik. Forrest Newels hoofd schoot achteruit. 'De moordenaar!'

'Mevrouw Meyers, alstublieft. Verman uzelf.' Ik moest vooroverbuigen om hem te kunnen horen. 'Als de moordenaar in uw woning was, zal de politie daar snel genoeg achter komen. Vergeet niet dat het autopsierapport nog moet komen, evenals de resultaten van de andere forensische onderzoeken. Misschien staat er in een van de rapporten wel: "Het mes is *post mortem* verwijderd." Zou dat niet puik zijn?' Puik, dacht ik bij mezelf. Dit is een of ander waardeloos papkindje dat van zijn leven waarschijnlijk nog geen misdaadzaak heeft behandeld.

'Doet u wel eens vaker moordzaken?' vroeg ik.

'Recentelijk niet meer. Maar ik heb in de jaren vijftig drie jaar ervaring opgedaan als assistent-aanklager onder Frank Hogan, hier in Manhattan.' Mijn gelaatskleur moet van ziekelijk wit in nog ziekelijker groen zijn veranderd, want hij voegde eraan toe: 'Moord, speculeren met voorkennis, belastingontduiking... het is allemaal één pot nat voor de strafpleiter. Onderliggende rechtsprincipes en dat soort dingen. Maar laten we voorlopig onze vingers gekruist houden wat betreft de resultaten van die onderzoeken, ervoor wakend dat we geen dwaze optimisten worden.'

Ik probeerde mezelf met enig elan te verdedigen. 'De onderzoeken zullen vermoedelijk aantonen dat er meer dan één paar autobandensporen in de buurt van Richies auto voorkomen.' Als Forrest Newels ogen niet open waren, zou ik gezworen hebben dat hij sliep. Zijn in een vest gehulde borstkas rees en daalde regelmatig. Hij was volkomen ontspannen. Dus sprak ik met alle geestdrift die ik op wist te brengen. '*Alstublieft*. Er lag modder op de keukenvloer. Ik heb eens zitten denken: Richies auto stond vlak naast de weg. Waarom zou hij zoveel modder aan zijn schoenen hebben? Het had niet geregend. Zoeken ze dat soort dingen niet uit?'

'Wat die bandensporen betreft,' zei Forrest Newel, 'u hebt mij zelf verteld dat die bewuste plek vaak wordt gebruikt als parkeerplaats door mensen die gaan tennissen op de baan van uw naaste buren. En wat betreft de modder die u als ontlastend bewijsmateriaal aanvoert, welnu, daarvan zal de politie zeggen dat uw man dat naar binnen heeft gelopen.'

'U denkt dat ik mijn man heb vermoord.'

'Ik zeg altijd tegen mijn cliënten dat het niet ter zake doet wat ik denk. Het gaat erom wat de *autoriteiten* denken.'

'Ik heb hem niet vermoord!'

'Maak u niet druk, Mevrouw Meyers. Dit is niet het einde, weet u. Dit is het begin van een lang proces.'

'Denkt u dat ik naar de gevangenis moet?'

'Dat wil ik niet hopen.'

'Denkt u dat er een reële kans bestaat?'

'Als we enig bewijs kunnen vinden dat erop wijst dat u niet betrokken bent geweest bij de dood van uw man, of als we de politie ervan kunnen overtuigen dat een andere verdachte het meer verdient hun aandacht te krijgen, dan bent u – als het ware – van de narigheid af. Zo niet, dan zal ik u moeten adviseren schuld te bekennen in ruil voor een minder zware tenlastelegging. In dat geval ben ik bang dat u enige tijd in de gevangenis zult moeten doorbrengen.'

Toen ik weer in staat was iets te zeggen, vroeg ik: 'Hoe lang is "enige tijd"?'

'In het allerergste geval?' Hij lachte, maar herstelde zich snel en toverde opnieuw de slecht-nieuws-uitdrukking op zijn gezicht. 'Hooguit twaalf tot vijftien jaar.' Ik stond op. 'Maar dat is niet waarschijnlijk. Ik weet zeker dat het veel minder zou worden.'

We namen afscheid. Ik was tot op de bodem van mijn maag misselijk. De bagel en de vetarme roomkaas die ik als ontbijt had verorberd leken in mijn luchtpijp vastgeplakt te zitten, en wellicht heeft dat als enige voorkomen dat ik het bittere bezinksel van mijn kopje ontbijtkoffie niet over de glimmende zwartgranieten vloer in de foyer van Johnston, Plumley en Whitbred uitkotste. En ik ving heel even mijn spiegelbeeld in het zwarte graniet op – een gewone vrouw in een overdreven chic mantelpakje.

De laatste ruk van de lift voor deze stopte en de deur openging, was de druppel. Ik nam de uitgang die op Park Avenue uitkwam. De straat leek beheerst te worden door zakenvrouwen met belangrijke carrières. Het waren onderling uitwisselbare, stijlvolle, veel armbanden dragende vrouwen met scherpe gelaatstrekken en glanzend haar. Voor hen geen taupekleurige mantelpakjes. Dit seizoen althans niet. Zij wisten dat ze Schots geruite pakjes moesten dragen waarvan de lange rok tot halverwege hun in donkere kousen gestoken kuiten reikte. Ik baande me een weg door de menigte en, geloof me, die vrouwen voelden gewoon aan dat ze ruim baan moesten maken voor mij. Pas op, leken ze elkaar in te seinen. Een hyperventilerende burgertrut!

Maar ik kon mezelf er niet toe brengen voorover te buigen en in de goot te braken, niet zolang die hooghartige dames mijn getuigen waren. Ik zocht steun bij een lantaarnpaal. Hun met lippotlood omrande lippen trokken vol afkeer strak toen ik van ellende kreunde. Ik voelde me zo verschrikkelijk beroerd. Als ik daar ter plekke zou overgeven, zouden ze hun gezicht plooien, hun hoofd afwenden en onderling opmerken: 'Snap jij dat iemand zoveel kan eten 's ochtends?' Ik slikte het zuur in mijn mond door. Ik haalde diep adem. Niet doen, smeekte ik mijn lichaam uit alle macht. Het zou lijken alsof je ten overstaan van honderd Jessica's stond te braken.

Jessica: ik leunde met mijn rug tegen de lantaarnpaal. Denk. Was Jessica bij Richie geweest toen hij naar huis kwam? Wist ze dat hij daar was? Ik begon te lopen. Mijn benen wisten twee straten eerder dan ik wat mijn doel was.

Ik zat in mijn kriebelige pakje op de plakkerige achterbank van een taxi. Rond de tijd dat Richie zijn leven ging haten, vermoedelijk vanaf de avond dat Joan Driscoll Gulls' Haven belachelijk maakte en hem Jonkheer Meyers noemde, begon hij snobistische feiten over Manhattan te verzamelen. Bijvoorbeeld dat de oneven nummers aan Beekman en Sutton Place de fraaiste woningen zijn, omdat ze uitzicht op de rivier hebben. En dat als je tegen een deftig iemand zou zeggen dat je aan een van de elegante, kleine straten zoals Sniffen Court of Henderson Place of Gracie Square woonde, deze persoon wellicht zou zeggen: '*For*midabel.'

Hij was verhuisd naar Gracie Square, naar een gebouw zo lang en gracieus als Jessica zelf. Ze bezat daar een kleine, twee verdiepingen tellende flat die uitkeek op de East River. In de dagen dat ze een van de vele leidinggevenden van Data Associates was (althans voor mij), hield ze dikwijls 'kleine dineetjes' zoals zij dat noemde, voor zo'n dertig personen, bij haar thuis. En dan stond ik daar in haar woonkamer tijdens het cocktailuurtje en déed mijn best om een gesprek aan te knopen met een van haar onberispelijk beleefde vrienden, van wie de meesten ingefluisterd hadden gekregen dat ze moesten vragen: wat zijn de nieuwste ontwikkelingen in het Amerikaanse middelbare-schoolonderwijs? Hen was ook ingefluisterd dat ze geboeid moesten luisteren, ongeacht mijn antwoord, omdat ik de vrouw van de president-directeur was. Ik probeerde te doen alsof ik niet wist dat ze mij enorm saai vonden. Ik probeerde niet afgeleid te worden door het spectaculaire panorama van sleepboten en woonschepen die voor haar ramen de East River op voeren. In plaats daarvan dwong ik mezelf geanimeerde gesprekjes te voeren. En ik beoordeelde mijn sociale succes aan de hand van het feit of Richie al dan niet de liefde met me bedreef als we thuiskwamen. Hij deed het nooit.

Ik stapte uit de taxi en liep naar het ijzeren hek voor het gebouw. De portier kwam me tegemoet, overwegend of mijn mantelpakje er duur genoeg uitzag. Ik zei 'Goedemorgen' omdat ik dacht dat dat hoffelijker klonk dan 'Hallo'. Hij was gekleed in een marineblauw uniform met epauletten die deden denken aan reusachtige, omgekeerde gouden tandenborstels.

'Kan ik u helpen?' vroeg hij.

'Ik kom voor mevrouw Stevenson.' Zijn donzige witte wenkbrauwen gingen omhoog; kennelijk had hij over Richies dood gehoord. Mijn hart begon sneller te kloppen. Stel dat Gevinski op dit moment bij Jessica boven zat? Stel dat ze de politie zou bellen en... 'Ik ben mevrouw Meyers.' De ingevallen kaak van de portier viel open. 'De zùster van meneer. Meyers,' vertrouwde ik hem toe. De kleur op zijn wangen veranderde van felrood in een minder levensbedreigend roze.

'Het spijt me van uw verlies,' mompelde hij. Hij zwaaide het hek open en vergezelde me het gebouw in. Ik bedankte hem terwijl hij naar de huistelefoon greep. 'De zuster van meneer Meyer is hier voor u, Miss Stevenson.' Hij knikte onderdanig toen Jessica tegen hem sprak.

Gelukkig was de liftbediende alweer op weg naar beneden, zodat hij Jessica niet hoorde gillen nadat ze bij het openen van de voordeur 'Carol!' uitriep en mij zag staan. Ze slaakte een vrouw-ontdekt-muis-gil en bleef gillen terwijl ze de deur in mijn gezicht wilde dichtslaan. Met wat kennelijk de moed der wanhoop was – en de aanblik van haar in rouwkleding, een wit kasjmieren jumpsuit waarvan de rits tot halverwege haar borstkas openstond – gooide ik mezelf uit alle macht tegen de deur. Een steek van pijn schoot via mijn schouder omhoog naar mijn nek en vandaar mijn arm in, terwijl de tranen in mijn ogen sprongen. Maar ik was binnen.

'Lazer op!' Ze hield op met gillen. Haar stoere taal zou de gemiddelde ondergeschikte in tranen hebben doen uitbarsten. Maar opeens besefte ik dat ìk de touwtjes in handen had. Ze was bang voor me!

'Ik snap niet waarom je bang voor me bent.' Jessica reageerde niet. Ik constateerde geen spoor van rode of opgezwollen ogen. Als ze door Richies overlijden was ingestort, had ze zichzelf inmiddels weer aardig onder controle. 'Werkelijk, je denkt toch niet echt dat ik het heb gedaan,' vervolgde ik. Maar ze gedroeg zich op een manier die dat tegensprak; haar ogen schoten van de ene naar de andere hoek in de marmeren entree, zoekend naar hulp. Ze vond niets behalve een supermoderne metalen tafel, een schilderij bestaande uit zwarte hanepoten en een enorm beeldhouwwerk dat op een koperen balzak leek.

'Jij denkt dat ik het heb gedaan,' zei ik. 'Maar weet je wat zo ironisch is? Ik denk dat jìj het hebt gedaan.'

Die opmerking deed haar rood aanlopen en haar grootste angst verdwijnen. Ze zette haar handen op haar heupen. Ik constateerde dat haar taille zo smal was dat haar vingers elkaar praktisch raakten. Mijn oog viel bovendien op een ring met een levensgrote, geslepen smaragd aan de ringvinger van haar linkerhand. 'Ik?' riep ze verbijsterd uit. 'Ben je helemaal gèk geworden?'

'Praat niet zo bekakt. Je komt ook maar uit Ohio.' En ik wilde er graag aan toevoegen: 'Hoer die je bent,' maar besloot dat ik haar daarmee te veel tegen me in het harnas zou jagen.

'Eruit!' Haar ogen spuwden vuur. Tot mijn grote spijt moet ik toegeven dat ze er zelfs woedend geweldig uitzag. Ik weet vast en zeker dat Richie tegen haar gezegd moet hebben: wat zie je toch opwindend als je kwaad bent. Ik zou hem daarentegen gezegd hebben dat hij op zijn taalgebruik moest letten. Tja, dat krijg je na vijfentwintig jaar huwelijk en zevenentwintig jaar taalonderwijs, wat misschien deels zijn bekoring verklaarde voor deze mooie, jonge, ik-kan-rustig-een-jumpsuit-zonder-ondergoed-dragen-beleggingsdeskundige die geen moer verstand had van dictie.

Ik had geen 'hoer die je bent' willen zeggen. Maar stel dat ik haar uitmaakte voor 'moordenaar'? Ja, Jessica was duidelijk bang voor me. Maar betekende dat dat ze in de veronderstelling verkeerde dat ik schuldig was? Of betekende het misschien dat ze in mij een onverzoenlijke furie zag die niet zou rusten voor ze wraak had genomen voor de moord – of die andere misdaad: overspel.

'Zeg me wat hij bij me thuis zocht.'

'Ik ga de politie bellen.' Ik geloof dat ze een stap achteruit deed. Ik kon het niet goed vaststellen, want ze had witte kleding aan en de vloer en de muren waren ook glanzend wit. Het klinkt misschien overdreven, maar helaas was het appartement redelijk subtiel ingericht, om niet te zeggen buitengewoon fraai. Modieus maar niet opzichtig. Bescheiden. Elegant. Al die schitterende, stijlvolle eigenschappen die Richie niet had kunnen kopen met al zijn Georgiaans tafelzilver en Chippendale meubilair.

'Jessica, *alsjeblieft*. Ik sta op het punt gearresteerd te worden voor een misdaad die ik niet heb gepleegd. Ik heb hulp nodig.'

'Dat kun je wel zeggen.'

'Waarom kun je niet gewoon zeggen waarom hij naar mijn huis kwam?' Ze deed alsof ze geboeid werd door de lijnen van haar diepe, V-vormige decolleté. Wat had ze te verbergen? 'Omdat je niet wist dat Richie naar me toe ging? Omdat hij je niet in vertrouwen had genomen?' Ze schudde haar hoofd alsof ze wilde zeggen: wat een hopeloos mens. Maar misschien probeerde ze enkel te verbergen dat Richie ook tegenover haar niet eerlijk was geweest. 'De afgelopen paar jaar,' zei ik vriendelijk, 'liet hij me zelden weten wat hij dacht. Als hij jou ook op een afstand hield...'

Als er niet zo'n verwerpelijk gesnater in haar lach had doorgeklonken, had ik nooit een uitval gedaan en haar een klap verkocht. Maar het klonk er wel in door. '*Wham!*' Ik mepte haar recht in het gezicht. Haar hoofd zwieberde even, alsof er een veer in haar nek zat. *Doing, doing, doing.* Toen schreeuwde ze en hard ook.

Plotseling kwam er ergens uit de woning een man aanzetten. Blootsvoets en nog bezig de ceintuur van de badjas vast te knopen kwam hij aangesneld. 'Jessica?' riep hij.

'O, God,' jammerde ze. Hij sloeg een arm om haar heen. Ze klampte zich aan hem vast, drukte haar handen tegen zijn borst en verborg haar hoofd onder zijn arm.

84

'Wat is er gebeurd?' wilde hij weten. Hij was veel ouder dan zij, achter in de vijftig of begin zestig, met wallen onder zijn ogen. Zijn haar was zo dik en wit dat je nauwelijks kon geloven dat het geen pruik was. 'Jessica, wie is dit?' Hij was lang. De badjas reikte niet eens tot zijn knieën.

'Ze heeft me geslagen!'

En toen pas drong het tot me door. De badjas was hem te kort, omdat het Richies badjas was. 'Jij laat er ook geen gras over groeien, hè Jessica?'

Ze maakte zich los uit de omarming van de man. Ik dacht dat ze me ging bespuwen. De linkerkant van haar gezicht was vurig rood. Ik was tegelijkertijd opgelucht en teleurgesteld dat er geen handafdruk te zien was. 'Dit is mijn váder,' zei ze. Ze nam zijn hand in de hare en zei: 'Dit is Richies voormalige echtgenote.'

'Niks voormalig,' zei ik vinnig.

'Wat doet u hier?' snauwde de man. Ondanks zijn witte, blote benen beschikte hij over een autoritaire, Voorzitter-van-de-Raad-van-Commissarissen-stem.

'Alstublieft. Ik zit vreselijk in de nesten.' Ik wachtte tot de positieve kant van zijn karakter zou gaan beseffen dat ik een jonkvrouw in nood was, maar hij trok enkel Jessica's hand steviger tegen zich aan.

'Moet je kijken,' zei Jessica. Ze liet haar wang, die helaas nog steeds dieprood was, aan hem zien.

Dat was de druppel wat die lieve oude pa betrof. En wat mij betrof. Hij liet haar hand vallen en greep in een flits de kraag van mijn jasje en mijn blouse zo stevig beet dat ik bijna stikte. Daarop sleurde hij me naar de voordeur en schopte me de woning uit.

7

'Ik heb de bal aan het rollen gebracht, Cassandra,' zei haar echtgenoot. 'Ik verwacht dat ze ieder moment terugbellen.'
Cass, zelf het toppunt van fatsoen, staarde hem aan. 'Ik hoop dat je in staat bent het strafrechtelijk proces te ondermijnen, Theodore. Rosie zit in moeilijkheden.'
Theodore Tuttle Higbee III wierp even een blik in mijn richting. 'Denk je werkelijk dat ze je zullen arresteren?'
'Niet meteen na de begrafenis natuurlijk. Maar wellicht later op de dag of morgen, ja.'
Hoe dan ook, ik wist me aardig staande te houden. Niet dan? Ondanks het feit dat ik door twee agenten, dit keer in een witte auto, werd gevolgd had ik kans gezien vroeg genoeg bij Cass thuis te zijn om een van haar zondagse hoeden, een kleine schotelvormige met een zwarte voile, voor de begrafenis te lenen. Ik was zelfs in staat rustig wat te praten en koffie te drinken in de serre van de riante woning van de Higbees. Maar ik was een robot die Rosie Meyers heette geworden, een emotieloze machine.
'Ik hoop dat je die geflipte politieke vriendjes van je eens flink de wind van voren geeft namens haar,' zei Cass tegen Theodore.
'Ik doe mijn best, Cassandra.'
'Het kan altijd beter. Laat jij soms toe dat ze haar in de handboeien slaan en wegvoeren? Met wie moet ik dan praten? Waar krijg ik halverwege oktober iemand die de lessen over Shakespeare kan overnemen?'
'De officier van justitie hier is een democraat,' verklaarde hij.
'Dat weet ik wel, Theodore. Maar ik verkeerde in de veronderstelling dat je invloed verder reikte dan de lokale grenzen.'
'Ik heb gehoord dat Forrest Newel een prima advocaat is,' zei hij op verdedigende toon. 'Ik weet zeker dat Rosie bij hem in goede handen is.'

'Hij is een sukkel. En jij bent een oelewapper.'

Maar eentje met goede relaties. Theodore III, die weliswaar aangenaam gezelschap vormde tijdens een diner, zou nooit als een groot denker aangemerkt worden en eigenlijk niet eens als een denker. Maar als je waar ook ter wereld een reactionair nodig had, was hij je paspoort. 'Newel was in 1984 een hoge piet in Reagans Newyorkse commissie voor financiën,' mompelde hij peinzend. 'Afgaand op wat ik heb vernomen, is deze kerel degelijk als geen ander.' Vrij vertaald betekende dit dat Forrest Newel net als Theodore tegen overheidsuitgaven was voor projecten ten gunste van armen, zieken, ouderen, jongeren, daklozen en hulpelozen; dat hij elk willekeurig beleid steunde dat ongelimiteerd geld besteedde aan massavernietigende wapensystemen.

'Forrest komt van Harvard.' Net als Theodore.

'Uiteraard,' merkte Cass op. 'Het meest overgewaardeerde instituut van Amerika.' Ze sloeg haar armen voor haar aanzienlijke boezem over elkaar. 'Hij is toch op zijn minst een kei van een strafpleiter of niet?'

'Ik neem aan van wel.' Theodore streek zijn snor glad, die veel weg had van een dropveter die op zijn bovenlip was geplakt. 'Waarom zou hij dat niet zijn?'

'Werkelijk, ik snap niet waarom ik hem nog naar zijn mening vraag,' zei Cass tegen mij terwijl ze me een tweede kop koffie inschonk. 'De man weet nergens van.'

Theodore lachte toegeeflijk naar zijn vrouw die tegenover hem zat aan de met een rood-wit gingang tafelkleed bedekte tafel. 'Cassandra is altijd zo sarcastisch,' zei hij met zichtbaar genoegen. Beiden hadden er een gewoonte van gemaakt om over hun huwelijk te praten alsof de ander net de kamer had verlaten. 'Sarcastisch en opvliegend.'

Cass, die weer eens op dieet was – wat ze overigens nooit langer volhield dan drie dagen – nipte van haar kop met heet water en citroensap. 'Het is nauwelijks te geloven,' zei ze tegen me, 'dat een aan een elitaire universiteit opgeleide Afro-Amerikaan in deze afsluitende jaren van de twintigste eeuw tegelijkertijd zo stompzinnig en zelfingenomen kan zijn, maar Theodore lukt het.'

Theodore, een lichtbruine versie van Fred Astaire, parmantig, slank en elegant, keek zijn vrouw glunderend aan. Hij, erfgenaam van de tijdschriftuitgeverij die zijn grootvader had opgericht, had Cass ontmoet op een kerstpartijtje in het jaar dat ze op Goucher arriveerde nadat ze drie jaar op Choate had volbracht met behulp van zo'n volledige, haal-ze-uit-de-goot-studiebeurs. De realiteit negerend, hun hemelsbrede verschillen in klasse, stijl, intelligentie en aard veronachtzamend en alle gezonde verstand schuwend zag hij in haar zijn mollige Ginger, maakte haar het hof en trouwde met haar de dag nadat ze afstudeerde. 'Eigenlijk is ze stapelgek op me,' liet hij me weten. 'Zie je nou wel?' riep Cass uit. 'Hij legt alles verkeerd uit. Hij maakt overal een grapje van. En ik ben níet stapelgek op hem. De waarheid is dat hij mij nodig had om te bewijzen dat hij zich niet schaamde voor zijn zwarte afkomst. Nog steeds. En ik viel voor zijn geld en sociale status toen ik nog een dom gansje was. Zodoende heb ik ingestemd met zijn voorstel.'

'Dat zegt ze nu altijd, maar waarom is ze dan nooit van me gescheiden?'

'Theodore,' zei Cass, zijn vraag negerend, 'ik wil dat je nagaat wat die Forrest Newel voor reputatie heeft. Hij lijkt me een leeghoofd.'

Meer hadden we niet te zeggen. Het enige geluid in de serre was dat van Theodore's mes, waarmee hij overtollige perzikjam van zijn Engelse muffin schraapte. En toen opeens hoorde ik ergens uit het hart van het huis een zwak getingel komen, alsof er herhaaldelijk op een triangel werd getikt. Theodore sprong op uit zijn stoel en haastte zich naar binnen. 'Zijn privé-lijn,' legde Cass uit. 'Die heeft-ie laten installeren om tegen mensen te kunnen zeggen dat ze hem op zijn privé-lijn mogen bellen. Dit is het telefoontje waarop hij heeft zitten wachten. Als hij enige mogelijkheid ziet voor jou aan de touwtjes te trekken, zal hij het doen. Dat is Lincolns partij hem verschuldigd.'

'Waarom?'

'Omdat hij al die jaren hun neger is geweest.'

Aan de andere kant van de glazen wand sloeg een frisse wind de dode bruine bladeren tegen de stam van een dikke eik.

'Je vraagt je af waarom ik nooit van hem ben gescheiden.'

'Je bent gelukkiger dan je zelf beseft.'

'Lieve schat,' zei ze langzaam, 'de enige mensen die echt gelukkig zijn, zijn mensen die wij nauwelijks kennen.' Ik staarde naar de kruimels van de volkoren cranberry-muffin op het wit doorschijnende porseleinen bord voor me. 'Maar wie weet zijn er uitzonderingen,' gaf ze toe.

'Dat zeg je alleen maar om mij hoop te geven.'

'Ja.'

'Jammer dan.'

Cass zuchtte terwijl ze haar hand uitstrekte naar Theodores bord, zijn Engelse muffin pakte en er, haar dieet vergetend, een lepelvol jam opsmeerde. Daarna nam ze nadenkend een grote hap. 'Misschien kunnen we de politie te slim af zijn.'

'Hoe?'

'Ik weet het niet.' Ze nam nog een hap. 'Wat dacht je van brandstichting? We zouden je huis in de fik kunnen steken! Misschien trappen ze erin dat je in de vlammen bent omgekomen.'

'En wat moet ik de rest van mijn leven?' Ze zette het half opgegeten cakeje op haar bord. Ik greep het en propte het in mijn mond voor ze er weer bij kon. 'Zeker serveerster spelen in een truckerscafé in Sioux City?'

'Laat me even nadenken. Aha! Je zou een pruik kunnen kopen en blauwe contactlenzen, zodat als ze je komen halen...' Haar stem zakte weg. Ze had net zomin echte hoop als ik. 'Met ons tweeën moeten we een of ander snood plan kunnen bedenken. We hebben het er na de begrafenis wel over.'

'Als ik dan nog niet in de gevangenis zit.'

Ze trok het geblokte servet weg dat ze als slab had gebruikt om haar begrafenisjurk, een marineblauw mantelpakje met een witte sjaalkraag, proper te houden. Ze zag er keurig netjes uit. 'Heb je zeggenschap over een flinke bom duiten?' vroeg ze.

'Dat weet ik niet zeker. Het laatste wat ik ervan heb gehoord is dat onze advocaten elkaar in de haren zaten vanwege bepaalde activa, waarmee Richie in de maand voor hij mij vaarwel kuste had zitten schuiven. Trouwens, waarvoor zou ik een bom duiten nodig hebben? Voor een compleet team van strafpleiters?'

'Nee. Voor steekpenningen.'

'Cass, jij hebt verstand van George Eliot. Niet van corruptie.'

'Maar jij toch wel! Jij leest die boeken.'

'Maar ik leef niet in het Mickey Spillane-universum. Zie je het al voor je dat ik Gevinski een stapeltje flappen van honderd dollar overhandig in de herenplee?'

We hoorden Theodores lichte tred op de plavuizen in de hal die toegang verschafte tot de serre. We spraken vlug af hoe we contact met elkaar zouden opnemen; gebruikmakend van de truc die het overgrote deel van de docenten in Shorehaven hanteerde wanneer ze persoonlijke gesprekken wilden voeren tijdens schooltijd en er geen behoefte aan hadden een schimmelinfectie met de gynaecoloog te bespreken via de telefoon op het secretariaat. Als ik de kans zag ergens te telefoneren, zou ik een boodschap achterlaten voor Cass dat de assistente van dokter zus en zo de afspraak voor, zeg maar, elf uur, wilde bevestigen. Om elf uur zou ze dan bij een van de munttelefoons op school staan – wij gebruikten de cel net buiten de kantine – en mijn telefoontje beantwoorden.

'Rosie,' zei Theodore, voor hij ging zitten. Hij sprak mijn naam zo koeltjes uit dat ik wist dat alle hoop was vervlogen.

'Wat is er?' vroeg Cass hem.

'Mijn vriend heeft me verzekerd dat de officier van justitie en de politie de pers niet zullen inlichten. Dat er geen handboeien gebruikt worden. Ze stemden er verder in toe dat Forrest Newel haar morgenavond bij donker pas hoeft op te halen, zodat hij haar via de garage naar buiten kan smokkelen en haar in zijn eigen auto naar het politiebureau kan brengen, voor het geval er fotografen op de loer liggen. Meer heb ik helaas niet kunnen doen.'

'Is dat alles?' riep Cass uit. 'Met jouw relaties had ik toch zeker verwacht...'

Theodore keek enkel naar zijn vrouw. Ik was nu al geschiedenis. 'De resultaten van de forensische onderzoeken waren binnen, Cassandra. Er is geen enkel bewijs dat er – behalve Rosie en Richie – eergisteravond iemand in huis was.'

De agenten die me naar Cass' huis waren gevolgd, zaten me ook op de terugweg op de hielen. Ze stopten en parkeerden pas in de berm van de weg nadat ik het openstaande ijzeren hek bij de ingang naar Emerald Point was gepasseerd. Het hek was versierd met een heraldisch ontwerp, een leeuw en een tros druiven. En profil had de leeuw een fijne, parmantige snuit: onderbewust een teken om Carter Tillotsons welvarende, sociaal ambitieuze, zich assimilerende buren eraan te herinneren dat hij de Newyorkse koning van de neuscorrectie was.

Ik bleef voor Stephanies grootse tudorhuis even in de auto zitten. Ik was van de rand van de aarde gevallen en had een nieuwe wereld betreden, waarin een burendienst niet langer bestond uit het lenen van een schoffel, maar uit een poging om een ultra-conservatieve politicus een goed woordje voor me te laten doen zodat ik niet in handboeien gefotografeerd zou worden als ze me wegens moord arresteerden.

Ik vroeg me af wie van mijn collega-docenten zo misselijk zou zijn in *Eyewitness News* te verschijnen om hun te vertellen dat ik onder mijn opgewekte uiterlijk ziedend was. Ik dacht na wie van mijn leerlingen het meest te lijden zou hebben onder mijn arrestatie en de daaruit voortvloeiende schande. Joey, uit mijn tweedejaars taalkundegroep, die zo kwetsbaar was? Ik had hem na schooltijd bijlessen gegeven zodat hij niet achter zou raken en, zoals de schoolpsycholoog had aangegeven, zodat hij een plek had om zich te uiten, alsmede een project dat hem bezighield en te zeer afleidde om zelfmoord te overwegen. Ik dacht na welke leerling zich het meest verraden zou voelen. Elena uit Guatemala, een ouderejaars in mijn beste klas, misschien? Haar Spaanse accent was nog altijd zo sterk aanwezig dat ik haar soms niet kon verstaan, maar haar essays! Dat kind was geboren om Shakespeare te bestuderen. Natuurlijk wist ik ook precies welke wijsneus het eerste raadsel zou verzinnen rond de vraag: 'Wat zei mevrouw Meyers vlak voor ze haar echtgenoot doodstak?'

Iemand in de stad was bladeren aan het verbranden. De lucht was scherp en koud, pijnlijk voor de keel, maar onweerstaanbaar. Ik haalde diep adem. Ik herinnerde me dat toen ik acht of negen was en van de OBS 197 naar huis liep met een zelfgemaakte papieren pompoen in de hand, stopte om een paar eikels uit een bergje bladeren te vissen zodat ik Tom Driscoll en de andere katholieke jongens kon bekogelen als ze van de St.-Aloysiusschool huiswaarts keerden. Ooit was ik een slim en levendig meisje geweest dat wist hoe ze de aandacht van jongens moest trekken.

Ik dacht na over hoe de jury me zou aankijken als ze in de rechtszaal terugkeerden en hoe ik dat vreselijke moment tussen de tijd dat de rechter vroeg: 'Dames en heren van de jury, bent u tot een oordeel gekomen?' en het antwoord daarop zou beleven. En of het de gevangenen in een zwaarbewaakte gevangenis was toegestaan bezoekers te ontvangen in de recreatiezaal of dat er tralies zouden zijn tussen mij en mijn zoons, tussen mij en mijn kleinkinderen.

Ik belde aan bij Stephanie. Ik wachtte. Ik belde opnieuw. En uiteindelijk deed ze open, buiten adem en met blosjes op de wangen. Ze droeg een lichtgele badjas met blauwe strepen. Haar natte haar zat in een lichtgele handdoek gewikkeld. 'Sorry. Ik was boven, bezig om me klaar te maken.' Ze huiverde. De wind werd krachtiger, bestond uit één langgerekte, koude windvlaag. Ik herinnerde me onze eerste morgen in Gulls' Haven, toen Richie op het terras aan de achterzijde stond en de wind uit de richting van de Sound kwam en zijn boxershort deed opwaaien. Hij had naar me geroepen: 'Hé, Rosie! Het is allemaal van mij!'

'Waarom deed Hans of Grietje eigenlijk niet open?' vroeg ik Stephanie. 'Heb je hen ook al ontslagen?'

'Gunnar en Inger. Ze hebben zèlf ontslag genomen. Ze hebben een baantje in Arizona gevonden waar ze twee keer zoveel verdienen als wat wij hen betaalden. Een verlossing wat mij betreft, maar Carter is compleet over zijn toeren. Wil nooit meer echtparen. Alleen een dienstmeisje en een kindermeisje voor Astor.' Ze zweeg even en keek me aan. Ik moet er belabberd uitgezien hebben, want ze liet haar luchtige manier van doen opeens varen. Haar stem werd somber, schor, vol angst. 'Het gaat niet goed met je, of wel?'

'Een van de komende dagen word ik gearresteerd.'

'O, mijn God. O, Rosie. Kom binnen.'

'Dat kan niet. Ik moet naar huis om me te kleden voor de begrafenis. Alsjeblieft Stephanie, je moet me helpen.'

Ze trok voortdurend aan de ceintuur van haar badjas tot deze zo strak zat, dat ze hem moest losmaken om nog adem te kunnen halen. 'Natuurlijk. Ik wil je ook helpen. Zeg maar wat je wilt dat ik doe?' 'Zoek een andere advocaat voor me. Ik zit opgescheept met Forrest Newel...'

'Ik weet dat hij ietwat ouderwets is, maar hij schijnt echt tot de besten te horen.'

'Hij denkt dat ik schuldig ben. Hij doet geeneens een poging de politie aan te sporen uit te zoeken wie het werkelijk heeft gedaan. Hij wil alleen onderhandelen voor me.'

'Maar Rosie, dat doen alle advocaten.'

'Geweldig, en ik kom net op tijd uit de bak voor de Miss Osteoporose verkiezingen in 2025. Alsjeblieft, Stephanie, je moet iemand anders voor me regelen.'

'Goed, ik doe het. Je hebt mijn woord. En haal nu eens diep adem. Je moet jezelf vermannen.'

De rouwdienst voor Richie werd op ongeveer vijftien minuten rijden van ons huis gehouden, bij Eventide East in Manhasset, een rouwcentrum waarvan de buitenkant vormgegeven leek te zijn naar Monticello – als Jefferson een neef in de aluminiumindustrie had gehad. Het was een van die vreselijke, onkerkelijke gebouwen met allemaal kleine kamertjes, aangekleed met blankhouten lambrizering en namaak-gebrandschilderde ramen met een onbetekenend bloemenpatroon, zodat de rouwende familieleden en vrienden niet nog hysterischer zouden worden bij het zien van een ongepaste menora of een misplaatst kruis.

Het was een nachtmerrie, dat spreekt voor zich. Ik had ruzie met Ben omdat ik zei dat Wantrouwige Miep niet bij de familie mocht zitten om de eenvoudige reden dat ze geen deel uitmaakte van de familie. En hij, doorgaans de redelijkheid en beleefdheid zelf, noemde me een kreng. Ik stelde voor dat hij en Miep naast Jessica zouden plaatsnemen; aangezien die twee praktisch even oud waren, hadden ze wellicht genoeg om te bepraten. Hij deelde vervolgens mee dat hij en Miep inderdaad al eens een avond hadden doorgebracht met Jessica en pa en dat de twee vrouwen elkaars gezelschap echt hadden gewaardeerd. Uiteindelijk stond hij wel naast me in de ontvangstkamer, maar negeerde hij me volkomen. Alex daarentegen zocht steun bij mij. Maar dat kwam omdat hij door een of ander bedwelmend middel zo high of down was, dat hij nauwelijks op zijn benen kon blijven staan. Mijn moeder – een kleine, gezette vrouw die veel lijkt op zo'n opgeblazen speelgoedje dat telkens als je het indrukt weer naar boven springt

– vertoonde vrijwel alle kenmerken van ouderdomsdementie, waaronder incontinentie op haar eigen schoenen. Met haar allesbehalve zachte stem bleef ze aanhoudend vragen: 'Wie is er dood?'

'Richie.'

'Richie?'

Ooit was ze een levenslustige en opgeruimde vrouw geweest, geboren om mannen te plezieren, met een knopneusje en stralende ogen. Ze was geen intellectueel, niet opvallend intelligent, maar ze was pienter genoeg om een geweldig kaartspeler te zijn; als ze op de Olympische Spelen wedstrijden in canasta hadden georganiseerd, was Pearl Bernstein zonder twijfel met goud thuisgekomen. Ze was bovendien een modepop geweest en een hartstochtelijk filmliefhebber, die elke outfit die Bette Davis in *Now Voyager* had gedragen wist te beschrijven. Mijn vader, leraar maatschappijleer, was tot aan zijn dood verkikkerd op haar. Hij kocht voor haar dikwijls parfum of een halve kilo bonbons van Bartons zonder enige aanleiding. En hoewel mijn moeder niet verwaand was vanwege haar knappe voorkomen, vond ze het wel een prettige bijkomstigheid. Vaak zei ze tegen me: 'Rosie, weet je wat het woord "misdaad" eigenlijk betekent? Dat je jezelf laat verloederen. Ik doe elke dag mijn gezicht, inclusief het aanbrengen van mascara, zelfs al zou ik naar de vuilverbrandingsoven gaan.'

'Richie was mijn echtgenoot, mam.'

'Denk je soms dat ik Richie niet ken?'

Richies zus, Carol, die gekleed ging in wat zwachtels van zwarte crêpe leken, kuste de jongens opzichtig. Mij kuste ze niet, sterker nog, ze keurde me geen blik waardig. 'Ziet eruit alsof ze naar een begrafenis moet,' merkte mijn moeder op, zo hard dat het waarschijnlijk in Miami Beach nog hoorbaar was. 'Wie is dat?'

'De zus van Richie,' fluisterde ik. 'Carol. Getrouwd met Richies accountant.' Ik probeerde over de hoofden van de menigte heen te gluren. Jessica zag ik nergens. Maar ik dacht dat ik uit mijn ooghoek een glimp opving van Tom Driscoll. Ik beheerste me vijf seconden lang en keek toen naar de plek waar ik hem gezien dacht te hebben. Hij stond er niet meer.

Er kwamen ook wat vrienden en buren langs. Ze mompelden dingen als: ik weet niet wat ik moet zeggen. Ik kan het niet geloven. Wat een nachtmerrie. Waar gaan we heen met onze maatschappij? Maar ze keken eerst schichtig om zich heen om te kijken of niemand het zag en ze mompelden watervlug. Ze wilden niet in mijn gezelschap gezien worden. Wilden me liever niet in het openbaar kussen. Ze sloegen hun armen om Ben heen, knepen in Alex' slappe handje. Maar er waren slechts weinig mensen die me meer dan een vluchtige kus gaven. Met uitzondering van Cass en Stephanie, keek vrijwel niemand me recht in de ogen.

Een in een zwart pak gehulde werknemer van Eventide met een supersmalle neus leidde de bezoekers naar de kapel. Terwijl we de ontvangstkamer verlieten, schalde mijn moeder: 'Waar blijft Richie nou toch?'

'Hij is binnen, mam. Kom nu. We gaan daar ook heen.'

'Waarom is hij niet bij ons? Speelt hij soms tennis?'

Ben nam haar bij de hand. 'Hij is dood, oma.'

'Wie is er dood?'

'Mijn vader. Richie.'

'Nee!' Ze schudde zo heftig met haar hoofd dat haar kaken heen en weer flapten. 'O, God in de hemel!' schreeuwde ze. 'O, God. Richie is dood!'

Ze was nog steeds ontroostbaar toen we, onder afschuwelijk gefluister, de kapel in wandelden, hoewel ze tegen die tijd enkel 'Charlie, Charlie' mompelde, kennelijk in de veronderstelling dat we op de begrafenis van mijn vader waren.

Ik kan me niet herinneren wat de rabbijn heeft gezegd. Hij was een jongeman, niet veel ouder dan Ben. Hij zag eruit als een Beach Boy met een keppeltje op. Hij maakte bedekte toespelingen als 'al diegenen die van Richard hielden,' waarbij hij Jessica er bij verstek niet alleen bij betrok, maar ook handig de controverse rond Richie-Rick wist te vermijden.

Uiteindelijk zag ik haar toch. Ze zat in een wolk van melancholische grijze zijde, helemaal achterin en helemaal alleen. Een briljante zet, die geïsoleerdheid: mooi, eenzaam, jong. De rabbijn was zo geroerd dat hij ogenblikkelijk afzag van een waarschuwende preek over overspel en zijn lofrede aan Jessica richtte. Steeds meer hoofden draaiden zich om, elk oog was op haar gericht en op de tranen die over haar wangen biggelden.

In de limousine op weg naar de begraafplaats slikte Alex droog een pil door, een handeling waar hij uitermate bedreven in bleek, om vervolgens te ontkennen dat hij het had gedaan. Ben mompelde dat het hem speet, dat ik geen kreng was, maar een geweldige moeder, liefdevol, hulpvaardig en gezellig. Waren het geen fantastische tijden geweest, toen ik hem had leren fietsen, toen we samen naar de stad gingen om Shakespeare in the Park te zien, toen we samen universiteiten bezochten? Zijn verontschuldigingen kwamen me, hoewel oprecht gemeend, voor als de ruwe versie van de eerste brief die ik in mijn cel van hem zou ontvangen. Ik vroeg hem wat Alex voor pillen slikte. Hij zei dat het waarschijnlijk een of andere drug was die in de jaren zestig of zeventig was uitgevonden, te vergelijken met Quaaludes, en dat ik me geen zorgen hoefde te maken; Alex leek er niet abnormaal aan verslaafd te zijn. Mijn moeder huilde vrijwel de gehele weg, en barstte toen opeens in een bulderende lach uit, als bij de clou van een grap die alleen zij had gehoord. Toen de limousinechauffeur en ik haar bij de begraafplaats uit de auto hielpen, verkondigde ze: 'Je moet niet instorten nu hij dood is. Je moet een nieuwe vriend zoeken.'

'Hou op!' Ik gluurde om me heen. Goddank leek niemand het gehoord te hebben.

'Je hebt altíjd vriendjes gehad.' Ze snaterde. 'Dacht je soms dat ik dat niet wist? Dacht je dat de hele wereld niet weet hoe jij tekeergaat?'

Ben zag er ziek uit. 'Ze is seniel,' zei ik tegen hem. Hij knikte, mechanisch. 'Kom op, Benjy. Je kent me toch. Denk je nu werkelijk dat ik je vader ooit heb bedrogen?'

Het werd erger. Op een of andere manier was de jury van mijn gelijken tussen het verlaten van de rouwkamer en de aankomst op de begraafplaats even weg geweest, had overlegd en me zonder gerede twijfel schuldig bevonden. Alex, Ben, Wantrouwige Miep, mijn moeder en ik stonden links van de kist, samen met Cass en Theodore, mijn familieleden, een paar docenten en twee oude vriendinnen van de universiteitskrant.

Aan de andere kant van het vers gegraven graf en de kist, opgesteld in een troostende halve cirkel rond Jessica, stonden Richies gelikte stadsvriendjes me aan te staren. Het leken er eindeloos veel te zijn. Het drong opeens tot me door dat Richie me had verlaten lang voordat hij daadwerkelijk verhuisde; hij had een heel leven waar ik niets van af wist. Mitchell Gruen was er vanzelfsprekend niet. Achter die tweehonderd prachtig geklede mensen stonden al zijn zakenpartners en daar weer achter, schuifelend, snuitend, fluisterend en de kledingtrends uit Manhattan beoordelend stonden onze buren en vrienden.

De rabbijn keek op. Zijn zongebleekte haar viel over zijn ene oog. Hij veegde het weg en legde uit waarom de kaddisj eigenlijk een gebed voor de levenden was en niet voor de doden, die hij 'zij die ons voorgingen' noemde. Ik keek naar Jessica. Ze was niet echt mooi, niet op die pure, onkwetsbare manier zoals Stephanie Tillotson dat was. Haar voorhoofd was te hoog, haar kin te smal, haar armen en benen te lang. Maar met haar soepele lichaam, haar haar dat verschillende kleuren had en haar opzienbarende zeegroene ogen was ze beter dan mooi. Ze was fascinerend; een man zou alles wat zijn aandacht van haar afleidde vervloeken.

Uit respect voor een kwarteeuw huwelijk, had ik met de rabbijn moeten bidden. Ik sloot mijn ogen, maar ik kon Jessica's beeld niet verdringen. Ik probeerde een reden te verzinnen waarom Richie haar had willen verlaten voor mij; ik kon niets bedenken. Noch kon ik een reden vinden waarom Jessica Richie naar mijn huis zou hebben gevolgd, een vleesmes uit het grote eiken messenblok zou hebben getrokken en hem dood hebben gestoken.

Ben had zijn arm om Wantrouwige Miep geslagen. Alex deed zijn uiterste best niet te slingeren. Mij restte niets anders dan mijn moeders koude, droge hand vast te houden. Ze tilde hem op en veegde haar ogen en neus ermee af. 'Triest!' verkondigde ze.

Ben legde zijn vinger tegen zijn lippen. 'Sst, oma.'

'Sst, de pot op. Dikbek. Platvoet. Wie je ook bent.'

'Ik ben Benjamin.'

Ze wierp hem een van haar vroegere, flirterige lachjes toe. 'Ik ben Pearl.'

'God van Abraham, Izaäk en Jakob,' dreunde de rabbijn op. De doodskist rustte op een metalen frame dat over het vers gegraven graf lag. Ik dwong mezelf terug in de tijd te kijken, verder dan de afgelopen paar maanden, om te kunnen beseffen dat in die grenehouten kist de persoon lag die vijfentwintig jaar lang het middelpunt van mijn bestaan had gevormd. Maar ik kon me niet concentreren; in het midden van de halve cirkel, vlak achter een groepje Data-medewerkers, stond brigadier Gevinski en naast hem een jonge, zwaargebouwde rechercheur met een gemillimeterd kapsel. Ze waren er om mij te bewaken. Het lichaam van de jonge rechercheur was voorovergebogen, de ene voet voor de andere, klaar voor de sprint als ik deed wat ze kennelijk van me verwachtten: vluchten.

Wat dachten ze verdomme dat ik van plan was? Dat ik een handgranaat te voorschijn zou halen, het op een rennen zou zetten en me schuil zou houden in het mausoleum van de familie Feinberg tot de politie het zoeken opgaf?

Gevinski zag dat ik naar hem keek. Hij beantwoordde mijn blik met een beleefd knikje. Mijn hart klopte als een razende. Ik was doodsbenauwd. Woedend ook, op Richie. Hij had mijn leven verwoest door me ontrouw te zijn, vervolgens door me te verlaten en, alsof dat niet genoeg was, iemand ten slotte zodanig gek te maken dat deze hem vermoordde.

'Eens moeten we afscheid nemen,' bromde de rabbijn.

De moordenaar moet een motief hebben gehad. Ik kon niet accepteren dat het een inbreker was geweest die achter een plataan op de loer had gelegen en dacht 'Joepie!' toen hij Richie naar binnen zag glippen. Welke inbreker vertrekt nu met lege handen? Gevinski had een kwitantie achter de broodrooster in de keuken achtergelaten als bewijs dat ze de kostbaarheden van het slachtoffer hadden meegenomen. Richie had zijn Cartier-horloge gedragen. Afgezien van zijn creditcards, een foto van hem 'met zijn arm om een vrouw geslagen' en zijn rijbewijs, stond er op het lijstje dat zijn portefeuille driehonderdveertig dollar had bevat, in biljetten van twintig. In zijn broekzak zaten bovendien zijn sleutels, zesennegentig cent aan kleingeld en Certs suikervrije pepermuntjes.

'Rose!' schreeuwde mijn moeder, hoewel ik vlak naast haar stond. 'Wie is die magere lat daarginds, die zo staat te grienen?'

'De echtgenote van een cliënt,' antwoordde ik op gedempte toon, maar natuurlijk had inmiddels iedereen moeders blik in de richting van Joan Driscoll, Richies dierbare vriendin, gevolgd.

'Moet je kijken wat een x-benen!'

'Mam, we zijn op een begrafenis. Wees nou stil.'

Niets wat een mens zichzelf kan aandoen, had Joan Driscoll nagelaten te doen. Ze had een lichte permanent in haar steile haar die het op haar schouders iets naar binnen liet krullen. Het haar was blauw-zwart geverfd, een kleur die niemand ooit van nature zou sieren. Ze leek op Veronica, het rijke meisje in de komische Archie-stripverhalen dat op middelbare leeftijd bulimie had gekregen. Haar neus was gecorrigeerd, haar kin opnieuw gemodelleerd en gespleten, haar dijen hadden een liposuctie ondergaan en meest recentelijk, te oordelen naar de situatie rond haar altijd laag uitgesneden hals, had ze een stel spiksplinternieuwe borsten aangeschaft. Twee huidkleurige objecten elk ter grootte van een volleybal bolden het jasje van haar elegante zwartzijden mantelpakje met korte rok.

Alex zag haar ook. Hij zette grote ogen op. Hij probeerde zijn broer aan te stoten, maar miste. 'Hé,' zei hij op lijzige toon tegen Ben, 'moet je Hojo's nieuwe prammen zien.' Sereen als hij was in zijn benevelde toestand, leek Alex slechts bij tussenpozen te bevatten dat hij op de begrafenis van zijn vader was. Ik draaide me een halve slag om hem een waarschuwende blik toe te werpen en zag nog net op tijd dat hij probeerde Joan Driscolls aandacht te trekken door quasi-sensueel met zijn tong over zijn lippen te glijden. 'Hojo,' zei Alex, maar zijn stem had geen volume, was ronduit onverstaanbaar.

Hojo was Alex' bijnaam voor haar. Jo voor Joan. En Ho voor hoer. Hij was haar zo gaan noemen na die keer dat ze bij ons kwam dineren, gekleed in een jurk met een enorm decolleté, en hem en Ben begroette door hun kin met haar wijsvinger op te tillen en hen vluchtig op de lippen te kussen. Ik had haar wel tegen de vloer willen slaan.

Richie vond het wel vermakelijk. Toonde zich tolerant. Joans onschuldige spelletjes. Zijn dierbare vriendin Joan. De kreet 'dierbare vriend(in)' had hij van haar overgenomen. Het was zo geraffineerd. Iedereen in New York was ofwel onbeduidend ofwel een dierbare vriend(in). Joan huilde zo hartverscheurend dat ze Alex niet zag. Maar vrijwel niets ontsnapte aan het oog van haar man, Tom. De onder invloed verkerende rocker die de seksualiteit van zijn vrouw belachelijk maakte niet. Mijn aanwezigheid niet. Richies dood niet. Hij nam het allemaal op: de rabbijn, Jessica, de 'juryleden' die me schuldig hadden bevonden, mij, mijn moeder. Hij zag zijn vrouws nieuwe inkijk à la de Grand Canyon. Hoe kon hij die ook over het hoofd zien? Hoe had hij met haar kunnen trouwen? Wat had de jongen die ik kende er toe gebracht het leven te leiden dat de man nu deed? Hoe hield hij het uit?

Maar Toms arm lag om haar schouder en schudde telkens als ze snikte. Voor het overige stond hij volkomen stil. Zijn magere gezicht vertoonde geen spoor van emotie. Hij had de ogen van een dode.

De rabbijn zong een langgerekt amen. De menigte bewoog, wachtte tot de rabbijn hen zou wegzenden, wat hij deed met een knikje waardoor zijn haarlok weer voor zijn gezicht viel. Op het moment dat Hojo opkeek en Tom zijn arm weghaalde, had mijn moeder een van haar steeds zeldzamer wordende heldere ogenblikken. Ze keek van Hojo's bleke, leeftijdsloze, rimpelloze, geperfectioneerde gezicht naar de man naast haar. Ze keek met een schuin hoofd naar hem. Ze gaapte. Ze grijnsde. 'Tommy Driscoll!' riep ze over het graf uit. 'Hij heeft zijn vaders gelaatstrekken,' constateerde ze.

'Niet doen, mam.'

'Dezelfde neus,' bulderde ze. 'Een flinke gok voor een Ier. Iedereen in de flat zei altijd dat ze vast en zeker Italiaans bloed in zich hadden.' Ze zette een nog grotere keel op. 'Tommy!' De menigte bevroor ter plekke.

'Mam, wees alsjeblieft stil.'

'Kop dicht, meissie,' zei ze en rukte zich los. Ze maakte van haar handen een megafoon en schreeuwde naar de overkant van het graf: 'Tommy!'

Ik haalde haar in en pakte haar bij de arm. 'Mam, je hoeft vandaag niet per se met hem te praten. Je hebt op onze zilveren bruiloft toch met hem gepraat. In de grote feesttent. Weet je nog wel? Zodoende herken je hem nu. Ik heb je meegenomen naar hem en je opnieuw voorgesteld. Hij vond het fijn je weer eens te zien, en jij zei dat je hem in geen miljoen jaar zou vergeten.'

Maar ik wist haar aandacht niet af te leiden. 'Tommy!' Toms ogen ontmoetten niet de mijne, maar wel die van haar. 'Tommy, ik ben het, mevrouw Bernstein.' Hij knikte. Zijn mondhoek bewoog, wat mijn moeder opvatte als een glimlach. 'Zie je wel?' zei ze. 'Hij is het.' Voor Ben of ik haar kon grijpen, snelde ze naar de overzijde van het graf en begon zich een weg tussen de andere rouwenden door te banen, op weg naar Thomas Driscoll, vermogend beursspeculant, goed voor de omslag van *Business Week*. 'Tommy! Is je moeder dood?' schreeuwde ze, toen Ben en ik eindelijk bij haar waren.

Ben pakte haar bij de arm. 'Hoe gaat het, oma?' Hij drukte haar stevig tegen zich aan, haar het zicht op Tom Driscoll ontnemend, wat een goed idee was omdat zodoende bijna niemand – Gevinski niet, Cass niet, Stephanie niet, Jessica niet, Hojo niet en ook Tom niet – haar kon horen.

Alleen Ben en ik hoorden het. 'Rose,' riep ze uit, het geluid gedempt door Bens indrukwekkende borstkas. 'Hoe oud was je? Zeventien? Achttien? Goh, ik dacht dat ik het bestierf toen ik jou en Tommy Driscoll spiernaakt betrapte!'

8

Het tennisseizoen was ten einde; Carter Tillotsons blanke huid had zijn vuurrode zomerse tint verloren en zijn normale wasbleke kleur weer aangenomen. Als er een lont uit zijn hoofd groeide, had hij een plastisch chirurg-kaars kunnen zijn.

Carter, zo veronderstelde ik, begreep dat sociale conventies van hem eisten dat hij een paar woorden sprak in een huis dat rouwde. Maar het enige wat hij tot dusver had gedaan was vijf minuten lang uitdagend zitten zwijgen. Uiteindelijk flapte hij er iets uit: 'Het is moeilijk. Richie. En stel dat je naar de gevangenis gaat...' Aangezien ik mijn ogen had neergeslagen om Stephanies lijstje met strafpleiters na te lopen, zag ook ik de beweging van haar zwarte hagedisseleren pump die snel tegen zijn schoen van Corduaans leer schopte. Ik hield op met lezen en staarde domweg naar hun schoenen. Carter draaide de neus van zijn schoen naar binnen, maar zweeg. Met haar volgende schop raakte Stephanie zijn enkel, waarop hij zei: 'Twee minuten nadat we thuis waren van de begrafenis klopte de politie bij ons aan. Een brigadier en een rechercheur. Ze zijn net weer vertrokken.'

'Carter, in vredesnaam,' verzuchtte Stephanie.

'Maak je niet druk,' zei ik tegen haar. De Tillotsons waren langsgekomen met een fles rode wijn en een schaal vol geitekaas en crackers om me te laten weten dat ze aan mijn kant stonden, hoewel het vanaf het moment dat hij door de deur kwam duidelijk was dat Carter alleen aan mijn kant stond omdat hij was meegesleurd. 'Was de politie nog niet eerder bij jullie geweest?' vroeg ik.

'Ja, de... eh, de ochtend na de avond ervoor,' antwoordde Carter. Ik wist dat vrouwen verondersteld werden dol op hem te zijn, maar eerlijk gezegd, heb ik dat nooit begrepen. Hij was ongelooflijk saai, alsof hij zonder persoonlijkheid was geboren. Zijn levenloosheid ging zo ver dat hij nooit, maar dan ook nooit bezielend werd, zelfs niet als hij het over zijn grote passie had, de vorm van neusgaten. Door de jaren heen had ik hem vaak genoeg in tennisbroek en zwembroek gezien om te weten dat zijn lichaam niets had dat ook maar enigszins compensatie bood voor het feit dat hij zo'n onbeduidend type was. Cass zei dat dat juist zijn sterke punt was: zijn eerste naam was dokter, en hij was een meter drieëntachtig. Vrouwen zagen een blanco scherm in hem en projecteerden daarop de man die ze het meest begeerden.

'De politie bleef maar doorvragen of we iets gezien of gehoord hadden, wat natuurlijk niet het geval was,' voegde Stephanie eraan toe.

Ik was alleen met de Tillotsons. Wantrouwige Miep had de trein terug naar Philadelphia genomen. Ben en mijn moeder waren in de bibliotheek met een aantal familieleden die langs waren gekomen om hun medeleven te betuigen. Alex was daar ook, maar toen ik mezelf verontschuldigde om met Stephanie over advocaten te gaan praten, had ik hem uitgestrekt op een fauteuil en een ottomane achtergelaten, met zijn kin op zijn borst en dromend op Quaaludes.

De woonkamer was een enorme, stijve ruimte waarvan de binnenhuisarchitecte ons had overtuigd dat we die nodig hadden. Ze had gezegd: 'U heeft een serieuze kamer nodig voor formele aangelegenheden.' Wat bedoelt ze in godsnaam met 'formeel' had ik Richie gevraagd. Laten jouw tante Bea en oom Murray hun visitekaartje in het vervolg op een presenteerblad binnenbrengen? Uiteindelijk waren we, natuurlijk, akkoord gegaan en de binnenhuisarchitecte had een kamer gecreëerd waar George III zich zonder twijfel thuis had gevoeld. Statig Engels meubilair. Divans en stoelen bekleed met beige zijde en damast. Vergulde lijsten om onbetekenende Nederlandse stillevens. Het enige leven in de kamer was afkomstig van de wuivende bomen achter de met zijden guirlandes omgeven ramen.

'Heb je die avond ècht helemaal niets gezien?' vroeg ik. Stephanie schudde haar hoofd. 'Niets gehoord? Helemaal noppes, Stephanie? Ik praat niet alleen over het holst van de nacht. Alles wat je opgevallen is na halftien.'

'Nee, niets.'

'Is er niets wat je als ongebruikelijk opviel of iets wat zelfs maar een beetje afweek?' Geen van tweeën reageerde. Ze schrokken van mijn vragenvuur. Carters perfecte houding werd alleen beter en Stephanie had een knipperaanval: knipper, knipper, knipper, knipper, alsof ze niet kon geloven wat ze zag. Maar ze waren te keurig opgevoed om bezwaar te maken. En ik was niet keurig genoeg opgevoed om het zonder slag of stoot op te geven. 'Carter, hoe laat ben je die avond thuisgekomen?'

Ik bespeurde een zekere terughoudendheid om te spreken toen hij me met opeengeklemde kaken antwoord gaf. 'Om ongeveer tien over elf. Ik heb niets gezien. Heb niets gehoord.'

'En jij was de hele avond thuis, Stephanie?'
'Nee. Ik gaf een lezing over bladkamerplanten op een bijeenkomst van de tuiniersvereniging. Weet je nog wel?'
'O ja, dat is ook zo.'
'Ik denk dat ik zo rond de klok van tien uur, halfelf thuis was. Maar er is me niets bijzonders opgevallen. Het spijt me, Rosie.'
'Geeft niet. Allebei, hoe zijn jullie thuisgekomen?'
'Met de auto,' zeiden ze, niet helemaal in harmonie.
'Ik bedoel, ben je via Lighthouse Point Lane gegaan en toen Hill Road ingeslagen?'
'Dat is de meest directe route,' zei Carter, nog steeds tussen zijn tanden door pratend.
'Heb je, toen je langs de plek kwam waar iedereen parkeert als ze bij jullie gaan tennissen, misschien auto's zien staan?'
Carter schudde zijn hoofd. Stephanie zei: 'Daar waar ze Richies auto hebben gevonden?'
'Precies. Maar toen ik naar jullie huis liep, was de politie bezig afdrukken te maken van bandensporen. En ìk persoonlijk denk dat er wellicht nòg een auto heeft gestaan.'
'Wat denkt de politie ervan?' vroeg ze.
'Ze zeggen dat die sporen waarschijnlijk al eerder zijn gemaakt. Of dat ze zijn veroorzaakt door iemand die de reflectoren op Richies auto opmerkte en poolshoogte wilde nemen; het kan bij wijze van spreken een surveillancewagen zijn geweest.'
'Ik heb niets gezien,' zei Stephanie. 'Het spijt me. Ik wou dat ik alerter was geweest.'
'Op dat soort dingen let je normaalgesproken ook niet. Toe, Stephanie, je hoeft je niet bezwaard te voelen.' Ze nestelde zich zo ver mogelijk achter in haar fauteuil. Ze was duidelijk overstuur. 'Laten we de draad elders oppakken,' merkte ik op. 'Wat wilde de politie vandaag van jullie?'
Carter wierp even een blik op Stephanie. God, wat wilde hij hier graag onderuit. Nou ja, hij was Richies beste kameraad geweest, wat inhield dat ze naast elkaar op de tribune zaten tijdens de wedstrijden van de Knicks. Richie had gezegd dat ze een paar heel goede gesprekken hadden gevoerd. Hen kennende betekende dat waarschijnlijk dat ze hun intiemste gevoelens over de boekhouding in het postbelastingvriendelijke tijdperk hadden uitgewisseld. Op zijn eigen manier leek Carter evenwel om Richie te hebben gegeven.
En hij was er kennelijk van overtuigd dat ik hem had vermoord. Hij popelde om naar huis te gaan. Zijn handen rustten op zijn benen, vlak boven zijn knieën, startklaar om hem omhoog te hijsen. Hij had kleine

handen met stompe vingers, handen waarvan je verwachtte dat ze zouden schilderen in plaats van verfijnde operaties uit te voeren. 'De politie wilde het een en ander over jou en Richie weten,' vertelde Stephanie. 'Of jullie vaak ruzie hadden. Ze zoeken naar gewelddadig gedrag – ofwel van jou, ofwel van zijn kant – in jullie verleden, zodat ze een motief kunnen vaststellen. Nietwaar, Carter?' Hij knikte. Ternauwernood. 'Welnu, Rosie,' vervolgde ze, 'terwijl ze Carter ondervroegen, zei ik tegen hen dat ik mijn deeg opnieuw moest kneden en dat heb ik gedaan. Maar ik heb bovendien de telefoon gepakt, wat mensen gebeld en die lijst samengesteld. Ik heb alle advocaten ronduit gevraagd wie de beste strafpleiter is.'

Het was even na zevenen en donker buiten. 'Ik zal ze morgen een voor een bellen,' reageerde ik. 'Kijken met wie het klikt.'

'Vertrouw op je intuïtie, Rosie! Je hebt een geweldig instinct.' Stephanie gebruikte haar wij-zullen-triomferen, aanvoerster-van-het-veldhockeyteam-stem. Ze aarzelde en voegde er toen aan toe: 'Wacht. Ik zou bij je moeten zijn als je belt... Of nee, weet je wat het beste zou zijn? Als ik met je mee ging...' Maar Stephanie kreeg de kans niet haar zin af te maken.

Carter greep haar bij de arm en rukte haar met zo'n explosieve kracht van haar stoel dat hij de mouw van haar eenvoudige zwarte jurk kapotscheurde. Op haar mooie, intelligente gezicht verscheen een met stomheid geslagen uitdrukking toen ze naar haar blote schouder keek, daar waar de naad was losgescheurd. 'Wij gaan onmiddellijk weg!' schreeuwde hij tegen haar, terwijl hij haar meetrok naar de deur. Was ze soms te overrompeld om zich te verzetten? Of was ze dankbaar dat ze werd weggezeuld, uit de bedenkelijke puinzooi waarin ik me bevond, weg van mij?

'Stephanie,' riep ik uit.

'Vergeet het,' schreeuwde Carter tegen me, vlak voordat ze verdwenen. 'Bel niet en kom niet weer bij ons in de buurt!'

Ik had ontredderd moeten zijn. Maar ik was het niet. Mijn wanhoop was zo intens, mijn angst zo diepgeworteld dat het feit dat ik door een doetje – wiens leven was gewijd aan het aanpassen van de gezichten van half New York, zodat ze allemaal op blanke anglicanen gingen lijken – werd behandeld als de belichaming van de duivel me geen ene moer deed. Nou vooruit, misschien een halve moer maar hij was op slag uit mijn gedachten toen Ben de kamer binnensloffte.

'We moeten praten,' zei ik.

'Ik kwam alleen even welterusten zeggen.'

'Het is nog geen acht uur.'

'Mam, ik ben hondsmoe.' Zijn ogen dwaalden overal naar toe, behalve naar mij.

'Ben, luister. Geloof me alsjeblieft wat je grootmoeder betreft. Welke medische benaming je ook bedenkt voor datgene waar zij aan lijdt, ze is gewoon zo gek als een deur. Dat weet je toch?' Hij haalde de schouders op, probeerde nonchalant te doen zoals alleen zijn broer dat op overtuigende wijze kon. 'En meneer Driscoll dan?'

'Vroeger. We zijn samen opgegroeid. We woonden in hetzelfde flatgebouw. Als klein kind waren we elkaars beste vriend, maar op de middelbare school hadden we nauwelijks meer contact.' Hij wachtte. Ik haalde een keer diep adem. Ik moest dat naakte gedoe verklaren. 'In het examenjaar liepen we elkaar op weg naar de bibliotheek weer tegen het lijf. We raakten aan de praat.' Ik bestudeerde het plafond, zocht naar een moederlijk verantwoord antwoord. Ik vond het niet. 'Ben, je bent vierentwintig.'

'Nou en?'

'En dus kun je het wel raden. Meneer. Driscoll en ik vielen voor elkaar. We hadden seks.'

'En oma heeft jullie betrapt?' Heel even lachte hij. Verrukt. Opgetogen.

'Ze heeft ons één keer betrapt. Daarna waren we voorzichtiger. Hoe dan ook, we hadden een heerlijke relatie tot hij naar de universiteit vertrok, toen was het afgelopen. Jammer dan.' Tom Driscoll brak mijn hart. 'Even goede vrienden. We groetten elkaar en vroegen elkaar in schoolvakanties hoe het ging, maar we leidden compleet andere levens. En na zijn studie zag ik hem pas weer toen hij al een succesvol zakenman was. Hij maakte een flitsende carrière bij een of andere privé-bank. Daar heeft hij ontslag genomen en toen is hij begonnen in zieke bedrijven te investeren. Hij haalde zo'n firma uit het slop en verkocht deze vervolgens met tonnen winst. In die periode heb ik hem gebeld en gevraagd of hij met me wilde lunchen.'

'Heb je zomaar totaal onverwacht gebeld?'

'Wat had ik te verliezen? We waren inmiddels allebei getrouwd. Heel fatsoenlijk allemaal. En oersaai, want hij was van een fantastische knul in een stijve hark veranderd. Maar hij werd wel klant bij ons. Nu en dan deden we in onze vrije tijd eens wat met ons vieren, maar hij refereerde nooit aan ons verleden. Hij gedroeg zich alsof ik de kleinburgerlijke echtgenote van een zakenpartner was, wat ik inderdaad was. Vriendschappelijk nee, hoogstens overbeleefd.'

'Wist pa het van jou en meneer Driscoll?'

'Hij wist dat we als kinderen bevriend waren geweest. Meer hoefde hij niet te weten.'

'En pa en mevrouw Driscoll?'

'Die raakten hecht bevriend. Telefoonvrienden, voor het overgrote deel. Ik denk dat ze elkaar praktisch elke dag spraken, en nee, ik geloof niet dat je vader met haar naar bed is geweest. Ze was zijn mentor. Ze maakte hem wegwijs in zijn nieuwe leven in New York.'

Bens lachje was verdwenen. Zijn atletisch gebouwde schouders hingen. 'En ik altijd maar denken dat we zo'n gelukkig gezin vormden,' zei hij.

'Dat waren we ook. Alleen de laatste paar maanden...'

'Mam! Denk je dat hij de dag na jullie zilveren bruiloft opeens wakker werd en besloot dat hij er genoeg van had?'

'Waarom krijg ik telkens de schuld?'

'Ik ben moe.' Hij liep weg.

'Het was niet mijn schuld, verdomme! Iedereen heeft de mond altijd vol van "waar twee kijven, hebben twee schuld" en meer van dat soort zelfingenomen clichés over vrouwen die aan de dijk worden gezet, dus waarom ben ik dan wel verantwoordelijk voor zijn overspel, voor het feit dat hij me verlaten heeft?' Ben liep onverstoord door. Ik rende hem door de te groot uitgevallen kamer na. 'Ben, vertel jij het me dan. Wat heb ik voor slechts gedaan dat mijn leven in een chaos is veranderd en ik naar de gevangenis moet?'

En heel zachtjes antwoordde hij: 'Ik weet niet wat je hebt gedaan, mam.' Waarop hij me de rug toedraaide en wegliep.

Alle pijnlijke dingen die me in mijn leven zijn overkomen – de miskraam twee jaar na Alex' geboorte, mijn vader die aan kanker overleed en zelfs het feit dat Richie me verliet – waren niet onpeilbaar ellendig. Embryo's kunnen nu eenmaal mislukken, ouders sterven en echtgenoten kunnen hun biezen pakken. Ik begreep dat er geen immuniteit voor verdriet bestond. Maar binnen achtenveertig uur zou ik in een cel van twee bij drie meter zitten. Ik weet niet waarom, maar ik zag in gedachten geen tralievenster voor me of een psychotische medegevangene: alleen een smerig, zittingloos toilet. Het beeld maakte dat ik me zo slapjes voelde dat ik naar boven wilde om me onder de dekens te verstoppen en nooit meer te voorschijn te komen. Kortom, ik wilde dood. Ik telde in gedachten hoeveel Xanax-tabletten er nog in het flesje moesten zitten. Maar ik was vanbinnen al zover gestorven dat ik eenvoudig niet de kracht had mezelf naar boven te slepen om een overdosis te nemen.

Ik bevond me midden in een nachtmerrie. En wat het nog veel afschuwelijker maakte, was dat met uitzondering van mijn beste vriendin niemand mijn nachtmerrie onaanvaardbaar, schandelijk, absurd of – waar het eigenlijk om draaide – onrechtvaardig leek te vinden.

Niemand wilde me helpen. Mijn eigen kind nota bene! Mijn teergevoelige kind. Het vlees van mijn vlees dat tegen me zegt: 'Ik weet niet wat je hebt gedaan, mam.'

Geen directe beschuldiging, maar – mijn God – er sprak onmiskenbaar twijfel uit. Hoe kon hij? Waren wij allemaal in staat zo gemakkelijk een moord te plegen, dat we moeiteloos het idee accepteerden dat een naaste domweg een mes kon grijpen en een onlangs zo geliefde dierbare om zeep kon helpen? Of lag het aan mij? Zat er een vreemde kronkel in mijn persoonlijkheid waardoor mijn eigen kind, de docenten met wie ik al achttien jaar samenwerkte en mijn naaste buren geloofden dat ik zomaar een leven kon nemen?

Of waren de indirecte bewijzen tegen mij zo overtuigend dat elk helder denkend mens niet anders kòn dan het te geloven?

Ik boog voorover en verstopte mijn gezicht in mijn handen, zonder meer een gebaar dat paste bij existentiële angst, maar opeens schoot me te binnen dat Alex nog steeds in de bibliotheek lag te dutten; ik wilde mezelf ervan vergewissen dat hij niet in een te diepe, door chemicaliën veroorzaakte slaap was gezakt. Om eerlijk te zijn, voelde ik me als een nerveuze moeder die net haar eerste kind had gekregen. Ik wilde me ervan verzekeren dat hij ademhaalde.

En dat deed hij. Zijn wangen waren warm. Een lok van zijn zwarte haar hing voor zijn gezicht. Ik streek het naar achteren. Hij knipperde met zijn ogen en zei: 'Ha die mam.'

'Is alles goed, Alex?'

'Prima,' antwoordde hij, wat er in zijn kromme rockerstaaltje uitkwam als 'pariemaah'.

'Iedereen is vertrokken. Wil je niet naar boven, naar je bed?'

'Ik lig hier best.' Voor hij de zin had uitgesproken, had hij zijn ogen alweer gesloten.

'Ik hou van je, Alex.'

'Ik van jou, mam,' mompelde hij.

Wat zou er met hem gebeuren als ik niet meer in de buurt was? Toen stelde ik de vraag wat directer: hoe zou Alex de moord op zijn vader en de veroordeling en inhechtenisneming van zijn moeder verwerken? Omdat, zo bedacht ik toen ik de brede trap naar boven beklom om naar bed te gaan, mijn gang naar de bajes misschien niet totaal onvermijdelijk, maar in elk geval zeer waarschijnlijk was. Hoe kon ik erin geloven dat een jury van medeburgers me zou vrijspreken als ik degenen die in me geloofden op één vinger van één hand kon tellen: namelijk Cass.

God mag weten waarom, maar ik werd naar de beerput die Alex' kamer was, getrokken. De vloer was bezaaid met onderbroeken, shirtjes, sokken, boeken, ineengefrommelde frisdrankblikjes, twee lege zakken kaaspopcorn, kranten met sensationele artikelen over de moord op Richie, een bruin klokhuis en losse vellen bladmuziek. Zijn gitaar, waarvan hij de stekker in zijn oude versterker had gestopt, stond tegen het bed. Ik doorzocht zijn gitaarkoffer en zijn rugzak. Noppes. Uiteindelijk vond ik in de broekzak van de spijkerbroek die hij bij thuiskomst had gedragen een flesje met grote witte pillen. Het flesje was bruin en leek op de flesjes waarin je vitamines koopt, maar uiteraard zat er in dit geval geen etiket op. Voor ik mezelf kon vertellen dat hij eenentwintig was en oud genoeg om zijn eigen fouten te maken en dat mijn beschermende actie hem in feite verder van de realiteit zou vervreemden, was ik al in de badkamer, schudde de pillen in het toilet en trok door.

Ik twijfelde er niet aan dat Alex een ander middel zou vinden dat hem zou verlichten van de pijn die hij kennelijk ervoer, maar ik wilde dat hij bij ons afscheid iets zou voelen. Zieleleed. Woede. Ik wilde niet dat hij een met de waarheid strijdige song zou schrijven over zijn pa die overhoop was gestoken en zijn ma die 'uiterlijk terug'-stempels zette in de bibliotheek van de nor. Ik wilde dat Alex zijn emoties zou tonen. Ik wilde weggaan in de wetenschap dat hij niet van boven tot onder was verdoofd.

Ik had nooit gedacht dat ik met weemoed terug zou denken aan de dagen dat hij op de middelbare school zat. Boos. Eigengereid, al was het alleen om de autoriteiten dwars te zitten... de manier waarop hij Richies magnetische sensoren te slim af was geweest en middels de Sav-Ur-Life-brandladder naar beneden was geklommen om samen met zijn vriend Danny en de rest van de band de bloemetjes buiten te gaan zetten. Ik zou wel een boze jongeman kunnen gebruiken die aan mijn zijde stond, een man die even slim was als zijn vader, een geboren ritselaar.

Maar toen keek ik naar de varkensstal die Alex van zijn kamer had gemaakt, naar de kleren en het nagelschaartje en de pot gel die hij op de stoel had gesmeten, naar de chaos die hij binnen vierentwintig uur had weten te veroorzaken. Ik moest ontwaken uit mijn fantasie. Hij was mijn zoon, en geen heldhaftige detective die me zou redden.

Ik schoof zijn smoezelige T-shirt en wat stukjes popcorn opzij en ging op een hoekje van het bed zitten. Wat er toen gebeurde? Ik weet het niet meer. Misschien heb ik gebeden en antwoord gekregen. Misschien heb ik daar gewoon een tijdje gezeten en een andere oplossing verzonnen. Maar toen ik opstond, wist ik diep in mijn hart dat Alex over een week, een jaar, tien jaar wel goed terecht zou komen.

Ik voelde me zo opgelucht dat ik weer neerzonk op het bed. Ik staarde uit het raam. De maan was niet meer dan een smalle sikkel, maar de sterren fonkelden me tegemoet.

Mijn voet bewoog zich heen en weer over Alex' vloerkleed en toen onder zijn bed. Hij lag er nog altijd: de zes meter lange Sav-Ur-Life-brandladder.

En op dat moment wist ik dat ik mijn eigen hachje moest redden.

9

Een plan. Ik moest een vluchtplan bedenken.

Ik schudde mijn hoofd: belachelijk. Wat een bak. Iemand als ik die de benen nam.

Geld. Zonder contanten zou ik niet ver komen; ik had een logeeradres nodig, reisgeld, voedsel. De binnenzakjes van mijn handtassen hadden al met al dertig dollar en wat kleingeld opgeleverd. Dat stopte ik bij de tachtig in mijn portefeuille. Mijn pinpas ook, maar mijn cheques niet want, tenzij de politie volkomen achterlijk was, zouden al mijn rekeningen geblokkeerd zijn tegen de tijd dat de banken morgenochtend opengingen. Datzelfde gold voor de creditcards.

Op mijn laatste verjaardag had ik van Richie echter een ring gekregen; de saffier had de afmetingen van een kleine pruim. In harde misdaadverhalen biedt het naïeve meisje altijd aan om iets te verpanden zodat ze de haar bijstaande privé-detective kan betalen, die op zijn beurt altijd zegt: 'Nee, kind, laat maar zitten.' Zo is het leven voor achttienjarige blondines. Maar als zij overwegen familiejuwelen te verpanden, waarom zou ik dat dan niet kunnen?

Vervolgens vroeg ik mezelf: wat denk je te bereiken door te vluchten?

Ik antwoordde: misschien niets. Misschien is dit een of andere meelijwekkende afleiding, een ontsnappingsfantasie van iemand die niet kan ontsnappen.

Ander ondergoed. Mijn Filofax. Wat make-up. Xanax-tabletten. Ik klemde het flesje tegen mijn borst: zalf voor de moedelozen. Maar mijn gemoedsrust was mijn eigen verantwoordelijkheid. Bovendien, als ik enige hoop had mijn leven te redden, moest ik hard zijn; ik kon mezelf niet toestaan te wanhopen mocht het een kwestie van leven en dood worden.

Onder druk verloor ik mijn elegantie doorgaans na zo'n drie seconden, maar in die korte tijd spoelde ik mijn tweede dosis medicijnen van die avond door het toilet.

Terwijl ik in mijn slaapkamer naarstig op zoek ging naar mijn reistandenborstel, zei ik bij mezelf: dit is een stompzinnig plan. Zet het uit je hoofd. Ga slapen, alhoewel dat een hele opgave zou zijn gezien de angsten die in mij woedden en het feit dat alle kalmeringsmiddelen in huis zich hadden opgelost in het riool. Ik eiste van mezelf: nu geen uitvluchten meer. Wees duidelijk; wat denk je te winnen door te vluchten?

Ik gaf mezelf het volgende antwoord: de moord op Richie was geen willekeurig misdrijf. Daarvan ben ik heilig overtuigd. Om mijn onschuld te bewijzen moet ik uitzoeken wie de echte dader is. Maar dit is geen misdaadroman van John Dickson Carr, met een knappe uiteenzetting van de moordzaak in het voorlaatste hoofdstuk. Omdat het vangen van de moordenaar geen realistisch doel is, wil ik in ieder geval achterhalen wat zich de afgelopen jaren in het leven van mijn man heeft afgespeeld. En boven alles heb ik een alternatief scenario nodig voor Gevinski. De enige manier waarop me dat lukt, is door na te gaan wat Richie deed, zag, dacht. Aangezien hij zijn leven naar de stad had verplaatst lang voordat hij daadwerkelijk verhuisde, moest ik hem daar naartoe volgen.

De wind huilde als een geluidseffect in een goedkope griezelfilm – *whoe whoe* – en deed de ramen rammelen. Het was een koude nacht, een voorbode van de winter. Ik vroeg me af hoe iemand die op de vlucht was voor de sterke arm zich kleedde. In een flits zag ik een beeld van iemand in spijkerbroek en zwarte coltrui. Maar in Richies wereld, besloot ik toen, kleedden voortvluchtigen zich als ieder ander: exclusief. Dus liep ik naar mijn klerenkast en haalde er een antracietkleurige tweed pantalon uit, ontworpen door een of andere Franse modekoning. De broek zat me zo strak in het kruis dat als ik zou niezen, ik wellicht opgewonden zou raken. Hoe dan ook, voor mijn doen was het een opzienbarend modieus kledingstuk. Verder koos ik een zachtgrijze kasjmieren trui en vest uit, gekocht met mijn schoonzus, Carol met het Grijze Haar, die toen ik de trui over mijn hoofd trok opmerkte: 'Die schreeuwt niet van "kwaliteit", Rosie. Die fluistert het.' Een paar lage leren laarsjes. Ik propte alles in een immorele maar prachtige schoudertas van struisvogelhuid, een zacht en ruim ding dat ik had gekocht een maand nadat we rijk waren geworden en ongeveer twee jaar voordat ik van de leerlingen in het uur taalbeheersing allemaal verontwaardigde opstellen terugkreeg over dierenrechten en uit doodsangst gillende nertsen.

Ik deed de lamp op de overloop uit. Zo zacht ik kon sloop ik langs de openstaande deur van Bens kamer. Sjaaltjes van de Mets en planken vol sporttrofeeën wedijverden met posters van de Islanders en de

110

Giants om ruimte aan de muur. In de tijd dat hij op de middelbare school zat had hij er bovendien een affiche van *Young Einstein* opgehangen. Geen popsterren, geen politieke leuzen. Zijn oude lacrossestick stond nog altijd in een hoek.

Ik liep verder en bleef even staan voor de deuropening van Alex' kamer. Ik had voortdurend beseft dat ik bang was, natuurlijk. Maar pas toen ik mijn eigen gehijg hoorde, begreep ik dat ik absolute doodsangsten uitstond.

Alex' kamer was nog steeds leeg. Met een beetje geluk zou hij tegen het middaguur in de bibliotheek wakker worden, tenzij iemand hem voor die tijd hard door elkaar zou schudden en zou vragen: Zeg op! Waar is je moeder? Ik sloop naar binnen, sloot de slaapkamerdeur achter me en nam plaats op het harde matras van zijn smalle tienerbed.

Ik zei tegen mezelf: Dit is veel te gevaarlijk. Wat gebeurt er als Alex wakker wordt en naar boven komt? Ga je hem dan dwingen tussen jou en de wet te kiezen? Ik voelde dat de kans dat dat zou gebeuren nagenoeg nul was, maar om maar alle mogelijk voorzichtigheid in acht te nemen telde ik eenentwintig, tweeëntwintig, tot driehonderd – naar mijn mening de saaiste bezigheid op aarde.

Alles was rustig. Geen Alex. Ik schoof het gordijn een stukje opzij, zodat ik naar buiten kon gluren. Voor zover ik kon zien geen agenten, hoewel ik wist dat er minstens twee man rond het huis moesten zwerven en er nog eens twee in de auto aan het einde van de oprit moesten zitten. Ik haalde de brandladder onder het bed vandaan. O, God! De ketting die om de sporten zat rinkelde als het Spook van Marley. Ik wachtte. Geen geschreeuw, geen politiefluitjes. Dus duwde ik centimeter voor centimeter het raam open.

Ik zei bij mezelf: Doe het niet! Je maakt het alleen maar erger. Ze zullen zeggen dat je hem gesmeerd bent, omdat je schuldig bent. Een onschuldige zou nooit de benen nemen. En ze zullen je pakken. Je weet dat ze je pakken.

Waarop ik reageerde met: Nou, dan pakken ze me maar. Wat dan nog? Een paar jaar extra in de bak? Wat is een jaar of twee meer, als ik vijfenzestig of vijfenzeventig ben? Ik zal groene tanden hebben, grijs schaamhaar en geen greintje hoop. Ga ervoor.

En ik zei nogmaals bij mezelf: Dit is roekeloos gedrag. Je bent een respectabele burger.

Ik antwoordde: Ze gaan me in het gevang gooien. Wegwezen hier!

Ik schudde mijn hoofd: nee, wacht. De avond was te jong. Al die vrolijke, dertigjarige, blauwogige agenten die me bewaakten stonden waarschijnlijk nog te dansen op de muis van hun voeten, akelig alert.

111

Het zou minstens nog een uur of twee duren voor ze slaapneigingen kregen. Ik ging liggen. Alex' kussen rook naar zijn haargel, watermeloenachtig. Ik was vreselijk moe, en besefte dat die vermoeidheid me fataal zou kunnen worden. Te zeer afgemat om de problemen het hoofd te bieden, zou ik mezelf toestaan een dutje te doen... om tot mijn schrik de volgende ochtend pas wakker te worden. En dus dwong ik mezelf mijn ogen wijd open te houden en bleef ik wakker door – twee keer – alle gedichten die ik ooit uit het hoofd had geleerd op te zeggen. Een dozijn Shakespeare-sonnetten om mee te beginnen. Daarna het een en ander van Donne, wat Adrienne Rich, en vervolgens een paar Romantische odes. Gevolgd door Yeats. En van Eliot: 'The Love Song of J. Alfred Prufrock'. Ten slotte belandde ik bij 'Invictus' en 'Casey at the Bat'.

Maar ik vermeed 'Dover Beach'. Een paar maanden nadat we naar Gulls' Haven waren verhuisd, vergewisten Richie en ik ons 's avonds laat ervan dat de jongens sliepen. We slopen het huis uit en bedreven de liefde op ons eigen strandje. Grandioze seks verdient het om herdacht te worden en dus droeg ik 'Dover Beach' voor. Tuurlijk, het is gekunsteld maar het werkt en tegen de tijd dat ik aankwam bij 'Ah, love, let us be true / To one another!' (Ach, mijn lief, laten we trouw zijn / aan elkaar!') huilde ik. Richie hield me in zijn zanderige armen en streelde mijn haar.

Om elf uur bevestigde ik de metalen haken aan de vensterbank en liet de ladder zo voorzichtig mogelijk zakken. En toch was het geluid van het metaal schurend langs bakstenen luider dan ik ooit had verwacht. Elke klank bezorgde me nieuwe hartkloppingen en het was niet bepaald bevorderlijk dat er in de verte een hond aansloeg. Eindelijk was het echter weer stil.

Ik ging op de vensterbank zitten. Langzaam sloeg ik mijn benen naar buiten, tot ze tegen de muur bengelden. Ik voelde de koude stenen dwars door mijn wollen broek tegen mijn kuiten. Ik hield me zo stevig vast aan het kozijn, dat ik ervan overtuigd was dat mijn vingers inkepingen zouden achterlaten. Niet naar beneden kijken, verbood ik mezelf. Natuurlijk keek ik wel. Het gazon was een gapend zwart gat, de toegang tot de hel. Ik kneep mijn ogen dicht en hield me vast alsof mijn leven ervan afhing. De kettingen rinkelden in de wind. Ik vroeg me af hoe ik, als ik werkelijk wilde vluchten, in hemelsnaam op dat ding moest komen.

Op een of andere manier wist ik mezelf een halve slag te draaien en kreeg ik een voet op een sport, en toen de andere. O, mijn hemel, het ding was niet eens stabiel! De ladder schommelde schijnbaar uit eigen kwaadaardige wil van links naar rechts. Ik schaafde met mijn knokkels langs de bakstenen muur. Ondanks de duisternis wist dat ik bloedde. Maar niemand was ooit gestorven aan bloedende knokkels. Vooruit. Weer een sport lager. Klimopranken gleden tussen mijn vingers door. Weer een sport. Ik kon het niet. Mijn armen trilden. Als ik viel... ik stelde me mijn verbrijzelde lichaam voor, mijn gebroken schedel die leegsijpelde als een drie-minuten-eitje.

Nee, ik kon het niet. En dus begon ik weer naar boven te klimmen. Maar terwijl ik mezelf een sport omhoog werkte, bewogen de haken waaraan de ladder hing vervaarlijk, alsof ze op het punt stonden los te raken. Ademloos klampte ik me vast. Mijn vingers raakten verkrampt. Als ik niet naar boven kon, waar moest ik dan heen? Voor de tweede maal ondernam ik een poging om af te dalen. Ik durfde niet te kijken, want ik was bang vier agenten te zien die me met getrokken wapens opwachtten.

Toch gluurde ik even. Ik kon het niet geloven! Ik was er bijna. Nog anderhalf, twee meter, meer niet. Het zwarte gazon veranderde in zacht gras.

Op dat laatste moment voor vertrek dacht ik niet aan de zonen die ik achterliet. Ik dacht niet aan mijn moeder. Ik dacht aan mijn leerlingen. Ik bood hen vlug en stilzwijgend mijn excuses aan en hoopte dat iemand de tweeëntwintig opstellen over het onderwerp 'De invloed van liefde in *Pride and Prejudice*' onder een 'Kennis is Macht'-pressepapier van Data Associates op mijn bureau zou vinden en naar school zou brengen, zodat Adam Gottfried tenminste zou weten dat hij een tien had gescoord – en zijn dikke-darmontsteking niet hoefde te verergeren. Op dat moment raakte mijn rechtervoet de grond.

Wat verdacht veel op de Hound of the Baskervilles leek of anders een gigantische Duitse herder van de Nassau County-politie was, kwam over het gazon in mijn richting gesneld. Het dier blafte luid genoeg om de doden – met uitzondering van Richie – uit hun graf te laten opstaan.

Hoe dan ook, deze hond, die eruitzag alsof voor hem het ultieme genot bestond uit het opgekruld aan Himmlers voeten liggen, kwam recht op me af! Kon ik harder rennen dan het beest? Op het moment dat hij zo dicht achter me zat dat ik zijn voetstappen, of beter gezegd zijn pootstappen, kon horen, vertraagde ik mijn pas. De hond haalde me in. 'Goed volk, jongen,' murmelde ik panisch. Ik wierp een vluchtige blik naar beneden. 'Meisje.' Voor gegrom dat zo diep uit de borstkas van de hond leek voort te komen, klonk het erg, erg hard.

In de tijd dat ik onze eigen honden trainde, dat wil zeggen Irving, de beagle die in augustus was overleden, en Blossom, een puli wier waarnemingsvermogen was beschadigd, had ik gelezen dat je stil moet blijven staan als een hond je dreigt aan te vallen. Niet wegrennen. Doet de hond echter een uitval, bijvoorbeeld naar uw slokdarm, probeer dan te schreeuwen, het liefst voordat de hond uw slokdarm aan stukken heeft gereten.

'Jaws?' riep een mannenstem. Het leek van de traptreden nabij het strand te komen, maar de wind was nog steeds krachtig, dus ik kon niet exact bepalen waar het geluid vandaan kwam. 'Jaws!' Zijn fluitje ging verloren in de wind, maar niet voordat Jaws het had herkend en blaffend reageerde.

'Braaf, Jaws,' fluisterde ik. Met scheefgehouden kop staarde de hond me aan. 'Wat een prachtige hond ben je. Zo'n brave hond,' babbelde ik, zo zacht ik kon. 'Lieeef. Goooed zo.' Ik bad dat ze het bloed op mijn handen niet zou ruiken en plotsklaps zou besluiten dat het etenstijd was.

Ondanks Jaws' afmetingen, hadden haar poten die lichte buitenwaartse buiging van een hond die net puppy af is. Alleen haar jeugd – ze moest nieuw zijn bij het K-9 politiehondenkorps – kon verklaren waarom ze vergat te blaffen of te bijten. 'Kom maar!' spoorde ik aan, met het idiote enthousiasme dat ik altijd tentoonspreidde als ik huisdieren of kinderen iets wilde laten doen wat ze eigenlijk niet wilden. 'Dan maken we een ommetje!' Ik begon opgewekt twee passen te verzetten. Jaws zou of haar tanden in mijn dijbeen zetten of... Ze bleef aan mijn zijde! Niet van harte, maar toen de wind de volgende roep om 'Jaws!' wegblies was mijn lichaam nog intact.

Ik dook het bos in dat tussen mijn huis en dat van de Tillotsons lag. Het was moeilijk begaanbaar. Geen doen eigenlijk. Ik struikelde over stenen en klimplanten en verdraaide mijn enkel toen ik in een gat gleed. Jaws volgde me op de voet. Het was zo donker dat ik met een klap tegen een omgevallen boom en de takken daaraan, ter hoogte van mijn middel, botste. Ik deed kleine stapjes opzij, zocht met pijnlijke vingers een weg, tot ik er eindelijk omheen was.

De hond was me niet gevolgd! Ze gromde bij iedere stap die ik zette, maar ze kwam niet verder dan de wortels van de gevelde boomstam. 'Kom op, Jaws!' riep ik uitnodigend. 'Je kunt het best!' Ik moet toegeven dat ik een geboren onderwijzer ben, iemand die anderen kan bezielen. De hond, zo realiseerde ik me na een tijdje, wilde maar al te graag mee. Ik kon nauwelijks iets zien, maar ze leek met haar achterpoot of achterpoten verstrikt te zijn geraakt toen ze over het dichte wortelstelsel van de boom wilde springen. Ze verhief haar nek en liet een woest gejammer horen. Bijna kreeg ik zoveel medelijden dat ik was teruggegaan, maar op het laatste moment beheerste ik me. Sufferd, dit is geen Kuifje-film. Daarna sprintte ik het woud in, zonder hond door de donkere nacht, in mijn eentje.

Terwijl ik me een weg probeerde te banen, maakte ik me zorgen over dolgeworden ratten. Ik maakte me zorgen over schietgrage agenten. Over het sap van gifsumak-planten dat langzaam maar zeker mijn broek zou doorweken. Een ruwe, harige brandnetel schuurde langs mijn nek en liet een opgezette striem achter. Een andere hechtte zich aan de ruwe tweed stof van mijn broekspijp en rukte me spontaan naar achteren. Ik vocht ertegen en schopte vier, vijf, zes keer van me af, als een demente Rockette. Ten slotte wist ik me te bevrijden.

Op de plek waar ik haar had achtergelaten stond Jaws nu furieus te blaffen. Ergens vandaan, waarschijnlijk van het grasveld tussen het strand en het bos, hoorde ik stemmen. Waren ze enkel op zoek naar Jaws, of waren ze erachter gekomen dat ik was verdwenen? Ik was er vandoor gegaan zonder om te kijken. Ik had er geen flauw idee van of de brandladder in het duister niet te zien zou zijn – of dat hij tegen de stenen muur en de klimop in het schijnsel van de sterren zou glinsteren. Het was nu te laat om me daar nog zorgen over te maken. Ik baande me een weg door de struiken, door een spiegelgladde laag rottende bladeren. Ik móest door blijven gaan.

Maar alle kracht was uit me weggestroomd. Ik kon niet meer. Ik leunde tegen een jonge, niet al te stevige boom. Ik transpireerde zo hevig dat mijn trui aan mijn rug en middenrif plakte. Ik huiverde. Mijn vingers klopten niet meer zo pijnlijk; ze waren gevoelloos. Maar terwijl ik verslagen zuchtte, trok de mist in mijn hoofd op. Twee belangrijke gebeurtenissen hadden plaatsgevonden, zo realiseerde ik me. Ten eerste, Jaws was stil. Ze had zich waarschijnlijk weten te bevrijden en kwijlde nu over de broek van haar baas heen. Geen gegrom en geblaf meer, en belangrijker, geen stemmen meer. En ten tweede, ik was al een heel eind gekomen! Vlak achter de boom voor mijn neus was de plek waar Richie zijn auto had geparkeerd. Ik bevond me op ongeveer zestig meter van de weg.

Mijn lange-termijnplan behelsde onder meer dat ik naar Manhattan zou reizen om, gewapend met een edelsteen die het verpanden waard was, daar een tijdlang te blijven en wat onderzoek te doen. Maar ik kwam tot de conclusie dat, hoewel ik verdomd gewiekst dacht te zijn, ik eigenlijk nauwelijks vooruit had gekeken.

Ik had niet echt een vluchtplan. Hoe moest ik wegkomen? Op dat moment verlichtten twee lichtbundels de weg die van mijn huis naar dat van Stephanie liep. Ik liet me plat tegen de grond vallen. Nu niet je verstand verliezen, sprak ik mezelf kalmerend toe. Het konden evengoed buren zijn die terugkwamen van een restaurant en een avondje theater. Maar het was al – hoe lang eigenlijk? – zo'n vijftien minuten geleden dat Jaws en ik elkaar voor het eerst hadden ontmoet, toen ze zich had losgemaakt van haar begeleider en naar me toe was gerend. De politie had voldoende tijd gehad om te bedenken dat er iets aan de hand was. En bovendien, zo moest ik toegeven, leken de koplampen zich te verplaatsen met een snelheid die de politie waarschijnlijk eigen is als ze jacht maakt op een voortvluchtige verdachte. Het kon zijn dat ze zich al over de Estates hadden verspreid. Over heel Shorehaven misschien. Waar moest ik heen? Wat moest ik doen? De koplampen kwamen dichterbij.

Ik kon niet verder; zoveel was duidelijk. Dus baande ik me een weg terug door het bos. Dit keer was ik minder bang. Nou ja, behalve op het moment dat ik de ogen van een of ander dier – een wasbeer, of misschien een wilde kat – duivels zag oplichten.

Eindelijk bereikte ik Gulls' Haven. Ik sloop dichterbij. Ik zag de ladder. Ja, daar was-ie, hangend aan Alex' slaapkamerraam, opvallend zilverkleurig.

Schuilend achter de eerste rij bomen, omcirkelde ik het huis en het gazon tot ik aan de voorkant was. Alles was rustig, griezelig bijna. Geen politie, geen politiewagens. En ook Jaws was nergens te bekennen. Waar waren ze? Stonden ze klaar om me neer te knallen als ik vanuit het bos naar de oprijlaan van grind zou lopen? Nee, besefte ik toen. Ze zijn weg. Ze zijn waar ik hen wilde hebben: op zoek naar mij!

Hoe ik dat wist? Nou, om eerlijk te zijn, ik was geen expert. Hetgeen wat ik in Ed McBain-romans en waar-gebeurde misdaadverhalen had gelezen daargelaten, was ik niet wat je noemt op de hoogte met de nuances van standaardpolitieprocedures. Niettemin had ik voldoende gelezen om te weten dat, zelfs al wisten ze dat ik het hazepad had gekozen, ze niet met de hele club in de achtervolging zouden gaan en zodoende het huis onbewaakt achterlieten. Er moest ten minste één smeris in de buurt zijn. Aan de achterkant, binnen renafstand van de ladder? Op patrouille rond het huis? Binnen?

Nee, binnen was onwaarschijnlijk. Het huis was even donker als toen ik het had verlaten, tenzij ze allemaal van die infrarode duikbrillen gebruikten zoals in *The Silence of the Lambs*, wat volgens mij overdreven filmisch, extreem duur en hoogst onwaarschijnlijk was. Maar zo dadelijk zou iemand met een politiepenning weer aan de voorzijde van het huis verschijnen en dan zat ik vast in het bos – althans, tot ze het begonnen uit te kammen.

Ik bestudeerde Gulls' Haven zoals ik het in al die jaren dat ik er woonde niet had gedaan. Wat kon het voor mij betekenen? Een prachtige, elegante bakstenen doos met een licht hellend, leien dak. Geen bescherming van te verwachten. Een overdekte passage, opgebouwd uit dezelfde verweerde stenen als het huis zelf, met drie kleine bogen nagebootst van de imposantere hoofdingang. Ook niet geschikt als schuilplaats. Maar de passage liep van de linkerkant van het huis, daar waar de keuken was, naar de zijdeur van de drie auto's brede garage. Een garage! Zou ik het durven? Gewoon wegrijden? Een seconde later rende ik over de open vlakte van het gazon.

Eerlijk gezegd lag het niet in de bedoeling, maar toen ik eenmaal binnen was en Bens Jeep met de nummerborden van Pennsylvania zag staan, wist ik dat dat mijn enige echte kans zou zijn. Een vierwielaangedreven ritje door de bossen langs het strand. Wat een ontsnapping! Met dien verstande dat ik natuurlijk niet over een sleutel beschikte. Ik had oprecht spijt van de vele uren die ik had besteed aan mijn wiskundehuiswerk, wat niets met het echte leven te maken had, terwijl ik mijn tijd had kunnen doorbrengen met de vetharige, voor galg en rad opgroeiende jongens van Brooklyn, onder meer om te leren hoe je een auto middels de bedrading kon starten. Ik had de volgende opties: in Vietcong-stijl dwars door de tuinen van Shorehaven kruipen, voorbij de schommels en de barbecues van Shorehaven Acres, via Main Street, langs Dunkin' Donuts naar het treinstation van Long Island... of ik kon mijn rode Saab nemen die de politie onderhand door en door kende omdat ze me geschaduwd hadden.

Klaar af, start. Ik ramde op de knop van de automatische garagedeur en startte tegelijkertijd de Saab. De grote deur rolde stroef en langzaam open. Met veel lawaai bovendien. Ik reed achteruit, liet de garagedeur weer zakken, draaide mijn raampje open en luisterde. Niets. Ik zette de auto in de versnelling en onder begeleiding van een kakofonie van knarsend grind, reed ik de oprijlaan af.

Ik had genoeg misdaadfilms gezien om te weten dat ik mijn koplampen niet aan moest doen. Wat ze in de film niet laten zien, is dat je pas weet dat je ergens tegenaan rijdt op het moment dat je het misselijkmakende kraken hoort van je spatbord dat tegen een ginkgo botst. Het lawaai! Effectiever dan een sirene die de politie moet waarschuwen.

Nou en of. Uit de verte klonk een stem. Ik kon niet verstaan wat er werd gezegd, maar het klonk als 'Chips!' wat me hoogst dubieus voorkwam, maar goed. Ik ramde de versnelling in de achteruit. De auto kwam gelukkig meteen los en dus scheurde ik weg, mèt stadslicht aan totdat ik het eind van de oprijlaan kon onderscheiden. 'Chips!' De stem klonk zwakker. Ik deed het licht weer uit en stuurde de duisternis in.

In Anchorage Lane, geen politie. En terwijl ik de Shorehaven Estates heimelijk verliet via de meest omtrekkende route die ik kon bedenken – over Sandy Nook Drive, via Zephyr Court, om het oude

Whitney-landgoed heen en over de doorploegde ventweg achter de huizen van de Wagners, de Changs en de Schaeffers langs, dwars over het voor croquet geschikt gemaakte gazon van de familie Gillespie en om hun zwembad heen naar het kreupelbosje, waar de weg ten slotte uitkwam op de parkeerplaats van een lutherse kerk – ik zag telkens koplampen op parallelwegen, maar nergens een smeris.

Om tien voor twaalf die nacht stopte ik bij de Marine Midland Bank, waar ik 300 dollar uit de muur haalde. Een wit-blauwe politieauto met een reusachtig schild op het portier scheurde voorbij, maar stopte niet om van dichtbij een kijkje te nemen. Op het scherm van de geldautomaat verscheen de tekst: 'Uw transactie is in behandeling, ROSE MEYERS'. Kennelijk wist het apparaat nog niet dat Rose Meyers voortvluchtig was en op het punt stond nummer één te worden op Nassau County's lijst van meest gezochte criminelen, want na enig mechanisch gekreun spuwde de machine het gewenste bedrag uit.

Ik zou graag geschreven hebben dat er een wilde achtervolging plaatsvond, maar dat was niet het geval. Nadat ik bij de bank was geweest, knipte ik mijn koplampen aan en verliet Shorehaven via diverse achterafstraatjes. Ik reed evenwel in oostelijke richting, weg van Manhattan, door de zakenbuurt Glen Cove, langs het water en vervolgens door het twee blokken beslaande zakenkwartier Port AdaMevrouw Het was vijf minuten na middernacht. De volgende dag! Dus ik stopte opnieuw bij een bank met een geldautomaat en haalde nog eens 300 dollar van mijn rekening. Daarna parkeerde ik de auto aan de havenkade. Met een beetje mazzel zou de politie denken dat ik gesprongen was en spendeerden ze de komende dagen aan het dreggen van de inham.

Op twee minuten loopafstand trof ik op een scheepswerf een pick-up aan die niet op slot was. Ik klom er aan de chauffeurskant in en dacht na over mijn toekomst.

In de eerste plaats moest ik ophouden mezelf te zien als docente Engels. Wat was ik dan wel? Aangezien 'misdaadverdachte' over het algemeen een woord is met een negatieve lading en geen beroep, moest ik mezelf in een nieuwe rol gaan zien: in die van detective. Het enige probleem was, bedacht ik terwijl ik onder het dashboard dook omdat ik in de verte iets – Een politiewagen? Een brandweerauto? Een ambulance? – hoorde loeien, dat ik als detective enkel met mezelf als cliënte zat opgescheept.

Ik ging rechtop zitten. De eigenaar trapte zijn peuken op de vloer van zijn pick-up uit en probeerde de stank van sigaretten te onderdrukken door een uitgesproken vies ruikende deodorant in de vorm van een denneboom aan zijn achteruitkijkspiegeltje te hangen. Hij was niet alleen een viespeuk; hij was tevens een imbeciele chauvinist, met een driedimensionaal plakplaatje van een naakte vrouw rechtsboven op zijn voorruit. Als ik met mijn hoofd draaide, of op een of de andere manier bewoog, leken de gigantische roze-regenboogkleurige borsten van de pin-up heen en weer te wiebelen.

Ten tweede had ik een lijst met verdachten nodig. Ik probeerde een soort van Hercule Poirot-rooster op te stellen, met allerlei onzinnig moordlustige types en vergezochte potentiële moordenaars, maar ik kon niet meer dan twee namen verzinnen: Mitchell Gruen, die echt een reden had om Richie te haten, en Jessica Stevenson, die – voor zover ik wist – geen enkel motief had maar die ik eenvoudig op mijn lijstje zette omdat ik wilde dat ze schuldig zou zijn.

Wat mijn verhoor van Jessica betrof, zat ik met een probleem. Mijn laatste bezoek aan Gracie Square had me niet bepaald een staande ovatie opgeleverd. Het kon gevaarlijk zijn het nog eens te proberen. En trouwens, haar liefhebbende vader zou vast en zeker lijfwachten inhuren zodra hij hoorde dat ik op de vlucht was. Het lag voor de hand dat ik op Gevinski en zijn maat in het kastanjebruine pak zou stuiten, zodra ik me in de buurt van haar appartement waagde.

En hoe zat het met Mitch? Hoe kreeg ik een man te zien die zo teruggetrokken leefde dat hij zijn warme hap per fax bestelde, zodat hij geen woord met een ander hoefde te wisselen?

Met wie kon ik dan wel praten? Wie was van Richies plannen op de hoogte geweest? Hojo Driscoll, natuurlijk. Tom? Nee. Voor hem was Richie waarschijnlijk niet meer dan een van zijn vele zakenpartners. Carter Tillotson? Misschien. Hij en Richie lunchten tenslotte halfjaarlijks met elkaar. Maar ik betwijfelde of hij in Manhattan veel meer kwijt wilde dan hij in Shorehaven had losgelaten. Richies zuster, Carol, Onze Lieve Vrouwe-van-de-Bikinilijnhars? Mogelijk wist ze iets, maar het kon nooit veel zijn en ik moest kieskeurig zijn bij het uitzoeken van mijn proefpersonen. Iedereen die ik sprak, vormde een potentieel gevaar. Zelfs als niemand me probeerde tegen te houden, zou mijn vrijheid steeds meer gevaar lopen. De vragen die ik zou stellen en de antwoorden die ik zou krijgen, zouden de politie een goed idee geven waar ik de volgende keer zou opduiken.

Tijd om actie te ondernemen. Ik was niet naar Port Adams gereden omdat het zo'n eigenaardig stadje was met een leuk visrestaurant. Ik was hier omdat het aan de andere spoorlijn lag die van Shorehaven naar Long Island liep. De Shorehavenspoorlijn zou krioelen van de agenten. Maar het vertrekpunt van de trein die Port Adams aandeed, lag zo'n dertig kilometer oostwaarts, in Suffolk County, en reed over oudere lijnen door centraal Nassau en Queens. Het was mijn enige kans.

Toen ik de met Big Mac-saus besmeurde handgreep van het portier echter beetpakte, besefte ik dat het voordeel dat ik won door een andere trein te nemen verloren zou gaan als ik om 01.30 uur 's nachts door een straat in een buitenwijk zou slenteren, op het treinstation ging zitten wachten en vervolgens in mijn modieuze Franse pantalon op de trein van 01.43 uur zou stappen, waar ik de hele rit naar Penn Station de enige passagier zou zijn.

Ik bracht het volgende halfuur door met het schoonvegen van mijn trui en het verwijderen van doornen en takjes van mijn broek. Uiteindelijk gaf ik het op en sliep wat, maar ik werd met een schok wakker vanwege loeiende sirenes. Maar dit keer kwamen ze slechts in mijn dromen voor.

Op het station kocht ik de *Times* en *Newsday* waarna ik de trein van 06.32 nam, tezamen met de rest van een grote groep forenzen. Net als hen begroef ik mijn gezicht in de krant. Met dit verschil, dat ik geen woord in me opnam.

Sinds Richie me had verlaten, had ik voortdurend geprobeerd te beredeneren hoeveel ik van hem had gehouden en hoeveel hij van mij – als hij dat ooit had gedaan. Hoe kon hij me bedriegen? En als hij zonodig een verhouding wilde hebben, waarom had hij het dan niet in het geniep gedaan? Dan had hij, zoals zo veel mannen, gewoon 's avonds naar huis kunnen komen. We hadden samen oud kunnen worden. Hoe was het mogelijk dat ik hem na al die jaren zo slecht had gekend dat zijn onthulling over Jessica me met stomheid had geslagen? Had ik hem ooit echt gekend? Of had ons huwelijk niet meer behelsd dan vurige seks, draaglijk gezelschap en twee gemeenschappelijke interesses: Ben en Alex.

Ik dacht aan Jessica in haar grijze zijden jurk op de begrafenis. Oogverblindend. Triest. Ze had iedereen ervan overtuigd dat zij Richies eigenlijke weduwe was, enkel door zielig alleen in een hoekje te gaan zitten.

Alleen? Wacht eens even. Waar was haar vader geweest? Twee dagen eerder logeerde hij nog bij haar, liep hij nota bene in Richies badjas rond. Het was overduidelijk dat hij de nacht bij haar thuis had doorgebracht. En de manier waarop hij haar in zijn armen had opgevangen: hij was haar beschermer. Maar hoe viel dan te verklaren dat hij op het meest traumatische moment in het leven van zijn dochter, de begrafenis van haar aanstaande echtgenoot, schitterde door afwezigheid? Niet erg vaderlijk voor zo'n bezorgd type.

Tenzij hij papa Stevenson helemaal niet was. En zo niet, wie was hij verdomme dan wel?

10

Een lokmiddel. De Sav-Ur-Life-brandladder stak fraai af tegen de bakstenen muur van Gulls' Haven; het zag er verdomd indrukwekkend uit op de voorpagina van de *Daily News*. Mijn foto op de inzet ernaast was een beetje wazig. Bovendien was mijn haar afschuwelijk kort, een stijl die ik het afgelopen voorjaar had uitgeprobeerd toen ik de vergissing maakte er natuurlijk uit te willen zien. Mijn nieuwe coupe had Richie er waarschijnlijk niet toe bewogen me te verlaten, maar had hem ongetwijfeld gesterkt in zijn besluit.

Voor iemand die op zoek was naar een vermeende dader, was de foto – kin in de lucht, ogen stijf dichtgeknepen en met zo'n namaaklachje waardoor mijn huig praktisch te zien was – evenwel duidelijk en herkenbaar van mij. En het simpele feit dat ik op de voorpagina van een sensatiekrant stond, gaf me het voorkomen van een psychopaat. Iemand bij de *Daily News*, die er als de kippen bij was, had het stomme plaatje gevonden in het jaarboek. Ik was faculteitsadviseur voor *Kaleidoscope*, het zogenaamde literaire tijdschrift van onze middelbare school. Ik had naast Sunshine Stankowicz, de hoofdredactrice, gestaan, een vervelende middelbare-schoolintellectueel die het overgrote deel van haar tijd doorbracht in de kantine waar ze, zittend op haar ellenlange haar, aandachtig Virginia Woolfs dagboeken las. De fotograaf had geroepen 'Even lachen!' En ik had zo overdreven mogelijk gedaan.

De ventilatie in Penn Station was zo slecht dat je onmogelijk kon ontkomen aan de mengeling van menselijke geurtjes en die van hot dogs, maar het was niet de stank die me zorgen baarde; het waren de duizenden forenzen die de krant met ongepaste opgewektheid lazen. 'Moordverdachte Ontsnapt Uit Door Politie Bewaakte Villa.', stond er als kop te lezen. Mijn medeburgers leken geboeid.

Op het moment dat ik de schaterlach waarmee ik mijn gebit bloot lachte op de voorpagina zag, wist ik dat het plan dat ik in de trein had uitgedacht verloren was. En het was zo'n slim plan geweest: ik zou een hotelkamer nemen om een dutje te doen, daarna uitgebreid ontbijten en dan, opgefrist en wel, een gedegen onderzoek uitdenken. Maar omdat ik elk boek van Rex Stout had gelezen, wist ik precies hoe de Newyorkse politie opereerde. Ze zouden samenwerken met de politie in Nassau County: mijn foto zou nu al onderweg kunnen zijn naar de muren van hotels, luchthavens en ja, zelfs naar treinstations in New York en omgeving. En dus hield ik gelijke tred met de snelste forens die erbij was, een lange man die zijn exemplaar van de *Wall Street Journal* stevig vasthield en eruitzag alsof hij elk moment in tranen kon uitbarsten, en haastte ik me achter hem aan de trap op, naar de trottoirs van New York.

De kookplaat in de koffieshop waar ik wilde ontbijten leek sinds de begintijd van het Carter-tijdperk niet meer schoongemaakt te zijn, dus hield ik het op een bagel. Na al die jaren van rijkdom, van samen met Richie ontbijten in restaurants als de Four Seasons en het Ritz-Carlton waar het ontbijt onvermijdelijk bestond uit een minimalistisch aanbod van volkoren voedsel versierd met glanzende bessen, was het een verademing om een voorverpakte punt roomkaas op mijn bord gekwakt te krijgen door een serveerster met een haarnetje.

In gedachten liep ik de lijst van mensen na die ik wilde ondervragen: Jessica opzoeken was op dit moment te gevaarlijk. Dat gold eveneens voor Carol met de op natuurlijke basis geverfde wimpers. Ik moest Hojo spreken, en Mitchell Gruen. En misschien een of meerdere leidinggevenden van Data Associates, degenen wier droomcarrière binnen de firma ruw was verstoord door de komst van Jessica.

Ik poetste mijn tanden op het toilet van de koffieshop en probeerde, zonder veel succes, niet te kokhalzen bij het zien van de zwarte haren en bruine mineraalvlekken in de wasbak en evenmin stil te staan bij de kakkerlakvallen in drie van de vier hoeken. Terwijl ik mijn rouge bijwerkte, drong ineens tot me door dat ik allereerst de enige persoon die me waarschijnlijk niet aan de politie zou verraden moest spreken: Mitchell Gruen.

Aldus besloten, was ik vijftien minuten en een taxirit later in het centrum, in een vervallen buurt net buiten SoHo die erin was geslaagd aan stadsrenovatie te ontkomen. Geen avant-garde winkels met trendy kleren, geen restaurants met nieuwe ideeën over het bereiden van groente. Voornamelijk grote, lelijke, oude gebouwen van baksteen: pakhuizen, fabrieken. Er was één uitzondering. Een gebouw dat ooit wellicht een privé-school of een bibliotheek was geweest, beschikte over een bas-reliëf van de muzen – althans van negen vrouwen in gewaden die één schouder bloot lieten – boven de twee deuren brede ingang.

Het gebouw waar Mitch woonde was, net als zijn andere investeringen, op een mislukking uitgelopen; op drie van de vier verdiepingen waren de ramen dichtgespijkerd. Op de eerste verdieping waren de rolgordijnen naar beneden gelaten. Rode rolgordijnen. Ik liep naar de voordeur en drukte op alle vier de deurbellen. Geen reactie. Ik probeerde het nog eens. Stilte. Maar Mitch moest er zijn. Tenzij zijn lichaam lag weg te rotten op een stapel microchips, negeerde hij de bel gewoon. Ik hield vol. En uiteindelijk vroeg een blikachtige, geërgerde stem door de intercom: 'Wat moet je?'

'Pakketje van...' Ik dacht razendsnel na. 'Digit-Tech.' Ik bad stilletjes dat het computerachtig genoeg klonk.

'Wat?'

'Pakketje. Ziet eruit als iets voor een computer.'

'Laat maar achter.'

'Kan niet. U moet tekenen voor ontvangst.' Een nasaal klinkende zoemer liet zich een seconde of twee horen, maar voor mij was het voldoende. Ik was binnen en rende de trap naar de eerste verdieping op.

Het hoofd van Mitch, omgeven door een krans van grijze krullen, verscheen voor de nauwe opening van de deur die op de ketting zat. 'Rosie?' vroeg hij ongelovig. En even later: 'Tjonge, zit jij even in de nesten!'

'Hoi, Mitch,' zei ik opgewekt. Ik had opnieuw geluk. Hij schoof het kettinkje opzij en deed de deur een paar centimeter verder open, kennelijk om te zien of ik misschien een Uzi achter mijn rug verstopte. Ik gooide mijn schouder tegen de deur en ramde ertegen. Ik begon hier goed in te worden: mijn kracht deed hem achteruit strompelen.

'Wat wil je van me?' vroeg hij, niet eens echt onbeleefd, gezien het feit dat ik zojuist zijn huis was binnengedrongen. Behalve dat hij veel kaler en ietsje grijzer was geworden, was Mitch nauwelijks veranderd sinds de tijd dat hij voor Data Associates werkte.

Het was gewoon opmerkelijk hoe onopvallend zijn gelaatstrekken waren: een neus die noch groot noch klein, noch een wipneus noch een haviksneus was; kleine (maar geen opvallend kleine) ogen die grijs of bruin genoemd zouden kunnen worden; een voorhoofd dat niet te hoog en niet te laag was; een mond die zo weinig indruk maakte dat je besefte dat hij een mond had enkel omdat het ontbreken ervan pas zou opvallen.

'Een vleesmes!' riep Mitch uit, toen hij snel naar de deur sprintte om deze te vergrendelen. Nu, op zijn achtenvijftigste, bevrijd van volwassen verplichtingen als lesgeven en carrière maken als zakenman, droeg hij vrijetijdskleding: een grijze joggingbroek en een te strak hemd. Op taillehoogte puilden een paar centimeter van zijn harige buik uit zijn kleren.

'Lang niet gezien, Mitch. Hoe gaat het met je?'

'Ik leef nog, in tegenstelling tot sommige anderen.'

Mitch' bovenwoning, de gehele eerste verdieping, bestond uit een grote ruimte. De muren, het tapijt, de bank en de stoelen waren allemaal helderrood. Hij had het gebouw gekocht en een van de verdiepingen laten opknappen als cadeautje voor zichzelf toen hij zijn eerste miljoen bij Data Associates had verdiend. Het huis was de jongensvoorstelling van een vrijgezellenflat; de enige welkome afwisseling van het schreeuwende rood was een tafel van rookglas op wankel uitziende smeedijzeren poten en, uiteraard, Mitch' verzameling grijze computers. 'Zou je het erg vinden om te vertrekken, Rosie? Ik heb geen zin onbeleefd te zijn. Ik heb gewoon veel te doen.'

'Straks.' Ik slenterde door het appartement en nam plaats voor een van de vijf computers, een monsterlijk IBM-apparaat. Mitch volgde me en kwam vlak naast me staan. 'Wil je niet weten hoe het met mij gaat?'

'Denk je soms dat ik me ga mengen in die moordzaak?' Hij draaide zich om en staarde verlangend naar een kleinere computer met daarop drie zigzaglijnen. Hij kon blijkbaar nauwelijks wachten verder te werken. 'Ik heb het druk, maar wie het ook op Richie had voorzien, laat mij de eerste zijn om te zeggen' – hij blies een luide, natte kus de lucht in – 'hartelijk bedankt!'

Wachtend op mijn vertrek, dansten zijn blote voeten ongeduldig op en neer.

'Ik zit in de problemen, Mitch.'

'Je meent het.'

'Is de politie hier al geweest?' Hij haalde de schouders op. 'Wat hebben ze gevraagd?'

'Je kent dat wel.'

'Vertel.'

'Waar ik was toen hij is vermoord.'

'En waar was je?'

Hij liet een oppervlakkig, droog lachje horen. 'Hier.'

'Alleen?'

'Alleen.' Hij was druk doende het touwtje van zijn joggingbroek te strikken. Omdat zijn hoofd was gebogen, kon ik zijn gezicht niet zien.

'Weet jij soms wie Richie heeft vermoord?'

'Natuurlijk niet.' Hij stak zijn rechterhand op in een zwerend-bij-God-gebaar.

'Heb je enig idee wie een wrok tegen hem koesterde?'

124

'Jij!'

'Jij ook,' reageerde ik.

Hij ging op een bureaustoel met wieltjes zitten en rolde naar me toe, totdat onze knieën elkaar raakten. Maar ik wist het van vroeger: hoewel Mitch de elementaire sociale vaardigheden onder de knie had gekregen – hij wist bijvoorbeeld dat hij in het openbaar niet in zijn neus moest peuteren – was hij nooit in staat geweest de sociaal aanvaardbare afstand te bewaren. Hij kwam altijd te dichtbij, waardoor zijn gezelschap zich er altijd onaangenaam van bewust werd dat dit wonderkind van middelbare leeftijd op zijn minst licht gestoord was.

'Ik heb je hulp nodig, Mitch.'

'Alsjeblíeft. Ga weg, Rosie. Ik heb het druk.'

'Moet ik je herinneren aan de keren dat ik jou heb geholpen in de tijd dat Richie je eruit begon te werken?' vroeg ik.

'Daar heb ik wat aan gehad.' Hij gniffelde. Met zijn voeten stevig op de grond, sloeg hij zijn armen voor zijn borst over elkaar en wiegde zijn lichaam van voor naar achter. Bij elke beweging klonk er een winderig geluid op van de stoel, wat hij prachtig vond. Ik herinnerde mezelf eraan dat deze joviale vrijbuiter het complete gegevensbestand van Data Associates – met voorbedachten rade – had gewist in een poging Richies bedrijf te gronde te richten.

'Misschien was ik niet in staat je op lange termijn te helpen, maar ik heb verdomd mijn best gedaan,' hielp ik hem herinneren.

'Ja, dat zal wel. Waarom heeft hij me dan toch geloosd?'

'Hij heeft mij ook geloosd.'

'En nu heeft iemand anders zich van hem ontdaan. Maar ik was het niet. Het is "Rose Meyers! Gezocht, dood of levend." Je gezicht is voortdurend op televisie, moet je weten. Als ik de politie bel, wil ik wedden dat ze binnen twee seconden op de stoep staan.'

'Maar daarvoor moet je een telefoontje plegen. Dat was nooit je sterkste kant... en ik heb gehoord dat het erger is geworden.'

'O ja?'

'Ja.'

'Van wie hoor je die dingen?'

'Richie had zo zijn bronnen.' De bron was Jane Berger, Richies p.r.-medewerker. Jane had zich altijd te belangrijk gevoeld en het te druk gehad om zich mijn naam te herinneren; ze noemde iedereen die niet rijk, belangrijk of invloedrijk was 'snoezepoes'. Om een of andere duistere reden had ze echter tijd weten vrij te maken om per modem contact te houden met Mitch. 'Ik weet dat je je eten per fax besteld en maanden achtereen in huis zit,' zei ik tegen hem. 'Wil je werkelijk met de politie praten? Je zou naar het hoofdbureau moeten voor een verhoor. Je zou moeten getuigen voor de rechtbank.'

Mitch fronste zijn wenkbrauwen. Zijn ogen schoten van de ene naar de andere computer. Hij zag er kwaad en een beetje mesjokke uit, ongeveer zoals Nixon in zijn nadagen. 'Maak dat je wegkomt, Rosie.'

'Ik heb Richie niet vermoord, Mitch. Ik ben voor de politie op de vlucht, omdat ik de kans wil krijgen dat te bewijzen.'

'Hoe denk je dat te doen?'

'Ik heb een paar goede aanknopingspunten die me bij de moordenaar zullen brengen,' loog ik.

'Ha-ha-ha. Zo ken ik er ook wel een paar.'

'Luister naar me. Zodra ik heb bewezen dat ik de moordenaar niet ben, dat het iemand anders móet zijn' – ik zweeg even om mijn woorden impact te geven – 'weet je bij wie ze dan terechtkomen?'

'Onzin!'

'Ze zullen zich wenden tot de andere persoon die een wrok jegens Richie koesterde. Als ik eenmaal uit beeld ben' – ik probeerde het te laten klinken alsof deze ontwikkeling de naaste toekomst betrof – 'zul jij volop in de belangstelling komen te staan.'

'Zo snel zul je niet uit beeld verdwijnen, Rosie, dat weet jij en dat weet ik.'

Ik stond op, maar bleef dicht bij hem staan. 'Het enige dat ik nodig heb, is een paar minuten van jouw computertijd. Vooruit. Omwille van de goede oude tijd.'

'Nee.'

'Als je me helpt, zal je dat – hooguit – een halfuur kosten.'

'Geen denken aan.'

'Ook goed. Dan blijf ik hier.'

Dat was de druppel. Hij plofte neer achter een draagbare computer, deed het deksel open en vroeg knorrig: 'Wat wil je weten?'

'Alle medewerkers van Data Associates zetten hun afspraken en interne memo's in de computer.'

'En dus?'

'Dus wil ik dat je Richies afspraken van de afgelopen drie à vier weken oproept. Kun je dat?'

'Zijn agenda bij Data Associates? Ze hebben een compleet nieuw beveiligingssysteem aan laten leggen nadat ik op het netwerk heb ingebroken.' Zijn bleke gelaat lichtte op van genoegen bij de herinnering daaraan.

'Je hebt mijn vraag niet beantwoord. Kun je het?' In plaats van antwoord te geven, nam hij plaats en begon als een tweevingerige Rachmaninov de toetsen te bespelen. Na een paar minuten verschenen er allerlei cijfers op het scherm, waarna het beeld zwart werd en zich opnieuw vulde met getallen. 'Wat gebeurt er?' vroeg ik.

'Stil. Ik ben bezig,' zei Mitch. 'Als je me opjaagt, lukt het niet.'
'Maar ik heb haast.'
'Dan ga je maar.' In plaats van te vertrekken, ijsbeerde ik wat door de grote ruimte en viel uiteindelijk in slaap in een rode stoel die de vorm had van een holle hand. Ongeveer een uur later, toen het getik op de computer was gestopt, werd ik wakker. Mitch stond naast een printer die een ketting van papier uitspuwde. 'Agenda en telefoonlogboek,' verkondigde hij, de pagina's eraf scheurend en ze mij in de hand drukkend. 'Het was niet eenvoudig, maar het is gelukt. Wil je nu alsjeblieft weggaan?'
'Ik moet dit eerst bestuderen.'
'Doe dat maar ergens anders.'

Ik negeerde zijn opmerking en verplaatste me van de rode stoel naar een uit losse elementen opgebouwde rode bank. Ik trok mijn laarzen uit, maakte het me gemakkelijk en begon te lezen. Een minuut lang keek Mitch van mij naar de deur, maar toen gaf hij het op en ging achter de computer met de zigzaglijnen zitten. Algauw ging hij volkomen op in de wereld van zijn beeldscherm.

Op de dag van de moord had Richie om 10.00 uur 's ochtends een vergadering met de Chemical Bank, moest hij om twaalf uur iets passen bij K – wie wist waar die voor stond, misschien voor kleermaker – en had hij om 12.45 uur een lunchafspraak in restaurant Michael's met iemand van InterAmerican Tool die Joe Romano heette. Voor die middag had hij geen afspraken staan. Ik legde de agenda naast de telefoongegevens. Na 11.49 die morgen had Richie geen telefoontjes meer gepleegd.

Er was evenwel een lange reeks van binnenkomende telefoontjes geweest die middag, telefoontjes die hij nooit meer zou kunnen beantwoorden. Eentje, om 15.15 uur, was afkomstig van Hojo Driscoll. Naast de aantekening dat Carter Tillotson om 17.23 uur had gebeld, stond 'TSVP': terugbellen s.v.p. Er stond een mij onbekend nummer achter. Ik liep naar Mitch' telefoon – een rode – en toetste het nummer: 'Goedemorgen. Met de secretaresse van dokter Tillotson,' zei een stem die duidelijk spraaklessen had gehad. Nou ja, Carter en Richie waren tenslotte vrienden, zo niet goede vrienden, geweest. Waarom zouden ze elkaar niet bellen? En toch, in de minst-waarschijnlijke-persoon-is-de-moordenaar-theorie moest ik even stilstaan bij Carter. Na twee minuten schoof ik die gedachte terzijde, want Carter was te onwaarschijnlijk om waar te zijn.

Geen telefoontjes van Tom Driscoll die middag, viel me op. Twee van Jane Berger, met 'TSVP' erbij. Een aantal interne telefoontjes van medewerkers, hoewel niet van Jessica. Ik ging ervan uit dat Richie en

127

zij de tijd na de lunch samen hadden doorgebracht, waarschijnlijk in een standje dat hij met mij niet eens had willen uitproberen. Er was niet veel waar ik iets mee kon: ik las een hele maand van Richies leven. Uit wat ik kon opmaken, leken de agenda en het telefoonlogboek heel normaal voor een drukbezette, maar niet overbelaste president-directeur van een bedrijf. Talloze interne telefoontjes tussen hem en Jessica. Een telefoontje per dag – meestal na de lunch – van zijn grote vriendin Hojo. Die telefoontjes duurden tussen de tien en twintig minuten. In de laatste week van september had hij een lunchafspraak met Hojo staan. Geen enkel telefoontje van Tom en behalve die ene keer ook niet van Carter. Maar gedurende de laatste maand was hij twee tot drie keer per dag gebeld door Jane Berger, zijn p.r.-medewerker, stuk voor stuk met een 'TSVP'-aantekening.

'Mitch,' riep ik uit, 'haal dat telefoonlogboek nog eens op het scherm.'

'Stt! Laat me met rust.'

Ik liep naar hem toe en ging naast hem staan. 'Tover het te voorschijn en ik ben binnen tien minuten nadien weg.' Hij liet zijn getande strepen voor wat ze waren en begaf zich opnieuw naar de andere computer. Een paar seconden later verscheen het logboek in beeld. 'Ga eens na wanneer Richie Jane Berger voor het laatst heeft gebeld.'

Een seconde of vier tikte hij wat in. 'Vier september.'

'Wauw!' fluisterde ik. 'Begrijp je niet wat dat betekent? Ik herinner me de datum omdat de school toen weer begon, de dag na Labor Day. Zes wéken voor hij werd vermoord. Zij was zijn pr-medewerker. Richie was gek op publiciteit.'

'En wat dan nog,' mompelde hij.

'Hoe vaak sprak Richie met Jane Berger in de tijd dat jij daar nog werkte?'

Hij draaide zich om en keek me aan. 'Geen idee.'

'Was ze veel op kantoor?'

Hij bukte zich en pakte het harde uiteinde van zijn schoenveter tussen duim en wijsvinger en begon ermee te spelen. 'Vaak? Een paar keer per week, denk ik.'

'Ze belde hem vrijwel elke avond thuis op. Kennelijk om de zaken die zich overdag hadden afgespeeld te bespreken.'

'Dus?'

'Dus spraken ze elkaar veel. Waarom bestookte ze Richie ineens met telefoontjes? En waarom stond hij haar niet te woord?'

'Je hebt beloofd dat je weg zou gaan.'

'Ik ga zo.' Ik zweeg even. 'Zodra jij mij iets belooft.'

'Dat is niet eerlijk!'

'Weet ik. Ik ben gisteravond opgehouden eerlijk te zijn. Je moet me je woord geven dat je niet de politie belt.'

'Rosie...'

'Je woord.'

'Goed dan.'

Maar toen schoot me een idee te binnen. 'Nog één ding. Een grote gunst. Bel Jane Bergers secretaresse even voor me.'

'Ben je dement geworden? *Ik*?'

Terwijl Mitch driftig zijn hoofd schudde en uitriep 'Geen denken aan!' en 'Ik bel nooit iemand op!' zocht ik Jane Bergers adres op. Op een stukje computerpapier schreef ik: 'Met de huisbaas van mevrouw Berger. We hebben grote problemen vanwege een gesprongen leiding. Ik ben momenteel in de woning onder de hare. Zeg dat ze voor het appartementengebouw op de loodgieter wacht. Hij heeft een groene bestelwagen. Ze moet hem meenemen naar haar appartement.' Nadat hij nog eens vijf minuten lang met zijn hoofd had geschud en met zijn voeten gestampt, las hij de boodschap aan de secretaresse voor. Hij klonk erg houterig, maar de boodschap kwam in ieder geval over. Terwijl ik hem coachte, hing hij snel op, voor Jane de kans kreeg het telefoontje over te nemen.

Voor ik vertrok, vroeg ik: 'Denk je dat ik Richie heb vermoord?'

'Ja.' Hij schonk me een verlegen, bijna jongensachtige lach. 'Niet persoonlijk bedoeld, Rosie.'

Ongeveer negentig seconden voor Jane Berger uit een taxi sprong en zich naar de overdekte ingang van haar flatgebouw haastte, was ik in Central Park West aangekomen. Ze had met veel succes een cursus van de Weight Watchers gevolgd en was tegenwoordig een lange, opvallend slanke vrouw gekleed in een enkellange oranje rok die slechts door personen met kleurenblindheid of door pronkzuchtige modepoppen gedragen zou worden. Alsof ze een of andere beroemde Spaanse danseres was, gooide ze een punt van haar paarse omslagdoek over haar schouder. Ze bleef even staan en keek om zich heen, zoekend naar een groene bestelwagen.

Aangezien ik geen groene bestelwagen was, zag ze me niet aankomen, zelfs niet toen ik al praktisch naast haar stond. 'Hallo, Jane.'

'Hoi, snoezepoes.' Pas toen ik niet verder liep, wierp ze een blik op mij. Haar ogen sperden zich zo wijd open dat haar paars opgemaakte oogleden uit het zicht verdwenen. En toen viel haar mond open. Ze wilde juist beginnen te gillen, toen ik zei: 'Ik heb een pistool.' Mijn hand zat in de jaszak van mijn wollen vest. Ze staarde naar de bobbel die mijn Elizabeth Arden bronslamé lippenstift veroorzaakte, toen naar mijn gezicht. 'Ik heb geen zin je te bezeren, Jane, dus daag me niet uit.' Dicht naast elkaar wandelden we langs de portier, een kleine oude, Iers uitziende man, die er waarschijnlijk strontziek van was om voortdurend met een dwerg te worden vergeleken. Hij knikte automatisch, maar op een vriendelijke, dwergachtige manier.

Jane Berger zelf was inmiddels zo mager als een lat, maar alles in haar appartement was nog steeds bovenmaats. Ze ging zitten op iets wat een kruising leek tussen een stoel en een neushoorn. Ik ging voor haar staan, op een vloerkleed dat zo dik was dat het mijn enkels kietelde. 'Je moet weten,' verkondigde ze, 'dat ik last heb van èrg hoge bloeddruk.'

'Zodra ik de informatie heb waarvoor ik kom, verdwijn ik,' verzekerde ik haar.

'Honderdvijfenvijftig over honderdtien. En vroeger was die nog hoger.'

'Brand eens los over Mitchell Gruen.'

'Wat moet ik over hem nou vertellen?'

'Je hebt toch contact met hem gehouden?'

'We communiceren eens in de zoveel maanden via onze computers.' Ze begon aan haar nagellak te knabbelen, beginnend bij de nagelriem en zo naar de punt werkend.

'Was je met hem bevriend?'

Ze reageerde met het geamuseerde lachje van een drukbezette zakenvrouw, een vlug geluid dat klonk als 'huh'. Maar ze werd meteen ernstig toen ze een vluchtige blik op mijn lippenstiftbobbel had geworpen. 'Als ik ter plekke aan een beroerte bezwijk,' zei ze, 'weet je wiens schuld dat is.'

'Je krijgt geen beroerte. Vertel eens waarom je contact hebt gehouden met Mitch.'

'Als vriendendienst... voor Rick.' Ik wachtte, dus vervolgde ze. 'Hij wilde dat iemand Mitch' mate van vijandelijkheid in de gaten hield.'

'En, hoe vijandig was hij?'

'Hoe bedoel je... "hoe vijandig"? Hoe zou jij reageren als je zakenpartner je leven verwoestte? Extreem vijandig.'

'En veranderde de intensiteit ervan? Ik bedoel, leek Mitch kwader te worden na verloop van tijd. Of was het juist het tegenovergestelde: deed hij alsof alles koek en ei was?'

'Nee, hij had gewoonweg een grondige hekel aan Rick. Maar als je denkt...' Ze lachte een milliseconde lang. Ik wenste dat ze een tikje angstiger voor me was geweest. 'Ik probéér openhartig en eerlijk tegen je te zijn. Je bent kennelijk van plan de schuld op iemand anders te schuiven, maar we hebben het hier wel over een persoon met agorafobie. Denk je werkelijk dat iemand zal geloven dat Mitchell Gruen zijn woning zou verlaten en naar Long Island zou afreizen om jouw ex te vermoorden?'

Zou Mitch het gedaan kunnen hebben? Ik vroeg me af of zijn woede zijn angst overwonnen kon hebben. Of was zijn pleinvrees onderdeel van een ingenieus sluitend alibi, bedacht door een briljant programmeur en plannenmaker?

'Wat is er tussen jou en Richie voorgevallen?' vroeg ik.

'Niets.' Ze keek naar mijn vestzak. Haar ogen vernauwden zich.

'Laat me dat pistool eens zien.'

'Hou je kop!' Ik gebruikte mijn stoere stem, de toon die ik altijd hanteerde wanneer ik dreigde een leerling naar de conrector te sturen. Jane verbleekte. 'Technisch gezien is het trouwens geen pistool,' liet ik haar weten. 'Het is een revolver. En vertel me nu eens wat meer over jou en Richie.'

'Hij liet me gaan.'

'Heeft hij je ontslagen?'

'Ja.'

'Wanneer?'

'Vlak na Labor Day. Wat kan jou dat eigenlijk schelen?'

'Omdat ik probeer Richies leven te reconstrueren.' Er moet een hysterische noot in mijn stem hebben doorgeklonken. Jane wendde haar hoofd af, zodat ze niet rechtstreeks in de ogen van een maniak hoefde te kijken. Maar een van haar bungelende amethisten oorhangers haakte in haar mohair omslagdoek, zodat ze gedwongen was de confrontatie met mij aan te gaan terwijl ze zichzelf bevrijdde. 'Ik heb hem niet vermoord,' zei ik tegen haar. 'Ik moet een aanknopingspunt vinden dat me naar de dader leidt.'

'Tja, ik heb er niets mee te maken.' Ze keek even op haar horloge. Ze begon met haar schoen op de vloer te tikken. Voor iemand die dacht dat ze onder schot werd gehouden, was Jane Berger behoorlijk prikkelbaar.

'Dat heb ik ook niet beweerd. Maar waarom heeft hij je laten gaan?'

'Hij zéi dat ik na zes maanden op de loonlijst niet verder was gekomen dat één optreden in "Heard on the Street" en één praatprogramma op de kabel. Maar dat was wel van CNBC. En ik kan je hele stapels artikelen en tientallen voorstellen laten zien die hij van de hand heeft gewezen. Het had veel meer te maken met háár.'

'Met Jessica?'

'Natuurlijk met Jessica, snoezepoes. Ik ben de beste p.r.-manager in de stad. Ik heb zijn reputatie gemaakt. Heeft hij ooit het tegendeel beweerd?'

'Hij vond je fantastisch. Je hebt voor dat geweldige artikel over hem in *Fortune* gezorgd.' Ze knikte, de hulde in ontvangst nemend.

'Maar zíj moest zo nodig' – Jane gooide haar paarse omslagdoek kwaad opzij, zodat een boerenkiel, waarvoor een boer zijn leven lang zou moeten sparen, zichtbaar werd – '... in de *krant*. Ze moest en zou Liz Smith aannemen,' legde ze uit. 'Alsof Liz Smith belangstelling voor haar had. O, en ze wilde twee pagina's in *Town & Country*! Ik ben iemand die zakelijke artikelen schrijft, geen goochelaar. Dacht ze soms dat ik haar met één gebaar van mijn toverstokje tot een beroemdheid kon omtoveren? Wat heeft zíj eigenlijk ooit gedaan om grote koppen te verdienen?' Jane staarde weer naar haar horloge. 'Ik had een belangrijke lunchafspraak,' deelde ze wrang mee.

'Blijf praten,' stelde ik voor.

Ze haalde haar vingers door de franje van haar omslagdoek. 'Jessica heeft kennelijk dat hele weekend rond Labor Day gebruikt om Rick te bewerken, want dinsdagmorgen vroeg belde hij op en ontsloeg me nota bene via de telefoon!' Ze greep een handvol franje en trok er zo hard aan dat die bijna losscheurde.

'En sindsdien heb je geprobeerd je opdrachtgever terug te winnen, en toonde hij zich allerminst geïnteresseerd. Hij beantwoordde je telefoontjes niet eens.'

'Wat probeer je duidelijk te maken, snoezepoes?' Ze liet de franje uit haar hand vallen, maar bezigde zich vervolgens met het verwijderen van mohairvezels van haar hand die ze op de grond gooide. 'Dat ik hem heb vermoord? Schrijvers moorden niet. Weet je wie moorden? Echtgenotes.'

Ze begon zich te veel op haar gemak te voelen naar mijn zin, dus bewoog ik de lippenstift een paar keer heen en weer in mijn vestzak. 'Vertel eens wat meer over Jessica.'

'Wat wil je horen? Dat ze een keihard, harteloos kreng is? Prima. Ze is een keihard, harteloos kreng.'

'Is ze goed in haar werk?'

'Tot dusver wel. Ze heeft op briljante wijze nieuwe markten aangeboord voor Data Associates. Ze had het gevoel dat de zaken stagneerden, omdat hier een ongunstig economisch klimaat heerst.'

'Hier?'

'In de Verenigde Staten,' legde ze ongeduldig uit. 'Ze drong er bij Rick op aan om internationaal te gaan opereren.'

'En wilde hij dat?'

'Ja, dat wilde hij. Ondanks de opstartkosten was het een logische volgende stap voor het bedrijf. Maar al was dat niet het geval, dan nog was hij akkoord gegaan vanwege háár.' Het getik van Jane's schoen werd gedempt door het hoogpolige vloerkleed, maar ik zag ze vol ongeduld bewegen. 'De man was tot over zijn oren verliefd.'

Tot mijn schrik kon ik niet eens slikken. 'Was zij ook stapelgek op hem?'

'Nee.'

'Wat dan?'

'Ze was verveeld,' antwoordde Jane, die zelf ook behoorlijk afgestompt klonk.

'Ik geloof er niks van,' daagde ik haar uit.

'Alsjeblieft!'

'Hoe weet je dat zo zeker?'

'Ik ben een vrouw. Ik weet wanneer een andere vrouw de boel besodemietert, en geloof me, dat wijf kon de Nancy Reagan-act zonder moeite opvoeren – hem liefdevol aanstaren tot haar ogen scheel werden – terwijl ze hem...' Jane brak de zin af en beet bedachtzaam op haar lip. 'Weet je wat het was? Hij was helemaal niet zo saai. Het kwam gewoon doordat hij niet belangrijk genoeg voor haar was. Toen hij jou eenmaal had verlaten en de spanning grotendeels wegviel, wilde ze iets groters, iets beters.'

'Maar ze kon niets krijgen, of wel dan?' vroeg ik.

'Ze had nog geen persbericht uit doen gaan.'

'Wat bedoel je daarmee?'

Jane dacht peinzend na over mijn vraag, terwijl ze een minuscuul oneffenheidje in haar kousen bestudeerde; ze was niet iemand die tijd verspilde. Ten slotte zei ze: 'Jessica deed niet erg haar best om haar verveeldheid te verbergen, en nu praat ik over het eind van afgelopen zomer, voor hij mij de laan uitstuurde. Ik wil wedden dat ze het nu nog duidelijker laat merken.'

Vertelde Jane me de waarheid of vertelde ze me wat ze dacht dat ik wilde horen, om zo snel mogelijk van me af te zijn? De waarheid, besloot ik. Als ze me blij had willen maken, had ze wel gezegd dat Richie genoeg had gehad van Jessica.

Ik probeerde uit te vogelen hoe ik Jane's appartement kon verlaten, zonder dat ik haar moest vastbinden, knevelen en het telefoonsnoer kapot moest trekken. Waardoor ik me plotseling herinnerde hoe het bij Jessica was verlopen: uit huis gegooid door haar allerliefste pappie. 'Tussen twee haakjes,' vroeg ik, 'weet je ook iets over Jessica's ouders?'

'Waarom zou ik? Hoor eens, kan ik niet even naar kantoor bellen om te vragen of er boodschappen voor me zijn?'

'Nee.' Maar wat moest ik verder met Jane Berger? Moest ik haar een klap tegen het hoofd verkopen met een lamp – zoals haar Corintische zuil met koelie kap – en de benen nemen, waarna geweldpleging c.q. mishandeling aan mijn lijst van misdaden zou worden toegevoegd? De gedachte haar net zo lang te meppen tot het woord 'snoezepoes' uit haar herinnering was verdwenen, was uiterst verleidelijk. En terwijl ik erover nadacht, sprong Jane op uit haar stoel. Ze rende naar de huistelefoon, drukte op een knop en schreeuwde: '*Help!*'

'Niet doen!' gilde ik, wild bewegend met mijn lippenstift, hoewel ik wist dat alle hoop verloren was.

'Help!' Jeemig, wat een stel longen had dat mens!

En dus sloeg ik op de vlucht. Niet met de lift, besloot ik vlug. Jane had maar op één knop gedrukt, dus ze had ofwel zo'n alarmsysteem dat rechtstreeks de politie waarschuwde – of nee, wacht, ze had zichzelf niet geïdentificeerd – dus waarschijnlijk was het de portier geweest die ze had gewaarschuwd. Op zijn bedieningspaneel had een lampje geknipperd, hij had de hoorn opgepakt, zij had geschreeuwd en vervolgens zou hij me opwachten als ik uit de lift stapte.

Ik zag het rood verlichte bordje van de nooduitgang, haastte me naar het trappenhuis en rende twee trappen naar boven. Hijgend keek ik op mijn horloge. Oké, het zou de politie ten minste vijf minuten kosten om hier te komen. En de portier? Zou hij op de politie wachten? Had hij me gezien toen ik met haar naar binnen was gewandeld? Zou hij me herkennen? Of zou hij naar boven snellen om te kijken of hij de onfortuinlijke mevrouw Berger kon helpen?

Drie minuten. Ik vloog naar de begane grond. Ik haalde een keer diep adem. Toen rende ik via de deur van het trappenhuis, gillend, de foyer in. De portier was er wel degelijk, hij stond met zijn handen op zijn heupen voor de lift. 'Mevrouw,' riep hij tegen me, op zeer harde toon voor iemand die zo klein was. 'Stop!'

'Alstublíeft,' smeekte ik. 'Ik hoorde een vrouw om hulp schreeuwen! Het was afschuwelijk!'

'O.' Hij vond kennelijk dat ik er panisch uitzag. Dat was ik ook. 'Rustig maar, mevrouwtje. De politie is onderweg.'

Ik drukte mijn handen opgelucht tegen mijn borst. 'Godzijdank!' Hij lachte. Nadat ik afscheid van hem had genomen, slenterde ik het appartementengebouw uit, tot de hoek van de straat. Maar zodra ik de hoek om was, begon ik als een idioot te rennen.

11

Ik rende in westelijke richting, weg van Central Park, hopend dat ik zou opgaan in de menigte. Maar om twee uur donderdagsmiddags bestond die menigte uit niets dan een paar vrouwen in de tachtig die boodschappenwagentjes achter zich aan zeulden en een groepje schoolkinderen dat grotendeels bestond uit Latijns-Amerikaanse derde- of vierdeklassers en begeleid werd door een non. Ik minderde vaart tot een flinke wandelpas om wat er van mijn anti-transpiratiemiddel over was te sparen.

Iemand blies op een fluitje. In een flits van voorstedelijke domhcid associeerde ik het geluid ogenblikkelijk met footballtraining en keek over mijn schouder, half verwachtend dat ik het verontschuldigende gezicht van coach Kramer zou zien, die klaarstond om een van de jongens met zijn klembord een mep te verkopen. Maar in plaats daarvan zag ik Jane's portier over Eighty-eighth Street sprinten – of proberen te sprinten – op jacht naar mij en schreeuwend: 'Stop, in naam der wet!' Met het beetje adem dat de arme oude man restte, blies hij op zijn taxifluitje om de aandacht van de politie te trekken.

Op het moment dat ik hem in de gaten kreeg, drong het tot me door dat ik mijn handtas in Jane's appartement had laten liggen. Vervuld van afgrijzen zag ik niet meer waar ik liep en botste tegen een Houd-New York-Schoon-prullenbak, die de in papier verpakte uitwerpselen van elke hond aan Upper West Side leek te bevatten. Ondertussen liet de portier een nieuwe kreet weerklinken, wat verdacht veel leek op 'Moord!' De kleine, witharige fluiter was onderhand niet verder dan een half blok van me verwijderd.

En het gat werd kleiner; ik kon zelfs zijn Ierse accent horen toen hij dichterbij was. Wat hij in feite schreeuwde was: 'Moordenaar!' Mijn botsing met de prullenbak ontnam me tijdelijk alle lucht, maar ik stormde naar voren en probeerde nonchalant te kijken – of in elk geval niet uitgesproken moorddadig.

De stem van de portier stierf langzaam weg. Zonder me om te draaien, wist ik dat ik terrein won op hem. Ik hoorde zijn beschuldigingen nog wel, weliswaar met een steeds zwakker wordende, benepen stem: 'Moorde...' Ik deed een schietgebedje dat het hart van de oude man het niet zou begeven, want als hij stierf was het mijn schuld. Godallemachtig, wat moest ik zonder mijn handtas? Mijn hele hebben en houden zat erin. Maar goed, ik kon niet weer bij Jane aankloppen en mijn tas opeisen. En dus liep ik door, Columbus overstekend, en geleidelijk mijn tempo opvoerend. Via Eighty-ninth Street, langs bouwvallige herenhuizen, langs gerestaureerde herenhuizen met op de vensterbanken stenen bloembakken waarin de laatste chrysanten van het jaar bloeiden. Met een gratie waarvan ik nooit had geweten dat ik die bezat, ontweek ik plastic vuilniszakken en aan lantaarnpalen geketende fietsen. Een paar seconden lang bewoog ik me zo geweldig lenig dat ik uit pure vreugde verder rende.

Natuurlijk deed ook de realiteit op dat uitbundige moment, toen mijn Jackie Joyner-Kersee-metamorfose zich voltrok, weer haar intrede. Een surveillancewagen kwam gierend langs de rand van het trottoir tot stilstand. 'Mevrouw!' riep een diepe Newyorkse basstem. Hij behoorde toe aan een potige agent. 'Wat is er aan de hand?'

'Wat?'

'Ik zei, wat is er aan de hand?' Ik moest die kerels hier weg zien te lokken. Elk moment kon de stem van de portier weer hoorbaar zijn.

'Mijn tas!' riep ik hijgend uit. 'Een vent...' Ik legde mijn ene hand op mijn borst om mijn hart tot rust te manen en gebaarde met mijn andere van hij-is-die-kant-op, richting Central Park. 'Alles wat ik heb zit erin!'

De agent keek naar zijn maat. Zijn collega nam me van top tot teen uitvoerig op. Het was niet mijn middelbare, aantrekkelijke figuur – hoewel dat zeker de moeite waard was – dat zijn aandacht trok. Nee, hij knabbelde op het puntje van zijn duim en dacht duidelijk: iets aan die vrouw komt me bekend voor.

Plotseling, zonder dat ze een woord hadden gewisseld, stapte de grootste agent uit en trok het achterportier open. 'Stap in,' bulderde hij. De achterbank werd door gaaswerk van de voorbank gescheiden: een cel op wielen. 'Toe nou, mevrouw,' drong hij aan. Kent u dat, die karakters in misdaadromans die verlamd van angst raken? Nou, ik kon werkelijk geen stap meer verzetten. 'Mij best,' gromde hij. Ik staarde hem aan. 'Maar als het net is gebeurd, kunnen we de man misschien nog achterhalen.'

Ik kreeg een brok in mijn keel en mijn ogen werden vochtig. 'Dank u wel!' riep ik bijna huilend van opluchting, terwijl ik in de auto stapte.

Hij zag mijn emotionele reactie als dankbaarheid. 'Daar zijn we voor.' Waarop we er als een speer vandoor gingen.

Als ik niet op de rand van hysterie had gewankeld, was de rit een onverdeeld genoegen voor me geweest, een spannende achtervolging met de handhavers van de wet in een auto met loeiende sirene. Maar ik was een hopeloos geval. Ik moest een woedende maar dankbare burger spelen terwijl ik nog moest bekomen van het feit dat ik ternauwernood uit Jane Bergers appartement alsmede uit Gulls' Haven was ontsnapt. Wat kon het verdomme ook schelen, aangezien ik aan mijn geestelijk herstel werkte kon ik net zo goed meteen het trauma van de vondst van Richies lijk verwerken. En de klap die zijn vertrek met zich mee had gebracht.

En dat was niet alles. Ik moest de harde feiten onder ogen zien. Alle hoop kon elk moment in rook opgaan. Ik zei bij mezelf: er moet inmiddels een extra journaal zijn uitgezonden over de Maniak-in-de-Menopauze. Deze twee kerels hadden me er alleen niet mee geassocieerd – tot dusver. Elke seconde kon de bediener van de politieradio met nasale stem een exacte beschrijving geven van de kleding die ik droeg, gebaseerd op de informatie die ze van Jane hadden gekregen.

De potige agent draaide zich een halve slag om. Zijn hoofd was dikker bij zijn kaken en liep verontrustend spits toe onder zijn pet, als een knoflookteentje bijna. 'Hoe ziet hij eruit?'

'Hij is blank,' zei ik. 'Draagt zwarte kleren.' Dat klonk nogal dramatisch maar toen ik het eenmaal had gezegd, zat ik vast aan het beeld dat verdacht veel leek op Oliviers Hamlet-vertolking. 'Begin dertig, schat ik,' voegde ik eraan toe. 'Hij had zijn haar over zijn voorhoofd gekamd.'

We passeerden een blanke man die helemaal in het zwart was gekleed, maar meer gelijkenis vertoonde met Macy's mascotte in ballonvorm tijdens de grote Thanksgiving-parade dan met Olivier, dus mijn ontkenning klonk tenminste overtuigend. 'Ik zie hem nergens,' zei ik, hopend dat ik beslist klonk.

'Blijf uitkijken,' stelde de grote agent voor. 'Niet zo snel opgeven.'

En zijn partner voegde daaraan toe: 'We zullen wat rondjes om het park rijden.'

Het centrum was vlak, grijs, maar Central Park was driedimensionaal. En de kleuren! Het gras was weelderig golfbaan-groen, de bomen waren rood en goud gevlamd tegen een hemelsblauwe lucht. Dit kon de laatste keer zijn dat ik een dergelijk schitterend panorama mocht aanschouwen. Met de minuut werd de kans groter dat de radio me zou verraden: gezocht wegens moord. Mogelijk vuurwapengevaarlijk. Ze konden me in mijn cel op de achterbank linea recta afvoeren naar de gevangenis.

'U bent erg vriendelijk geweest,' babbelde ik. 'Echt. Heel hartelijk dank. Maar ik ben al laat voor een afspraak met de dokter.' Ik ging zachter praten en voegde er somber aan toe: 'Een specialist.'

'Geen probleem, mevrouw,' zei de kleerkast. Ze zetten me af op Fifth Avenue, waar de artsenpraktijk zich volgens mijn zeggen bevond. Ze wilden mijn naam noteren. Ik was geneigd om te zeggen Moll Flanders, maar daar het geluk niet bepaald op mijn hand was, zou je zien dat ik oog in oog stond met een studerende agent, eentje die bezig was een doctoraalscriptie over Defoe te schrijven. En dus gaf ik hun mijn moeders meisjesnaam en het adres waar ik vroeger in Brooklyn had gewoond en was opgegroeid. Ik beloofde plechtig dat ik het wijkbureau binnen een uur zou bellen om officieel aangifte te doen.

Brooklyn had zijn betovering nog niet verloren; toen ik uitstapte, klom ook de kingsize agent uit de wagen. Hij haalde een handjevol kleingeld uit zijn broekzak, zocht ertussen en overhandigde me toen een kaartje voor het openbaar vervoer. 'Alsjeblieft, Pearl,' zei hij. 'Kun je tenminste terug naar Ocean Avenue.'

Maar ik kon helemaal nergens heen. De middag leek eindeloos. Ik liep de ene straat in, de andere weer uit, mijn ogen strak op de spleten tussen de stoeptegels gericht zodat mijn gezicht onzichtbaar bleef en ik er net als iedere andere verstrooide Newyorker uitzag. Tegen de klok van vieren had ik zo'n honger dat ik het niet meer kon verdragen. Ik smachtte naar hamburgers. Enorme sandwiches met vlees. Chinees eten. Hete Franse uiensoep overdekt met een krokant laagje kaas. Overal op het trottoir stonden straatventers met etenswaren en ik kon mijn blik nauwelijks losmaken van een stapel zoute reuzenkrakelingen.

De kou verergerde mijn ellende. Ik stak mijn handen diep in mijn broekzakken, maar dat was ook weinig bemoedigend omdat mijn vingers onophoudelijk, zinloos, op zoek waren naar een vergeten munt of een oude kauwgomstrip. Tegen de tijd dat ik zo'n drie kilometer had afgelegd en een vrije stoel in de grote leeszaal van de Newyorkse openbare bibliotheek ontdekte, wankelde ik met kleine stapjes als iemand die na een lang ziekbed voor het eerst weer probeert te lopen.

De wrange, bevredigende geur van de bibliotheek deed me enigszins bijkomen. Ik had niet werkeloos toegekeken toen Richie en Mitch Data Associates oprichtten; ik was een goede, zo niet geweldige, literatuuronderzoeker. En ik had werk te doen. Nadat ik vijf minuten uitleg had gegeven over het feit dat mijn zakken waren gerold en ik mijn portefeuille met daarin mijn bibliotheekkaart en diverse legitimatiebewijzen dus kwijt was, moest ik zo'n drie kwartier wachten tot een bibliotheekmedewerker met de Amerikaanse vlag en 'God Bless' op de rug van zijn hand getatoeëerd me eindelijk bracht waarvoor ik was gekomen: *Who's Who of American Women, Who's Who in Finance and Industry* en het *Standard & Poor's Directory of Executives.*

Goed, wat wist ik niet over Jessica Stevenson?

Volgens de boeken was er niets dat haar als een geboren moordenaar aanmerkte. 'GEBOREN: Dayton, Ohio' en 'OUDERS: Arthur en Penelope (Winterburger) Quigley'. Quigley? Kon dat betekenen dat ze een huwelijk was aangegaan met ene meneer Stevenson? Een intrigerende mogelijkheid, omdat Richie en ik Jessica vlak voordat ze bij Data Associates kwam werken mee uit eten hadden genomen en toen had ze benadrukt hoe spijtig ze het vond dat ze nooit was getrouwd en kinderen had gekregen. Ik had geknikt en mijn best gedaan me niet minzaam bejegend te voelen. Maar goed, als ze haar huwelijk verborgen had willen houden, waarom stond het dan zo breed uitgemeten in de *Who's Who*-opsomming? Als er inderdaad een meneer Stevenson was geweest die haar tot zijn echtgenote had gemaakt, waarom had ze daar dan over gelogen?

Ik mocht dan praktisch alles kwijt zijn doordat ik mijn handtas was vergeten, mijn creditcardnummer om te bellen kende ik gelukkig uit mijn hoofd. Zittend in de warme, viezige gerieflijkheid van de telefooncel, verzette ik me tegen de bijna onweerstaanbare drang om Ben en Alex te bellen, enkel om hun stem te horen en te melden dat met mij alles goed was. Ik kon Cass evenmin bellen, hoewel ik dat graag had gedaan. Iedereen wist hoe hecht bevriend we waren; haar telefoon zou vast en zeker afgeluisterd worden.

In plaats daarvan belde ik elke Quigley die in het telefoonboek van Dayton stond vermeld. Op een toon waarvan ik hoopte dat die tegelijkertijd opgewekt en betrouwbaar overkwam, speelde ik dat ik Mary Quigley uit Orlando, Florida was die haar familiestamboom aan het napluizen was. Helaas, ik kreeg alleen antwoordapparaten aan de lijn en Quigley's die nog nooit van Art, Penny en de kleine Jessica hadden gehoord.

Vervolgens werd ik Mary Winterburger en belde de enige Winterburger die Dayton telde. Raak! Een volle nicht van Penny vertelde me dat zij en Art allebei waren overleden. Zij aan kanker. En hij door een ongeluk met een op propaan brandende barbecue. Vreselijk, vreselijk. Ik stemde met haar in. Wat Jessica betrof, die was al snel na haar studie getrouwd. Er was sprake van een scheiding. O ja, en van een kind. Waar was het kind momenteel? In het Oosten, bij Jess, veronderstelde ze.

Ik zwierf door de donker wordende straten. Een kind! De mogelijkheden die zich aandienden, warmden me bijna een halfuur lang. Stel dat Richie crachter was gekomen? Liegbeest, zou hij geschreeuwd hebben. En te bedenken dat ik een prachtvrouw als Rosie voor jóu heb verlaten. Misschien had hij gedreigd haar te ontslaan. Misschien had ze hem om zeep geholpen voor hij haar carrière om zeep kon helpen.

Terwijl de schemer inviel, bleek mijn troostrijke fantasie niet voldoende om de kou te weren. IJskoude windvlagen deden stukken krantenpapier en steentjes tegen me aan zwiepen. Dit was godvergeten toch geen weer voor oktober. Een paar keer warmde ik mijn halfbevroren oren door in de foyers van grote kantoren te gaan staan en de lijst van bedrijven te bestuderen. Maar ik kon niet riskeren de aandacht van veiligheidsbeambten te trekken en dus keerde ik telkens vlug terug naar de veiligheid van de bitterkoude straat en sjokte verder.

Ik had ongelooflijke dorst. En de honger was nog erger. In de schemering leek elk gebouw aan Lexington Avenue een restaurant of een drogisterij waar stapels KitKat-repen opvallend waren uitgestald in de etalage. Ik kwam langs een ouderwetse kruidenierszaak met bergen glanzende appels voor de deur, maar de eigenaar, een kleine Koreaan met een lang wit schort voor, moet mijn wanhoop hebben geroken want hij sloeg zijn armen over elkaar en bewaakte zijn fruit tot ik het gepasseerd was.

Even voor zeven was ik koud tot op het bot en volkomen uitgeput. Ik had geen keus; ik gebruikte het kaartje dat de agent me had gegeven voor een busrit om warm te worden en te kunnen zitten. Vanaf de laatste bushalte, in Greenwich Village, kwam ik al omzwervend in Washington Square Park. Het was inmiddels donker en de enige mensen daar waren een drugdealer met schouderlange dreadlocks en een paar anderen zoals ik, dakloos. Een vrouw in een gescheurd, dichtgeknoopt vest en een wollen baret op zat in kleermakerszit op een bankje om haar voeten warm te houden. Met haar armen om zich heen geslagen troostte ze zichzelf met een bijna onhoorbaar wiegeliedje. Ze leek van mijn leeftijd te zijn. Plotseling hoorde ik voetstappen achter me. Een man naderde me van achteren. Ik voelde zijn adem toen hij in mijn oor fluisterde: 'Schatje, ik heb wat jij nodig hebt.'

Ik sloeg acuut op de vlucht, maar mijn voeten zaten opgezwollen in mijn laarsjes en deden bij elke stap zeer. Ik vroeg me af of de daklozen ooit gewend raakten aan de pijn en of hun ellendige toestand ooit verbeterde.

Ik ging verloren in het gedrang veroorzaakt door het leger van kostuums en mantelpakjes dat zich naar huis spoedde, door hele legioenen in spijkerbroek die met rugzak op weg waren naar avondcolleges aan de Universiteit van New York en de New School. Ik had niet de kracht om terug te duwen. Kop op, sprak ik mezelf vermanend toe. Het wordt enkel erger. Maar ik was niet voorbereid op een hard leven; daarvoor had ik te lang in een gemoedelijke, rijke buitenwijk gewoond. Voedselgeuren en rioolstank overvielen me, het verkeer deed me opschrikken en mensen joegen me angst aan.

Om vijf voor halfnegen, toen ik de voortgang van de secondewijzer volgde om de tijd te doden, zag ik uit mijn ooghoek een rode flits. Een papieren zak van de Burger King, een grote, in de handen van een jonge vrouw met een University of New York-sweater. Ze stond als gebiologeerd voor de etalage van een science-fictionboekhandel en staarde naar een stapel exemplaren van de roman *Atlantis 2000*, opgestapeld tegen het decor van iets wat op een modale flat leek, omringd door vis. Ze was achttien of negentien, had steil haar, een prima houding en het slanke figuurtje van een ballerina. Ik vroeg me af hoe ze ooit nog een grande jeté zou kunnen draaien na een Bacon Double Cheeseburger.

Ik zweer u dat ik het niet van plan was, want als ik het even in overweging had genomen zou de gedachte alleen me ontsteld hebben. Maar ik dacht niet na, ik greep de zak domweg en rende hard weg.

Verbazingwekkend genoeg, of misschien was het niet eens zo verbazingwekkend aangezien de Village een buurt was die wel vaker door sociaal gestoorde medemensen werd bezocht, kwam de jonge vrouw me niet achterna. Ze schreeuwde – nou ja, ze slaakte een harde kreet – maar toen ik achterom keek, zag ik haar niet naar een telefooncel snellen om de politie op te bellen. Wat op Long Island mogelijk als een halsmisdaad werd beschouwd – diefstal van voedsel – werd in Manhattan kennelijk alleen als een vervelende bijkomstigheid gezien.

De papieren zak verwarmde mijn borstkas, de geur van rundvlees en uien mijn ziel. Ik liep net zo lang hard tot ik een flink aantal straten was verwijderd van de locatie waar ik mijn misdaad had begaan. Toen ging ik gehurkt tegen de bumper van een oude geparkeerde taxi aan zitten en schrokte mijn avondmaal op.

Ergens tussen de Franse frietjes en de zogenaamde appelpie in (terwijl ik me met groeiende schuldgevoelens voorstelde hoe de moddervette vriend van de tengere ballerina haar door het huis sloeg, omdat ze zich had laten beroven van zijn warme hap), zag ik in gedachten de University of New York-sweater weer voor me. Een beeld dat me onmiddellijk deed denken aan de enige persoon die ik kende op de universiteit, mijn favoriete nietsnut van een leerling, Danny Reese.

Danny had bas gespeeld in Alex' middelbare-schoolband en was later naar de NYU gegaan. Ik had Alex eens tegen Ben horen zeggen dat Danny een lucratief handeltje dreef in valse identiteitskaarten voor zijn medeleerlingen, die er dolgraag grof geld voor neertelden om het privilege te kopen dat hen de toegang verschafte tot bars en cafés waar ze konden drinken en kotsen voor ze meerderjarig waren. Dit nieuwe avontuur was waarschijnlijk een onschuldiger variant van zijn vorige bijbaantje: venten met marihuana in de jongens-kleedkamer van de middelbare school van Shorehaven.

Danny Reese deugde nergens voor, maar had altijd geluk: geen ar-restaties, geen veroordelingen. Eerlijk is eerlijk, hij had meer in huis dan een flinke dosis geluk alleen. Hij was pienter en beschikte over aanzienlijke charme en een sensuele uitstraling; als Elvis Presley, ge-zegend met enig denkvermogen, in Nassau County was geboren was hij Danny Reese's evenbeeld geweest. Maar achter Danny's scherpe en geniepige intelligentie, achter zijn oppervlakkige lach, had ik altijd een zekere zachtheid vermoed. Oké, misschien geen zachtheid, maar een zekere zachtaardigheid. In elk geval geen gemeenheid. Het joch was beschadigd maar sympathiek. Met een zinnelijke mond waar je 'u' tegen zei. Daarom had ik altijd een zwak voor hem gehad, ondanks het feit dat hij Alex had geholpen en aangespoord om uit het raam te klim-men en nacht na nacht de beest uit te hangen.

En zo kwam het dat in zijn derde jaar op school, toen Danny on-danks al zijn met zorg bedachte uitvluchten (waaronder een perfect nagemaakt briefje van de schoolarts) leek te gaan zakken voor het door Cass gegeven vak 'Introductie tot het toneel', omdat hij geen op-stel had geschreven, ik hem en Alex op een avond nadat ze met de band hadden geoefend bij de oren pakte. Onder het mom dat ze me moesten helpen het meubilair in de serre te verplaatsen, hield ik een monoloog voor hen, een kritische verhandeling over *The Glass Mena-gerie*. Alex vond mijn gewauwel niet alleen oersaai maar tevens verne-derend; toen zijn kwade spleetoogblik mij de mond niet bleek te snoe-ren, wendde hij zich af. Maar gewiekste Danny wist precies wat ik probeerde te bereiken. Hij luisterde aandachtig. Twee dagen later haalde hij een tien op het afsluitende proefwerk, waardoor hij zijn ge-middelde voor toneelkritiek – tot grote ergernis van Cass – zodanig opkrikte dat hij het haalde. Ik hoopte dat Danny middels mijn ingrij-pen een tweede kans zou krijgen. Wat ik er uiteindelijk mee bereikte, was dat Danny werd toegelaten tot de universiteit zodat hij zijn onder-nemerschap daar kon voortzetten.

Met nogal wat tegenzin, viel me op, gaf de telefoniste van Inlichtin-gen voor Manhattan me Danny's adres. Tegen de tijd dat ik erachter

142

was waar hij woonde, in een vervallen straat nabij de Hudsonrivier, was het tegen middernacht. Het gebouw zelf was een uit twee verdiepingen bestaande kubus, zo leek het althans. Een onbescheiden uithangbord met daarop 'Dawn L. Iannucci, schoonheidsspecialiste' hing boven de ingang van een reeds lang verlaten salon die de gehele eerste verdieping in beslag leek te nemen. Een broodmagere kat sprong langs me heen. Het dier joeg ergens achteraan, maar ik vroeg me maar liever niet af wat precies.

Aangezien middernacht voor Alex hetzelfde was als twaalf uur 's middags voor anderen en aangezien hij en Danny innig bevriende nachtvlinders waren geweest, had ik er geen moeite mee Danny eventueel wakker te moeten maken. Waar ik wel mee zat was de jongen zelf. Aanbiddelijk? Zonder meer. En zo onbetrouwbaar als de pest. Maar zoals elke rechtschapen misdaadromanlezer weet, kan een dame die wordt beschuldigd van moord niet al te kieskeurig zijn wat betreft het gezelschap dat ze houdt. En dus zou ik bij hem aanbellen – alleen was er nergens een voordeurbel te bekennen. Ik klopte eerst en bonkte vervolgens op de deur. Geen reactie. Maar ik zag op de eerste verdieping een vaag licht branden, dus deed ik wat we in Brooklyn altijd hadden gedaan als we de aandacht van een vriend(in) wilden trekken; ik gilde 'Danny!' zo hard ik kon.

Terwijl iemand in een ander gebouw schreeuwde dat ik mijn kop moest houden, werd er op de eerste verdieping een raam opengedaan. Danny leunde, met ontbloot bovenlijf en zijn dikke zwarte haar voor zijn ogen, naar buiten. Hij leek niet al te enthousiast dat hij bezoek kreeg. Hij schoof het raam wat verder open, zodat hij verder voorover kon buigen en beter zicht op me had.

'Danny,' zei ik, terwijl ik dichter bij een lantaarnpaal ging staan. 'Ik ben het.' Geen herkenning, geen respons. Omdat ik inmiddels een prooi voor de media was geworden, leek het me niet verstandig mijn naam te gaan schreeuwen. Dus ik zei: 'Alex' moeder.' Het raam werd met een klap dichtgesmeten. Een paar seconden later kwam Danny door de winkel aangesneld en rukte hij de voordeur open. 'Ik vind het vervelend dat ik je nog zo laat op de avond lastig moet vallen,' zei ik. Mijn stem klonk raspend en leek oestrogeen te missen. 'Maar het was te ingewikkeld om over de telefoon uit te leggen.' Hij greep me bij de mouw, trok me naar binnen en ging mij voor naar een trap achter in de voormalige salon. 'Eh,' begon ik. 'Eh, heb je het gehoord over...?'

Danny knikte. Hij was de schrik snel te boven en kamde zijn haar met zijn vingers naar achteren, op de bedaarde, zelfbewuste manier zoals een popzanger dat tussen twee liedjes door doet. Op de middelbare school was hij, hoewel klein van stuk, al een spetter geweest. Hij was nog steeds niet veel langer dan ik, maar hij was volgroeid en zijn lichaam vormde nu de volmaakte, breedgeschouderde mannelijke driehoek.

'U was daarnet op het journaal van elf uur,' zei hij. 'Ze hebben een of andere video uitgezonden, van een schoolbal waar u toezicht hield. U lachte om een grap van dr. Higbee of meneer Perez en toen u de camera zag, zwaaide u.'

'Ik wil je niet in de problemen brengen.' Ik slikte. 'Maar ik kan nergens anders naartoe.'

'Kom maar boven.'

Ik was dankbaar dat hij niet 'Na u' zei want ik had zo'n spierpijn en mijn voeten waren zo pijnlijk opgezwollen dat ik mezelf als een bejaarde vrouw met twee handen aan de trapleuning omhoog moest hijsen. Bovendien, zo redeneerde ik, was het beter dat ik uitzicht had op Danny Reese's strakke kontje in een gerafelde Levi spijkerbroek dan dat hij uitkeek op mijn in een Franse pantalon gestoken achterste, dat zonder twijfel benadrukte hoe ver ik was verwijderd van de tijd dat ik strak in mijn vel zat.

Hij deed de deur van zijn flat achter ons dicht, draaide drie sloten om, vergrendelde hem en schoof een metalen stang op zijn plaats die aan de vloer was bevestigd. Danny had een heleboel te beschermen, al sloeg dat absoluut niet op de bank waarop hij me uitnodigde te gaan zitten; het was een en al bobbels en uitstekende springveren met daarover een tweedehands geel-blauw geverfd wandkleed. Maar wat had die jongen een elektronische kostbaarheden in huis staan! Een televisie met een beeldbuis ter grootte van een filmdoek, twee video's, torenhoge stereoapparatuur, kolossale boxen.

'Mevrouw Meyers.' Hij sprak mijn naam langzaam uit, alsof hij elke lettergreep eruit moest trekken. Ik veronderstelde dat dit de nieuwste, hipste manier van begroeten was.

'Danny.'

'Ik kan zeker beter niet vragen hoe het gaat,' merkte hij op.

Hij was te koelbloedig om mijn antwoord af te wachten. In plaats daarvan verdween hij in een andere kamer en keerde even later terug, ondertussen de mouwknopen van het zwarte zijdeachtige overhemd dat hij had aangetrokken vastmakend. Hij leunde tegen de deurpost, sloeg zijn armen over elkaar en staarde me aan. Het overhemd liet hij voor de rest openhangen, maar dat was kennelijk de laatste mode want al op de middelbare school kleedde Danny zich zo trendy dat vergeleken met hem de hipste MTV-ster een onverbeterlijke oude lul leek. 'Wat kan ik voor u doen?' vroeg hij.

'Niets.' Ik zette mijn handen op mijn knieën en probeerde mezelf omhoog te hijsen. Het lukte niet. 'Het was geen goed idee van me om hierheen te komen. Het spijt me. Laat me even zitten.' Hij slenterde door de kamer en kwam naast me zitten. Ik kon nauwelijks een woord uitbrengen. 'Ik ben zo moe dat ik niet helder kan denken. Ik zag een meisje in een NYU-sweater en toen dacht ik aan jou, dat jij waarschijnlijk de enige zou zijn die me niet zou aangeven.'

'Mevrouw Meyers.'

'Wat is er?'

'Dat is geen slimme redenering.'

'Niet?'

'Niet voor iemand die gezocht wordt door de politie. U zou moeten denken: meneer Meyers' vriendin – of desnoods zijn bedrijf – heeft mogelijk een beloning uitgeloofd voor de informatie die leidt tot mijn arrestatie. En als het om een beloning gaat, zou Danny Reese zelfs de rolstoel onder zijn grootmoeders kont vandaan verkopen.' Hij legde zijn voeten op zijn tafel, een omgekeerde prullenmand. Hij droeg cowboylaarzen. Cowboylaarzen voor een zeer welgestelde cowboy: van koffiebruin alligatorleer.

'Daar geloof ik niets van. De Danny Reese die ik ken mocht dan een beetje excentriek zijn, hij was niet getikt.'

'Gelooft u dat echt?'

'Ik geloof dat het jou niet uitmaakt of ik mijn man al dan niet heb vermoord, al heb je mijn woord dat ik het niet heb gedaan. Ik veronderstel dat ik hoopte dat je mij zou willen helpen, omdat jij en Alex ooit goede vrienden waren. Of omdat je mij wel aardig vindt. Of gewoon omdat je het leuk vindt om een...' Ik had niet de moed het te zeggen.

'Vooruit. Wat vind ik leuk?'

'Om een bandiet te zijn.'

Hij vlijde zijn hoofd tegen de rugleuning van de bank. Een glimlach vermurwde zijn mond even, en verdween op slag weer. 'Ik zal u helpen,' zei hij.

'Het laatste wat ik wil is me aanmatigend opstellen, maar ik voel me verplicht te zeggen...' Ik aarzelde. 'Je zou in de problemen kunnen komen. Maar dat weet je natuurlijk wel.'

'Natuurlijk. Medeplichtige door steun achteraf.'

'Ben je soms misdaadromans gaan lezen, Danny?'

'Nee, mevrouw Meyers, ik ben geen fan van detectives. Ik ben wat u zou kunnen noemen' – hij schonk me de glimlach die de meiden op de middelbare school duizelig van verlangen had gemaakt – 'een consument van juridische diensten. Mijn advocaat vindt me een misdadiger. Maar zelfs híj geeft toe dat ik een slimme misdadiger ben. En voorzichtig bovendien. Een misdadiger die zich nog nooit heeft laten pakken.'

'Maar ze beschuldigen me niet van het verkopen van hasj in de kleedkamer.' Hoewel hij te hip was om ooit met de mond vol tanden te staan, zag ik dat hij moest vechten tegen de neiging mij aan te gapen. 'Ik ben een goede lerares. Ik ken mijn leerlingen en ik hou mijn oren en ogen open. Ik wist het wel van de cannabis. Ik wist ook van de pillen. En als iemand me had verteld dat je ook wel eens cocaïne verhandelde, was ik heus niet van schrik dood neergevallen.'

'Dat doe ik niet meer.'

'Mooi zo!'

'Ik regel tegenwoordig valse identiteitskaarten. Geen paspoorten of iets dergelijks. Paspoorten, papiergeld: dat soort dingen brengen te veel risico met zich mee, tenzij je beschikt over de allermodernste apparatuur. Maar ik ken een man...'

'Ik heb geen paspoort nodig. Ik wil ook geen vals geld. En zie ik er soms uit alsof ik het lef zou hebben om mezelf uit te geven voor een eenentwintigjarige studente met een van jou valse identiteitskaarten of rijbewijzen?' Hij zwaaide zijn voeten van de prullenmand af. 'Ik wil niet onbeleefd lijken of zo, maar wat wilt u nu eigenlijk?'

'Ik heb een slaapplaats nodig voor vannacht.'

'Tot dusver is dit alles niet bepaald een uitdaging.'

'Wat dacht je hiervan dan, Danny. Ik wil graag dat je contact opneemt met Alex, hem laat weten dat alles goed met me is en uitvogelt wat er thuis allemaal speelt. Maar onze telefoon wordt vrijwel zeker afgeluisterd.'

'Maakt u zich geen zorgen.'

'Nee! Bel alsjeblieft niet naar ons huis...'

'Luister,' onderbrak hij me. 'U denkt toch niet dat ik Alex opbel en zeg: "Hé, ik heb gehoord dat een zekere mevrouw M. gezond en wel is en de nacht heerlijk heeft doorgebracht in Greenwich Village"? Nee. Ik zal Alex bellen, zeggen dat het me spijt van zijn ouwe. We kletsen wat over de popscene in Seattle. Ik haal wat herinneringen op aan onze tijd in de schoolband, toen hij zanger was en ik drumde...'

'Je speelde bas.'

'U weet dat. Ik weet dat. En Alex zal dat ook opvallen. Maar de politie merkt niets. En als Alex niet het IQ van een haring heeft, zal hij weten dat hij me elders, op een ander toestel, moet opbellen.' Hij stond op en trok de pijpen van zijn spijkerbroek zorgvuldig over zijn cowboylaarzen voor hij in zijn slaapkamer verdween en terugkwam met een kussen en een gewatteerde deken, die mogelijk toen hij vier jaar eerder aan de universiteit was begonnen wit van kleur was geweest. 'Als u van plan bent de hele nacht te liggen piekeren of ik u misschien ga aangeven, moet u het zelf weten. Maar als ik u was, zou ik proberen wat te slapen.' Hij aarzelde niet toen hij daaraan toevoegde: 'U ziet er belabberd uit.'

Ik was te moe om afkerig te zijn van de vegen lippenstift en de verdacht uitziende vlekken op de kussensloop. Bij Danny Reese vergeleken leek Alex – koning van de zwijnestallen – een dwangmatig schoonmaker. Ik haalde bijna mijn scheenbeen open aan een CD-tje dat bekneld zat tussen twee kussens van de bank: de wond zou ontstoken raken door pennywafelkruimels, zandkorrels, viezigheid en door wat verdacht veel weg had van parkietengrit en zich in de loop der jaren had opgehoopt in de naden van de bank. En dan de vloer: zelfs in het zwakke schijnsel afkomstig van de straat zag ik een vettige onderlegger uit een pizzadoos, gebruikte tissues, proppen ineengefrommeld notitieblokpapier, lege bierblikjes, een wijnfles en... modder.

Modder. Vlak voor ik in slaap viel, zag ik de modder op de keukenvloer van Gulls' Haven weer voor me. Moddersporen vanaf de deur tot aan Richies schoenen. Schoenen of schoen? Ik haalde me de onderkant van zijn dure gymschoenen voor de geest, een ontwerp met een reliëf dat eruitzag als een veld dat was bewerkt door een vooruitstrevende boerengemeenschap. Veel modder op de zool van de linkerschoen. Maar nauwelijks op de rechter. Kwam dat doordat de modder van de rechterschoen onderweg was achtergebleven op de vloer. Of kwam dat doordat maar een van zijn schoenen daadwerkelijk op een modderige plek had gestaan toen hij de auto parkeerde?

Ik draaide me op mijn rug. Ik zou mijn ondergoed moeten uitwassen, schoot door mijn hoofd. Maar ik was te moe en te zwak om op te staan. De gedachte dat ik mijn pijnlijke voeten op Danny's smerige kamervloer zou moeten zetten was onverdraaglijk.

Modder, dacht ik nog eens bij mezelf. Denk na over die modder. Denk aan de bandensporen. Zoals Richies auto geparkeerd stond, had hij nooit modder aan zijn voeten kunnen krijgen. Hij zou zo zijn uitgestapt... Ik kneep mijn ogen dicht, om het beeld op mijn netvlies scherp te krijgen. Hij zou op een smal strookje herfstbladeren gestapt zijn. Droge bladeren. Ze moesten wel droog zijn; het had in geen twee of drie dagen geregend. Eén stap. Zijn volgende zou het wegdek hebben geraakt. Maar wat verklaarde dan zijn modderige gymschoen? Of gymschoenen?

Waarom hadden de rechercheurs zichzelf die vraag niet gesteld? Hadden ze grondmonsters van Richies schoenzolen genomen en die vergeleken met de modder op de vloer? Dat moest wel. En wat te denken van een vergelijking met de modder op de plek waar zijn auto stond? Natuurlijk. De modder van alle drie de plekken zou identiek blijken te zijn.

Maar ze hadden gietvormen gemaakt van de bandensporen – niet van voetstappen. Nergens in de buurt van Richies auto waren voetstappen ontdekt.

Waar kwam de modder in mijn keuken dan vandaan?

Van de persoon die bij Richie was, of van degene die hem had gevolgd en de modder naar binnen had gelopen.

Van degene die het modderspoor op de vloer plotseling zag en zich realiseerde dat Richies zolen schoon waren en vervolgens besloot dat het belangrijk was dat daar wèl modder op zat.

Op die manier zou het lijken alsof Richie alleen was geweest en zou er maar één persoon zijn die beschuldigd kon worden van de moord op hem, te weten de enige andere persoon in Gulls' Haven.

De beklaagde genoot een goede nachtrust.

12

Danny Reese's badkamer was ongeveer even onberispelijk als zijn woonkamer, maar om halfnegen 's morgens kon ik me niet veroorloven overdreven kieskeurig te zijn. Ik nam zelfs een douche, nadat ik bij mezelf had gezworen dat ik – hoe groot de verleiding ook zou zijn – niet naar het afvoerputje en niet naar de binnenkant van het douchegordijn zou kijken. Ik droogde mezelf af met het enige badstoffen voorwerp dat ik kon vinden, een washandje, toen Danny aan de andere kant van de deur riep: 'Geef me uw kleren even aan.'

'Wat?'

'Ik ga even koffie en zo halen. Ik zal uw kleren tegelijk met die van mij bij de Chinese wasserette afgeven.'

'Mijn pantalon en trui moeten gestoomd worden,' legde ik dwars door de deur uit.

'Mag ook, maar dat duurt een hele dag.' Net toen ik me zorgen begon te maken dat Danny probeerde mij mijn kleren met een list afhandig te maken, riep hij: 'Ik wil wedden dat u zich bezorgd afvraagt of ik u uw kleren afhandig wil maken. Zodat u niet op de vlucht kunt slaan, als ik de beloning incasseer die er op aangifte van uw verblijfplaats staat.' En hij voegde eraan toe: 'Doe eens open. Ik heb iets voor u.' Ik deed de deur op een kier open. Een hand met daarin een corduroy broek en een chenille trui werd door de opening gestoken. Ze waren heerlijk fris gewassen en roken naar een of andere wasverzachter.

'Ik heb de journaals niet gevolgd,' reageerde ik. 'Is er werkelijk een beloning uitgeloofd?'

'Het is op de radio geweest. Vijftig ruggen voor informatie die leidt tot de arrestatie en de veroordeling van de moordenaar.'

'Vijftigdúizend?' Ik kreeg de corduroy broek niet dicht. Maar goed, in aanmerking nemend dat Danny's kontje ongeveer het formaat had van mijn twee vuisten was het een triomf, en een wonder, dat ik de rits tot over de helft omhoog kreeg.

'Het bedrijf van meneer Meyers heeft het geld beschikbaar gesteld.'
Ik trok Danny's trui over mijn hoofd. Zelfs voor ik twee kinderen de
borst had gegeven, had ik het nooit prettig gevonden om zonder beha
rond te lopen en zevenenveertig leek me niet de leeftijd om nog van
gedachten te veranderen. Hoe dan ook, ik had weinig keus, dus ik liet
de veel te grote trui flink bloezen en kromde me als een soort Quasi-
modo zodat mijn schouders verder uitstaken dan mijn borsten. Toen
gooide ik trots mijn hoofd in mijn nek en opende de deur.

'Ik ga u heus niet aangeven,' liet hij weten. 'Geloof het of niet.' Hij
pakte mijn vuile kleren aan zonder ook maar een blik op mijn borsten
te werpen, wat weliswaar geen grote deuk in mijn zelfvertrouwen tot
gevolg had maar niettemin een klap in mijn gezicht was.

'Ik geloof je,' zei ik tegen hem. Daar stond ik dan, mijn leven lag in
de handen van een eenentwintigjarige, amorele ex-drugdealer gekleed in een strakke zwarte spijkerbroek en een zwart overhemd dat
tot aan de kraag zat dichtgeknoopt, en ik had geen flauw idee of ik
zojuist een verstandig besluit had genomen of de meest fatale fout in
mijn leven had begaan. 'O, aangezien je toch naar de wasserette
gaat...' voegde ik eraan toe, de gewatteerde deken van de bank gris-
send.

'Mevrouw Meyers.' Zijn toon was kil.

'Ik weet het. Ik ben niet je moeder. Maar de deken is smerig.'

'Het is míjn deken, mevrouw Meyers.'

'Natuurlijk is het jouw deken. Ik bedoel alleen dat, mocht ik ooit
nog eens bij je komen logeren, ik liever onder een wat schonere deken
zou slapen. En noem me Rosie.'

Nadat hij – met de deken – was vertrokken, belde ik naar school.
Zoals ik al hoopte nam Carla, de directiesecretaresse, de telefoon aan.
Omdat zij zonder twijfel de meest in zichzelf opgaande persoon van
alle staten aan de Atlantische Oceaan was, maakte het weinig uit of
het washandje dat ik voor het mondstuk van de telefoon hield mijn
stem dempte of niet; het kon haar geen ene moer schelen wie ik was en
wat ik wilde, omdat mijn telefoontje niet haar, haar vriend Kyle of
Kyle's Dodge Stealth betrof. Ik gaf haar het tussen mij en Cass afgesproken signaal door, dat wil zeggen ik beweerde dat ik de doktersassistente van dokter Goldberg was en de afspraak die Cass voor aanstaande zaterdag om halftwee had gemaakt wilde bevestigen. De
boodschap zelf was uiteraard volstrekt nietszeggend; het betekende
gewoon dat Cass aanstaande zaterdag om halftwee – ze was het ze-
vende uur vrij – bij de afgesproken telefooncel nabij de kantine gewenst was en mijn telefoontje moest afwachten.

Heel even overwoog ik Stephanie te bellen om te vragen of ze al een andere advocaat in Nassau County voor me had gevonden, maar hoewel ik er voor achtennegentig procent zeker van was dat ze me niet zou aangeven, kon ik me geen risico van twee procent veroorloven. En belangrijker, Stephanies laatste aanbeveling – Forrest Newel – was zo'n ontstellende miskleun geweest dat ik zo mijn twijfels had over haar oordeel. Anderzijds had ik niet bepaald een lange lijst van strafpleiters in mijn broekzak (of, om precies te zijn, in Danny's broekzak) zitten waaruit ik kon kiezen, en ik had absoluut juridisch advies nodig.

Danny keerde ongeveer een kwartier later terug met twee bekers koffie. 'Je bent er nog,' merkte hij koeltjes op. Zijn ogen waren half dichtgeknepen, op die gemaakte, sexy, slaperige manier die tienersterren hanteren in van die stupide televisieseries.

'Dacht je dat ik de benen zou nemen?'

'Nou ja, sommige mensen hebben zo hun bedenkingen wat mijn karakter aangaat.'

'Kom nou, Danny. Ik ken je al jaren.'

Hij grijnsde. Wauw, wat een schatje was hij toch! 'Reden te meer om het hazepad te kiezen.'

'Mogelijk, maar ik heb je nog voor iets anders nodig.'

'O. Waarvoor dan?'

'Wat weet je over goede advocaten op Long Island?'

'Hoe bedoel je?' Hij tilde het dekseltje van zijn beker koffie en scheurde achtereenvolgens twee zakjes suiker met zijn tanden open.

'Een naam, Danny.'

'O.' Hij kauwde een tijdje op zijn plastic roerstaafje, diep in gedachten verzonken. 'Vincent Carosella,' verkondigde hij ten slotte. 'Ooit van hem gehoord? Hij is aardig beroemd.' De naam kwam me vaag bekend voor, waarschijnlijk van News 12, het kanaal dat vaak rechtszaken over ijzingwekkende moorden op Long Island uitzond. Nou ja, hij leek me in ieder geval niet weer zo'n verwaande kwast met een zakhorloge. 'Mijn vrienden hebben nooit van zijn diensten gebruikgemaakt, omdat hij geen drugszaken doet. Maar voor wie echt in de...' Danny leek even te aarzelen tussen 'penarie' en 'stront'. Maar aangezien we elkaar inmiddels bij de voornaam noemden, koos hij voor 'stront.' 'Voor wie dus echt zwaar in de stront zit,' zei hij, terwijl hij zijn vingertoppen bij elkaar bracht en er een hartstochtelijke kus op drukte, 'is Vinnie het neusje van de zalm.' Daarna ging hij weg om Alex te bellen, en om een trouwe klant een fantastisch aanbod te doen voor een mintgroene identiteitskaart voor de Rutgers University en een oorspronkelijk New Jersey-rijbewijs.

Toen ik een paar minuten na negenen belde, was Vinnie Carosella al op kantoor. We stelden ons aan elkaar voor. Zijn achtergrond: hij had op Adelphi College en de Saint John's Law School gezeten en was bij de officier van justitie in Nassau County hoofd van het bureau Moordzaken geweest. Zijn honorarium: alsof het een bijkomstigheid was, noemde hij op het laatst nog even: hij berekende driehonderd dollar per uur. Hij vroeg me niet of ik Richie had vermoord.

'Rosie,' zei hij, 'ik zal heel eerlijk zijn. Weglopen is niet bevorderlijk.'

'Vinnie, vertel jij me eens: hoe groot is de kans dat de politie naar Richies moordenaar blijft zoeken als ze mij eenmaal hebben?'

'Klein tot nihil.' De stem van die man! Donker, bewogen, een stem die een jury in tranen zou kunnen laten uitbarsten. De stem deed me een licht opgaan. Ik herinnerde me dat ik hem op de televisie had gezien, op de trap van een of andere rechtbank, toen hij een paar journalisten had meegedeeld dat zijn vertrouwen in het Amerikaanse rechtssysteem opnieuw gerechtvaardigd zou blijken omdat hij ervan overtuigd was dat de jury zijn cliënt onschuldig zou verklaren. Hij was kennelijk ergens achter in de vijftig, modieus gekleed ook. 'Je moet één ding goed voor ogen houden, Rosie. Hoe langer jij voortvluchtig bent, hoe moeilijker het voor mij wordt om mensen ervan te overtuigen dat je onschuldig bent. Oké?'

'Oké.'

'Brand maar los.'

Dus dat deed ik. Hij verzekerde me dat hij, zodra hij mijn voorschot op het honorarium had ontvangen, een detective zou inhuren om Jessica's achtergrond te bestuderen, met name of ze een kind – of een minnaar – voor Richie verborgen had gehouden. Wat de laboratoriumresultaten van de modder- en de autobandensporen betrof, die zou hij pas kunnen inzien als ik officieel was aangeklaagd. Althans, zo voegde hij eraan toe, op legale wijze. Desalniettemin zou hij contact opnemen met een maat van hem die inspecteur van politie was in Mineola, om te kijken of hij het een en ander te weten kon komen.

'Wie weet,' zei ik. 'Misschien kom je wel iets tegen dat me van alle blaam zuivert.'

'Het komt voor,' stemde Vinnie beleefd met me in. 'Kun je een telefoonnummer achterlaten waar ik je kan bereiken als ik je eventueel moet spreken?'

'Liever niet. Niet dat ik je niet vertrouw. Ik weet gewoon niet waar ik van de ene op de andere dag zal zijn.'

'Dan moet je mij maar elke dag bellen, zo rond deze tijd. Of vroeger. Ik ben er vanaf halfacht. En ik ben tot een uur of negen, tien 's avonds hier te bereiken. Voel je niet bezwaard me te allen tijde te storen. Een privé-leven heb ik niet.'

Er was bijna een halfuur voorbij en Danny was nog steeds niet terug. Misschien verlinkte hij me alsnog aan de flikken. Misschien zat hij te kijken naar het spoelen van de was in de wasmachine. In beide gevallen moest ik de tijd zien te doden. Ik glipte zijn slaapkamer in om te kijken wat ik te weten kon komen over mijn edele ridder. Het bed was, niet zo verwonderlijk, onopgemaakt maar in tegenstelling tot de woonkamer kwam deze ruimte tenminste niet in aanmerking voor financiële steun van het nationaal rampenfonds. Zijn studieboeken lagen zo keurig opgestapeld op de vloer dat ik vermoedde dat hij ze in geen maanden of wie weet geen jaren had aangeraakt. Niets wees erop dat hij voor zijn plezier las, er lag zelfs geen jongensvoer als sportjaarboeken of popsterbiografieën. En uiteraard nergens een goede roman te bekennen. Zijn zwart-witte basgitaar lag boven op een gigantische Marshall versterker; oude nummers van het tijdschrift Bass Player en een songbook van de Red Hot Chili Peppers vormden een slordige stapel ernaast. De tijdschriften waren niet echt oud, maar toen ik mijn vinger over de basgitaar liet glijden bleek daar een dikke laag fluweelzacht Newyorks stof op te zitten. Ik vond spullen die wezen op de aanwezigheid van een vrouw: een schildpadkleurige haarspeld onder de radiator en, achter in zijn klerenkast, een piepkleine witte bikini.

Maar voor de rest was zijn kast keurig opgeruimd. Danny was duidelijk erg op zijn kleren gesteld. Hij had er dan ook een hele verzameling. De kleuren varieerden van houtskoolgrijs tot ivoorwit tot gitzwart, een tamelijk beperkt scala dus. Een paar blauwe spijkerbroeken vormden een uitzondering.

Maar hij bewaarde kennelijk geen handelswaar thuis; er was nergens een vervalst rijbewijs of een nagemaakte identiteitskaart te bespeuren. De enige bedwelmende middelen die ik kon vinden waren duidelijk legaal en zaten in medicijnflesjes van de apotheek met zijn naam erop. Alhoewel, als hij werkelijk dat soort hoeveelheden valium en andere kalmeringsmiddelen gebruikte om zich te ontspannen en goed de nacht door te komen, zou hij waarschijnlijk zijn opgenomen. Ik eigende me een paar valiumtabletten toe, hoewel ik me ondanks het feit dat er een beloning van vijftigduizend dollar op mijn hoofd stond opmerkelijk rustig voelde. Waarom ook niet? Als Danny me niet verlinkte, was ik in verdomd goede handen. Hij was een crimineel die zeer voorzichtig te werk ging. Als de politie lucht van zijn activiteiten kreeg, konden ze met huiszoekingsbevelen zwaaien, deuren forceren, maar ze zouden niets vinden. Ik vond trouwens wel iets in de broek die hij had laten slingeren. Zakgeld. Als mijn intuïtie over hem me niet in de steek liet, had hij de drieënzestig dollar die ik vond lang geleden vergeten. Ik voelde me beschaamd, schuldig en zelfs ietwat angstig vanwege dit achterbakse gedoe, maar niet genoeg om me ervan te weerhouden het geld in eigen zak te steken.

Ik belde Data Associates op. Ik kon moeilijk vragen naar Richies afdeling, omdat zijn secretaresse mijn stem zou herkennen. Dus vroeg ik naar Jessica. Tegen Helen, haar secretaresse, die of te veel rookte of een travestiet was, zei ik dat ik op de redactie van de *Hartford Courant* werkte en een aantal feiten wilde controleren alvorens het bewuste artikel te schrijven. Was het inderdaad waar dat mevrouw Stevenson een beloning had uitgeloofd van vijftigduizend dollar? Dat had mevrouw Stevenson. En wat was haar functie bij Data Associates precies? President-directeur. President-directeur? Nou ja, officieel waarnemend president-directeur, reageerde de secretaresse. Sinds gistermiddag.

Ik herinnerde me dat Gevinski beweerde dat Jessica geen motief had om haar miljoenenvriendje te vermoorden. Nou, wat zou hij hiervan zeggen? Richie was dood en zij was bevorderd tot presidentdirecteur van een multinationaal bedrijf – met de nodige salarisverhoging en aandelenopties van dien. Ze was nu een vrouw met haar eigen miljoenen. En in haar nieuwe functie had ze bovendien zelf de touwtjes in handen. Dus inderdaad, brigadier, ze had wel degelijk een motief.

En over motieven gesproken, wat te denken van pappielief? Als hij niet haar vader was, maar een rijkere, machtiger, aristocratischer en – hoewel ik dat betwijfelde – opwindender minnaar dan Richie, vormde dat dan geen extra stimulans om mijn keukenmessen eens te komen uitproberen? Denk hier maar eens over na: Richies dood betekende voor haar een salarisverhoging, een promotie en de gunsten van een nieuwe, belangrijker zo niet potentere minnaar. Nee, vergeet minnaar. Wat dacht u van echtgenoot? Meneer en mevrouw Pappielief. En het mooie ervan was dat Jessica wìst dat ze ongestraft een moord had kunnen plegen. Nu Richie dood was, kon ze lid worden van de Club van Jonge President-Directeuren, terwijl ik me bij de Literatuurgroep Beroemde Romans in de Bedford Hills gevangenis voor vrouwen kon voegen.

Privé-secretaresses worden betaald om vertrouwelijke zaken vooral privé te houden. Zelfs al had Helen grondig de pest aan Jessica, ze zou tegenover mij niets loslaten. Maar een paar minuten later, schoot me iets anders te binnen. Wat te denken van een *vroegere* privé-secretaresse? Richie had Frances Gundersen zo'n zes maanden voordat hij mij aan de dijk had gezet ontslagen. Kon Frances ertoe overgehaald worden te kletsen?

Misschien. Toen Fran Gundersen drieënvijftig jaar was, had Richie

154

haar een oprotpremie gegeven en iemand die Daphne heette in haar draaistoel gezet. Daphne zag er werkelijk uit als een Daphne: fijngebouwd, ogen als schoteltjes en een Engels accent hanterend. Toen al had ik moeten aanvoelen dat het verraad van Fran een voorbode was van een nog omvangrijker bedrog. Maar dat had ik niet gedaan; Richie was mijn man en hoewel een echtgenoot gerust een keer mag liegen over hoeveel geld hij precies heeft verloren aan de blackjacktafel tijdens een gezinsvakantie in Puerto Rico, uit het oogpunt van een gezonde geest zal zijn vrouw toch moeten aannemen dat haar leven op waarheid berust. Dus was ik niet eens zo'n onnozele gans dat ik hem geloofde toen hij vertelde dat Fran schrikbarend verstrooid was geworden – dat overkomt sommige vrouwen in de overgang nu eenmaal – en hij geen andere keus had dan haar te ontslaan.

Ik herinnerde me dat ze in een deel van Brooklyn woonde dat me onbekend was, een buurt die Sunset Park heette en een relatief grote Scandinavische gemeenschap huisvestte. Ik bad stiekem dat een vrouw van haar leeftijd niet zo snel een andere baan kon vinden en dat ze dus thuis zou zijn.

En dat was ze! Ze nam de telefoon op zoals ze al die jaren dat ze voor hem had gewerkt ook had gedaan. 'Ha-llo-oo!' Bij de derde lettergreep die ze altijd toevoegde, werd haar stem opeens een stuk hoger. Ik legde neer en liet een korte, niet ondertekende boodschap dat ik dadelijk terug zou zijn op Danny's telefoon achter. In plaats van de opvallende zonnebril die hij vast en zeker in zijn bezit had maar die ik niet kon vinden, verborg ik mezelf zoveel mogelijk onder de rand van een zwarte vinyl honkbalpet: een afschuwelijk, trendy, zweetopwekkend geval. Ik verliet het huis en stond ongeveer drie minuten als verlamd op de hoek van de straat: met de metro? Nee, te veel mensen keken naar het journaal van elf uur. Taxi? Mijn totale vermogen op deze wereld telde drieënzestig dollar; mijn verkwistende leventje was voorbij. Metro? Taxi? Taxi? Metro? Ik was op slag genezen toen ik een blok verderop een paar wijkagenten aan zag komen slenteren. 'Taxi!' En weg was ik, op naar Brooklyn.

Ik zal niet uitweiden over de tijd die het de taxichauffeur kostte om Sunset Park te vinden of over het feit dat de rit daarheen me zevenentwintig dollar en veertig cent lichter maakte. Frans kleine rijtjeshuis was er een in een lange rij van okergele bakstenen huizen, waarschijnlijk eind jaren dertig gebouwd, rond de tijd dat de *Wizard of Oz* voor het eerst draaide. Sterker nog, de hele straat waarin ze woonde had, met zijn dwergesdoorns en petieterige gazonnetjes, het schattige voorkomen van een soort kabouterland – hoewel Fran allerminst een kabouter genoemd kon worden.

Toen ze de voordeur opendeed, moest ik omhoog kijken; ze was bijna een kop groter dan ik. Eens had ze de perzikhuid en het soepele lichaam van een rolschaatskampioene gehad, maar sinds Richie haar had ontslagen was ze geworden wat welwillende mensen mogelijk 'struis' zouden noemen.

Toen ze besefte dat ik het was, begon ze te sputteren van verbazing. 'Sorry dat ik je zo overval, Fran.'

Ze zag er op en top zakelijk uit in haar grijsflanellen rok, haar blouse met gesteven manchetten en de kleine, slappe strik die ze altijd onder haar kraag placht te dragen. Een onzichtbare baas zou elk moment kunnen zeggen 'Neem even deze brief op, Miss Gundersen,' maar ik zag toen ik naar beneden keek dat ze haar witte benen niet in kousen had gestoken. Ze droeg roze satijnen pantoffels met kleine strikjes. Ik was opgelucht – en verdrietig tegelijk – dat mijn gebed was verhoord.

'Ik doe je geen kwaad,' zei ik vlug. 'Ik ben niet gewapend. En niet gevaarlijk.'

'Laat me niet lachen!' zei Fran giechelend. Op haar tanden zat een smeer lippenstift; ze gebruikte nog steeds te veel van dezelfde klapkauwgomkleur. Maar het felle roze sijpelde nu naar de dunne lijntjes die rond haar lippen waren verschenen en waardoor haar mond ietwat wazig leek. 'Dat steekt eerst haar echtgenoot overhoop en beweert vervolgens dat ze ongevaarlijk is?'

'Ik heb het niet gedaan.'

In plaats van gillend de politie erbij te roepen of de deur voor mijn gezicht dicht te smijten, deed Fran een stap opzij om mij de smalle gang in te laten. Aangezien ze me niet kon passeren om mij voor te gaan, was ik zo vrij zelf naar de woonkamer te lopen en plaats te nemen. Fran volgde me en ging – stijfjes – tegenover me zitten. Haar handen lagen rustig op haar schoot, maar ze sloeg haar benen zo vaak over elkaar en weer terug dat haar rok zich tot aan haar forse dijbenen omhoog werkte.

Het kleine huis was verrassend ingericht, met klassiek, blankhouten Scandinavisch meubilair en schilderijen van het ochtendgloren in de fjorden en heiige velden vol bloemen. Prachtige schilderijen, eerlijk gezegd. 'Ik ben blij dat je thuis bent,' zei ik.

'Ik heb het afgelopen jaar niets dan vrije tijd gehad.' Toen wierp ze me een van die uitdagende, ik-ben-niet-bang-je-recht-in-de-ogen-te-kijken-blikken toe. 'Laten we eerlijk tegenover elkaar zijn. Hij heeft je ingeruild voor een nieuw model, waarop jij hem hebt vermoord. Punt uit.'

'Zou je daar alsjeblieft een vraagteken van willen maken, Fran?'

'Nee. Maar weet je wat? Ik ben je dankbaar.' Ze stond op, pakte mijn hand en schudde die. 'Ik wou dat ik zelf het lef had gehad.' Ze begon druk aan een schilderij te trekken om het recht aan de muur te krijgen. 'De ene dag zat ik gebeiteld. En de volgende... het gaat er niet zozeer om dat ik een oude theedoek was geworden. Het gaat erom dat ik ben ontslágen.' Ze draaide zich om. Haar lichte huid was roodgevlekt van woede. 'Einde verhaal! Op straat gezet.' Fran was zo'n knappe, gezonde vrouw geweest; vroeger had Richie wel eens gezegd dat hij haar zonder moeite jodelend en met vlechten om haar hoofd kon voorstellen. Lange, blonde vrouwen als Fran worden verondersteld vrolijk en vrijgevig te zijn, maar de eerste paar minuten van onze ontmoeting had haar opgewekte voorkomen haar enorme verbittering verhuld. Ze kneep haar handen, die langs haar lichaam hingen, dicht en balde ze tot vuisten. 'Een mes tussen zijn ribben,' snauwde ze. 'Onder ons gesproken, vind ik dat hij er gemakkelijk is afgekomen.'

'Ik dacht... Hij heeft tegen mij gezegd dat hij een geschikte regeling met je had getroffen.'

'Hij heeft me geld gegeven. Om zijn geweten te sussen. Maar wat moet ik de rest van mijn leven? Jij bent afgestudeerd; jij denkt waarschijnlijk dat een secretaresse niet veel voorstelt, maar het was wel mijn wèrk. Ik was er goed in. Al mijn vriendinnen waren secretaresse. En plotseling heb ik alleen die stomme "regeling" en niets meer om handen. Ik vlieg van het ene naar het andere sollicitatiegesprek en niemand wil me hebben omdat de economie niet deugt... en ik te oud ben. Niemand wil een oude vrouw in de buurt.'

'Je bent niet oud.'

'Ach, hou toch op! Ik ben oud. Jij bent oud. Als hij me niet meer kon gebruiken, waarom heeft hij me dan niet overgeplaatst naar een van de andere hoge piefen? Of de telefoon gepakt en een baantje voor me geregeld bij een van de bedrijven met wie we zakendoen? Hoe kun je tegen iemand die zich jaren voor je uit de naad heeft gewerkt zeggen: "Je bent een nul".'

'Ik weet het niet,' antwoordde ik. 'Maar voor hem was het kennelijk geen zwaar traumatische ervaring. Hij heeft het gewoon nog eens gepresteerd, tegenover mij.' Fran sloeg haar armen over elkaar, alsof ze de pijn in haar diepste innerlijk wilde verlichten. Ik vervolgde: 'Sta er eens even bij stil. Het werd een gewoonte voor hem. Stel dat hij het bij haar ook heeft gedaan. Bij Jessica. Ik bedoel, jij mag dan geloven dat ik het heb gedaan maar stel je nu eens even voor dat ik er ingeluisd ben. Goed? Door haar. Hij kan haar aan de kant hebben geschoven. Misschien dat ze wraak besloot te nemen.'

Fran ging rechtop zitten en liet opnieuw haar rauwe lach horen, het haar achterovergooiend en met een mond die een hoofdletter O vormde. Ze zei: 'Hij heeft haar nooit iets aangedaan, tenzij ze daar zelf uitdrukkelijk om vroeg!'

'Hoe weet je dat zo zeker?'

'Wat denk je? Data Associates was mijn leven. Ik heb tot op de dag van vandaag contact gehouden met de meiden. O, neem me niet kwalijk: de vrouwen. Met Laurie en Claire en Helen en de twee Mary's.'

De secretaresses van alle topmensen binnen Data Associates! Een schat aan informatie.

'Alsjeblieft. Ik heb je hulp nodig bij het vinden van de dader. Hoor eens, als je echt geloofde dat ik een moordenaar was, had je me nooit binnengelaten.'

'Je hebt gedaan wat je moest doen met hem. Ik weet dat je geen moordlustige maniak bent of iets dergelijks. Je zult mij geen haar krenken.'

'Je kent me al zo lang. Denk toch na: als ik Richie had willen vermoorden, had ik het toch niet zo stom aangepakt?'

Ze aarzelde. 'Ik geloof ook niet dat het de bedoeling was. Ik denk gewoon dat je je zelfbeheersing hebt verloren.'

'Maar ergens denk je dat er een kleine kans bestaat dat ik het níet heb gedaan. Ik voel het.' Dat kon ik niet, maar ik bleef op haar inpraten. 'Geef me het voordeel van de twijfel. Beantwoord mijn vragen. Alsjeblíeft, Fran.'

Ze nam uitgebreid de tijd om haar manchetten recht te trekken. Ze leek volkomen in beslag genomen en erg zelfvoldaan. Ik vond het niet prettig dat mijn wanhoop haar zo tevredenstelde. Wat had ik haar ooit misdaan? Natuurlijk, ik was de vrouw van de baas, maar ik had me altijd fatsoenlijk en beleefd gedragen in die rol. Vriendelijk zelfs, hoewel Fran zelf nooit een graad in hartelijkheid zou verdienen. Of had ik, in mijn zelfingenomen onschuld, iets minzaams gezegd wat haar tot op heden kwetste?

'Ik heb hulp nodig,' zei ik smekend. Geen reactie. Ze keek op van haar manchetten en wachtte tot ik me echt ongemakkelijk begon te voelen. Ik had haar nodig, dus ik gaf toe aan die wens door wat heen en weer te schuiven in mijn stoel. Ik staarde haar smekend aan.

'Ga je gang,' zei ze ten slotte, terwijl ze spelenderwijs haar knokkels liet knappen. 'Vraag maar.' Knak. Knak.

'Vertel eens wat over Jessica.'

'Dat is geen vraag. Ik dacht dat je lerares Engels was.' Knak.

'Ik zal het anders formuleren. Jessica is gisteren tot waarnemend president-directeur benoemd. Denk je dat dat gewoon een gruwelijk bijkomend voordeeltje is als gevolg van Richies dood? Of denk je dat ze altijd al op jacht was naar iets groters, dat ze zijn plek wilde innemen?'

'Het antwoord is,' riep ze uit, met de ondraaglijke voortvarendheid van een quizmaster, 'altijd op jacht!' Ik denk dat Frans geestdrift niet als waanzinnig bestempeld kon worden, maar ze leek ineens los te komen. 'Een geboren jager!' Ze lachte te lang en te hard. 'Hoe lijkt je dat als motief!'

Ze gooide het hoofd in de nek en keek lachend naar het plafond. Ze beangstigde me. Ik wilde weg, maar ik bleef zitten en haalde een van mijn lestechnieken naar boven; ik ging zo zacht praten dat ze zich wel moest concentreren om mij te horen. Om de een of andere reden deed dat snotapen en brutale meiden altijd in brave burgers veranderen. 'Hoe wisten jij en je vriendinnen dat Jessica dergelijke ambities koesterde?' fluisterde ik.

'Wat?' Ik herhaalde de vraag. 'We notuleren de vergaderingen,' antwoordde ze opeens ernstig. 'We typen hun correspondentie. We plegen hun telefoontjes. We kènnen hen door en door.'

'Vertel eens wat meer over je zakelijke relatie met hem.'

'Jouw man was geweldig met mensen, een prima zakenman ook. Maar om eerlijk te zijn, geen superzakenman. Te voorzichtig. Vanaf de dag dat ze bij ons werkte, zette ze hem aan dingen te doen die hij eigenlijk niet wilde.'

'Zoals?'

'Zoals het feit dat hij meneer Gruen de zak gaf. Zoals ze hem overhaalde internationaal te gaan opereren. Misschien weet je dat niet, maar jouw wijlen schattebout was doodsbenauwd voor dat avontuur. Ze had een compleet leger deskundigen nodig om hem over te halen dat, als hij de markten in Europa en Japan niet snel zou aanboren, iemand anders hem voor zou zijn.'

'Maar dat speelde een paar jaar geleden. Hoe zat het de laatste tijd? Heb je vernomen of ze andere ingrijpende ideeën had die hij niet zag zitten?'

'Ze wilde een open NV van het bedrijf maken, wat dacht je daarvan? Ingrijpend genoeg voor je?'

Toegegeven, niemand zou mij ooit een beurskenner kunnen noemen, maar je hoefde geen financieel expert te zijn om te weten dat de verandering in een naamloze vennootschap een flinke bom duiten zou opleveren voor Richie. Ik wist ook dat de gedachte eraan hem altijd zenuwachtig had gemaakt, deels omdat hij besefte dat hij weliswaar een uiterst gladde prater was, maar bij lange na geen keiharde, meedogenloze bewindsman. Bovendien bracht een NV met zich mee dat hij niet langer de enige eigenaar zou zijn. Met duizenden of miljoenen aandelen in omloop zou het bedrijf zomaar in handen van een listige speculant kunnen vallen of zelfs in handen van een vennoot die ambitieuzer was dan hij. Het boeiende was dat de enige leidinggevende die aan die norm voldeed Jessica Stevenson heette.

'Dus hij had eindelijk definitief besloten er een open NV van te maken?' Ik kon het nauwelijks geloven; door de jaren heen had hij het idee keer op keer afgewezen als zijn boekhouders of advocaten een voorstel daartoe opperden.

'Volgens Helen en Kleine Mary wel, ze zaten puur te wachten tot de scheiding erdoor was. Zodat je niet alsnog een graantje zou kunnen meepikken van de transactie.'

'Jeetje,' zei ik.

'Ja. Jeetje.' We zwegen een tijdje. Haar woede leek weg te ebben. 'Heb je zin in koffie of zoiets?'

Zodoende belandden we in haar keuken, een kleine maar voorbeeldige ruimte met blankhouten kastjes die op maat gemaakt leken te zijn. Het aanrecht en de muur daarachter waren betegeld met grote, witte tegels waarvan sommige beschilderd waren met vogels. Terwijl we zaten te wachten tot de koffie klaar was, vroeg ze me of ik honger had. Een beetje, zei ik.

Al met al heb ik twee sandwiches met saucisse de Boulogne en een grote, nog bevroren punt Sara Lee kwarktaart verorberd die Fran redelijk hartelijk aanbood. Hoewel mijn lichaam zich zou moeten wapenen voor vlucht of gevecht, had het om een of andere reden absoluut geen trek in samengestelde koolhydraten; het verlangde slechts naar alle mogelijke soorten voedsel die gegarandeerd hartklachten en winderigheid opleverden. Tussen de happen door merkte ik op: 'Ik krijg de indruk dat jij van mening bent dat Richie gekker op Jessica was dan zij op hem.'

'Je meent het.'

'Volgens mijn bronnen scharrelt ze ook met een oudere man. Eentje die oud genoeg is om haar vader te zijn, maar dat kan niet want haar vader is overleden. Mijn bronnen zijn er vrijwel zeker van dat hij haar minnaar is.'

'Nicholas Hickson,' zei ze, met de verveelde uitdrukking op het gezicht van iemand die een overduidelijke situatie moet uitleggen.

'Weet je het zeker?'

'Geloof je dat Helen Woolley goed op de hoogte is van alles?' Helen was Jessica's secretaresse. 'Helen is een behoorlijk snuggere meid.'

'Ja, dat denk ik wel. Alleen die naam Hickson komt me zo bekend voor. Wie is hij eigenlijk?'

'Alleen maar de directeur van Metropolitan Securities.' Zelfs ik wist dat dit het op één of twee na grootste effectenmakelaarskantoor ter wereld was.

'Hoe weet je dat hij een relatie heeft met Jessica?' vroeg ik, terugdenkend aan de energieke, witharige man in Richies badjas.
'Ze zijn regelmatig erg lang weg voor de lunch, zegt Helen. Erg, erg lang. Tot vijf uur 's middags. Ik weet zeker dat ze Metropolitans steun bij de aandelenuitgave van Data Associates zaten te bespreken, haha-ha. En ze maakten reisjes naar Londen, naar Washington.'
'Reisde ze openlijk met die Hickson samen?'
Fran maakte luidruchtig haar afschuw kenbaar. 'Natuurlijk niet! Maar Helen raakte via de telefoon bevriend met zijn secretaresse. Moet ik het soms spellen? Identieke reisschema's. Verschillende hotels, maar als je werkelijk gelooft dat hij in de Four Seasons in Washington verbleef terwijl zij een kamer met een kingsize bed in het Madison had, ben je wel erg...' Het kan zijn dat ze een synoniem voor 'achterlijk' zocht.
'Erg naïef. Nee. Ik ben niet naïef. Denk je dat Richie het wist, van die twee?'
'Ik weet het niet. Die Jessica heeft genoeg hersens voor twee mannen. Maar hij was ook niet van gisteren.'
Dat was hij inderdaad niet. Hij móest geweten hebben dat er iets was met Jessica, omdat hij zijn echtscheidingsadvocaat in de laatste paar weken van zijn leven kennelijk opdracht had gegeven van tactiek te veranderen. Het gekibbel over wie de antieke haardijzers mocht houden, was plotseling over. Eensgezindheid, zo niet echte welwillendheid, overheersten opeens, alsmede het verlangen de hele toestand zo snel mogelijk achter de rug te hebben omdat het zo akelig was en moeilijk voor de jongens bovendien.
Maar ik kende mijn man. Hij hield van zijn haardijzers en u kunt me kleingeestig noemen, maar dat was de reden waarom ik ze wilde houden. Ik realiseerde me dat Richies bereidheid om van de haardijzers te scheiden niet betekende dat hij zich daarmee had verzoend. Nee, hij wilde de scheiding domweg zo snel mogelijk rond hebben, zodat hij vrij zou zijn om met Jessica te trouwen. Ik had tegen Honi, mijn advocate, gezegd dat ik zijn haast wel begreep: Jessica was vast zwanger. Waarop zij had gezegd: 'Ouwe lullen met jonge echtgenotes verkeren altijd in de veronderstelling dat een baby hen het eeuwige leven zal geven. Poeh! Die nieuwe kinderen kostten hen tien jaar van hun leven.'
Maar uit wat Fran me zojuist had verteld, concludeerde ik dat zijn haast niet voortkwam uit Jessica's mogelijke zwangerschap. Richie was doodsbenauwd geweest dat als hij niet snel zijn slag sloeg, hij haar aan Nicholas Hickson zou verliezen.
Fran likte haar wijsvinger af en begon achtergebleven kruimels van

de volkoren crackers uit de trommel te pikken. Volkomen nonchalant vroeg ze: 'Als ze jouw man wilde verlaten voor die andere vent, waarom zou ze dan de moeite nemen hem te vermoorden? Dat slaat nergens op.'

'Wel als Richie haar vertrek probeerde tegen te houden of haar wilde dwingen met hem te trouwen.'

Ze snoof verachtelijk. 'Haar dwingen met hem te trouwen? Met een pistool tegen haar slaap zeker.'

'Misschien had hij bepaalde informatie over haar. Je weet wel... iets om haar mee te chanteren.'

'Denk je echt dat hij zo dom of zo verliefd was dat hij haar tot een huwelijk zou dwingen?'

'Misschien.' Opnieuw liet ze een verachtelijk gesnuif horen. 'Hoor eens, ze was alles waar hij ooit naar had verlangd. Briljant. Succesvol. Elegant. Geraffineerd.' Fran knikte. Ze kende Richie. 'Hij was bezeten van haar, wie weet vanaf het allereerste begin.' Ik zweeg even. 'Werkte jij er al toen zij voor het eerst op de zaak kwam?'

'Ja.'

'Denk je dat hij vanaf het begin een verhouding met haar heeft gehad?' Fran leek slecht op haar gemak, maar ze schudde toen van nee. Overtuigend. 'Weet je 't zeker?' Ze knikte. Ik besloot het erop te wagen. 'Denk je dat hij voor Jessica ooit andere minnaressen heeft gehad?'

Frans schaterlach was ietwat wreed; een simpele bevestiging zou ook volstaan hebben. Ze moet het zich gerealiseerd hebben, want ze mompelde zowaar: 'Sorry.'

'Heb je enig idee met wie?'

Fran staarde voor zich uit, naar een punt ergens tussen haar warmwaterkraan en een tegel met een kardinaalvogel erop. Haar samengetrokken lippen vormden een felroze bloem, terwijl ze zich concentreerde. Uiteindelijk, op een voor Fran heel zachte toon, zei ze: 'Ik heb me altijd iets afgevraagd. Over Mandy. Je kende Mandy toch, of niet?'

'Mandy? Nee. Hoezo?'

'Vlak voor mijn vertrek werd hij om de haverklap door ene Mandy gebeld.'

Mandy? 'Mijn zoon Ben zat op de middelbare school bij een Mandy in de klas. En de enige andere Mandy van wie ik ooit heb gehoord, is een advocate. Ze loopt hard met een van mijn buurvrouwen. Maar ik heb haar nooit ontmoet; ze rennen pas 's avonds laat als ze terug is uit de stad.' Kon Richie deze vrouw ontmoet hebben op een van de avonden dat hij naar de Open Universiteit ging? In de sportzaak waar ze allebei hun tennisrackets lieten spannen? Had ze hem op een zaterdagmorgen in Main Street aangeklampt met loten van de actie Bewoners-voor-een-Mooier-Shorehaven?

'Met welke buurvrouw liep ze hard?'

Ik was even vergeten dat Fran, die bijna vijftien jaar Richies secretaresse was geweest, ons leven waarschijnlijk tot in de details kende.

'Stephanie Tillotson.'

'O, de vrouw van dokter Tillotson.' Ik knikte. 'Weet je,' zei Fran lijzig, 'zo heeft hij Jessica Stevenson ontmoet.'

'Zo heeft wie Jessica ontmoet?' wilde ik weten.

'Jouw echtgenoot; dokter Tillotson heeft haar een keer mee naar kantoor genomen. En toen zijn ze samen gaan lunchen.'

Ik schoot rechtop in mijn stoel. Mijn maag voelde misselijk vol, maar het waren niet alleen de kilo's verzadigde vetzuren die ik zojuist had geconsumeerd die mijn onbehaaglijkheid veroorzaakten. Ik haalde Jessica voor de geest. Een fraai gevormde neus? Eentje van Carter misschien? 'Was het een zakelijke ontmoeting, die keer dat dokter Tillotson haar meenam naar kantoor?'

'Ze hebben mij niet gevraagd erbij te zijn.'

'Hadden mijn man en hij vaak telefonisch contact?'

'Nee. Eens in de zoveel tijd. Ik bedoel, niet zoals met mevrouw Driscoll. Zíj sprak hem op z'n minst elke middag telefonisch, de keren dat hij haar opbelde niet meegerekend. Soms liep ik 's morgens zijn kantoor in en dan zat hij al met haar te kleppen.' Ze schudde haar hoofd. 'Wat hadden die twee toch met elkaar?'

'Seks?' opperde ik.

'Geen denken aan!' Ze zweeg even. 'Althans, dat denk ik niet.'

'Ik denk het ook niet. Geloof het of niet, Richie was een hele vent.' Ze wist dat ik doelde op het seksuele vlak. Haar lichte huid werd opeens vuurrood. Op dat moment drong het plotsklaps tot me door dat ze waarschijnlijk al die jaren verliefd op hem was geweest. Dat verklaarde haar verbitterde houding misschien niet maar wel de intensiteit ervan. 'Waarover hadden hij en Joan Driscoll het de keren dat je in zijn kantoor was?'

'Roddel. Ik bedoel, het waren net twee oude wijven die thee zaten te drinken. Met dit verschil dat zij kletsten over het sociale leven, over mensen en feestjes die in de kranten stonden.' Ze kauwde wat lippenstift van haar lippen. 'Ze behandelde me als een stuk oud vuil. Dan belde ze op en zei: "meneer Meyers!" Er kon geen "alsjeblieft" af, laat staan een begroeting. Wat een mager rotwijf zeg!'

Ik kon niet geloven dat Tom bereid was uitstekende ribben te strelen, geïmplanteerde borsten te liefkozen en zichzelf tegen een knokig bekken aan te stoten. En dat terwijl hij op de middelbare school zo'n vurig minnaar was geweest.

163

'Die teef had gewoon niets beters te doen. Ik bedoel, ze stuurde hem om de haverklap kleine cadeautjes. Of liet boodschappen achter waar ze nu weer "perfecte" leren merkschoenen voor bij zijn smoking had gezien! Of "schattige" art deco vulpennen. Hoe kunnen pennen in Godsnaam schattig zijn?'

'Denk je dat het maar oppervlakkig gekeuvel was? Of hadden ze echt een hechte band?'

'Ik denk dat hij haar alles toevertrouwde. Wil je weten wat ik denk? Het gaf haar een kick alles over zijn doen en laten te horen en het schonk hem op zijn beurt voldoening het haar te vertellen.'

'Nee. Zo was Richie helemaal niet.'

'Hij was veranderd, nietwaar? Laat me je dit vertellen: je hebt geen idee hoe hij was veranderd. Ik wel. Ik was erbij. Geloof me. Ik weet dat ze van die Mandy af wist. En van Jessica helemaal. Wil je echt alles weten over de vrouwen in meneer Richard Meyers leven? Dan moet je niet bij mij zijn. Dan moet je bij mevrouw Driscoll zijn.'

13

De spiegel van het medicijnkastje was streperig, dus spuugde Danny op een stukje toiletpapier en veegde hem schoon. Een galant gebaar. Maar ik had liever gehad dat hij niet hangend tegen het kozijn van de badkamerdeur was blijven plakken om te kijken hoe ik me opmaakte. 'Met Alex is alles goed,' verzekerde hij me opnieuw. 'Maak je over hem geen zorgen. Je hebt genoeg zorgen aan je hoofd.' Ik tuurde in de spiegel. Het was verbazingwekkend: het leven op de vlucht mocht dan hard zijn, ik had er in geen jaren zo geweldig uitgezien.

Na de gebruikelijke worsteling wist ik het doosje oogschaduw uit zijn plastic gevangenis te peuteren. In een vlaag van hoffelijkheid was Danny naar zijn beste leverancier gegaan om mij een nieuwe identiteit te verschaffen: een American Express creditcard en een Minnesota-rijbewijs op naam van Christine Peterson, waarop stond dat ik eenenveertig was. Hij zei dat ik me daar geen zorgen over hoefde maken, dat ze betrouwbaar waren, niet te traceren. Hij had bovendien een ontstellende hoeveelheid cosmetica gejat uit een grote drogisterij. Ik keek naar mijn gezicht. Wilde ik mijn oogleden werkelijk beschilderen met een regenboog van smaragdgroen, grasgroen en citroengeel? Ik legde de oogschaduw weg. Ronduit smakeloos. Maar wie wilde er verdomme nog smaakvol zijn? Weg van school, weg van Long Island kon ik elke willekeurige vrouw zijn. Misschien moest ik overwegen mijn wimpers indigoblauw, mijn geëpileerde wenkbrauwen okergeel, mijn wangen vermiljoen en mijn lippen robijnrood te schilderen. Het kon een wereld van verschil betekenen.

'Heeft Alex nog iets over Ben gezegd?'

'Ben is oké. Hij blijft samen met Alex een paar dagen thuis logeren. Zijn vriendin is terug naar weet-ik-veel-waar.'

'Philadelphia. Klonk Alex een beetje gerust?'

'In aanmerking genomen dat zijn vader is vermoord en zijn moeder gezocht wordt wegens moord, bedoel je?'

'Ja.'

'Hij leek me redelijk kalm.'

'Kalm onder invloed?'

'Misschien. Hou toch op je zorgen te maken over je kinderen, Rosie. Het zijn onderhand mannen. Ze zullen heus niet instorten. Alex zal echt niet flippen op drugs. Goed, ik geef toe dat ze zich allebei zorgen maakten. Het zou vreemd zijn als ze dat niet deden. Maar ze weten nu tenminste dat je niet voor drijvende dode vrouw speelde in de Long Island Sound; de politie heeft Ben verteld dat je in de stad bent gesignaleerd.'

Uiteindelijk koos ik voor het bescheiden bruin van Maybelline. 'Dat de politie weet dat ik in de stad ben, hoeft niet het eind van de wereld te zijn,' peinsde ik hardop. 'Mijn adresboekje zat in mijn handtas. Maar daar staan allerlei adressen buiten de stad in, van mijn familie in L.A., van de moeder van Bens kamergenoot in Salt Lake City, van elke cliënt van Richie die ik ooit een cadeautje heb gestuurd. Het zou niet meer dan logisch zijn dat de politie denkt dat ik de stad uit ben gevlucht.'

'Niet als je iedereen gaat opzoeken die ooit in meneer Meyers Rolodex heeft gestaan.'

'O. Juist.'

Zoals gewoonlijk, veegde ik het grootste deel van de oogschaduw die ik net had aangebracht er met een tissue af. Danny keek schijnbaar gebiologeerd toe. Ik koos een behoorlijke eyeliner uit. Niemand had me ooit zo ingespannen geobserveerd. Tuurlijk, Richie moet in die vijfentwintig jaar, als hij op weg was naar de douche of bezig was zich aan te kleden, duizenden keren hebben gezien hoe ik me opmaakte. Maar hij had het nooit interessant gevonden. En hij was er zeker niet bij gaan staan kijken.

'Rosie?'

'Mm-hm?'

'Wil je een pistool?'

Het oogpotlood viel uit mijn vingers en maakte een donkerbruine streep in de wasbak. 'Ben je gek geworden?'

'Ik vraag het alleen maar.'

'In hemelsnaam, ik ben lerares Engels.' Danny lachte. Het joch had prachtige tanden. En om u de waarheid te zeggen, de rest van hem was ook prachtig. Ik pakte het potlood op en hield mijn gezicht vlak voor de spiegel, zodat ik een dun lijntje langs mijn wimpers kon trekken en hem uit mijn gezichtsveld kon bannen. Ik wilde niet compleet in de war raken, waardoor hij kon gaan denken dat ik een oogje op hem had, een vooruitzicht te vernederend om zelfs maar te overwegen.

Danny maakte dat ik me ongemakkelijk voelde. Vanwaar die aandacht? Uit vriendelijkheid? Uit wreedheid: gedroeg hij zich verleidelijk zodat hij eens flink kon lachen als de ouwe tang – zijn *lerares* – hem verliefde blikken begon toe te werpen? Of was het eenvoudig hebzucht; wilde hij zijn prooi ter waarde van vijftigduizend dollar nauwlettend in de gaten houden? En wat te denken van oprechte seksuele aantrekkingskracht? Of medeleven voor een collega-vogelvrijverklaarde?'

'Ik met een pistool! Danny, als docenten Engels gewapend waren, leefde jij allang niet meer.'

Na mijn eetfestijn bij Fran, besloot ik slechts toe te kijken hoe Danny zijn lunch verorberde: kant-en-klare macaroni met kaas uit de magnetron, weggespoeld met bier. Nu was het mijn beurt hem te observeren. Hij deed alles sierlijk, van het opentrekken van het blikje bier met zijn duim tot het zich gemakkelijk maken op de stoel en zijn benen strekkend. Hij sloeg zijn benen niet bij zijn enkels over elkaar, de macho-pose die de meeste mannetjesputters aannemen. Nee, zonder zijn tussenwervelschijf te ontwrichten, wist hij ontspannen te zitten terwijl hij tegelijkertijd zijn heupen vooruit stak waardoor een aanlokkelijke vorm van stof – of misschien alleen een schaduw – rond zijn geslachtsdeel ontstond. Kortom, Danny Reese was een spetter! Als Richie zijn uiterlijk en elegantie had gehad, had hij mijn hart waarschijnlijk al veel eerder gebroken.

Hij begon aan zijn tweede pilsje. 'Heb je al die tijd nooit doorgehad dat hij je bedroog?'

'Nee.'

Kennelijk nam Danny daar geen genoegen mee. 'Kletskoek.'

'Hoor eens, aanwijzingen heb je altijd. Een echtgenoot werkt over, maar als je hem op kantoor belt is hij er niet. Of een man die altijd zo gevoelig als een kakkerlak is geweest wordt plotseling feministisch: vrouwen kunnen wel degelijk slim zijn! Dat steekt behoorlijk, omdat jij en je IQ van honderdvijfenveertig al twintig jaar met hem getrouwd zijn geweest. Dus ja, die hints pik je wel op. En als je enig lef hebt, dwing je jezelf om detective te spelen. En weet je wat?'

'Wat?'

'De echtgenoten die gesnapt willen worden, worden ook gesnapt; ze laten luciferboekjes van louche motels in Fort Lee, New Jersey, in hun broekzak zitten en vragen hun vrouw om die specifieke broek naar de stomerij te brengen. En mannen als Richie? Die kunnen bij wijze van spreken een moord plegen en gaan nog vrijuit. Ze betalen romantische dinertjes contant. Ze ontvangen geen telefoontjes waarover ze moeten liegen. Ze vergeten niet – vurig en liefdevol – de liefde

met je te bedrijven, en wel met een zodanige regelmaat dat je verstand tot pulp verwordt. Je denkt: wat een man! En je schaamt je rot dat je ooit aan hem hebt getwijfeld.'
'Ben jij hem ooit ontrouw geweest?'
'Nooit.'
'Ach, kom nou, Rosie.'
Ik kon niet geloven dat ik bij Danny Reese thuis, in Danny Reese's kleren, een dergelijke discussie met Danny Reese voerde. 'Ik ontken niet dat de verleiding een paar keer erg groot was.' Hij bewoog zijn wenkbrauwen snel op en neer in een wellustige Groucho Marx-blik. 'Oké,' gaf ik toe. 'Eén keer was het kantje boord.'
Hij sloeg zijn handen achter zijn hoofd in elkaar. 'En?'
'Er is niets gebeurd. De man gedroeg zich volkomen fatsoenlijk.'
'Was je teleurgesteld?'
'Ja, maar ook opgelucht – denk ik. Hij was een oude vlam uit mijn middelbare-schoolperiode. Tom heette hij.'
Ik denk dat ik hoopte dat Danny het een en ander zou willen weten over Tom Driscoll. Maar hij zei: 'Vergeet die oude kerels toch. Ooit verkikkerd geweest op een van de leerlingen in je klas?'
'Niet echt.' Danny leek niet overtuigd. 'Dat wil niet zeggen dat ik niet nu en dan bewondering had voor een bepaald brein of lijf.' Dat kon iedereen overkomen. Het was nota bene Cass die tijdens een gegeven semester een verterende belangstelling ontwikkelde voor de lotgevallen van het zwemteam. En ze sleurde mij mee naar de trainingen. 'Wil je soms dat ik zeg dat alle leraressen stapelgek op je waren?'
'Ja.' Hij keek naar me op. 'Jij, met name.'
Ik wendde mijn blik af. 'Zo werkt het nu eenmaal niet. En trouwens, het is zinloos.'
'Waarom?'
'Omdat een dergelijke liaison moreel onverantwoord is.' Een op morele bezwaren berustend argument ging Danny's begrip wellicht te boven, maar ik voelde me desalniettemin verplicht het naar voren te brengen. 'Ik ontken niet dat er bij tijd en wijle sprake is van een obsessie, maar vrouwen... Wij willen iets waarvan we weten dat jongens ons dat niet kunnen geven.'
'En dat is?'
'Kracht.' Danny maakte zijn manchet los, rolde zijn mouw op en spande zijn biceps. Wauw! Maar ik zei: 'Nee. Je weet best dat ik het over een ander soort kracht heb. En we willen ook intensiteit, niet die gefixeerdheid van pubers. En liefde, denk ik.'
'Hield je echt van je man?'
'Natuurlijk hield ik van hem.' Van Richie houden was de voornaam-

ste waarheid in mijn leven geweest. 'Ja. Ik bedoel... Het is nu nogal gecompliceerd. Als iemand je op die manier bedriegt, word je gekrenkt... nee, niet gekrenkt. Je wordt zo diep gekwetst dat je het bijna besterft. En dan weet je dat je wel van hem gehouden móet hebben, want anders was hij nooit bij machte geweest dergelijk verwoestend leed te veroorzaken.'

Danny strekte zijn hand uit naar zijn pilsje en concentreerde zich op een pareltje vocht dat hij met zijn duim plette. Hij zei: 'Ik hoorde een "maar" in wat je zojuist beweerde. Je hield van hem en misschien hou je nog van hem... máár.'

'Welnee. Ik heb helemaal geen "maar" gezegd.' Ik stond op: tijd om aan de slag te gaan. Danny liet de macaroniverpakking en de lege blikjes bier op de vloer staan. 'Oké,' gaf ik me gewonnen, toen hij me naar buiten volgde. 'Hier komt de "maar" die je hoorde. Als de man met wie je bent getrouwd opeens heel iemand anders blijkt dan je veronderstelde, ga je je leven tot dan toe met heel andere ogen bekijken. De paar weken voor zijn moord begon ik mezelf zo langzamerhand af te vragen: hield ik werkelijk van Richie Meyers? Of hield ik domweg van de persoon die ik op de man met die naam had geprojecteerd?'

Zonder incidenten bereikten we de universiteitsbibliotheek aan West Fourth. Dat wil zeggen, ik schrok wel toen we een postbode tegenkwamen in Christopher Street. Danny dreigde me vol heroïne te spuiten als ik niet ophield ineen te krimpen elke keer dat ik een uniform ontwaardde; de postbesteller die stopte om een kiezelsteentje uit zijn schoen te schudden en de twee meter lange jongeman met zijn jack uit de dump waren er niet op uit mij te grazen te nemen. Zo vestigde ik alleen maar de aandacht op mezelf. Hij dwong me een halve slag te draaien; de postbode staarde me nieuwsgierig na.

In de bibliotheek vonden we een afgelegen studieruimte, niet ver van de grote leeszaal. We deelden een stoel en met onze hoofden bij elkaar gestoken, spitten we een hele stapel naslagwerken door. Danny leek diep onder de indruk van de informatie achter de naam van pappielief, alias Nicholas Hickson, die ik had opgezocht. Wie zou dat niet zijn? Uitvoerend president-directeur van Metropolitan Securities; afgestudeerd aan Bowdoin, zeven eredoctoraten, waaronder eentje van Brown; lid van de besturen van het Sloan-Kettering Ziekenhuis en het Museum voor Moderne Kunst; drager van de Orde van Verdienste van Italië; lid van de adviesraad voor Buitenlandse Betrekkingen; en het paragraafje dat Richie ter plekke had doen sterven als het vleesmes dat niet eerder had gedaan, waarin vermeld stond van welke clubs Hickson allemaal lid was: Union, University, Century, Links, Knickerbocker.

'Niet bepaald de eerste de beste hoge piet,' merkte Danny op. Hij trok het exemplaar van *Who's Who in America* op zijn schoot en, terwijl hij me strak aan bleef kijken alsof er niets onder de tafel gebeurde, rukte hij de bladzijde met de informatie over pappielief eruit.

'Stop daarmee!'

'Stop waarmee?'

'Je verminkt een boek!'

'Rustig maar. Ik leen alleen een bladzijde. Luister: die echtgenoot van je mag dan in sommige kringen een grote jongen zijn geweest, vergeleken met die Hickson was hij onbetekenend. Heb ik gelijk of niet? Die vent heeft pas echt macht.'

'Machtig en getrouwd,' las ik hardop. 'Zie je? "Getrouwd met Abigail Wright op 8 juni 1957." Niet dat Jessica zich daardoor laat weerhouden.'

'Denk je dat ze bewust achter deze Hickson aan zat? Hij is nog ouder dan jouw vent,' zei hij, zijn dijbeen tegen het mijne drukkend.

'Als jij haar was,' reageerde ik, mijn been zo onopvallend mogelijk verplaatsend, 'en je had het voorzien op geld en macht en status, zou je dan liever met Richie Meyers uit Rego Park, Queens, trouwen dan met Nicholas Charles Bromley Hickson uit Darien en Manhattan?'

'Wat we moeten achterhalen, is welke rol Hickson precies speelt,' zei Danny. 'Hij is echt een grote vangst. Was Jessica een vluggertje voor hem – of is het ware liefde?'

'Ik stem voor de ware liefde. Je had moeten zien hoe hij haar in bescherming nam.'

'Jouw stem telt niet, Rosie. Jij bent mesjokke wat haar aangaat.'

'Ik ben niet mesjokke.' Ik sloeg het boek dicht en wees hem vervolgens op de stukjes die over Carter Tillotson in de *Directory of Physicians* en de *American Medical Directory* stonden. 'Dat is mijn buurman.'

'De echtgenoot van die adembenemend mooie vrouw? Ik heb haar eens gezien toen ik bij jullie thuis met de band oefende. Ze was in de keuken; stond samen met jou te koken. Supergaaf gezicht. Prachtig lichaam ook. Maar niet sexy.'

'Dat zei Richie ook altijd. Maar haar man heeft Jessica dus aan Richie voorgesteld. Het ontbrekende stukje van de puzzel is: hoe kende Carter Jessica in godsnaam?'

'Heeft hij een face-lift bij haar gedaan of zo?'

'Mogelijk. Maar al Carters neuzen wijzen bij het puntje twee graden de lucht in. En de perfecte kin voor een vrouw bestaat volgens hem uit de onderzijde van een volmaakt ovaal. Voor zover ik kan beoordelen heeft Jessica geen trekjes waarop Carter zijn stempel heeft gedrukt.'

We gingen een poosje nader in op de Carter-Jessica mogelijkheden tot Danny, die niet van speculeren hield, verkondigde: 'Laten we gaan, Rosie.' Hij trok me op uit de stoel, trok me mee door de naslagwerkenzaal en vervolgens naar een munttelefoon. Natuurlijk zocht hij zijn zakken niet na op kleingeld, hij tikte eenvoudig een creditcardnummer in waarvan ik betwijfelde of het zijn eigen was en belde de praktijk van Carter op. Nee, de dokter was niet te spreken. Of hij in de operatiezaal was? Ja, dat klopte, zo werd hem verteld.

'Ik bel namens de University Club,' zei Danny met een accent dat rechtstreeks leek af te stammen van gouverneur Winthrop[1] 'Miss Jessica Stevenson heeft zich aangemeld als lid. Ze heeft dr. Tillotson opgegeven als referentie. Nee, natuurlijk kunt u niet uit zijn naam spreken, maar kent hij haar of niet? Uitstekend. Ik zal later deze week nog eens bellen. Alvast hartelijk dank... O, tussen twee haakjes,' zei hij, behoedzaam ineens, 'was ze patiënte in zijn kliniek voor plastische chirurgie? O, mooi!' Waarop hij eraan toevoegde: 'Reuze bedankt.'

'Reuze bedankt? Dat is iets te veel van het goede.'

'Luister, Rosie, die schattebout dacht echt dat ze iemand van de club aan de lijn had en dat "reuze bedankt" heeft haar waarschijnlijk een dubbelorgasme bezorgd, wat ze bovendien heeft verdiend omdat ze me vertelde dat Jessica géén patiënte van Carter was. En bovendien vertelde ze me dat ze ervan overtuigd was dat dokter Tillotson een goed woordje voor Jessica zou doen, omdat – hou je vast – ze goede vrienden waren.'

Uit dankbaarheid kneep ik even in Danny's hand. Hij reageerde met een luchtige 'geen dank'-kus op mijn lippen, die net lang genoeg duurde om te onthullen hoe warm zijn mond zou kunnen zijn. Misschien was het een nonchalant soort kus, die studenten gewend waren aan elkaar te geven. Maar heel even, een seconde misschien, vervulde het mij met verlangen. Ik had al sinds juni geen mannenmond meer gevoeld.

Om eventueel merkbare verlangens van mijn kant te verbergen, begon ik driftig het nummer van Nicholas Hicksons kantoor in te toetsen. Geïnspireerd door Danny, en wellicht ook om indruk op hem te maken, vroeg ik naar Hicksons directiesecretaresse. Ik beweerde dat ik mevrouw Mary Wollstonecraft was en vanuit het Witte Huis belde. Danny beloonde me met een brede grijns. De secretaresse vroeg: 'Hoe kan ik u van dienst zijn?' Ik legde uit dat ik bezig was een gastenlijst op te stellen. En hoewel het misschien een pijnlijke vraag was, gezien de woelige tijden waarin we leefden, moest ik hem stellen: of er

---

[1] Engelsman, die de eerste gouverneur van de staat Massachusetts werd.

nog steeds een mevrouw Hickson was. 'Nee,' fluisterde de secretaresse. 'Nou ja, eigenlijk wel, maar ze zijn gescheiden van tafel en bed.' Ik zei tegen haar dat ik niet wist of meneer Hickson met of zonder gast zou worden uitgenodigd, maar als ze het niet erg vond, zodat de geheime dienst alvast kon uitzoeken... 'Jessica Stevenson,' riep de secretaresse enthousiast uit zichzelf. 'Ze is president-directeur van een bedrijf dat Data Associates heet. Wilt u haar adres hebben?'

Hoewel het relatief rustig was in de bibliotheek, was de plek te openbaar voor mij om lang rond te hangen. Het liep bovendien tegen halftwee, het tijdstip waarop ik Cass zou bellen. En dus haastten we ons naar Danny's kantoor, dat bleek te bestaan uit één hoge oranje barkruk in een klein Chinees restaurant aan Bleecker Street. Het restaurant was leeg. De gordijnen waren dichtgetrokken. Terwijl Danny het tiental boodschappen las dat achter op de roze, vierkante stukken papier met daarop het aangeprezen weekmenu van een week eerder stond, lurkte hij aan een pilsje en at hij ontpitte olijven uit een metalen bakje dat op de bar stond. Ik nam plaats op een kruk vlak bij de kassa en belde Cass op school op.

'Je leeft!' riep ze uit.

'Gezond en wel bovendien. Alleen als ik in de toekomst kijk en mezelf met een grijs metalen dienblad in de kantine van de gevangenis zie lopen, voel ik me minder lekker.'

'Misschien valt het allemaal wel mee. Je zou een leeskring kunnen opstarten, wat geheid een laaiend succes zal worden. Je leven zou een film van de week kunnen worden.'

'Van die positieve kant had ik het nog niet bekeken.'

'Rosie, ik wou dat deze onsmakelijke toestand achter de rug was zodat we onze vriendschap weer kunnen oppikken.'

'Ik ook. Tussen twee haakjes, wie neemt er voor me waar?'

'Een extreem jong ventje die *David Copperfield* schijnt te kennen middels de tekenfilmbewerking die ooit op zaterdagmorgen werd uitgezonden.' Toen Cass even stilviel, concentreerde ik me op het doorboren van sinaasappelschijfjes met een piepklein papieren parasolletje om niet in tranen uit te barsten; ik miste haar vreselijk. 'Heb je enig idee wanneer je terugkomt?'

'Nee.'

'O.'

'Maar ik ben een aantal dingen aan de weet gekomen.'

'Ik ben een en al oor.'

'Jessica is als een soort *enfant terrible* van de beleggingswereld bij Data Associates gekomen, weet je nog? Ze gaf een aantal fantastische adviezen, waarop Richie besloot haar bij haar werkgever weg te lokken met een riant salaris en allerlei bijkomende voordelen. Met dit verschil dat zijn persoontje in die tijd, toen hun samenwerking pas begon, niet tot de voordeeltjes behoorde.'

'Hoe weet je dat?'

'Van iemand die daar werkte, iemand die hem redelijk goed kende. Hoe dan ook, Jessica bleef en zorgde dat het bedrijf qua ontwikkeling in een stroomversnelling terechtkwam. Eerst won ze Richies vertrouwen. Toen zijn liefde.'

Cass zuchtte. 'Ik wou dat God een interessant alternatief voor mannen had bedacht. Ze zijn ook zo voorspelbaar, vind je niet?'

'Over mannen gesproken,' zei ik, 'moet je horen: Jessica heeft een nieuw vriendje.' Ik vertelde in het kort wat we over Nicholas Hicksons leven hadden gevonden. 'Denk jij ook niet dat ze Richie voor hem aan de kant zou hebben gezet?'

'Zonder meer.'

Ik kauwde op het puntige stokje van het parasolletje. 'Laten we dit eens verder uitwerken. Jessica zoekt een manier om onder haar verloving met Richie uit te komen, maar Richie vermoedt dat er iets broeit.'

'Hoe weten we dat?'

'Omdat hij ineens, na maanden van onderhandelingen, de handdoek in de ring gooide. Het kwam erop neer dat ik alles kon krijgen waar ik om had gevraagd. Meer zelfs: alles waar mijn advocate om had gevraagd.'

'En je had hem niet sterk onder druk gezet?'

'Nee. Dat weet je toch. Ik probeerde Honi juist in te tomen. Ik koesterde nog steeds hoop dat Richie van gedachten zou veranderen, en ik wilde bovendien niet al te hebzuchtig overkomen. Ik wilde dat hij me zou bewonderen. Snap jij hoe ik zo stom kon zijn?'

'Jawel,' antwoordde ze. 'Nou ja, in dat geval zou je denken dat Jessica druk op Richie uitoefende, en niet jij.'

'Precies.' De restauranthouder, een man met een opvallende Rudolph Valentino-coupe, kwam met een schaaltje nootjes naar de bar, zette dat voor Danny neer en bracht hem snel een militaire groet. Danny salueerde op zijn beurt, waarop de man zich weer terugtrok in wat naar ik aannam de keuken was. 'De tijd drong wat Richie betrof,' vervolgde ik. 'Jessica stond op het punt te kiezen tussen hem en Nicholas Hickson – maar hoe kon er enige twijfel zijn over wie ze ging kiezen? Wat ik niet snap is waarom Jessica Richie niet domweg de bons heeft gegeven.'

'Richie Meyers zelf was niet de reden voor haar besluiteloosheid,' zei Cass bedachtzaam. 'Haar baan wel.'

'Haar baan? En wat dan nog, ze zou hooguit ontslagen kunnen worden. Ze hoefde maar naar Metropolitan Securities te stappen...'

'Lieve schat, die meneer Hickson is – neem me niet kwalijk – geen nouveau riche geitebok zoals jouw wijlen, bijna ex-man. Meneer Hickson is voor alles superieur en schrander. Hij mag dan dol op Jessica zijn, hij is niet zozeer door liefde verblind dat hij bereid is zijn collega's en aandeelhouders te beledigen door zijn vriendin – zijn toekomstige vrouw wellicht – een functie van een half miljoen per jaar aan te bieden. Jessica weet dat ongetwijfeld. Bovendien beseft ze dat haar positie bij Data Associates uniek is.'

'Hoe bedoel je, uniek?' vroeg ik, terwijl Danny het schaaltje met nootjes over de bar naar mij toeschoof. Ze leken me te knapperig om onder het eten ervan een telefoongesprek te voeren.

'Ze werkt samen met een president-directeur die intelligent maar niet erg, laten we zeggen, alert is wat betreft de laatste ontwikkelingen op de internationale handelsmarkt. Ze kan Richie naar haar hand zetten. En Richie had haar nodig. Voor meer dan emotionele steun alleen. Ze hadden het bedrijf samen gereorganiseerd en hij zou verdomd moeilijk zonder haar verder kunnen.'

Danny haalde een bruine envelop van een lage plank achter de bar vandaan en spreidde de inhoud, Rhode Island-rijbewijzen, voor zich uit. Hij hield elk rijbewijs omhoog tegen het neonlicht van een Miller Lite-reclame. De meeste ervan stopte hij terug in de envelop. Een paar verdwenen onder de geldlade in de kassa.

'Bekijk hun zakelijke relatie eens vanuit Jessica's oogpunt,' zei Cass. 'Hoeveel mannen zijn bereid zoveel macht af te staan aan een vrouw? Waar zou ze elders haar talenten zo veelzijdig kunnen inzetten? De vrouw bevond zich op een belangrijk kruispunt in haar leven.'

Het was een waar genoegen weer eens naar Cass te luisteren, een enorme steun ook. Danny, die knipoogde toen ik hem vluchtig opnam, was slim. Cassandra Higbee was intelligent. 'Luister naar me, Rosie. Jessica was gedwongen te kiezen tussen een leven dat ze altijd had gewild, het leven dat meneer Hickson haar kon bieden – hopen geld, sociale status – en haar levenswerk.'

'Wat te denken van de seks met Richie?'

'Ik geloof dat zijn talenten veel meer indruk maakten op jou dan op haar. Misschien is ze een van die vrouwen die alleen genoegen nemen met een fantastisch seksleven en het, verbazingwekkend genoeg, vinden ook; eerlijk gezegd, beschouw ik dat soort vrouwen met ontzag en een flinke portie afgunst. Wat haar waarschijnlijk minstens zo veel opwindt is de eeuwenoude dubbelvloek, rijkdom en macht. Maar je moet jezelf de cruciale vraag stellen.'

'En die luidt?'

'*Waarom was Richie bij jou thuis? Ben je ook maar iets dichter bij de* beantwoording van die vraag sinds het moment dat je van die ladder bent geklommen? De gedachte daaraan doet me trouwens nu nog van afschuw huiveren.'

'Ik weet nu dat zijn aanwezigheid niets te maken had met mij. Mijn terugkeer in zijn leven was wel het laatste waar hij naar uitkeek. Nee, hij moest daar op dat moment zijn omdat hij haast had haar te trouwen. Dat brengt ons bij de vraag: wat had hij nodig dat bij mij thuis lag?'

'In elk geval geen trouwpak,' zei Cass, die de inloopkasten vol kleren die hij had achtergelaten met eigen ogen had gezien. 'Contanten?'

'Ik betwijfel het. Data Associates is nooit een bedrijf geweest dat veel zaken contant afhandelde.'

'Wat blijft er dan over? Officiële documenten?'

'Nee. Ik heb alles nageplozen om erachter te komen waarnaar hij op zoek was. Ik kon niets vinden. Hij bewaarde dat soort dingen sowieso zelden thuis, en wat er al lag heeft hij meegenomen toen hij vertrok.'

'Hoe weet je dat?'

'Ik heb zitten toekijken toen hij zijn spullen pakte. Ik ben hem van kamer tot kamer gevolgd, jankend, smekend dat hij niet zou gaan. God, wat was ik pathetisch.'

'Rose, luister naar me. Je bent nog nooit pathetisch geweest. Die man was gewoon een mispunt.'

'Dank je.'

'Graag gedaan. Ter zake nu, denk goed na: is het mogelijk dat hij, toen jij zo weeklagend achter hem aan hobbelde, nerveus werd en iets over het hoofd heeft gezien?

'Zoals?'

'Dingen die in jouw voordeel zouden kunnen uitvallen in de scheidingsprocedure? Iets dat zijn carrière zou schaden of hem in ieder geval in verlegenheid zou brengen?'

'Ik denk wel dat mijn gehuil op zijn zenuwen werkte. Hij heeft al zijn spullen bij elkaar gegrist en was in recordtempo vertrokken.' Ik dacht: lieve help, heb ik iets over het hoofd gezien in mijn speurtocht. Zou hij ergens in huis iets verstopt kunnen hebben? Wat het ook was, het was kennelijk belangrijk genoeg geweest om hem terug naar huis te lokken. Op seksueel gebied was Richie weliswaar een gewaagd type en als ondernemer had hij bovendien de nodige risico's genomen. Maar hij was ooit begonnen als wiskundeleraar, niet als eerste stuurman op een piratenschip; hij was niet avontuurlijk genoeg om voor de lol in zijn voormalige huis in te breken.

Ik wierp een blik op mijn horloge. Cass was al vijf minuten te laat voor haar achtste uur Engels. 'Moet je horen, ik weet dat je klas ernaar hunkert *Go Down, Moses* te bespreken, maar geef me nog twee minuten.'

'Zolang je maar nodig hebt.'

'Raad eens wie Jessica aan Richie heeft voorgesteld?'

'Ga je me verbazen?'

'Ja. Carter.'

'Wat?' riep ze uit, duidelijk oprecht verbaasd. 'Carter Tillotson? Hoe kende hij haar in vredesnaam?'

'Niet omdat hij een borstvergroting bij haar heeft uitgevoerd, zoveel is zeker. En bovendien, ik weet inmiddels dat ze nooit patiënt bij hem is geweest.'

'Hoe weet je dat zo zeker?'

'Geloof me. Ik ben een prima detective. De vraag is dus nu: heeft Carter iets gehad met...'

'Waar kan hij haar dan zijn tegengekomen?'

'Hij gaat om met iedereen die in de Upper East Side van Manhattan woont, althans met de negentig procent die operatief iets aan zijn of haar lichaam heeft laten veranderen. Je weet toch hoe Stephanie dikwijls de smoor in heeft, omdat hij zich weer heeft laten vollopen op een van die cocktailparty's en haar gevulde kwartels niet meer wil eten als hij om elf uur 's avonds eindelijk thuiskomt. De vraag is, is het mogelijk dat Carter een verhouding heeft gehad met Jessica?'

'Wat zou hem daarvan kunnen weerhouden?'

'Onze vriendin Stephanie. Zijn vrouw. Hij is getrouwd.'

'Klets niet. Heb jij ooit geloofd dat hij drie tot vier avonden per week neuzen staat te verbouwen?'

'Het kan best zijn dat hij 's avonds ook spreekuur houdt.'

'Vast wel,' beaamde Cass. 'Maar ziet Stephanie eruit als de oprecht gelukkige echtgenote van een drukbezet plastisch chirurg?'

'Cass, ze is iemand die een halve dag in het bos tussen onze respectievelijke huizen kan doorbrengen op zoek naar kleine denneappels, zodat ze ze thuis goudkleurig kan spuiten en met Kerstmis in haar potpourri kan stoppen. Hoe moet ik in vredesnaam weten of zo iemand oprecht gelukkig is?'

'Ja, ik weet het. Stephanie is zichzelf niet geweest de afgelopen – even denken – zeg maar het afgelopen jaar. Ze was soms overdreven opgewekt. Bij blanke, protestantse Amerikanen wijst dat altijd op een ernstige depressie. Denk daar maar eens over na.'

Ik dacht na. In het afgelopen jaar was Stephanie inderdaad vrolijker geweest dan normaal, bij het vermoeiende af soms, steeds enthousiast nieuwe bezigheden oppakkend: decoraties schilderen op haar bloempotten, cakejes versieren, langlaufen. Een paar maanden lang leek ze bijna manisch actief, stond ze voor vijf uur op om – voor ze met ons ging joggen – bloemen te plukken of deeg te kneden. En drie tot vier keer per week ging ze aan het einde van de dag, waarvan ze zoals gebruikelijk geen minuut ongebruikt liet voorbijgaan, nog eens acht kilometer hardlopen met haar kennis Mandy. Tegen elven had ze bovendien een voortreffelijk diner voor Carter klaarstaan. De afgelopen maanden had ze een beetje vaart geminderd; niemand, zelfs Stephanie niet, kon een dergelijk tempo op den duur volhouden. Maar was dat hyperactieve gedrag bedoeld om zichzelf uit te putten, zodat ze gevoelloos werd voor haar eigen zieleleed?

'Wat vind je van haar en Carter?' vroeg Cass. 'Jij hebt ze samen gezien. Waren ze gespannen?'

'Dat is altijd zo moeilijk te peilen. Ze komen me altijd voor als een stel personages uit een toneelstuk van Coward – oppervlakkig, maar dan zonder de humor. Ze zien er fantastisch uit, maar emotioneel gezien lijkt er weinig inhoud te zijn. En zeg niet dat dat komt omdat het blanke, protestantse Amerikanen zijn.'

'Daar komt het juíst door.'

'Alsjeblieft. Shakespeare was ook een blanke protestant. Nee, Stephanie en Carter lijken iets te missen omdat ze allebei ergens tekortschieten. De vraag is: is er iets mis?'

'Ik denk dat ik Stephanie maar eens op de thee vraag,' zei Cass. 'Misschien kunnen we wat meidenroddels uitwisselen over onze echtgenoten.'

'Goed.' De nootjes bij me weg duwend, stak ik mijn hand uit over de bar om nog een schijfje sinaasappel te bemachtigen en, bij nader inzien, ook twee cocktailkersen. 'Nog één ding,' zei ik tegen Cass. 'Carter heeft Richie opgebeld op de dag dat hij werd vermoord. Het kan toeval zijn, maar misschien hadden die twee nog iets te regelen. Of die drie, als je Jessica meerekent. Ik ga proberen uit te vinden wat dat was.' De kers was ongeveer anderhalf jaar over zijn uiterste houdbaarheidsdatum heen, maar ik zat te ver bij de servetjes vandaan om het ding uit te spugen. 'Tussen twee haakjes,' voegde ik eraan toe, 'heb je mijn kinderen nog gezien?'

'Natuurlijk. Ze hebben eergisteravond bij ons gegeten. Ze hadden allebei een gezonde eetlust en hielden de conversatie op aangename wijze gaande. Ze hebben niet gemorst of gespuugd. Ze vergaten niet dank je wel te zeggen toen ze weer vertrokken. Je bent een goede moeder geweest.'

'Cass.'

'Wat is er, Rosie?'

'Je klinkt verdomme veel te monter. Ik weet dat er iets mis is.'

'Misschien,' zei ze zachtjes. Mijn maag trok zich spontaan samen. 'Het schijnt dat jouw Nemesis, brigadier Gevinski, een nieuwe theorie heeft ontwikkeld.'

'En die luidt?'

'Dat jouw aandeel in de moord – de vingerafdrukken op het mes, je vlucht – bedoeld is om de aandacht van de eigenlijke moordenaar af te leiden.'

'En wie mag dat dan wel zijn?'

'Alexander,' zei Cass, bijna fluisterend.

'Wat?' Ik moet geschreeuwd hebben, want Danny zat me opeens aan te staren.

'Die Gevinski weet dat er enige wrijving was tussen Alex en Richie. Alex heeft een verleden van spijbelen, drank, drugs en emotionele problemen.'

'Het lijkt verdomme wel of hij ziekelijk is! Dat is hij niet. Hij is een doodnormaal, opgefokt rijkeluiskind.'

'Kennelijk zijn er diverse mensen geweest die hebben verklaard dat Alex woest was omdat Richie je had verlaten. En verder...'

'Neem me niet in bescherming, Cass.'

'Het schijnt dat Alex vrijwel blut was, nadat Richie zijn toelage had stopgezet. Nou ja, het leven van een toekomstige rock 'n' roll-legende gaat niet over rozen. Brigadier Gevinski suggereert dat Alex bang was dat Jessica zeggenschap zou krijgen over Richies geld, waardoor de tijdelijke strafmaatregel permanent zou worden – zeker wanneer zij en Richie samen een kind zouden verwekken.'

'Maar Alex was in New Hampshire toen het gebeurde.'

'Alex beweert dat hij in New Hampshire was. De brigadier gelooft dat hij in New York was. Alex geeft toe dat hij op de avond van de moord alleen was en over straat zwierf, terwijl hij een nieuwe song componeerde. En hij geeft ook toe dat hij niet met de shuttlebus van Boston naar New York is gegaan, zoals hij aanvankelijk had gemeld. Hij beweerde dat hij liftend was gekomen en jou vervolgens voor een vliegticket had laten betalen. Het enige dat hij zich van de bewuste rit kan herinneren, is dat de chauffeur een man met een baard was in een of andere sportauto. Met andere woorden, er is geen enkel tastbaar bewijs dat Alex in New Hampshire was toen Richie is vermoord.'

Zou een zoon zijn vader voor geld vermoorden? Zowel in het echte leven als in fictie, zijn dergelijke moorden gepleegd. Dat wist ik ook wel.

Maar verdomme, niet door mijn zoon Alex!

14

'Laat me er godverdomme langs!' schreeuwde ik tegen Danny, die de uitgang versperde. 'Ik meen het!'

'Blijf staan,' zei Danny, op een toon zo kalm dat ik wel wilde gillen. De restauranthouder kwam gehaast uit de keuken. 'Blijf staan!' herhaalde hij, met dit verschil dat hij een hardere stem en een Europees accent had.

'Bemoei je er niet mee!' bulderde ik. 'Geen van beiden!'

Danny maakte in de richting van de eigenaar heel even een subtiel gebaar, alleen bekend onder samenzweerders in de wereld van valse identiteitsbewijzen. De eigenaar schoot achter Danny langs, deed de deur op slot, stak de sleutel in zijn zak en keerde terug naar de keuken, maar niet voor hij een triomfantelijk 'Ha!' bromde terwijl hij mij passeerde.

'Je gaat niet terug naar Long Island,' zei Danny tegen me.

'Mooi wel. Laat hem die deur opendoen. Nú.'

Goed, misschien klonk ik inderdaad een beetje schooljuffrouwachtig. Hoe dan ook, dat vond ik geen reden voor hem om te zeggen: 'Krijg de klere, Rosie.'

'Krijg zelf de klere, jij kleine stinkerd. Denk je dat ik mijn kind laat opdraaien voor een misdaad die hij niet heeft begaan?'

'Rustig nou eens even...' Hij greep mijn pols beet. Ik trok hem acuut weg. 'Toe, geef me een halve minuut. Snap je dan niet wat Gevinski van plan is? Dit is een val. Ik dacht dat je slim was.'

'Ik ben slim.'

'Nee, want als dat zo was, wist je donders goed dat je nu precies doet wat die rotkerel wil dat je doet: jezelf aangeven. Denk daar maar eens over na.' Met zijn hand tussen mijn schouderbladen, leidde hij me bij de voordeur vandaan, naar een grote ronde tafel achterin. Achter de tafel stond een zwart kamerscherm van zes panelen met daarop allerlei bomen, bergen, vogels, herten, oude geleerden en Chinese karakters, kortom een fraai versierd, vredig universum. 'Ga zitten,' gebood hij. 'Luister: Gevinski heeft niets waarop hij Alex kan pakken.' 'Alex heeft gelogen dat hij per vliegtuig uit Boston is gekomen.' 'Nondeju!' riep Danny uit. 'Dan wordt-ie vrijwel zeker ter dood veroordeeld!' Ik wist een zwak lachje te produceren. 'Laat me je uitleggen hoe het draaiboek in elkaar stak. Afgezien van een kans van één op honderd dat Gevinski jouw telefoon niet afluistert, laat hij Alex en Ben waarschijnlijk volgen in de hoop dat zij hem naar jou zullen leiden. Dat gebeurt niet. Máár, als de jongens op een avond bij dr. Higbee gaan eten, gaat er een lichtje op in zijn minuscule brein dat jij en haar...'

'Jij en zij.'

'... grote vriendinnen zijn.' De sojasaus van de vorige avond vormde een rorschachvlek op het tafelkleed, een Franse lelie of een geamputeerde zeester. 'Dus brengt hij haar een bezoek, onder het mom dat hij informatie wil. Hij laat vallen dat hij denkt dat Alex de eigenlijke moordenaar is. Hij weet ook wel dat een kind van jou beschuldigen de beste manier is om jou uit je tent te lokken; hij verwacht dat je de eerste de beste trein naar Shorehaven zult nemen en hem zult smeken je te arresteren.' Ik wist niet dat ik nagels zat te bijten totdat Danny zich strekte en mijn hand bij mijn mond wegtrok. 'Bekijk het eens van een andere kant: Alex heeft de nodige verslavende middelen uitgeprobeerd, misschien wat winkeldiefstallen gepleegd in zijn middelbareschoolperiode. Gefröbel in de marge. Hoe dan ook, hij heeft wel de nodige gevoeligheid opgebouwd wat de politie aangaat. Denk je niet dat hij het in de gaten zou hebben als Gevinski hem werkelijk op de hielen zat? Denk je niet dat hij het erover gehad zou hebben toen wij elkaar spraken?'

'Als Gevinski een beetje geslepen was, zou Alex er nooit iets van merken.'

'Geslepen? Is het zo geslepen dat hij de moord op jou wil schuiven? Is dat kenmerkend voor de genialiteit van de politie? Of is dat een luie smeris die de weg van de minste weerstand kiest?'

Even voor de schemering inviel, toen de eerste klanten op de deur bonkten om binnen te worden gelaten, stuurde de eigenaar ons met een Chinees feestmaal in een plastic tas de straat op. Eenmaal buiten, pakte Danny mijn hand. Dit keer liet ik hem begaan. We passeerden bescheiden villa's, een boekhandel, een winkel waar ze tweedehands LP's verkochten. Voorbijgangers keken me vluchtig aan zoals voorbijgangers dat doen, maar niemand knipperde met zijn ogen, laat staan dat er iemand plotseling bleef staan en 'Aha!' uitriep omdat hij of zij me herkende. We gingen bij de stomerij en de wasserette langs. 'Lerares Engels Gezocht Wegens Moord op Echtgenoot' leek alweer oud nieuws.

We slenterden tegen de wind in, richting rivier. De mensen uit de buurt – Italiaanse gezinnen, studenten, dichters, kunstenaars, academici, homo's, lesbiennes – leken nauwelijks op te kijken van een zevenenveertigjarige vrouw die hand in hand liep met een jongen van tweeëntwintig. Een wat oudere vrouw in spijkerbroek en werkmansoverhemd zat op een stoepje met haar cocker-spaniël. De hond zat te knikkebollen; de vrouw was aandachtig bezig duivenstront van de bovenste tree te schrapen en zag ons niet eens in het schemerlicht. Ik begon te houden van de Village, van zijn informele sfeer en beschaafdheid, van zijn verscheidenheid en verdraagzaamheid, van zijn viezigheid en elegantie, van zijn eigenaardigheid en onverstoorbaarheid. Hiermee vergeleken was Shorehaven eigenlijk alleen maar buitengewoon netjes, een flauwe versie van een droom uit het Eisenhowertijdperk.

Terug in het appartement legde ik de gestoomde noedels en de kip à la Generaal Tso in de koelkast. De daaropvolgende uren stelden Danny en ik een lijst samen met daarop alle belangrijke mensen in Richies leven, ze rangschikkend naar de mate waarin ze cruciaal waren in mijn onderzoek. Daarna bespraken we hoe ik hen zou kunnen benaderen zonder de aandacht van ongewenste personen – dat wil zeggen. de politie – te trekken.

Het was heel gezellig. Danny warmde het eten op in de magnetron. Ik waste een paar twijfelachtig uitziende borden af waarvan hij stellig beweerde ze al afgewassen te hebben, spreidde de schone gewatteerde deken voor de bank op de grond en ging erop zitten. Toen ik terugkeerde in de keuken om in de aanrechtkastjes te kijken of ik wijnglazen of iets dergelijks kon vinden, kwam Danny achter me staan. Hij tilde mijn haar op en drukte een kus in mijn nek. Het was geen routinekus; daarvoor duurde hij veel te lang. Mijn ruggegraat verslapte. Ten slotte kon ik uitbrengen: 'Niet doen.'

'Waarom niet?' fluisterde hij in mijn nek.

'Ik weet het niet. Omdat ik niet begrijp wat je wilt.'

'Ik wil jou.'

Het is erg moeilijk om 'Niet doen!' te zeggen tegen een knappe, mannelijke jongeman met groene ogen die, heerlijk langzaam, zijn tong op en neer door je nek laat glijden om uiteindelijk bij je oor uit te komen, als met uitzondering van een of twee zenuwcellen je hele wezen schreeuwt: fantastisch! Zalig! Meer! En het wordt alleen maar moeilijker wanneer zo iemand zijn armen om je heen slaat en zijn lichaam tegen het jouwe drukt.

Ik probeerde het hoofd koel te houden. Ik hield mezelf voor dat de aantrekkingskracht niet zozeer het gevolg was van mijn wellustige, semitische platvloersheid maar eerder van het feit dat deze jongeling nog het een en ander had af te rekenen met Oedipus. Zijn handen gleden langs mijn dijbenen naar beneden. Ik hield mezelf voor: dit is puur rebels gedrag.

Geen van beide technieken werkte. Ik draaide me om en sloeg mijn armen om hem heen, legde mijn hand onder zijn volmaakte, strakke kontje. Ik kuste hem. Het was geweldig. Daarom dwong ik mezelf na te denken over hoe promiscue hij wel niet moest zijn. Ik dacht aan alle jonge vrouwen – en wie weet gold dat voor jongemannen ook – die langskwamen om te bespreken hoe ze een waterdicht bewijs van hun volwassenheid konden verkrijgen en vervolgens eindigden tussen de niet-erg-schone-lakens van Danny's onopgemaakte bed. Anderzijds herinnerde ik me dat ik, toen ik zijn slaapkamer doorzocht, een doos condooms had zien staan in zijn sokkenlade. Ik kuste hem nog eens. Pas toen gunde ik mezelf het genoegen over de majestueuze bobbel in zijn modieuze, zwarte broek te strelen en er zacht in te knijpen.

We lieten een spoor van kleren na op weg naar zijn bed. Monogamie mag dan zo haar grenzen hebben, maar met een vindingrijke, vurige partner als Richie die me het genot van de liefde niet alleen binnen de veiligheid van het huwelijksbed had bijgebracht maar tevens op een voor de picknick uitgespreide deken aan de rand van het Saranacmeer, in een sjofel motel langs de autosnelweg dat niet alleen volwassen films maar zelfs koffie en doughnuts als ontbijt verstrekte en tijdens een uitzonderlijk druk spitsuur in de Queens-Midtown-tunnel, was ik meer dan ongeremd. Ik was bedreven. Na al die jaren had ik meer dan genoeg geleerd om die jongen van de sokken te laten gaan. En als ik sokken had aangehad, had Danny die met zijn rauwe energie ook eenvoudig weggeblazen.

'Rosie!'

'Danny.'

'Fantastisch!' zei hij later. 'Beter dan ooit!'

'Het kan altijd beter.'

En ik voegde de daad bij het woord.

Nadat we het laatste gelukskoekje hadden verorberd, was het de hoogste tijd om de eerste op de lijst, Hojo, op te bellen om erachter te komen of zij – en misschien Tom ook – thuis was. 'Hij reist veel,' legde ik uit. 'Heeft veel bestuursvergaderingen. Bezoekt regelmatig nieuwe bedrijven. Dus er is een redelijke kans dat ik haar alleen tref.'

'Het kan zijn dat ze je stem herkent. En vergeet niet, Rosie, dat ze hecht bevriend was met meneer Meyers. De politie kan haar gewaarschuwd hebben dat jij heimelijk her en der navraag doet in de stad. Laat mij het doen.' Terwijl Danny de hoorn oppakte, vroeg hij: 'Zij is die sociaal ambitieuze tuthola?' Ik knikte. 'Ik ben op zoek naar mevrouw Driscoll,' zei hij. 'O. En u bent haar man?' vroeg Danny. Hij had Tom aan de lijn; ik voelde mijn wangen kleuren. 'Met Chip van Park Avenue Wines,' zei hij. 'We gaan nu dicht, maar ik heb de doos champagne waar mevrouw Driscoll me naar heeft gevraagd binnengekregen. Kan ik hem morgen laten bezorgen?' Hij legde zijn hand op de hoorn. 'Ze is weg, naar een kuuroord.'

Ik dacht zo snel na dat ik niet eens de tijd kreeg om te hyperventileren. 'Vraag de naam van de portier,' fluisterde ik in zijn andere oor. 'Je levert morgen.'

'Ik zou de portier even kunnen bellen, voor ik de besteller langs stuur, meneer Driscoll. Dan staat de champagne klaar als mevrouw Driscoll thuiskomt. Bedankt. Hebt u het telefoonnummer van de portier bij de hand? En zijn naam is?'

Nadat hij had neergelegd, zei ik: 'Ik begrijp niet dat hij je zomaar al die informatie geeft.'

'Waarom niet? Ten eerste kom ik ongelóóflijk geloofwaardig over. Dat zei mijn docent filosofie althans toen ik me onder de opdracht een geschreven exegese over Socrates in te leveren probeerde uit te lullen. Het is het geheim van mijn succes, behalve waar het het vak filosofie betreft. En ten tweede, Driscoll klonk volkomen uitgeput. Of hij lag te krikken of ik heb hem wakker gebeld, één van de twee.'

Je hebt hem wakker gebeld, besloot ik stilzwijgend. Om me in mijn beslissing te sterken, probeerde ik me Tom al slapend voor de geest te halen, een lok donker haar met een randje zilvergrijs, krullend op het kussen.

Plotseling was ik zo moe dat ik in een huilbui had kunnen uitbarsten, maar ik had niet de kracht om de tranen eruit te persen. Ik pakte Danny's hand en zei dat ik de komende nacht liever geen verrassingsbezoek wilde hebben. Ik wist zeker dat hij nog steeds diep onder de indruk was, want hij protesteerde nauwelijks.

Ik sliep beter dan ik had gedaan sinds de nacht dat Richic was vermoord, omdat het tot me door begon te dringen dat Danny niet van plan was me aan te geven. Hij vond me duidelijk aardig, maar het waren niet zijn gevoelens die me geruststelden. Het was de wetenschap dat mijn spelletje met smerissen en inbrekers veel spannender was dan zijn eigen handel en hij had er de pest aan zich gewonnen te geven.

Ik had een nachtmerrie en werd tegen zessen wakker, maar ik kon me niet herinneren wat mijn hart zo angstvallig had doen bonzen.

Ik vermoedde dat mijn mogelijkheden praktisch uitgeput waren. Ik had hulp nodig. Om halfacht belde ik Vinnie Carosella, mijn advocaat. We spraken af dat we elkaar aan het eind van de middag in het Washington Square Park zouden ontmoeten. Om tien uur, halfelf, en elf uur belde ik naar het appartement van de Driscolls, om me ervan te vergewissen dat Tom er niet was. Daarna belde ik de portier op. Laat dit alsjeblieft lukken, bad ik. 'John,' zei ik, 'met mevrouw Driscoll.' Ik probeerde Hojo's stem te imiteren; een mengeling van verveling, sigaretten en minachting. 'Ik zit nog in het kuuroord in Arizona.'

'Ja, mevrouw Driscoll.' Het was me gelukt! Ik maakte een Churchilliaanse V voor victorie richting Danny, maar hij dacht dat ik het vredesteken uit de jaren zestig uitbeeldde en maakte op zijn beurt een V met zijn vingers.

'Mijn vriendin mevrouw Peterson komt vandaag met het vliegtuig hiernaartoe,' zei ik tegen de portier. 'Ik heb gevraagd of ze wat spullen voor me mee wilde nemen. Laat jij haar even binnen?'

'Natuurlijk, mevrouw Driscoll.'

Er kleefde een risico aan, erkende ik in gedachten, toen ik uit het metrostation de kruising van Fifth en Sixtieth Avenue betrad en richting centrum liep, mensen passerend die er daadwerkelijk uitzagen alsof ze zo uit *Vogue* kwamen. Het risico was dat als Tom niet had liggen slapen of flikflooien maar Danny's smoesje had doorzien, hij zodra ik bij het gebouw arriveerde en me bij John kenbaar maakte een afgesproken signaal zou kunnen geven waarop vijftig agenten me zouden omsingelen.

Maar John overhandigde me de sleutels zonder echt een blik op mijn gezicht te werpen. Toen ik hem vertelde dat het wel even kon duren, omdat ik geen idee had waar mevrouw Driscoll de gevraagde spullen precies bewaarde, haalde hij enkel de schouders op. Is de schoonmaakster vandaag aanwezig, vroeg ik nonchalant. Misschien kan ze me een handje helpen. De portier schudde zijn hoofd en vergezelde me naar de lift.

De liftjongen, een wat opgewekter heerschap, voerde me met een knipoog en een glimlach naar boven. Zodra hij weer op weg was naar beneden, haalde ik Danny's handschoenen uit de boord van mijn broek en trok ze aan.

In het appartement was het koeler dan in de foyer en door de frisse lucht merkte ik ineens dat er straaltjes zweet langs mijn hoofd liepen. Ik veegde mijn voorhoofd af. Zelfs dwars door de dikke wollen handschoenen heen voelde ik aan mijn slaap dat mijn polsslag veel te snel was.

Ik nam een minuut de tijd om in te ademen ('Ik ben...') en weer uit te ademen ('... ontspannen.') voor ik de moed had verzameld om rond te kijken. Het appartement van de Driscolls besloeg één hele verdieping van het gebouw. Ik was er twee keer geweest met Richie en herinnerde me dat er een elegante Europese sfeer hing en eerder een huis was om te fotograferen dan om in te wonen. Ik kon er niet bij dat de Tom Driscoll die ik had gekend, hoe rijk en duf hij ook was geworden, ermee akkoord ging in een dergelijk extreem stijlvol optrekje te wonen. De vloeren waren bedekt met sisal, het stijve bruine spul waarvan ze touw maken en waar geen mens die normaal bij zijn verstand is ooit met zijn blote voeten overheen zou lopen. Voor de ramen hingen houten jaloezieën, wat de immense woonkamer een winters gele kleur gaf. Hojo had de woning volgestouwd met een schrikbarende hoeveelheid peperdure meubels.

Sinds de laatste keer dat ik er was geweest – voor een diner dat op de uitnodiging stond omschreven als 'feestelijk', een codewoord voor formele-maar-niet-echt-formele avondkleding, iets wat ik niet wist tot ik binnenkwam in mijn feestelijk glinsterende, rode tafzijden japon – had ze kennelijk op te veel antiekveilingen met succes een bod uitgebracht. Naast haar collectie zilveren sigarettendoosjes en marmeren miniatuurbustes van kalende componisten had ze zo te zien het monopolie verworven op allerhande verzamelingen nutteloze objecten. Antieke vulpennen. Kristallen inktpotjes. Marmeren, kristallen, metalen en houten ballen op houten standaards. Kleine, exquise porseleinen bloempotjes met planten die met evenveel zorg waren opgekweekt als de exemplaren die Stephanie en haar tuiniersclubje cultiveerden; tussen de glanzend groene bladeren waren kleine medicijnflesjes gezet, met in elk daarvan een enkele orchidee.

Ik ging eerst in de slaapkamer kijken. In de grote inloopkast om precies te zijn. Puur uit nieuwsgierigheid, maar ik stond perplex toen ik de uitstalling van mateloze genotzucht in ogenschouw nam: een pakhuis vol kleren, bontjassen, handtassen, schoenen, riemen, sjaaltjes, gepropt in een kast die eigenlijk een aparte kamer was – een kamer ter grootte van een eenkamerappartement. Drie grijze rokken, twee met de prijskaartjes er nog aan, lagen op de vloer. Een ivoorwitte zijden blouse, uit de plastic hoes van een stomerij gerukt maar nog wel op de hanger, was erbovenop gegooid.

Het verbaasde me niet dat de muren in de slaapkamer met zijde waren bekleed. Het bed zelf was een reusachtig ijzeren monster waarop talloze kanten kussens lagen en waarboven een muskietennet gedrapeerd was, dat alle mensen op het zuidelijk halfrond gemakkelijk tegen malaria zou kunnen beschermen. Op het tafeltje naast het bed stond een klein zilveren dienblad met bodymilk, handcrème, halscrème en oogbalsem. Nergens een boek te bekennen. Nergens een teken dat wees op de aanwezigheid van cen man.

Maar dat kwam omdat de man verderop in de gang over zijn eigen slaapkamer beschikte. Ik bleef net lang genoeg om vast te stellen dat Tom in een mahoniehouten hemelbed sliep, dat hij een dik boek las over luchtvaartderegulering in de jaren tachtig en, na een vluchtige blik in zijn hoge ladenkast, dat hij ergens tussen zijn examenjaar en nu van slips op boxershorts was overgestapt.

Er waren geen kinderkamers, eenvoudig omdat Tom en Hojo geen kinderen hadden. Hojo had Richie ooit toevertrouwd dat Tom onvruchtbaar was, maar tegen de tijd dat ze allebei diverse medische onderzoeken achter de rug hadden en de oorzaak was gevonden, was hun verlangen naar kinderen allang vervlogen.

Hojo regelde haar zaakjes in een overdreven opgedirkt kantoor, van achter een bureau dat zelfs Lodewijk de Veertiende wellicht te druk had gevonden. De laden zaten tjokvol met uitnodigingen voor diners en liefdadigheidsfeesten. Ik zag een paar gele Post-it notitieblaadjes: 'Dartmouth 25/4', 'Kanker 11/10'. Een rilling van herkenning liep over mijn rug: het was Toms handschrift. Ik kon nauwelijks bevatten hoe vertrouwd het me voorkwam. Ik had zijn handschrift niet meer gezien sinds we aantekeningen hadden uitgewisseld in de tijd dat we samen Latijn studeerden. Maar ik vond geen agenda; die was vermoedelijk samen met Hojo naar het kuuroord afgereisd.

De geschiedenis van Hojo's sociale leven was verrassend genoeg praktisch intact, alsof ze elk moment een uitnodiging van het Smithsonian verwachtte om haar correspondentie en dergelijke te doneren. Achter een smalle divan stond een vergulde tafel waarop allerlei grote opbergdozen stonden gestapeld – van ivoor, paarlemoer, hout, lazuursteen, malachiet – eentje voor elk jaar sinds 1983 en gevuld met Filofax-agendablaadjes die door paperclips bij elkaar werden gehouden, uitnodigingen, bedankbriefjes en geordende kranteknipsels uit de diverse roddelrubrieken waarin haar naam werd genoemd.

Ik keek op mijn horloge, en toen nog eens. Ik kon me niet voorstellen dat er nog maar vijf minuten voorbij waren. Ik pakte de onderste la van het bureau op schoot. Bingo! Een briefje van Jessica, gedateerd op 14 mei. Een maand voordat Richie me meedeelde dat hij me ging verlaten. 'Liefste Joan, hoe kan ik je bedanken? Het diner was geweldig en jij ook. Ik kan je niet zeggen hoeveel je steun voor ons betekent in deze moeilijke periode. Veel liefs, Jessica.' Richie was nooit iemand geweest die veel risico's nam. Hij zou nooit te koop lopen met het feit dat hij een verhouding had; als Hojo het gelukkige paar stiekem voor een diner uitnodigde, dan moet Richie haar wel volkomen vertrouwd hebben.

186

Ik hield de lade vast en bekeek de foto's op het bureau. Achter lijstjes die eerder geschikt waren voor Caravaggio's dan voor kiekjes, zaten voorspelbare plaatjes van chic uitgedoste vrouwen tijdens liefdadigheidsbijeenkomsten. Hun gecoiffeerde hoofden leken zo reusachtig vergeleken met hun uitgehongerde lichamen dat ze voor buitenaardse wezens konden doorgaan. Maar er stond ook een foto van Hojo met Tom in een of ander ski-paradijs, waarop ze lachend in de camera keken. Ik keek beter om te zien of ze wel echt lachten, maar de foto was niet volmaakt scherp. En daar stond nog een foto van Hojo met drie andere vrouwen die armen als stokjes hadden en mouwloze jurken droegen tegen een palmbomenachtergrond wat Palm Beach kon zijn of, voor mijn part, Marrakech. Op een andere foto stond Hojo met een oudere vrouw, die ofwel haar moeder was ofwel een vriendin die door Carter was behandeld en zo hetzelfde gezicht had verkregen. Verder stonden er ingelijste zomerkiekjes: Hojo met Richie op een party in een strandhuis ergens aan de oceaan; Hojo met Richie en Jessica in de haven – zeilboten op de achtergrond en Jessica in korte broek.

Zeven minuten. Ik stopte Jessica's briefje terug in de la. Mijn mond was zo droog dat ik niet kon slikken. Stel dat Hojo met Tom belde en hij zei: tussen twee haakjes, vanmiddag wordt je doos champagne bezorgd. Of stel dat hij tussen de middag altijd thuiskwam om een schone boxershort aan te trekken?

Ik bladerde door de aaneengehechte agendablaadjes. Een redelijk aantal boodschappen van 'bel-die-en-die' met 516, het netnummer van Long Island, erbij geschreven, maar het overgrote deel moest afkomstig zijn van vrienden en vriendinnen in de Hamptons. Bij de woensdag na de Labor Day stond een nummer in Shorehaven genoteerd. Ik hoefde niet eens naar de naam te kijken: Tillotson. Gezien de talrijke chirurgische veranderingen die Hojo had ondergaan (waaronder haar meest recente aanwinst: de spectaculaire tieten die me op Richies begrafenis voor het eerst waren opgevallen), verbaasde me die notitie allerminst.

Volgens haar agenda ging Hojo minstens een keer in de twee tot drie weken met Richie lunchen. Maar er waren ook dinertjes: 'Rick – Cote Basque, 20.00 uur' in januari. En 'Rick, etc. – Bouley' in februari. Ik had in januari niet een keer Frans gegeten. En ik viel zeker niet onder de term 'et cetera' in februari.

Maar wacht eens even: op de dag dat Richie zei dat hij me ging verlaten, had hij zijn hart gelucht over zijn liefdesaffaire. Dus ik wist dat 'et cetera' niet kon doelen op Jessica Stevenson. Want Richie en Jessica waren pas hevig, hopeloos verliefd op elkaar geworden – zoals hij me verteld had in een mislukte poging mijn hysterische smeekbedes om me niet in de steek te laten te onderdrukken – zo'n twee maanden voor hij besloot te verhuizen. Het was gebeurd tijdens een Data Associates bedrijfsweekend in een vakantieoord nabij Santa Fe. 'Ik heb je nog uitdrukkelijk gevraagd mee te gaan,' had hij gezegd, aantonend dat hij me alle kans had gegeven, 'maar je kon geen verlof opnemen. Weet je nog?'

Twaalf minuten. Ik propte de agendablaadjes in mijn jaszak. Als extraatje pikte ik ook de vier voorgaande jaren van Hojo's leven mee, waarna ik alles in een hagedisseleren draagtas die ik in haar kast had gevonden stopte. Klaar! Ik trok de voordeur achter me dicht, deed Danny's vies ruikende handschoenen uit en ging met de lift naar de foyer op de begane grond, waar ik de portier een biljet van twintig dollar overhandigde. 'Bedankt voor de moeite, John,' zei ik. Hij toonde zich zeer verbaasd.

De verbazing veranderde in verbijstering toen ik hem, een minuut later, vanuit een telefooncel in de buurt van Madison Avenue opbelde. 'Je spreekt met de vrouw die je daarnet twintig dollar gaf.'

'Wat...?'

'Luister goed. Mevrouw Driscoll heeft je niet opgebeld om toestemming te geven mij in haar appartement te laten. Ik was het die belde en haar stem imiteerde.'

'Hè?'

'John, met mevrouw Driscoll.'

'Jezus!'

'Ik heb alleen wat rondgekeken boven. Ik heb niets meegenomen, dus het heeft weinig zin om te gaan rondbazuinen dat je de vriendin van mevrouw Driscoll hebt binnengelaten. Dat zou je in moeilijkheden brengen, en dat wil ik niet op mijn geweten hebben. Tot ziens.'

Wat had ik in vredesnaam verworven met deze strooptocht behalve de kroniek van een zinloos bestaan, geleid door een sociaal ambitieuze vrouw? Wat was ik jaloers op Hojo's witter dan witte, met kussens bezaaide bed. Ik wilde linea recta wel weer naar boven om me daarop neer te vlijen en met volle teugen te genieten van de zalig ruikende lakens, in slaap te dommelen. Maar nee, waar ik Hojo echt om benijdde was haar man. Want het wilde er bij mij niet in dat de echte Tom ergens in de afgelopen dertig jaar was gestorven en zijn zieloze lichaam in boxershorts in die eenzame slaapkamer had achtergelaten.

Op de terugweg naar het centrum had het ritmisch geratel van de ondergrondse, het lichte schudden van de wagons dat ik sinds mijn jeugd kende, een troostende werking op me.

Jessica had Nicholas Hickson om haar te troosten en voor hem, had ze Richie, en wie weet Carter. Ik sloot mijn ogen. Richie: wat een fantastische minnaar was hij geweest! Hij had gratie, fantasie en een eersteklas dirty mind. En Jessica had hem ingepikt. Maar Jessica niet alleen: ik herinnerde me het meesmuilende lachje van Fran Gundersen. En ik had nooit iets gemerkt. Of beter gezegd, ik had nooit iets gedaan met de aanwijzingen die er wellicht waren geweest. Maar wie was in vredesnaam de 'et cetera' in Hojo's agenda? Sloeg het misschien op Mandy, Stephanies vriendin? Was er verdomme een compleet district vol anonieme, elegante Manhattanse vrouwen beschikbaar, kiest Richie nota bene iemand uit Shorehaven! Waren er anderen geweest? Maakte het eigenlijk iets uit? En zo ja, hoe kon ik het ooit achterhalen?

'Heeft Fràn je verteld dat Richie een verhouding had met iemand anders voor Jessica ten tonele verscheen?' Mitchell Gruen hinnikte zachtjes. Hoewel het al middag was, zag zijn grijzende haar eruit alsof hij net uit bed was gestapt. Hij droeg een vaal, gekrompen trainingspak waar hij kennelijk ook de nacht in had doorgebracht.
'Denk je niet dat Fran zoiets zou weten?'
Mitch liep door de kamer, langs zijn computers, naar zijn keuken ter grootte van een kombuis. Hij zette een rood kommetje op het rode formica aanrecht en schudde er cruesli in. Hij rook aan een pak melk, liet dat voor wat het was en keerde al knabbelend op de cruesli terug naar de woonkamer. 'Snap je het dan niet, Rosie? Het was Fran.'
'Wat was Fran?'
'Die verhouding voor Jessica.'
'Ach, kom nou!'
Mijn verbolgenheid irriteerde hem zichtbaar. 'Richie heeft het járenlang met Fran gedaan.' Ineens kon ik geen woord meer uitbrengen, omdat ik diep in mijn hart wist dat hij de waarheid sprak. 'Fran was een schoonheid,' zei hij.
'Nee, dat was ze niet,' wist ik uit te brengen. Als Richie op dat moment, door een of ander mirakel, weer tot leven was gekomen had ik hem ter plekke alsnog een mes tussen zijn ribben gestoten.
'Ja, ze was een schoonheid, althans in het begin. Een lange, mooie meid. Richie onderhield haar, moet je weten, zoals rijke, oudere minnaars dat doen.'
'Heeft hij dat gezegd?'
'Ben je mal? Nee. Zij vertelde het. Maar ze leefde in een droomwereld, onze Fran. Ze had moeten weten hoe de vork in de steel zat. Weet je wat hij deed om hun vijfjarig jubileum te vieren? Hij betaalde de hypotheek af van haar huisje in Brooklyn. Natuurlijk had ze meer ver-

wacht, een verlovingsring of iets dergelijks. Dus toen kwam ze grienend bij me op kantoor, smekend of ik niet met hem wilde praten.'

'En heb je dat gedaan?'

'Jij bent echt niet goed snik! Ik meng me niet in dat soort aangelegenheden. Bovendien had ik zo mijn eigen problemen met Richie.'

Ik wachtte op kotsneigingen of desnoods een huilbui. Er gebeurde niets. Dus probeerde ik Richies overspel in de tijd te plaatsen. Eerst Fran, jarenlang. 'Wanneer is hun relatie op de klippen gelopen?' wilde ik weten. 'Toen Jessica daar kwam werken?'

'Nee. Fran en Richie rommelden nog steeds met elkaar toen Richie mij eruit gooide.'

Maar aannemend dat Richie Fran in de steek had gelaten zo rond de tijd dat hij haar had ontslagen (wat mij een redelijke veronderstelling leek), had hij tijd gehad voor een adempauze. Of voor nòg een verhouding, tussen Fran en Jessica in.

Maar het was juist in die periode, de eerste helft van het jaar, dat ik het idee koesterde dat ons leven samen zich positief ontwikkelde. Richie scheen beter om te kunnen gaan met zijn succes. Het leek weer net als vroeger. Gedurende een paar maanden belde hij niet één keer om te zeggen dat hij te moe was om de reis naar huis te maken en dus een hotelkamer in de stad nam. In plaats van om één uur 's nachts afgepeigerd thuis te komen, was hij dikwijls al om negen of tien uur thuis. Dan gingen we op de bank in zijn werkkamer zitten en keken we, ik met zijn hoofd op mijn schoot, televisie of praatten we wat. We waren een stel gelukkig getrouwde oudjes, had hij eens gezegd. Tussen Fran en Jessica in.

Maar had zich destijds een derde affaire afgespeeld? Het zou in elk geval verklaren waarom Richie Fran had gedumpt. Kwetsende informatie kon voor haar niet verborgen blijven zoals dat bij mij kon, omdat ik met mijn eigen carrière, mijn eigen leven zat weggestopt in Shorehaven. Fran zou de laan uit moeten, omdat ze er te dicht op zat; Richie zou geen nieuwe liaison kunnen aanknopen onder het toeziend oog van zijn privé-secretaresse, die privé ook belangstelling voor hem had. En eerlijk is eerlijk, voor een overspelige, wellustige klootzak was Richie behoorlijk monogaam. Voor Jessica haar intrede deed, hadden we een geweldig seksleven genoten. En zelfs daarna was het nooit echt teleurstellend. Op de avond van ons zilveren huwelijksfeest begonnen we bijvoorbeeld op bed, waarna we via een stoel op de vloer belandden. Al had hij Fran slechts een tiende gegeven van wat hij mij schonk, dan nog had hij geen relatie met een derde vrouw kunnen aanknopen zonder een hartaanval met dodelijke afloop te riskeren. Hij moest Fran op een zijspoor hebben gezet voor hij – als hij – iets met de geheimzinnige derde vrouw begon.

Wie was die Mandy verdomme?

Ik dacht na over wat hij Fran had gegeven. Een huis. Dure meubels. En, zo durfde ik te wedden, de schitterende landschapschilderijen aan haar muren. Mijn instinct zei me dat ze heel wat waard moesten zijn en mijn instinct liet me zelden in de steek. Fran was niet het type voor bontjassen en robijnen.

Misschien berustte de naam Mandy slechts op toeval.

Of misschien was de Mandy waar Fran zo haar vermoedens bij had inderdaad de advocate die hardliep, maar regelde ze enkel wat juridische zaakjes voor Data Associates.

'Hoogste tijd om te vertrekken!' zong Mitch. 'Ik moet aan het werk.'

'Haal Jessica's agenda eens te voorschijn. Daarna ga ik weg.'

'Dat heb je me de vorige keer ook al geflikt, Rosie!'

'En toch heb je me weer binnengelaten, Mitch. Weet je waarom? Omdat je mij diep vanbinnen maar al te graag wilt helpen.'

'Niet waar,' reageerde hij nijdig.

Maar hij slenterde naar een van de kleine computers en vroeg me, na minder dan een minuut: 'Wat wil je weten?'

'Waar was Jessica op de dag dat Richie is vermoord?'

Hij drukte een paar toetsen in en liep vervolgens met de cursor langs een kolom. 'Die morgen heeft ze vanaf kantoor een flink aantal telefoontjes gepleegd. Wil je weten met wie?'

'Straks.'

'Om halftwaalf had ze een bespreking op haar kantoor met Liz, de assistente van de bedrijfsadvocaat.'

'En toen?'

'Halftwaalf. "Nagels" staat er. En daarna, om twee uur, een vergadering bij Metropolitan Securities.'

'Met Nicholas Hickson?'

Mitch draaide zich abrupt om, zijn mond verwrongen van ergernis. 'Als je dat zo goed weet, Rosie, waarom val je me dan lastig?'

15

Vinnie Carosella had gevoelvolle, bruine ogen. 'Je hebt geen voorschot op mijn honorarium,' zei hij, toen ik naast hem op het bankje in Washington Square Park plaatsnam.

'Hallo, Vinnie,' reageerde ik.

'Aangenaam kennis te maken, Rosie.'

'Hoe weet je dat ik het geld niet heb?'

'Heb ik gehoord van een vriendje bij de politie. Je hebt je handtas laten liggen bij die dame die de p.r. deed voor je echtgenoot. Ik neem aan dat je overhaast bent vertrokken.'

'Min of meer.'

'Ach, het kan gebeuren. Een andere maat van me, die voor de officier van justitie werkt, heeft me verteld dat ze je bankrekeningen geblokkeerd hebben.' Vinnie Carosella droeg glanzend gepoetste, zwarte instapschoenen met kwastjes. Hij zag eruit zoals ik me hem van de televisie herinnerde. Door zijn bril kreeg zijn intelligente gezicht een intellectueel trekje. Hij was dichter bij de zestig dan de vijftig, maar hij had nauwelijks een rimpel, zelfs geen lachrimpels: het volmaakte gezicht in de ogen van een dermatoloog. Alleen zijn grote, aan ouderdom onderhevige oren, die eruitzagen alsof hij ze van Lyndon Johnson had geërfd, pasten niet bij zijn babyachtige gladheid. 'We hebben een probleempje,' zei hij. 'Ik kan de bevriezing van je gelden ongedaan maken, maar dan moet ik jou naar voren schuiven. Wil je dat?'

'Vooralsnog niet.'

'Ik vreesde al dat je dat zou zeggen,' reageerde Vinnie. Rolschaatsers zoefden voorbij, swingend op de maat van muziek die alleen zij konden horen. 'Weet je, ik zou hier eigenlijk niet eens moeten zijn, gezien het feit dat jij de benen hebt genomen. Ze kunnen me arresteren voor bescherming van een voortvluchtige. Maar zelfs een ouwe rot als ik wordt wel eens nieuwsgierig. Ik wilde je per se ontmoeten. Het is ons geheim.'

'Ons geheim,' beaamde ik. 'Maar als je wist dat ik het geld niet had, waarom ben je dan toch gekomen?'

'Al sla je me dood. Je verhaal spreekt me aan, denk ik. Het intrigeert me. Ik ben dol op een spannend verhaal.'

'En geloof je het?'

'Nog niet.' Hij moet de teleurgestelde uitdrukking op mijn gezicht hebben opgemerkt, want hij voegde er aan toe: 'Het heeft een zekere bekoring. Anders zou ik natuurlijk geen confrontatie met de lange arm van de wet riskeren, of wel dan?'

'Geen cent gezien en toch zoveel vertrouwen.'

'O, maar er hangt wel degelijk geld in de lucht. Vroeg of laat krijg ik mijn gage wel. Van jou, van een van je zonen. Kun je contact met hen opnemen?' Ik knikte. 'Laat ze dan even weten dat ik jou vertegenwoordig en dat ik me beter zou voelen met een voorschot van tienduizend dollar op zak.' Hij klopte even op mijn hand. 'Dat is niet kwaad bedoeld, Rosie. Strafpleiters vragen nu eenmaal altijd een voorschot.'

'Dat zit wel goed.' Verderop in het park liepen minstens tien honden en hun eigenaar heen en weer achter het harmonikagaas van de hondenuitlaatplaats. Vlak voor Richie werd vermoord, had ik overwogen een nieuwe hond aan te schaffen.

Ik hunkerde naar de alledaagse routine. Naar een hond. Naar schoon ondergoed, zodat ik 's avonds niet telkens mijn kleren hoefde te wassen en de volgende ochtend noodgedwongen een klamme beha kon aantrekken. Naar mijn leerlingen. Naar een goed boek. Maar voor alles naar een hond, een hond die domweg van blijdschap zou blaffen als ik 's middags uit school thuiskwam.

Ik wendde mijn gezicht af van een heel fraaie basset om te ontdekken dat Vinnie me zat aan te staren. 'Frappant,' zei hij. 'Ik heb je foto in de krant en op de televisie gezien, maar totdat je naast me kwam zitten, was je me niet opgevallen. Je doet in elk geval iets goed.'

Ik stroopte de mouwen van Danny's zwarte sweatshirt op. 'Ik ben onzichtbaar. Middelbare vrouwen vallen niemand op.'

'Ga weg. Je bent een knappe verschijning. Mooier dan op de foto's.' Het was een fijn compliment, omdat hij het aanvoerde als een voldongen feit, niet als een flirtende opmerking. Hij reikte in de binnenzak van zijn kameelharen overjas en haalde daaruit wat een zakelijke brief van drie tot vier kantjes leek. Hij overhandigde hem aan mij. 'Autopsierapport. Van een vriend die de lijkschouwer assisteerde.'

Ik begon de papieren vluchtig door te nemen. 'De doodsoorzaak was: bloedverlies veroorzaakt door een steekwond in de abdominale aorta.' Ik dwong mezelf verder te lezen, maar het in de tegenwoordige tijd geschreven verslag op de volgende pagina werd me te veel. 'De overledene wordt in een lijkezak in de autopsiezaal afgeleverd. Een nasogastrisch buisje is aangebracht, de vier ECG-elektrodes zijn op de borst bevestigd, de bilaterale borstdrains zitten op de juiste plaats...'

Ik gaf het terug aan Vinnie. 'Ik kan het niet. Kun jij het me niet vertellen?'

'In het kort dan. Het komt erop neer dat de patholoog beweert wat pathologen altijd beweren: als hij niet dood was, zou hij perfect in vorm zijn. Er is maar één wond gevonden, maar die leverde wel het gewenste resultaat op.'

'Enig idee of de dader een man of een vrouw is?'

'Niet te zeggen. Het mes was vlijmscherp en er is relatief krachtig uitgehaald. Een keurige wond. Het spijt me. Ik wou dat ik je meer te bieden had.'

Ik vertelde hem alles over Jessica en Nicholas Hickson. Vinnie zei dat het waarschijnlijk zo was dat Hicksons bedrijf garant stond voor de aandelenuitgave van Data Associates. Het was bovendien niet ondenkbaar dat Jessica en Nicholas plannetjes beraamden om een aantal beursvoorschriften te schenden: dat ze hun vrienden grote hoeveelheden aandelen zouden laten opkopen of dat ze de raad van commissarissen omkochten om Richie de laan uit te sturen. Hij vond het niet erg plausibel, maar als het waar was, had Jessica eerder minder belang bij Richies dood dan meer. Ze had hem eenvoudig aan de kant kunnen schuiven en hem zodoende uit haar leven bannen.

'Heb je die rapporten van het gerechtelijk laboratorium nog te pakken gekregen?' vroeg ik.

'Tot dusver niet. Ze zijn nog niet allemaal binnen en bovendien is het moeilijk ze de autoriteiten te ontfutselen. Ik ben ermee bezig. Vroeg of laat zal het me wel lukken. Maar verwacht er niet te veel van.'

'Ik heb maar steeds dat beeld voor ogen van hoe ik Richie vond...'

'Zet het uit je hoofd,' onderbrak hij me. 'Daar word je maar akelig van.'

'Vinnie, ik moet wel. Ik denk voortdurend na of ik iets heb opgemerkt dat de politie over het hoofd heeft gezien.'

'Wie weet.' Hij sloeg eerst zijn benen, toen zijn armen over elkaar en leunde achterover, starend naar de hemel alsof hij op de boulevard van Coney Island zat op een zonnige dag in juli. 'Ik luister.'

'Er zat modder op de zolen van Richies gympen, met name op de linker. En er liep een onregelmatig modderspoor van de keukendeur naar zijn gymschoen. Correct? Kun je me volgen?'

'Ja, ik volg je, Rosie.'

'De volgende morgen ben ik naar mijn buurvrouw gewandeld.'

'Waarom ben je niet thuis gebleven?'

'Ik moest er even tussenuit. En ik zocht troost. Mijn buurvrouw is niet het type om iemand met genegenheid te verpletteren, maar ze is ontzettend verstandig en staat stevig in haar schoenen. Echt een heel geschikt iemand. Hoe dan ook, onderweg daar naartoe kwam ik langs Richies auto. Stel je het volgende voor: de auto stond redelijk verdekt opgesteld achter een rij bomen, hoewel iemand die er die avond langsreed de zijreflector achter op de auto gezien moet hebben. De auto zelf stond echter zo geparkeerd dat hij nauwelijks opviel. Het portier aan chauffeurszijde bevond zich op een paar meter van de verharde weg.'

Vinnie plantte zijn beide voeten stevig op de grond. 'Ga door.'

'Ten eerste had het een hele tijd niet geregend, dus zelfs al was Richie iets verder het bos in gelopen – om zijn behoefte te doen of wat dan ook – er is geen verklaring voor de grote hoeveelheden modder op de zolen van zijn gymschoenen. De enige plek waar het echt lang modderig blijft, is diep in het bos, waar de bomen zo dicht op elkaar staan dat er nauwelijks zonlicht komt. Maar zelfs al was het moddelig, waarom waren er dan geen moddersporen op de weg die van de auto naar het huis leidt? Ik zweer dat ik niets van dien aard heb gezien, en ik was uitermate gespannen en alert. Hoe kan het dat er pas in mijn keuken sprake is van moddersporen?'

Langzaam antwoordde hij: 'Dat weet ik niet.'

'En trouwens, de modder zat tegen de zolen aangekoekt, terwijl de rest van de schoenen schoon was.'

'Wat wil je daar mee zeggen?'

'Ik bedoel daarmee dat Richie waarschijnlijk niet het bos is ingegaan, maar dat hij precies deed wat je zou verwachten: hij opende het portier van zijn auto en liep daarna over de met droge bladeren bedekte, modderige ondergrond. Vervolgens volgde hij de weg tot hij bij de oprijlaan naar ons huis kwam. Het is niet meer dan logisch, Vinnie, dat hij de weg volgde. Ten eerste is Shorehaven elegant volgens de normen van de oude rijkdom: straatlantaarns worden als ordinair beschouwd. Het enige licht 's avonds is afkomstig van de maan – of van een zaklantaarn. Tussen twee haakjes, hebben ze jou een lijst met zijn persoonlijke bezittingen gegeven? Ik kan me niet herinneren dat daar een zaklantaarn bij stond.'

'Nee, geen zaklantaarn. Kleren, sleutels, horloge, portefeuille met de gebruikelijke creditcards en contanten. Ruwweg wat de politie je heeft doorgegeven.'

'Oké, luister goed nu. Richie is via de oprijlaan – een grindpad, geen zandweg – en voorbij de voordeur naar de keuken gelopen. Het zou me verbazen als hij door de voordeur was gekomen, omdat die zich dichter bij onze... bij mijn slaapkamer bevindt. Hij is via de keuken binnengekomen; heeft het alarmsysteem uitgeschakeld en is naar binnen gegaan.'

'Had hij een sleutel?'

'Ik heb het slot nooit laten veranderen,' gaf ik toe.

'In de hoop dat hij terug zou komen?'

'Ja.' Ik was heel opgelucht dat hij me begreep. 'Mijn echtscheidingsadvocate stond erop dat ik het alarmsysteem liet veranderen, maar dat heb ik niet gedaan. Ze zei niets over sloten. Ik denk dat ze veronderstelde dat ik uit eigen beweging zo verstandig zou zijn die te laten aanpassen. Haar misvatting. Ik ben de hele zomer een compleet wrak geweest. En zelfs daarna had ik al mijn energie nodig om me uit bed te hijsen en aan te kleden om naar school te gaan. Ik had geen fut om me druk te maken over het alarmsysteem.'

'En de lampen buiten dan? Zou hij met behulp van dat licht zijn weg door het bos gevonden kunnen hebben?'

'Nee. Ik doe de schijnwerpers altijd uit wanneer ik naar bed ga. Maar denk je toch eens in, Vinnie: ik was vijf, tien minuten – ik weet niet precies hoe lang – alleen met zijn lijk voor de politie arriveerde. Aan zijn kleren zou het me toch zeker zijn opgevallen, als hij de korte route via het bos had genomen? Maar daar was geen reden toe; hij wist eenvoudig dat hij de oprijlaan kon nemen zonder dat ik hem zou zien. Hij wist ook wat zelfs een sluwe boef niet zou weten: dat ons alarmsysteem geen detector had die beweging registreerde, je weet wel, zo'n ding dat voelt of er iemand de oprijlaan betreedt. We hebben er wel eentje laten installeren, maar de kinderen en de hond en de eekhoorns lieten hem voortdurend afgaan.'

'Oké. Als Richie de modder niet in het bos heeft opgedaan,' vroeg Vinnie, 'hoe is het dan op zijn schoenzolen terechtgekomen?'

'Voor ik daar antwoord op geef, moet je jezelf het volgende afvragen: als ik degene ben die hem heeft vermoord, waarom zou er dan modder op de vloer zitten?' Hij wreef bedenkelijk langs zijn kin. 'Ik zal zeggen wat ik denk. Er was iemand bij Richie of, wat waarschijnlijker is, iemand heeft hem naar huis gevolgd. Die persoon is ofwel door het bos gekomen – dezelfde route die ik nam de avond dat ik ben gevlucht – of stond een eind van het huis, verder dan het gazon, een paar meter teruggetrokken tussen de bomen, op een modderig stukje, naar hem in huis te kijken.'

'Maar je zei dat de schijnwerpers uit waren. Je moest zelfs het licht aandoen toen je de keuken inkwam.'

'Dat klopt. Maar Richie móet het licht ook aan hebben gedaan. Hij had immers geen zaklantaarn. Nee toch? En hij moest datgene wat hij zocht natuurlijk wel kunnen zien. Bovendien had de moordenaar licht nodig om het vleesmes – en Richie – te kunnen lokaliseren. Er waren niet veel steekwonden, of wel soms? Nee, alleen die ene wond in het midden, pats-boem in één keer raak.'

'Ga verder,' zei Vinnie.

'Laten we nog eens terugdenken aan de modder. Stel dat de moordenaar die naar binnen heeft gelopen. Pas na de moord ontdekt hij, zij, wie dan ook – laat ik er voor de redenering een hij van maken – de modder die op de vloer ligt. Is me dat schrikken! Maar hij is te koelbloedig om in paniek te raken en te slim om het amateuristisch aan te pakken. Hij beseft dat de politie extra achterdochtig zal worden als het eruitziet alsof iemand de boel heeft geprobeerd schoon te maken. Daarom is hij terug naar buiten gegaan, heeft wat modder – waarschijnlijk ergens uit de buurt van de auto – gepakt en die op de zolen van Richies schoenen gedrukt. En vermoedelijk heeft hij ook hier en daar modder op de vloer gesmeerd, zodat zijn eigen voetstappen niet te zien zouden zijn. Op die manier zou het net zijn alsof Richie de enige was die moddersporen had achtergelaten. Kortom, als hij alleen was, wie heeft hem dan vermoord? Dat kan alleen degene zijn geweest die al in huis was. Ik.'

'Wie zou je nu zoiets willen aandoen?'

'Ben je mal? Denk je dat iemand die een moord pleegt er moeite mee heeft mij de schuld in de schoenen de schuiven? Nee: hij moet opgetogen zijn geweest dat er een suffie in huis was om hem van alle verdenkingen te ontheffen.'

'Enig idee of de moordenaar een man of een vrouw was?'

'Ik wou dat ik het wist. Richie kon beter overweg met vrouwen dan met mannen. Echt goede vrienden had hij niet. Hij was best een goede vader, maar niet iemand die het gezelschap van zijn zoons echt op prijs stelde. Volgens mij is het een vrouw geweest, tenzij Richie zakelijk iets stoms heeft gedaan of een vrouw heeft gekwetst wat een of andere man vreselijk kwaad heeft gemaakt.'

'Al kandidaten bedacht? Behalve zijn vriendin dan.' Ik schudde mijn hoofd. Bij de hondenuitlaatplaats renden de basset en zijn eigenaar, een opgewekte jongen met brede schouders, een Aziatische versie van Ben, het hek uit en het pad op; de gedrongen hond was zo dolblij met zijn gezelschap dat hij voortdurend in de lucht probeerde te springen. 'Weet je, Rosie,' zei Vinnie zachtjes, 'eenieder in jouw positie – een vrouw alleen in een grote villa – zou in paniek geraakt kunnen zijn als ze dacht een inbreker te horen.'

'Wat bedoel je daarmee?'

'Je weet best wat ik bedoel.'

'Dat ik schuld moet bekennen? "Edelachtbare, ik hoorde een man in de keuken maar ik heb de politie niet gebeld en ook niet op de alarmknop gedrukt. Nee, ik ben naar beneden gegaan en herkende de man waarmee ik vijfentwintig jaar een intieme relatie heb gehad niet. Ik zag hem per abuis aan voor een insluiper, keek hem recht in zijn ogen en heb hem ter plekke in zijn abdominale aorta gestoken." '

'Wat ik probeer te zeggen is dat de mogelijkheid om strafverminde-ring te bepleiten steeds kleiner wordt. Luister, ik zie de situatie als volgt. De politie verwijt zichzelf dat jij de benen hebt genomen. Tot dusver ben je hen steeds te slim af geweest. En je bent inderdaad be-hoorlijk slim. Maar je schijnt te denken dat je onzichtbaar bent gewor-den. Dat is niet zo. Je bent vindingrijk en hebt – vooralsnog – domweg geluk gehad. Als ze je oppakken voor ik een of andere regeling kan treffen met de officier van justitié, ben je nog niet jarig.'

Ik klopte even op zijn hand. 'Maar wat er ook gebeurt, je zult je uiterste best voor me doen, nietwaar Vinnie?'

'Ja, Rosie,' antwoordde hij ernstig. 'Natuurlijk.'

Ik keek Vinnie na toen hij in een taxi stapte en wegreed. Daarna bleef ik nog een tijdje naar de honden kijken, maar niet één ervan toonde de kwispelende, het-leven-is-een-feest-uitbundigheid van de basset. Het licht van de late namiddag werd zwakker en begon geleidelijk in de schemering over te gaan. Mensen van mijn leeftijd haastten zich naar huis. Scholieren en studenten vertraagden hun pas; stelletjes met de armen om elkaar heen koesterden zich in de warmte van hun partner nu het kouder werd.

Een half uur later keerde ik terug naar Danny's huis. Hij lag op de bank en luisterde naar een CD die hij keihard afspeelde, muziek die ik niet kon waarderen zelfs al zou ik ernaar smachten ruimdenkend en jong vanbinnen te zijn. Ik wierp hem een kushandje toe. Hij strekte zijn hand naar me uit, loom, sensueel. Ik wilde hier weg voor hij op-hield me als zijn minnares te zien en zich zou herinneren dat ik zijn leidster was geweest toen hij een welp bij de padvinderij was.

Ik liep naar de badkamer en verwisselde zijn zwarte sweater voor mijn eigen grijze trui en vest. Toen ik de kamer weer inkwam, was de muziek uit. Hij stond op me te wachten. 'Waar ga je heen, Rosie?'

'Ik moet bepaalde mensen opzoeken.'

Hij zweeg even. Toen sloeg hij zijn armen om me heen en drukte zijn hoofd tegen het mijne. 'Laat me met je meegaan,' drong hij aan.

'Dat kan ik niet toestaan.'

'Vat dit niet verkeerd op, maar als je alleen gaat, verknal je het. Als die vroegere secretaresse van je man de politie heeft gebeld...'

'Ik geloof niet dat ze dat heeft gedaan.'

'Daarom juist, Rosie. Als ze het wèl heeft gedaan, zullen ze overal waar ze denken dat jij je gezicht zult laten zien hun mannetjes hebben staan. Binnen de kortste keren ben je erbij.'

Ik streek door zijn haar. Het was zijdezacht, als van een kind. 'Ik ga heus niet naar voor de hand liggende plaatsen.'

'Waar ga je dan wel heen?'

'Ik heb zo mijn plannen.'

'Laat me je helpen.'

'Dat heb je al gedaan.'

'Waarom zet je me dan nu aan de kant. Toe nou, Rosie. We hebben toch veel lol gehad samen. Of niet dan?'

Voor we zoenend afscheid namen, bood Danny me geld aan. Ik heb het afgeslagen. Ik accepteerde wel de sleutel van zijn flat, hoewel ik in mijn hart wist dat ik er nooit terug zou keren. Toen ik me losmaakte uit zijn omhelzing, zei hij: 'Als ik dacht dat jij hem hebt vermoord, zou ik me stukken beter hebben gevoeld. Dan zou ik denken: die heeft lef. Die kan prima op zichzelf passen. Maar zoals de zaak nu ligt, maak ik me zorgen om je.'

'Maak je niet druk, zelfs geen moment. Ik kan uitstekend op mezelf passen.' Ik was veel banger dan hij ooit zou kunnen zijn. Maar ik schonk hem een brede glimlach. Waarna ik hem nog een keer kuste, om geluk af te dwingen.

Carter Tillotson voerde ingrijpende operaties uit in het New York Hospital, tien blokken ten zuiden van zijn praktijk, maar kraaiepootjes, dijbeenvet en meer van dat soort kleine, hinderlijke eigenschappen van het menselijk ras behandelde hij in zijn eigen operatiezaal. Hij had zijn zaakjes perfect geregeld: de rit van zijn landgoed in Shorehaven naar de garage aan East End Avenue waar hij zijn Mercedes parkeerde nam veertig minuten in beslag. Nadat hij snel een kop koffie had genuttigd en zijn handen grondig had gewassen, had hij tijd om de onderkin van een warenhuisdirecteur weg te zuigen of de smalle lippen van een model in een sensuele mond te veranderen, voor hij om 08.30 uur zijn patiënten in het ziekenhuis bezocht. De enige schaduw op Carters volmaakte leventje was Emerald Point. Hoewel architectonisch een van de juweeltjes aan Long Islands North Shore, had het huis veel van een reusachtige spons weg die enkel leek te bestaan om zoveel mogelijk geld te absorberen. En van verzadiging was geen sprake. Zodoende opereerde Carter zich de hele dag suf en bezocht hij vijf dagen per week tot tien uur, halfelf 's avonds zijn diverse patiënten. Althans dat beweerde hij tegenover Stephanie. Ik wilde weten of hij de waarheid vertelde.

En dus vatte ik drie uur voor zijn beoogde vertrek naar huis post bij de garage die het dichtst bij Carters praktijk lag en wachtte tot de parkeerwachter zijn glazen hok verliet voor een sanitaire stop, waarvan ik hoopte dat die het *Guinness Record Book* zou halen als 's werelds langste plasbeurt. Met bonzend hart en een droge mond snelde ik een steile helling af en verstopte me achter een grote Cadillac Brougham. Nergens iemand te bekennen. Helaas stonden er genoeg Mercedessen om dealer van dat merk te worden. Maar na een minuut of twintig zag ik, een verdieping lager, een bekende donkerblauwe Mercedes met een artsenvignet. Had ik mijn doelwit gevonden?

Goddank was de auto niet afgesloten. Ik drukte me achterin op de vloer met wat de droogste mond in Amerika geweest moet zijn. Mijn keel was ook kurkdroog en ik kon aan niets anders denken dan aan een groot glas Coke Light met veel ijs en een schijfje citroen. De dorst was eerlijk gezegd een ramp. Maar afgezien van dat afschuwelijke ongemak, had ik echt pijn. Natuurlijk had ik wel eens rugpijn gehad, maar nooit zodanig dat al mijn wervels stuk voor stuk pijnlijk aanvoelden. Ik vervloekte de twintig tot dertig films die ik had gezien waarin een lenige, pijnvrije revolverheld zonder dorst achter de chauffeur opduikt en hem zijn pistool tegen de slaap drukt. Tegen de tijd dat de parkeerwachter de Mercedes kwam ophalen en ermee naar straatniveau scheurde, moest ik op mijn lip bijten om het niet bij elke plotselinge zijwaartse beweging uit te schreeuwen; gelukkig wist ik zo in elk geval onopgemerkt te blijven.

Alsjeblieft, smeekte ik, toen de auto gierend tot stilstand kwam op een overdreven goed verlichte plek, laat Carter me alsjeblíeft niet zien. En alsjeblieft, laat dit zijn Mercedes zijn. Laat niet blijken dat ik samen met een KNO-arts in Ardsley uitkom. De parkeerwachter stapte uit. 'Alstublieft, dokter,' hoorde ik hem zeggen. Toen niets. Ik drukte mezelf nog platter tegen de bodem. Fijn stof stroomde mijn neusgaten binnen; zandkorreltjes schuurden mijn wang. Gebaarde de parkeerwachter naar Carter? Er ligt iemand in uw auto! Vlug, bel de politie! Net toen ik me voorstelde hoe een smeris het koude metaal van zijn revolver achter in mijn nek zou prikken, sloeg de man die in de bestuurdersstoel stapte het portier dicht. Ik keek op. Blond, kortgeknipt, republikeins haar. Carter!

Ik haalde mijn wapen te voorschijn. Nadat ik de oranje en lichtgroene en paarse waterpistolen in drie verschillende warenhuizen van de hand had gewezen, vond ik uiteindelijk een glanzend speelgoedpistool met een metalen slaghoedje in een vervallen speelgoedwinkel ergens in de Village. Maar mijn rug was onderhand zo stijf en gevoelig, en mijn eigen onbeschaamdheid maakte me zo doodsbenauwd, dat ik mezelf niet omhoog wist te hijsen voor Carter op de FDR Drive reed en richting Triborough Bridge snelde. Ik drukte de loop tegen de zijkant van zijn hoofd.

'Blijf rijden, Carter.'

De Mercedes zwenkte plotseling! We gilden tegelijk, omdat Carter duidelijk de controle over de auto verloor en eerst richting tegemoetkomend verkeer slingerde en vervolgens – aah! – richting East River. Maar een chirurg moet kalm kunnen blijven en binnen een paar seconden, terwijl andere weggebruikers als waanzinnigen tegen ons claxonneerden, reden we weer rechtuit op de goede weghelft. Mijn pistool tegen Carters hoofd aan houdend, klom ik op de passagiersstoel van de auto.

'Neem de eerstvolgende afslag,' beval ik, terwijl ik de ontvanger van zijn autotelefoon ontmantelde, het raam opendraaide en het apparaat naar buiten smeet.

'Ben je gek geworden?' schreeuwde hij.

'Deze afslag. Over en uit,' zei ik tegen hem, het pistool een tikje harder tegen zijn hoofd drukkend, maar niet zo hard dat hij kon voelen dat het blik was en geen solide staal.

'Hier?'

'Hier.'

'Dit is Harlem,' fluisterde Carter.

'Ik weet precies waar we zijn.' Kortom, we namen de afslag bij 116th Street en parkeerden twee blokken verderop.

'Ik hoop dat je je realiseert...' begon hij.

Ik maakte de zin voor hem af. '... dat ik dit niet ongestraft kan doen. Op de lange duur misschien niet. Maar als jíj hier op korte termijn – gezond en levend – uit wilt komen, zul je mijn vragen volledig en naar waarheid moeten beantwoorden. En als je dat niet doet...' Ik haalde het pistool bij zijn slaap vandaan. 'Dan weet ik niet of ik je zou kunnen vermoorden, Carter. Maar geloof me, ik schiet je wel door de hand.'

Hij vertrok geen spier. Hij zat stijf en staarde strak uit het raam naar een motor die voor ons stond geparkeerd, vastgeketend aan een brandkraan.

'Klaar?'

'Ja.'

'Heb jij Jessica aan Richie voorgesteld?' Hij knikte. 'Vertel daar eens wat over.'

'Er valt weinig over te vertellen. Ze was een vriendin van me. Een oppervlakkige vriendin. Een beleggingsadviseur. We leerden elkaar kennen op een feestje dat een van mijn beste cliënten had georgani-seerd. Ik zei tegen Jessica dat ik een buurman had die van de ene op de andere dag rijk was geworden. Ze had wel eens van Data Associates gehoord en vroeg of ik een ontmoeting kon regelen. Dat heb ik ge-daan. Einde verhaal.'

'Niet waar!' schreeuwde ik. Hij slaakte een jammerende zucht en probeerde zijn angst dat deze Geminachte Vrouw op het punt stond zijn fijngevoelige vingers eraf te knallen te beteugelen. 'Kalm nou maar, Carter,' zei ik, veel aardiger nu. 'Ik wil alleen de waarheid ho-ren. Oké?'

'Ja. Oké.'

'Waren Jessica en jij geliefden?' Hij draaide zijn hoofd abrupt om en de spanning in zijn schouders groeide, maar hij antwoordde niet. 'Car-ter?'

'Ja.'

'Hadden jullie nog steeds een verhouding toen je haar aan Richie voorstelde?'

'Ja.'

'Wat was de achterliggende gedachte?'

'Dat heb ik toch gezegd. Om haar meer werk te bezorgen.'

'Wist Richie dat jullie minnaars waren?'

Hij draaide zijn hoofd weg en staarde door de voorruit. 'Ik heb geen idee.'

'De waarheid,' snauwde ik.

'Ik neem aan van wel. Ik bedoel, ik kon haar moeilijk zo voorstellen: "Dit is mijn minnares, Jessica Stevenson." Maar ik weet zeker dat hij op de hoogte was. Hij was tenslotte een volwassen man.'

'Wist je dat hij mij bedroog?'

'Ik denk het wel.'

'Wat bedoel je daarmee?'

'Ik weet het niet. Ik nam eenvoudig aan dat hij dat deed. Zoals hij over vrouwen praatte. Hij was zich al te zeer bewust van hun reactie op zijn aanwezigheid. Hield zijn ogen altijd open. Hij was zeer ontvanke-lijk voor eh... fysieke nuances.'

'Kont en tieten?'

'Daarvoor was hij te subtiel.' Gezien Jessica's microscopisch kleine tieten, veronderstelde ik dat hij gelijk had.

'Was Jessica ooit getrouwd geweest?'

'Twee keer.'

'Twéé keer?'

'In het jaar dat ze afstudeerde met een van haar professoren. En later met een advocaat. Geen van beide huwelijken hield lang stand. Ze was domweg bezweken onder druk van haar familie.'

'Kinderen?' Carter slikte moeizaam. 'Geef antwoord.'

'Ze had het er nooit over. Ik ben erachter gekomen, omdat ze haar antwoordapparaat afluisterde toen we op een avond bij haar thuis kwamen. Er stond een boodschap van haar ex-man op: ze was vier maanden te laat met het betalen van de alimentatie voor hun kind.'

'Was het de advocaat?'

'Nee, de professor. Een historicus. De jongen woont bij hem en zijn tweede vrouw. Jessica zegt dat ze destijds te jong en onervaren was. Ze weet nu dat ze het kind nooit in de steek had moeten laten. Tot op de dag van vandaag betreurt ze het dat ze afstand van hem heeft gedaan.' Ik moest het hem nageven, hij zei het met absolute overtuiging en een uitgestreken gezicht. Nou ja, waarom ook niet? Alleen het stokken van zijn stem verried hem. Hij hield nog steeds van haar.

'Heb je nog contact met haar?'

'Op vriendschappelijke basis.'

'Hoe vaak spreken jullie elkaar?'

'Eén à twee keer per maand.'

'Wie belt wie op?'

'Ik bel haar,' zei hij, in verlegenheid gebracht. 'Maar het is niet wat je denkt. We zijn vrienden. Mijn agenda... Het is gemakkelijker als ik haar bel.'

'Wist Stephanie het van jou en Jessica?'

'Néé!' Hij schreeuwde praktisch. 'En waag het niet om...' Zijn blik verplaatste zich naar het pistool. 'Stephanie heeft het moeilijk genoeg gehad de afgelopen tijd. Zeg alsjeblieft niet... Onze verhouding is voorbij.' Hij verhief zijn stem. 'Ze is totaal uitgeput. En toen de moord. Laat haar met rust!'

En profil had de onderste helft van zijn gezicht het voorkomen van een bolletje watten. Wie weet had hij een kinoperatie op zichzelf laten uitvoeren.

'Als je wist dat Richie voortdurend naar andere vrouwen keek, waarom heb je Jessica dan aan hem voorgesteld?'

'Het draaide om zaken. Bovendien was het nooit bij me opgekomen. Ze was veel te hoog gegrepen voor hem. Hij zou te zeer onder de indruk zijn. In die tijd hield hij het voornamelijk met de secretaresses op zijn werk.'

'Ik dacht dat je niet zeker wist of hij een verhouding had.' Hij haalde enkel zijn schouders op. 'Heb je ooit van Mandy gehoord?' Hij schudde zijn hoofd. 'Het zou dezelfde Mandy kunnen zijn die met Stephanie is bevriend. Een advocate. Ze woont in Shorehaven. Ze lopen 's avonds wel eens samen hard.' Hij schudde nog ferventer met zijn hoofd. 'Weet je hoe ze eruitziet?'

'Ik heb een heleboel van Stephanies vriendinnen ontmoet. Ik zou zo niet weten wie het is.'

'Heeft Richie Jessica van je afgepikt?'

'Nee.' Hij klemde het stuur nog steviger vast. 'We zijn gewoon uit elkaar gegroeid.'

'Je bedoelt dat ze je als een baksteen heeft laten vallen voor iemand anders.'

'Ja.'

'Vóór ze iets met Richie begon?'

Hij wilde me het liefst een dreun verkopen, maar zei: 'Ja.'

'Voor wie?'

'Een oudere man.'

'Nicholas Hickson?'

Zijn handen vielen op zijn schoot. 'Ja.'

'Waarom is dat niets geworden?'

'Hij kon zich er niet toe brengen zijn vrouw te verlaten.'

'En dus besloot ze haar geluk bij Richie te beproeven. Vertel eens wat over hun relatie.'

'Er valt weinig over te vertellen. Ze werden verliefd, maar er waren bepaalde problemen.'

'Zoals?'

'Jessica had het gevoel dat Richie beknibbelde op haar. Daar hield ze niet van. Ze was teleurgesteld over de ring die hij haar gaf.'

'Die ring leek de rots van Gibraltar verdomme wel!'

'Het was geen eersteklas steen.'

'Juist ja.'

Carter vond kennelijk niet dat ik gepast reageerde. 'Het draaide niet zozeer om de ring. Het ging erom dat hij niet uit volle overtuiging een huwelijk wilde aangaan.'

'Dus toen heeft ze de relatie met Hickson weer opgepikt?'

'Nee. Hickson kwam bij haar. Hij verklaarde dat hij bereid was van zijn vrouw te scheiden.'

'Wat had Jessica daarop te zeggen?'

'Ze was verscheurd. Ze had haar woord al gegeven.'

'Maar?'

'Jouw echtgenoot hield haar tegen,' zei hij verhit. 'De ring. En hij gaf haar een ander groot cadeau. Een kunstwerk.' Ik zag de glinsterende landschappen op Frans muren voor me, evenals de pentekeningen op die van Jessica. 'Uiteindelijk bleek dat het schilderij niet vrij was.'

'Wat was het probleem?'

'Ik weet het niet.' Ik wapperde wat met mijn pistool, wat hij – als hij ook maar een beetje uit zijn ooghoek zag – kon zien. Hij zag het. 'Hij had het schilderij met een cheque betaald,' flapte hij eruit.

'Nou en?'

'Jessica vond het in eerste instantie prachtig. Later besloot ze echter dat het te minimalistisch was. Richie had het schilderij op haar naam over laten schrijven. Maar toen ze het wilde verkopen, had ze de kwitantie nodig. En toen bleek dat het schilderij met een cheque van de gezamenlijke rekening was gekocht.'

'Van die van mij en Richie?' fluisterde ik. Carter knikte. 'Hij kocht wel vaker kunstwerken voor ons,' zei ik. 'Om in huis op te hangen, maar ook als investering. Hij zei dat sommige werken behoorlijk avant-garde waren en niet in Gulls' Haven pasten. En dan zei ik: "Laat me ze dan in elk geval een keer zien." Waarop hij reageerde dat de moderne werken opgeslagen waren in een kluis van het veilinghuis. In een vochtvrij gemaakte kluis. Hij zei dat hij met alle plezier wilde regelen dat ik ze een keer kon bekijken. Maar ik vergat het gewoon. Ik had het razend druk met mijn rijkeluisleventje. We... nee, ik kocht zoveel dat niets nog echte waarde leek te hebben.'

'Hmm,' bromde Carter, ongeveer even geïnteresseerd in mijn overpeinzingen over ons sociale milieu als Richie tijdens de laatste paar maanden van ons huwelijk. Alleen het zilverachtige pistool op een paar centimeter van zijn slaap wist zijn aandacht vast te houden.

'Carter.'

'Ja?'

'Waarom heb je Richie gebeld op de dag dat hij werd vermoord?'

'Wat?'

'Je hebt het wel gehoord.'

'O. Ik was het even vergeten. Zijn kin. Vanwege zijn kin. Hij had me een paar dagen eerder opgebeld; hij wilde dat ik zijn kaaklijn strakker maakte. Hij had absoluut geen geduld. En hoewel ik geen afzeggingen had, heb ik toch besloten hem diezelfde avond in mijn rooster in te passen. Ik zei dat ik geen ingreep deed zonder hem eerst onderzocht te hebben. Maar hij heeft nooit gereageerd op dat telefoontje.'

'Wat deed Richie bij mij thuis?'

Zijn kaak schoof van voor naar achter alsof hij net een nieuw stukje kauwgom in zijn mond had gestoken.

'Ik weet dat jij het weet. Het is onmogelijk dat je Jessica na de moord niet hebt opgebeld. Je zou nooit een kans laten lopen haar te spreken. En ze had Richie via jou leren kennen; ze had het wel vaker met jou over hem gehad, en er was geen reden waarom ze opeens haar mond zou dichthouden. Integendeel.' Geen antwoord. 'Carter...' Ik klikte de veiligheidspal van het speelgoedpistool naar achteren. In mijn oren klonk het lachwekkend, maar Carter leek onder de indruk.

'Hij had de koopakte nodig. Die stond weliswaar op zijn naam, maar het kunstwerk was met geld van jullie gezamenlijke rekening betaald.'

'Wat wilde hij daar nou mee?'

'Wat denk je?' snauwde hij. 'Een vuile streek uithalen. Hij zei dat jij zelfs de koopakte nooit hebt gezien. Je wist niet welke kunstenaar het schilderij had gemaakt.'

'Wie heeft het dan geschilderd?'

'Cy Twombly.'

'Hoeveel heeft het gekost?'

'Drie miljoen,' zei hij koeltjes.

'Wàt?'

'Jij wist alleen dat hij een of ander kunstwerk had gekocht als investering.'

'Drie miljoen. Dat is ver boven Richies stand.'

'Maar Jessica had haar oog erop laten vallen. Ze wist dat hij geen nee tegen haar kon zeggen. En zodra hij de koopakte uit jouw handen had gered, zou hij een aantal minder kostbare werken aan jouw advocaat doorgeven als zijnde de "kunstinvestering".' Hij keek me aan. Zijn starende blik veranderde in een felle blik. 'Ze sméékte hem niet te gaan. Niet in te breken en naar binnen te gaan.'

'Er was geen sprake van inbraak. Hij is gewoon naar binnen gegaan.'

'Ze heeft gesmeekt. Gepleit om het niet te doen. Het was vreselijk gevaarlijk. Want wat zou jij doen als je hem betrapte?'

'Ik had waarschijnlijk mijn armen om hem heen geslagen en hem gekust. Nee, ik zal je de echte reden vertellen waarom Jessica niet wilde dat Richie ging: omdat ze niet wilde dat hij haar een plezier deed. Ze wilde een excuus om hem te dumpen, zodat ze met Nicholas Hickson zou kunnen trouwen. Ze hield hem alleen aan het lijntje omdat ze tijd nodig had om te bedenken hoe ze haar baan kon behouden. Dat vergde heel wat inspanning, zelfs van haar.' Ik had het pistool onderhand zo stijf vast dat Carter het leven had gelaten als het wapen echt was geweest. 'Die teef! Ik hoop dat ze sterft!'

Carter reageerde alsof ik compleet over de rooie ging. Ik kan niet ontkennen dat het niet zo was. 'Laat me alsjeblieft gaan,' piepte hij. 'Luister, ze had spijt van die hele affaire. Weet je wat ze zei? Ze zwoer tegenover mij dat ze hoopte dat hij terug zou gaan naar jou.'

Het leek alsof ik een koude douche kreeg. 'Was dat zijn idee? Naar mij terugkeren?'

'Natuurlijk niet,' antwoordde Carter bits. 'Waarom zou hij? Jessica was zijn leven.'

16

Carter trok helemaal wit weg toen ik hem beval me naar 125th Street, het hart van Harlem, te brengen. Toen ik was uitgestapt, scheurde hij weg alsof hij op de hielen werd gezeten door een legertje Zwarte Panters.

Eerlijk gezegd was het relatief rustig in Harlem. Vijf of zes jongens van Alex' leeftijd kwamen uit een café geslenterd; ze gaven niet de indruk aan de Perrier gezeten te hebben. Ze keken me bevreemd aan. Ik zou zeker nerveus zijn geworden, maar voor ik mijn angstgrenzen voor de zoveelste keer kon verleggen, haastten ze zich weg de avond in. Pas nadat de eerste taxi die ik probeerde aan te houden abrupt doorreed, besefte ik waarom die jongens op de vlucht waren geslagen; het pistool zat nog in mijn hand. Ik stopte het in mijn beha. Het gaf me niet bepaald een gladgestreken uiterlijk, maar gelukkig stopte de eerstvolgende taxi wel.

In Forty-second Street stapte ik uit om de politie op een dwaalspoor te brengen; ik redeneerde dat als Carter naar de politie stapte, ze als eerste bij de taxibedrijven zouden informeren. Heeft iemand rond halfelf misschien een blanke vrouw in Harlem gezien? Wat was haar bestemming? Mooi, dan konden ze Times Square gaan uitkammen op zoek naar mij.

Jachtig legde ik drie blokken waaraan geen eind leek te komen af, alle groepjes mannen die er niet goed verzorgd uitzagen mijdend en prostituées in leren minirokken en met enorme pruiken op passerend. De hoeren namen me minachtend op, zoals de modieus geklede de sloddervossen bekijken en ze maakten provocerende opmerkingen als 'Schatje', 'Dame. Dáme', en 'Is je man weggelopen? Huh? Huh?' Ik kon mezelf er niet toe brengen de schaduwrijke trappen naar de metro af te dalen, want ik had het donkerbruine vermoeden dat ik daar de nodige collega's van hen zou tegenkomen, en dan de minder elegante. Ik legde gehaast nog een paar blokken af en bleef toen staan voor een theater, een wat natuurlijker plek voor een voorstedelijk type als ik. Met de tien dollar die ik overhad van het geld uit Danny's broekzak, hield ik opnieuw een taxi aan en liet me naar het centrum vervoeren.

Een nacht in Central Park kwam me allesbehalve aanlokkelijk voor. Ik rilde nu al van de kou, van verdriet om de thuislozen, voor wie dit een milde nacht was, en om mezelf. Hoe dan ook, ik moest de volgende ochtend vroeg alert zijn. Ik verborg me in de schaduwen en leunde tegen de muur die het park van Fifth Avenue scheidde. De keien gaven een hatelijke kilte af die dwars door de dunne zolen van mijn laarzen omhoog steeg. Een scherpe wind beroerde de boomtakken en de droge bladeren. Ik keek voortdurend waakzaam om me heen, staarde het duistere park in, half verwachtend dat elk moment een of ander sissend Halloweenmonster over de muur klom om mij te bespringen. Ik wist dat ik meer te vrezen had van de politie dan van een boeman, maar ik kon mezelf er niet toe zetten het park in te gaan.

Aan de overkant van de straat stopten taxi's en nu en dan een limousine voor het gebouw waar Tom Driscoll woonde. De nachtportier in zijn stijlvolle uniform kwam telkens in looppas naar de rand van het trottoir om mannen in smoking en vrouwen in glitterende avondjurken, die hun sabelbontjasjes en capes van chinchilla dicht tegen hun stijlvolle decolletés drukten, te begroeten. Echtgenoten pakten hun echtgenotes bij de elleboog en loodsten hen de stralende pracht van de foyer in. Ik stopte mijn handen dieper in mijn zakken. De sleutel van Danny's flat voelde aangenaam warm aan.

Eén voor één gingen de lichten in de gebouwen aan Fifth Avenue en langs Central Park West aan de andere kant van het park uit. Het moet na elven zijn geweest, hoewel ik niet kon zien hoe laat het was vanwege de duisternis. Ik had het stervenskoud en was volkomen uitgeput. Waarom had ik er niet bij stilgestaan dat ik zo lang op straat zou moeten doorbrengen? Hoe kon ik vergeten zijn dat de herfst onvermijdelijk een ijzige voorbode van de winter is? Ik! Degene die haar zoons twintig jaar had nageroepen: 'Doe een jas aan!' Ik stelde me voor dat ik dikke mouwen had en een capuchon met een touwtje die ik lekker strak en warm om mijn hoofd kon trekken. Ik kon niet voorkomen dat ik begon te klappertanden.

Dus probeerde ik een inbeeldingstechniek die ik had geleerd van een yoga-video die ik een paar weken na Richies vertrek had gehuurd, toen ik besloot dat ontspanningsoefeningen wellicht de voorkeur verdienden boven zelfmoord. Ik stelde me voor dat ik op een gouden Caraïbisch strand lag, terwijl de zon mijn huid koesterde. Ja! Heel even beleefde ik een dagje aan het strand; de gebouwen aan de andere kant van Fifth Avenue behoorden tot een wereld ver weg in de ijskoude ruimte. Het bemoedigde me zodanig dat de door een chauffeur bestuurde Lincoln die aan de overzijde tot stilstand kwam me bijna ontging. Maar ineens schoot de portier weer naar voren om, terwijl hij praktisch een knieval maakte, Tom Driscoll te verwelkomen.

Het liep allemaal niet volgens mijn plan. Natuurlijk, ik hield de wacht, maar niet meer dan halfslachtig. Ik was ervan overtuigd geweest dat Tom al boven was, in slaap gevallen nadat hij een paar pagina's had gelezen in zijn boek over deregulatie in de luchtvaartwereld. Het was mijn bedoeling geweest bij het ochtendgloren wakker te zijn, alert op zijn vertrek.

Ik had geen tijd om na te denken. Met grote passen liep ik naar de rand van het trottoir, deed een poging het Brooklyn volume en de verfijndheid van Manhattan te combineren en riep: 'Tom.' Hij liep door richting voordeur. Ik liet de verfijning varen. 'Tom!' Hij draaide zich om. Ik zwaaide. De portier keek toe. Tom zwaaide in een reflex terug: hij dacht waarschijnlijk dat ik een buurvrouw was die haar hond uitliet. Met dit verschil dat ik geen hond bij me had. 'Tom!' Toen drong het tot hem door. Het leek alsof hij niets deed, maar ik wist dat hij overwoog wat zijn mogelijkheden waren, berekende wat hij op dat moment het beste kon doen. Ik had het zo koud dat mijn voeten me pijn deden.

Toen, in een flits, gaf hij zijn attachékoffertje aan de portier; hij klapte een keer op het spatbord van de Lincoln en de chauffeur reed weg. Uitwijkend voor naderend verkeer was hij binnen een paar seconden bij me. 'Hoe gaat het met je?' vroeg hij.

'Voor iemand die wegens moord gezocht en nodig naar het toilet moet, niet slecht.'

Hij nodigde me niet uit om gebruik te komen maken van zijn marmeren voorzieningen. 'Wat wil je van me?' Hij was echt iemand van de bevoorrechte klasse geworden. Een jas had hij niet nodig; altijd stond er een warme auto en een onderdanige chauffeur voor hem klaar.

'Tom, ik realiseer me dat het ongeoorloofd is dat ik op deze manier je leven kom binnenvallen, maar ik had geen keus. Ik heb je hulp nodig.'

'Het spijt me,' reageerde hij bruusk, alsof hij een bedelaar afscheepte. 'Ik kan niets voor je doen.'

'Ik heb alleen een paar vragen. Dat is alles. En ik heb wat informatie van je vrouw nodig.'

'Geen denken aan.'

Omdat de portier ons in de gaten hield, was het geen slimme zet het pistool tussen mijn borsten vandaan te halen. Maar de gedachte aan mijn neppistool, bracht me op een ander idee: chantage. Het was te proberen. 'Weet je, ongeveer een jaar geleden, voor het misging tussen ons, vertelde Richie me dat hij onderzoek had gedaan naar een bedrijf dat jij bezig was over te nemen.' Tom wachtte af. 'Hij vond dingen over je die de beurscommissie op zijn minst... interessant zal vinden.' Zijn mondhoeken trokken naar beneden. 'Ik vind dit vreselijk vervelend, maar ik ben wanhopig.'

'Wanhopig en stom.'

'Hoe bedoel je?'

'Je hebt geen poot om op te staan.'

'Daag me niet uit, Tom.'

'Oké, wat heb je voor informatie?'

'Als ik dat vertelde, zou ik pas echt stom zijn.'

'Er valt niets te vertellen. Ik doe fatsoenlijk zaken.'

'Niet altijd.' Ik hoopte dat het zou klinken alsof ik duistere feiten over hem had.

'Weet je wat we vroeger in Brooklyn zouden hebben gezegd? O, natuurlijk. Jij kunt het weten.'

'Wat?'

'Rosie, je kletst uit je nek.' Hij draaide zich om en wilde de straat oversteken.

Ik greep de achterkant van zijn colbert beet. 'Wat moet ik doen om jouw hulp te verdienen?' vroeg ik smekend. 'Wil je dat ik in tranen uitbarst?'

'Nee.'

'Mooi, want dat was ik niet van plan.'

'Laat mijn jas los.'

Ik deed het. 'Mooie stof.'

'Dank je.'

'Het spijt me, Tom.'

Hij leek te overwegen hoe hij zou reageren. Ik hardde mezelf tegen een snijdende opmerking. Uiteindelijk zei hij: 'Ik zal een kop koffie voor je kopen.' Toen de vloedgolf van dankbaarheid een beetje was weggeëbd, besefte ik dat hij het niet aanbood uit vriendelijkheid of hoffelijkheid of medelijden. Hij probeerde tijd te rekken zodat hij kon nadenken wat de beste manier was om mij aan de politie uit te leveren.

'Als je een tent kunt vinden die nog is geopend, mag je zelfs een warme hap voor me kopen.'

Hij deed niet erg enthousiast, maar hij zei niet ronduit nee. We liepen Fifth af. Mijn voeten waren niet helemaal gevoelloos, maar wel zo koud dat elke stap een kwelling was. Hij zei: 'Je had me niet moeten proberen te chanteren. Dat was beneden je waardigheid.'

'Ik weet het. Mijn excuses.'

'Oké.' We zwegen allebei en vervielen in het pijnlijke stilzwijgen van twee mensen die ooit elkaars geslachtsdelen hadden aanschouwd. Die keer dat ik met hem was gaan lunchen, waren we doorgekomen door overdreven beleefd te doen en het menu nadrukkelijk te bestuderen. Door de jaren heen was het ons gelukt beschaafde, oppervlakkige gesprekjes met elkaar te voeren, maar de aanwezigheid van onze partners of zakenmensen had ons telkens beschermd. Ik had me nooit echt bij hem in de buurt gewaagd; de laatste keer dat ik echt naast hem stond, waren we nauwelijks achttien. Hij was sinds die tijd enkele centimeters gegroeid en was nu zo lang dat ik mijn hoofd achterover moest doen om hem recht aan te kijken. 'Waarom loop je zo typisch?'

'Mijn voeten zijn zowat bevroren. Maar maak je geen zorgen over mijn voeten. Help je me?' Tom mocht zijn hart dan ingeruild hebben voor een klomp ijs, ik geloof niet dat hij het in zich had om zomaar te liegen. Hij zou niet zeggen: 'O, tuurlijk. Met alle plezier,' als hij van plan was via morsecode een voorbijganger in te seinen: Bel 911.

'Waarom zou ik je helpen?'

'Vervlogen vriendschap?' Zijn stijve houding werd nog stijver. 'Omdat ik Richie niet heb vermoord.' Zijn wenkbrauwen gingen een tikkeltje omhoog; dit was kennelijk een mogelijkheid die hij niet had overwogen. 'Omdat ik het niet verdien de rest van mijn leven in de bak te zitten voor iets wat iemand anders heeft gedaan. Ik moet erachter komen wie dit op zijn geweten heeft.'

'Rosie, hou hier toch mee op.'

'Ik heb geen keus, Tom.'

'Wat denk je van mij te weten te komen? Hij was bevriend met mijn vrouw. Voor mij was hij niet meer dan een zakenrelatie, iemand met wie ik zelden rechtstreeks sprak. Mijn mensen onderhandelden met zijn mensen.'

'Ik weet dat Joan' – ik moest er erg op letten haar niet Hojo te noemen – 'wel eens tijd heeft doorgebracht met Richie en Jessica Stevenson, toen hij en ik nog een gelukkig getrouwd stel waren.'

'Nou en?' snauwde hij.

'Ik weet ook dat Joan en Richie dierbare vrienden waren, zoals ze dat noemden. Maar tussen Jessica en een relatie met zijn vroegere secretaresse heb ik een gat in zijn leven ontdekt. Ik wil weten wat zich in die periode heeft afgespeeld, omdat ik me geen gaten kan veroorloven. Wat ik moet weten is of Joan weet of Richie voor zijn affaire met Jessica iets met een andere vrouw heeft gehad.' Hij reageerde niet. 'Tom, dit is niet een of andere masochistische daad; ik krijg echt geen kick van verhalen over het overspel van mijn echtgenoot. Ik probeer enkel de ontbrekende stukjes van de puzzel te vinden want ik kan alleen met een volledig, samenhangend verhaal bij de politie aankomen. Ik probeer mijn leven te redden.'

'En je denkt dat de politie die samenhang niet ziet?' We wachtten tot het voetgangerslicht op groen zou springen. Ik haalde moeizaam adem en transpireerde enorm.

'Ze hebben al een theorie die ze prachtig vinden: ik ben schuldig. Waarom zouden ze verder zoeken?'

Tom zuchtte een keer diep en ademde langzaam uit. 'Joan en ik zijn uit eten geweest met hem en een andere vrouw, voor Jessica in beeld was. God, het kon me niet snel genoeg voorbij zijn. Ik kon er niet bij dat hij zo laag-bij-de-gronds was, zo onverstandig ook uit zakelijk oogpunt, om een vrouw mee te nemen met wie hij...'

'Neukte,' vulde ik aan.

'Een verhouding had.' Tja, Tom had op een parochieschool gezeten. 'En ik kon ook niet geloven dat Joan van zijn voornemen op de hoogte was en ermee had ingestemd. Je kan veel over Joan zeggen, maar ik had nooit gedacht dat ze zo stijlloos kon handelen.'

'Wie was de vrouw?'

'Ik weet het niet meer.' Ik was ervan overtuigd dat hij de waarheid sprak. Ik kende hem.

'Kun je je ook geen details herinneren?'

Hij concentreerde zich door over zijn voorhoofd te wrijven. 'Knap. Fraai gekleed, maar niet chic.' Tom kon zich niet herinneren wat ze deed in het dagelijks leven, waar ze vandaan kwam of wat dan ook. Hij was te nijdig geweest om zich op het gesprek te kunnen concentreren.

'Weet je nog wanneer het etentje plaatsvond?'

'De afgelopen winter. Waarschijnlijk in februari. Misschien maart.'

'Had je de indruk dat het een zuiver seksuele relatie was? Of was het meer?'

Hij staarde naar de sterreloze hemel. 'Van hem weet ik het niet. En zij? Ik geloof wel dat ze op hem was gesteld.' Hij wreef nog eens over zijn voorhoofd. 'Nee, ze was dol op hem. En opgewonden vanwege het clandestiene karakter van de avond. Ik veronderstelde dat ze was getrouwd.'

' "Dol op hem"? Bedoel je gecharmeerd of smoorverliefd?'

'Ik weet het niet.'

'En als je één van twee zou moeten kiezen?'

'Verliefd.'

'Denk je dat hij ook verliefd was op haar? Je hoeft mijn gevoelens echt niet te sparen, hoor.'

'Ik zou het niet durven zeggen. Hij was gladder, moeilijk te doorgronden. Hij deed zijn best om zijn ware gevoelens te verbergen. Misschien was hij niet verliefd, maar hij voelde zich zonder meer tot haar aangetrokken. Dat is mijn mening.'

Tom leek een bepaald restaurant in gedachten te hebben, maar ineens struikelde ik bijna over mijn eigen voeten. Zonder me daadwerkelijk aan te raken, leidde hij me bij een van de luxere pasta-tenten aan Madison Avenue naar binnen.

Ik moest plotsklaps denken aan een dag uit het verleden, de dag nadat hij bericht had gekregen dat hij op de universiteit van Dartmouth was toegelaten. We hadden gespijbeld om het te vieren. Na een ochtend en een middag de liefde te hebben bedreven in achtereenvolgens de meterkast en de fietskelder van onze flat, waren we uitgehongerd geweest. Hij had me mee uit eten genomen. 'Spaghetti met gehaktballetjes,' had hij vol trots verkondigd. Maar ik wist dat hij krap bij kas zat en dus zei ik dat ik geen zin had in gehaktballen.

Deze keer hield de ober, een oudere man met een schoon rood jasje en een keurige, witte snor, een stoel voor me klaar. Zonder iets te hoeven zeggen, schudde Tom zijn hoofd en wees op de stoel aan de andere kant van de tafel, waar ik met de rug naar de andere klanten zou zitten. De ober snelde naar de andere kant om aan onze wensen te voldoen. Tom bestelde een fles Barolo en zei tegen de ober dat hij meteen de menukaart moest brengen.

'Ik moet naar het toilet,' zei ik.

'Oké,' reageerde Tom.

'Nee, het is niet oké. Geloof je nog steeds in God?'

'Wat?'

'Geef antwoord.'

'Ik denk het wel.'

'Mooi. Zweer dan bij God dat je de politie niet zult waarschuwen, zodra ik uit het zicht ben. O, en mocht je van gedachten veranderen en me niet willen helpen, laat dan voldoende geld voor me achter om de maaltijd te kunnen betalen.'

Hij begon te lachen, maar ik viel hem niet bij, dus sloeg hij snel een kruis over zijn hart.

'Je beseft toch wel dat je een voortvluchtige beschermt, of niet?'

'Rosie, als iemand net een deal met je heeft gesloten, moet je hem er niet aan herinneren hoe beroerd die deal is.'

Toen ik terugkwam, had ik het gevoel dat de sfeer aan tafel minder gespannen was. Zeker, Tom was niet meer de vlotte, sympathieke Ierse charmeur die hij in Brooklyn was geweest. Hij had zijn doel bereikt: hij was een machtig zakenman maar zijn zorgelijke, bleke mond, zijn doffe ogen en zijn te strenge donkerblauwe pak maakten duidelijk dat zijn succes niet was komen aanwaaien.

213

Als je op tien meter van de bar hoort wanneer ijsblokjes de bodem van een glas raken, weet je dat het gesprek ernstig hapert. Ik wilde iets zeggen maar was bang dat Tom op hetzelfde moment zou beginnen en we ons hakkelend en met een rood aangelopen hoofd allebei vernederd zouden voelen. Net toen ik wanhopig op zoek was naar een eenvoudige, constaterende zin om het ijs te breken, nam hij het woord. 'Ik heb onze vriendschap altijd erg gewaardeerd.'

'Ik ook. We hebben veel lol gehad.' Hij knikte maar keek me niet aan. Misschien was 'lol' niet zo'n goede woordkeus geweest; ik twijfelde er niet aan dat hij een flinke duit over had om onze geschiedenis en de daarmee samenhangende seks voorgoed te wissen. 'En hoe is het tegenwoordig? Ben je gelukkig, Tom?'

'Dat is een vraag die vrouwen elkaar stellen.'

'Maakt het mannen soms niet uit of ze al dan niet gelukkig zijn?'

'Ze vinden het minder belangrijk dan vrouwen.' Hij wenkte de ober en we bestelden. Daarna voegde hij eraan toe: 'Ik ben redelijk gelukkig.'

'Gelukkig. Kunnen we het dan nu even hebben over de relatie tussen jouw vrouw en mijn man?'

'Wat wil je weten?'

'Wat hield die relatie precies in?'

Hij ademde demonstratief uit, de zucht van een man die het bespreken van de rentetarieven van de Bundesbank als tafelconversatie beschouwde. 'Hij wilde dolgraag – hoe moet ik het zeggen – mondain zijn. Zij leerde hem de fijne kneepjes.'

'Vanwaar haar belangstelling voor hem?'

Hij wierp een blik richting ober, die daarop als een haas de keuken in verdween. 'Ik weet het niet. Hoe heet dat ook alweer? Het Pygmalion-effect.'

'Ze was de Pygmalion voor zijn Galatea.'

'Precies.'

'Met dit verschil,' merkte ik op, 'dat ze in de mythe met elkaar trouwen.'

'Nou ja, ik geloof wel dat ze hem aantrekkelijk vond.'

'In seksuele zin?'

'Waarschijnlijk.'

'Denk je dat ze met elkaar...?'

'Nee.'

'Waarom niet?'

'De man moet het meisje ten dans vragen.'

'De vrouw,' mompelde ik automatisch.

In geen miljoen jaar kon ik me voorstellen dat Richie Hojo ten dans zou vragen. Ze was niet zozeer een vrouw alswel een face-lift bedekt met make-up en daarbovenop een kapsel dat zo perfect zat dat het wel van kunststof leek. Ondanks haar nieuwe ballonnen van borsten, had ze geen enkele sensuele uitstraling. Ze had zichzelf gedegradeerd tot een hoofd dat boven een Chanel mantelpakje zweefde.

'Rick, Richie, of hoe hij zich ook noemde,' vervolgde Tom. 'Naar Jessica te oordelen, viel hij op jongere vrouwen.'

'Vertel mij wat! Nou ja, met uitzondering van zijn secretaresse dan, hoewel die ooit een knappe verschijning was, van het type dat vroeger op Gestapo-kalenders prijkte.' Ik dacht aan Hojo, wier armen zo dun waren dat je de wisselwerking tussen spaakbeen en ellepijp onder haar door de zon uitgedroogde huid zag plaatsvinden.

'Ik denk zelf dat hij nooit in vleselijke zin aan Joan heeft gedacht. Ze moest zich tevredenstellen met zijn vriendschap.' Tom schoof onrustig heen en weer op zijn stoel. Hij bekeek de inhoud van het broodmandje op tafel aandachtig. Plotseling ontmoetten zijn ogen de mijne. 'Ze hadden elkaar nodig. Ik denk dat hij er plezier in had haar alles te vertellen. En zij was gestreeld, niet alleen omdat hij alles over zijn avontuurtjes aan haar toevertrouwde, maar vooral door de vaardigheid die hij tentoonspreidde bij het geheimhouden van zijn overspel, door het feit dat hij twee afzonderlijke levens wist te leiden. Ze kreeg er schijnbaar een kick van hem met andere vrouwen te zien. Met zijn vriendinnen. Met jou.' Ik trok het broodmandje naar me toe en ging stilzwijgend op in het maken van een keuze tussen een zoutstengel en een hard bolletje. 'Ik weet zeker dat het moeilijk voor je is dit te moeten horen,' voegde hij er aan toe.

'Ik zit sowieso in een moeilijke situatie. Ik kan het wel aan.' De ober kwam naar ons toe en zette twee koppen dampende minestronesoep op tafel. De stoom verwarmde mijn wangen. Het rijke aroma veroorzaakte tranen in mijn ogen. Ik vertelde Tom dat mijn honger het had gewonnen van mijn gevoel voor fatsoen en mijn angst, en dat ik daarom een jonge vrouw in de Village had bestolen van haar zak met Burger King etenswaren. Hij staarde naar zijn bord soep. Toen hij zijn hoofd weer optilde, lag er ook een waas over zijn ogen. Hij keek me kwaad aan, woest dat ik hem hier in had betrokken. De ober die met een schaaltje geraspte kaas weer naar ons toe kwam gesneld, zag onze tranen. Hij bleef plotseling staan en draaide zich toen abrupt om. Tom zag het niet eens. Hij ging volkomen op in zijn gedachten.

Aanvankelijk was ik blij met die stilte. Ik lepelde mijn soep naar binnen. Het was de lekkerste soep die ik ooit had gegeten, smakelijk, warm. Ik kon elke wortel, elk boontje, elk stukje tomaat en elk kruid proeven. Het was verrukkelijker dan mijn moeders kippesoep, bevredigender dan welke roomsoep of bouillon die ik ooit met Richie in driesterrenrestaurants met een Franse keuken had genoten.

Maar ik was bang dat Tom me ontglipte; ik wist niet zeker of hij bezig was zijn beslissing om mij te helpen te herzien. 'Je bent me niets verschuldigd,' zei ik tegen hem.

Mijn stem deed hem opschrikken. Hij liet zijn lepel in de soepkop vallen. Rode spetters bevlekten de voorkant van zijn verfijnde witte overhemd, dat zelfs God niet zou misstaan. 'Wat zei je?' vroeg hij.

'Ik zei dat je me niets bent verschuldigd. We waren ooit goede vrienden, en we hebben een mooie tijd gehad samen. Maar we hebben de ander geen van beiden eeuwige liefde of trouw beloofd. Je weet dat ik flink in de penarie zit. Maar dat wil niet zeggen dat je je verplicht moet voelen me te helpen.'

Hij verzonk opnieuw in gepeins. De ober kwam, zag dat hij zijn soep niet had aangeraakt en wilde onverrichterzake vertrekken, maar Tom gebaarde met een vlugge polsbeweging dat hij de soep kon weghalen.

Hij raakte ook zijn lintmacaroni nauwelijks aan en hoewel zijn zwijgen benauwend werd, weerhield het mij er niet van het gerecht tot de laatste sliert naar binnen te werken. Ergens was ik blij dat hij niet merkte dat ik net zo'n honger had als een verdediger van een footballteam. Zijn vrouw was zo mager, zo gracieus. Al in het begin van hun vriendschap had Hojo tegenover Richie bekend dat ze veertien jaar aan boulimie had geleden en dat Richie, behalve haar psychiater, de enige was aan wie ze het ooit had toevertrouwd. Ik vroeg me af of Tom het wist, of zou hij zo onnozel of onverschillig zijn te denken dat haar magere verschijning – als hij er al over nadacht – het gevolg was van een hyperactieve stofwisseling of een buitengewone zelfbeheersing.

Hij stak zijn hand op en maakte een schrijvende beweging, waarop de ober met de rekening kwam aangesneld. Tom keek erop en gooide een creditcard op het schoteltje. Toen de ober zich terugtrok, zei hij: 'Je vroeg me of ik gelukkig ben.' Ik knikte. 'Ik vind mijn werk leuk. Ik heb sommige bedrijven nieuw leven ingeblazen. Ik heb banen weten te creëren.' Hij leunde achterover en zuchtte vermoeid, alsof hij zojuist een urenlange redevoering had gehouden.

Maar ik wilde niet dat het gesprek opnieuw zou vastlopen. 'Leven je ouders nog?' vroeg ik. Zijn vader had wit haar, maar voor het overige zou Tom een kloon van hem kunnen zijn: hetzelfde magere, hoekige Ierse gezicht, dezelfde bruine ogen. Zijn vader was echter opgewekter dan Tom ooit was geweest. Meneer Driscoll was vrachtwagenchauffeur voor een bierbrouwerij, een zorgeloze, uitbundige man van het type is-het-leven-niet-geweldig die me destijds altijd begroette met 'Roosje-m'n-Roosje, Rosie!'. En dan maakte hij mijn haar in de war.

Het spreekt vanzelf dat hij niet wist dat, terwijl ik zijn zoon zou helpen met Latijn en Tom me zogezegd zou helpen met natuurkunde, we in werkelijkheid op het dakterras waren waar we een poging deden de *Kamasutra* na te spelen op een laken dat we – schaamteloos – van een van de waslijnen in de buurt hadden getrokken.

'Hij werd op zijn achtenvijftigste ontslagen, kon nergens ander werk vinden. Dat was een klap in zijn gezicht. Twee jaar later was hij dood.'

'Wat erg. En je moeder?' Ik kende haar nauwelijks. Ze was vroeger een mollige moederkloek, die vier tot vijf kranten per dag las. Als ze niet las of het huishouden deed, zag je haar dikwijls haar hoedje opspelden om naar de kerk te gaan.

'Met haar is alles goed. Ze woont bij mijn zusje Cathy in Garden City.' Hij aarzelde. 'Op de begrafenis kwam jouw moeder een beetje... vreemd over.'

'Ouderdomsdementie. Sorry dat ze zo door zat te drammen.'

'Geeft niet,' mompelde Tom.

De ober keerde terug en Tom vulde de bon in en plaatste zijn handtekening. 'Dank u wel, meneer,' zei de ober, waaruit bleek dat hij blij maar niet uitzinnig blij was met de fooi.

'Ik vind het trouwens ook leuk om geld te verdienen,' zei Tom tegen me toen hij opstond.

'Dat is mooi,' antwoordde ik.

Naarmate we dichter bij de uitgang kwamen, werd de frons op zijn gezicht dieper. Hij praatte zo snel dat het me bijna ontging wat hij zei. 'Ik ben zes maanden gelukkig getrouwd geweest.' Hij keek opzij en toen achter zich, gedesoriënteerd, op zoek naar de buikspreker die die woorden had uitgesproken.

'Welke zes maanden?' vroeg ik zachtjes.

'De eerste zes.' Hij gleed met zijn vinger langs de kraag van zijn overhemd, gaf zijn keel even de ruimte. 'Op een dag ging ze naar Palm Beach om een schoolvriendin op te zoeken. Ik kwam laat thuis van mijn werk, zo tegen elven. Ik zag haar koffers in de hal staan.'

'En?'

'Ik voelde me misselijk worden.'

Buiten was het intussen nog kouder geworden. We huiverden, tegelijkertijd, toen de vrieskou ons raakte. 'Wat ging er mis?' vroeg ik.

'Ik besefte dat we getrouwd waren omdat we allebei vonden dat de tijd daarvoor rijp was. Ik denk dat ze mij leuk vond omdat haar vader tegen haar zei dat ik een veelbelovende carrière tegemoet ging. Hij was advocaat bij een kantoor dat ik voor een faillissement had behoed, toen ik nog bij de bank werkte. Hij was geen briljant raadsman, had niet veel geld, maar hij had alle topscholen doorlopen en zag er fantastisch uit in een smoking. Ik dacht dat dat betekende dat hij stijl had. Een paar jaar later stelde hij me voor aan Joan. Tegen die tijd had ik al zoveel geld verdiend dat ik nauwelijks wist wat ik met al die miljoenen moest doen.'

'Maar zij wist er wel raad mee.'

'Ja. En ik verwelkomde haar ideeën met open armen. Ik wist één ding heel zeker: ik had geen zin mijn leven te vullen met dansavondjes van de golfclub. Ik wilde meer.' Tom vouwde zijn armen en stak zijn handen onder zijn oksels. 'En Joan was geknipt voor iemand in mijn positie. Ze was zo anders dan de andere vrouwen in Brooklyn. Elegant en veel te ambitieus om in plaatsen als New Canaan te eindigen. Ze had gevoel voor humor, een scherp tongetje. En ze had uitstekende connecties. Ze was alles wat ik destijds in een echtgenote zocht.

Het rare was dat telkens wanneer ik ons als echtpaar voor de geest haalde, ik een smoking droeg, zij een galajapon en er altijd andere mensen bij waren. We keken nooit gewoon televisie of snoeiden bomen of gingen met kinderen naar de kerk, niet het leven zoals mijn ouders samen hadden gehad, zeg maar. Joan was naar Spence geweest, Joan was naar Holyoke geweest, Joan had haar zomervakanties in de Provence doorgebracht. Ze was in een andere wereld opgegroeid... de wereld waar ik op aan koerste.' Hij ging op de rand van het trottoir staan en keek of er ergens in de straat een taxi te bekennen was.

'Heb je ooit echtscheiding overwogen?'

'Ja, maar het stuitte me tegen de borst, het botste met mijn opvoeding, en dus probeerden we het van de zonnige kant te bekijken. Het zou beter gaan zodra we iets vonden dat, naast mijn fortuin, ook onze gezamenlijke belangstelling zou wekken. Kinderen bijvoorbeeld. Het lukte niet, maar we bleven bij elkaar.'

'Waarom?'

'Waarom niet? Toen we eenmaal zover waren, realiseerde ik me dat het voor ons allebei voordelen opleverde. Dat is nog steeds zo. Ik heb mijn eigen leven. Ik ben altijd in de weer, maar ik heb een echtgenote als ik er eentje nodig heb.'

Tom zwaaide, een taxi kwam in zicht. Hij hield de deur voor me open. 'We kunnen beter naar mijn huis gaan, denk ik.' Ik schudde mijn hoofd. 'Je hoeft je geen zorgen te maken dat je wordt gezien,' verzekerde hij me. 'Joan is de stad uit.'

'En stel dat jij wordt gezien?' vroeg ik. De uitdrukking op Toms gezicht was zo nietszeggend, dat hij wel achterlijk leek. 'Ik ben een vrouw. Wat zal de portier denken? De buren?'

'O.' Deze constatering leek hem zodanig te verbazen dat ik zeker wist dat hij geen wilde nacht vol lust had overwogen. Het leek wel alsof Tom, als volwassen man, geestelijk zo proper was geworden dat hij zichzelf volkomen distantieerde van de achttienjarige jongen die ooit met een onvermoeibare erectie in Flatbush had rondgelopen.

De taxichauffeur draaide zijn raampje naar beneden en riep mopperend, met een accent dat ik nooit eerder had gehoord: 'Gaan we nog? Vooruit! Waarheen? Waarheen?'

'Naar de andere kant van het park,' zei Tom, 'via Broadway.' Hij drukte me de taxi in alsof ik een uitgesproken lastig pakketje was.

'Waar gaan we heen?' fluisterde ik, toen de chauffeur optrok zonder zich druk te maken om het overige verkeer.

'Weet ik niet. We vinden wel iets. Waarom fluister je?' Ik wees op de taxichauffeur. Tom tikte op het vergeelde en bekraste plexiglazen scheidingswandje tussen voor- en achterbank. 'Hoe lang is het naar Broadway?' vroeg hij op luide toon.

'Wat?' schreeuwde de chauffeur. Het geluid dat door de scheiding kwam sijpelen, was nauwelijks meer dan wat gemurmel.

'Laat maar zitten,' riep Tom, en zakte terug in zijn stoel, waarbij hij er wel op toezag dat er tussen ons ruimte bleef waarin een corpulente persoon gemakkelijk paste. 'Brand maar los,' zei hij rustig. 'Als ik je ga helpen, zul je me moeten vertrouwen. En bespaar me de details niet.'

Ik begon met de ochtend na ons zilveren huwelijksfeest. Ik vertelde hem alles wat er was gebeurd sinds Richies moord; behalve Danny's naam en het feit dat hij een vriendje van Alex was en in zijn middelbare-schooltijd altijd bij ons thuis had rondgehangen. Ik zei enkel dat ik hem ooit in de klas had gehad. Ik beëindigde mijn relaas met wat ik te weten was gekomen door Carter Tillotson een wapen tegen zijn slaap te drukken. Ik zou hem een blik op het speelgoedpistool hebben gegund, maar hij was niet meer de jongen die met veel genoegen in mijn trui in zou kijken.

Tom kneep zijn ogen niet dicht, tuitte zijn lippen niet en gaf ook geen ander teken dat hij diep in gedachten was verzonken. In feite zag hij er volkomen normaal uit, alsof hij naar me zat te luisteren – maar ik had al vijf minuten geen woord gezegd. Ik doodde de tijd door naar de zilverkleurige krullen in zijn donkere haar te staren tot hij, eindelijk, naar me keek en zijn keel schraapte.

'Heb je bedacht wie het heeft gedaan?' vroeg ik.

'Ben je mal? Je bent vooralsnog niet eens in de buurt van het "wie". Je zit nog in het stadium dat je informatie verzamelt over mensen, relaties uitvogelt. Je bent bij het "hoe" van alles.'

'Wat dacht je van het "waarom"?'

'Het "waarom"?' herhaalde hij, alsof ik om informatie vroeg die pas halverwege de eenentwintigste eeuw beschikbaar zou zijn.

'Oké, vergeet het waarom maar.'

'Welnu, kan het zijn dat iemand Ricks auto heeft gezien op de plek waar hij hem had geparkeerd?'

'De auto op zich niet, maar iemand die de heuvel opreed of daar met een zaklantaarn wandelde, zou de reflector – dat kleine rode plaatje op de zijkant van de auto – gezien kunnen hebben.'

'Maar als iemand dat heeft gezien, waarom zou hij dan...'

'Of zij.'

'Toe nou, Rosie! Waarom zou die persoon de moeite nemen om aan de andere kant van Ricks auto te parkeren? Waarom parkeerde die persoon niet eenvoudig in de berm om vervolgens lopend een kijkje te nemen?'

'Omdat hij of zij niet gezien wilde worden.'

'Goed, zeg jij maar zij,' bromde hij. Ik ging niet met hem in discussie, enkel omdat ik opeens besefte dat ik zijn kalmte, zo niet zijn welwillendheid, op de proef stelde. 'Dan zeg ik hij, oké?'

'Oké,' stemde ik toe.

'Even terug naar die bandensporen naast Ricks auto. Die brigadier Gevinski van jou houdt vol dat die niet door plaatselijke agenten gemaakt kunnen zijn,' zei Tom. 'Maar dat is zo onlogisch als wat.'

'Waarom?'

'Waarom zouden agenten niet gewoon op de weg stoppen, vlak naast hem.'

'Precies!' Ik was opgetogen over zijn antwoord. Maar ik ergerde me ook, omdat ik die verklaring niet veel eerder had bedacht.

'Goed,' zei hij, heel zakelijk. 'Dan de modder. Er zat modder op Ricks schoenzolen en de keukenvloer. Klopt dat?'

'Klopt,' antwoordde ik.

'Ook voetsporen?'

'Nee. Alleen willekeurige moddervlekken.'

'Je zou denken dat gymschoenen met diepe groeven een duidelijk spoor zouden achterlaten.'

Ik knikte. 'Ik denk dat degene die hem heeft vermoord de aanwezige voetsporen heeft uitgeveegd omdat ze natuurlijk niet overeenkwamen met Richies schoenzolen.'

'En je hebt nergens anders in huis moddersporen gevonden?'

'Nee, nergens.'

'Dus ofwel Rick is nooit verder gekomen dan de keuken of hij is wel in huis geweest en dan klopt jouw theorie dat de modder later op zijn schoenen is gesmeerd.'

'Maar als hij al op de terugweg was, waarom zijn er dan geen papieren of wat dan ook op zijn lichaam gevonden?'

'Of de moordenaar heeft dat ingepikt...'

'Hemeltje! Dat is het!'

'... of hij heeft niet gevonden waarvoor hij kwam. Hoe was de situatie buitenshuis?'

'Hoe bedoel je?'

'Je woont niet in een blokhut midden op een open plek in het bos. Je hebt stoeptreden, paden die naar het huis leiden. Heb je daar ook modder aangetroffen?'

'Nee. Of wacht, laat me even denken.' Ik probeerde me de treden die naar de keuken leiden voor de geest te halen, maar kon het niet. Pas toen realiseerde ik me dat ik de stoeptreden die bewuste avond noch de volgende dag had gezien. 'Ik geloof dat ik niet één keer langs Richie, naar de keukendeur, ben gelopen. En toen de politie kwam, heb ik hen via de voordeur binnengelaten, dus... ik geloof niet dat ik gezien heb of er buiten aanwijzingen waren. Maar denk je niet dat de politie me dat verteld zou hebben?'

'Je meent het?' riep Tom uit. 'Jíj bent de verdachte. Maar als je mijn mening wilt weten: ik denk dat als daar voetsporen gevonden waren, hadden ze jou niet één-twee-drie tot hoofdverdachte gebombardeerd. Maar uit het feit dat er voetsporen in de keuken waren, volgt logischerwijs dat er sporen geweest moeten zijn die naar het huis leidden. De moordenaar heeft die wellicht verdoezeld, zodat het begrijpelijk is dat de politie veronderstelt dat ze van Ricks schoenen afkomstig waren.'

'Of misschien heeft de politie ze niet eens opgemerkt en heeft de wind de sporen uitgevaagd.'

'Misschien,' mompelde Tom, die opnieuw in gepeins verzonk. Toen hij terugkeerde in het heden, vroeg hij me wat ik verder van plan was. Ik zei dat ik nog met Jessica, Hojo en Stephanie moest praten. En ook met Madeline Berkowitz; zij had wellicht geruchten die over Mandy, Carter, of Richie de ronde deden gehoord. Tegen de tijd dat ik Madeline noemde, waren we in het centrum, waar we ons bij het World Trade Center lieten afzetten en Tom de chauffeur betaalde.

We liepen een paar blokken verder, door straten die zo verlaten waren dat ze niet eng konden zijn, en doken de eerste de beste gelegenheid in die open was, Big Bob's, een oude bierhal – een en al donkerbruin hout en viezige Budweiser bierviltjes – die met behulp van vier televisietoestellen was veranderd in een sportcafé voor alcoholminnende yuppies. De laatste klanten hingen aan de bar en keken naar voetbal of iets dergelijks op een televisie die de wereld in een wel extreem groene staat presenteerde. We namen plaats aan een tafeltje zo ver achterin dat het praktisch aan het oog werd onttrokken. Tom bestelde cognac. Ik nam whisky met spuitwater, hoofdzakelijk omdat het me het gevoel gaf op Barbara Stanwyck te lijken, sterk maar toch sensueel.

Het viel Tom niet op. 'We kunnen hier blijven tot ze dichtgaan. Dan gaan we verder.'

'Waarheen?' vroeg ik.

'We zien wel. Laten we ondertussen je lijstje nog eens doornemen: ik kan Joan uithoren. Je moet maar zeggen wat je wilt weten.'

'Dank je.'

Hij knikte. 'Het is niet veilig voor je om Jessica op te zoeken. Zij weet dat je op de vlucht bent. Ik weet zeker dat ze zich bedreigd voelt. Als ze geen politiebescherming geniet, zal ze zelf lijfwachten ingehuurd hebben. Ik moet nadenken hoe we haar eventueel kunnen benaderen. Verder, wat je twee vriendinnen op Long Island betreft...' Ik wist hoe intelligent Tom was; wat op dat moment echter indruk op me maakte, was zijn vermogen om al die informatie in zo'n kort tijdsbestek op te nemen en samen te vatten. 'Ik zou je willen adviseren een afwachtende houding aan te nemen. In de eerste plaats moet je de losse eindjes zoveel mogelijk hier aan elkaar proberen te knopen. Ten tweede is de voorstad waar je woont betrekkelijk klein. Je geeft les op de plaatselijke middelbare school; iedereen weet wie je bent. Als je teruggaat, zul je sluiproutes moeten nemen, mensen moeten overrompelen. Ontegenzeglijk,' voegde hij eraan toe, 'is dat zo langzamerhand je specialiteit geworden.'

We verlieten het café ongeveer een kwartier later, toen de laatste yup in zuidelijke richting, richting veerpont van Staten Island, was vertrokken. Ik moest flink de pas erin houden om hem bij te benen. Hij had ook van die lange benen.

Als een flits schoot me een herinnering in gedachten: Tom en ik toen we achttien waren. We liepen langs het apenhuis in de Prospect Park Zoo; ik moest praktisch hollen om zijn tempo bij te kunnen houden. De gorilla's en de chimpansees loeiden en schreeuwden alsof ze auditie deden voor een Tarzanfilm, toen Tom – abrupt en onverschillig – meldde dat hij een meisje van de Queen of All Saintsschool meenam naar het eindexamenbal. De beste vriendin van de vriendin van zijn vriend Bobby, legde hij uit. Hij slenterde doodleuk verder.

Hoe kun je me dat aandoen, wilde ik weten. Niet eens met verheven stem. Het gaat niet alleen om de seks, Tom. Als we op een zolderkamertje in Greenwich Village woonden, zouden mensen in een oogopslag zien dat we geliefden waren. Het is meer dan fysieke aantrekkingskracht. We zíjn geliefden. Ik heb Aquino's verhandelingen over het bestaan van God gelezen, omdat jij zei dat die teksten zo harmonieus waren. Harmonieus: een heerlijk woord vond ik dat. Je las me *The Tempest* voor. Ik kon er nauwelijks bij dat je zo begripvol was.

Maar al die jaren geleden, wist ik alleen de vraag uit te brengen hoe het meisje heette. Peggy, zei Tom, op de joviale toon die hij altijd hanteerde. En meteen daarna had hij gezegd: 'Hé, Rosie, zullen we een zak toffees delen?' Ik had mijn hoofd geschud.

Tom vroeg: 'Weet je zeker dat je in New York wilt blijven?'

Nu, dertig jaar later, was ik zo kwaad dat ik nauwelijks iets kon uitbrengen. 'Heb ik een keus dan?'

'Ja. Je kunt overal heen waar je geen paspoort voor nodig hebt.'

'Waar heb je het over?'

'Ik kan je op mijn privé-vliegtuig zetten, dat hoeft niemand te zien. Ik kan zorgen dat je je ergens anders kunt vestigen en geef je wat je nodig hebt om opnieuw te beginnen. Mijn erewoord dat ik het nooit tegen iemand zal zeggen. Je kunt een compleet nieuw leven beginnen.'

Ik had van dankbaarheid in tranen moeten uitbarsten of hem van verbazing moeten aangapen. 'Waarom heb je me niet voor het eindexamenbal gevraagd?' was evenwel het enige dat ik wilde weten.

'Rosie!'

'Waarom niet?'

Hij porde met zijn vinger in mijn schouder. 'Wees in vredesnaam op je hoede.'

We wachtten zwijgend bij een taxistandplaats, hoewel ik geen idee had waar hij of ik naar toe zou gaan.

Na een minuut of tien zei ik: 'Dat aanbod... ik weet niet hoe ik je moet bedanken. Sorry dat ik zo ondankbaar deed.'

'Het geeft niet,' mompelde hij.

'Zo edelmoedig ben ik nog nooit behandeld.'

'Was je van plan er op in te gaan?' vroeg hij, terwijl hij uitkeek naar koplampen.

'Ik kan niet zomaar een nieuw leven opbouwen. Ik ben moeder. Hoe zou ik ooit mijn zoons kunnen opgeven?'

Opnieuw vervielen we in stilzwijgen. Vanaf het water bereikte ons een straffe, klamme, ijskoude wind. Ik stelde me voor dat hij zijn arm om me heen sloeg, me dicht tegen zich aan trok om me te verwarmen, toen hij zijn handen abrupt in zijn zakken stak. Toen zei ik: 'Wat je op dit moment doet, is riskant genoeg. Als ik je aanbod zou aannemen, zou het je hele leven kunnen verwoesten.'

'Ik ben zevenenveertig,' verkondigde hij.

'Natuurlijk. Ik ook.'

'Ik heb geen kinderen om me zorgen over te maken. Ik neem alleen financiële risico's en zelfs die heb ik altijd gedekt, zodat mijn fortuin enkel groeit. Het is gek, mensen zien me als een gokker, terwijl ik van nature uiterst voorzichtig ben.'

'Waarom neem je dan nu wel risico's?'

Tom aarzelde, alsof hij voor elk woord dat hij sprak tol moest betalen. 'Ik denk dat ik wil kijken of ik in staat ben een edelmoedig gebaar te maken, of ik een beetje kan lijken op de man die ik altijd heb willen zijn.'

'En wat is dat voor iemand?'

'Een man met lef.'

Toen er eindelijk een taxi stopte, gaf Tom de chauffeur opdracht ons naar het beste motel in de buurt van La Guardia te brengen. Ik schudde heftig met mijn hoofd. 'Rustig maar,' zei Tom. 'Dat staat niet op het programma.'

Er waren geen aangrenzende kamers vrij in het Highlander motel. De bruidssuite had een kingsize bed met daarboven een spiegelhemel. Tom betaalde contant voor wat de receptionist de Presidentiële Suite noemde en schreef ons in als meneer en mevrouw Thomas Smith; de receptionist maakte zich absoluut niet druk om de onmiskenbaar valse naam noch om het feit dat we geen bagage bij ons hadden.

De seksuele spanning die zich mogelijk kon opbouwen wanneer een man en een vrouw – voormalige geliefden – een motelkamer betraden, vervloog voor die een kans kreeg. Zodra Tom de deur had dichtgedaan, beende hij naar de telefoon. Hij zette een schildpadkleurige leesbril op, belde naar kantoor en luisterde wat er op zijn antwoordapparaat stond. 'Maak even een lijst van de dingen die ik Joan moet vragen,' zei hij tegen mij. Met de telefoon tussen zijn kin en zijn schouder geklemd, drukte hij de minuscule toetsen van zijn elektronische agenda in. Ik was eerder klaar dan hij; hij was iemand bij wie veel boodschappen werden achtergelaten.

De Presidentiële Suite was al geruime tijd niet gestoft, maar de woonkamer was niettemin behaaglijk. Het stond er vol met eenvoudige maar grote meubels die, als ze van mahoniehout waren geweest in plaats van van plastic, in het Witte Huis niet hadden misstaan. Een zachtgroene divan met poten in de vorm van een roofvogelklauw die een bal vasthield was zo comfortabel dat ik met beide voeten op de grond moest blijven zitten om te voorkomen dat ik in slaap zou vallen.

Tom deed zijn colbert uit en hing die over de rug van zijn stoel. 'Joan en ik horen niet tot die echtparen die ellenlange, diepgaande gesprekken met elkaar voeren. Ik zal alles uit de kast moeten halen om uit te leggen waarvoor ik die informatie nodig heb.'

'Ik wil graag meeluisteren op het andere toestel,' zei ik.

'Dat heb ik liever niet.' De understatement van het jaar!

'Iets wat jou ontgaat, valt mij wellicht wel op,' legde ik uit. Tom schudde zijn hoofd en drukte op een paar toetsen van zijn agenda om Hojo's nummer op te vragen. Ik vervolgde: 'Wat denk je dat ze zal zeggen. "Weet je nog, die fantastische nacht met die Deense dog"?' Er gleed even een glimp van zijn vroegere glimlach over zijn gelaat. 'Hoor eens,' zei ik, 'ik heb de nodige tijd met haar doorgebracht. Ik weet hoe bijtend ze kan zijn. Het maakt niet uit. Na vanavond ga jij je eigen weg en ik de mijne, de kans dat ik jou of Joan ooit weer tegenkom is vrijwel nihil – zeker als ik de pers sta te bedienen in een werkplaats waar ze nummerborden maken. Ik wil gewoon horen hoe ze op mijn vragen reageert.'

Hij wierp een vluchtige blik op het lijstje dat ik had gemaakt. 'Als je dat echt wilt...' Hij belde op. 'Mevrouw Driscoll, alstublieft. Het kan me niet schelen wat de regels van het kuuroord zijn. U spreekt met haar man. Verbind me door.' Hij legde zijn hand op het mondstuk. 'Ga snel naar een van de slaapkamers en pak de hoorn op. Vlùg.' Ik was net bij de telefoon toen Hojo hem begroette, maar ze klonk zo slaperig dat ik wist dat ze niets in de gaten had. 'Joan,' zei Tom. 'Met mij. Sorry dat ik je wakker bel, maar ik heb bepaalde informatie nodig.'

'Waarover?' Ik hoorde dat er een lamp werd aangeknipt, het gesis van een gasaansteker. Ik trok mijn laarsjes uit en ging op bed liggen.

'Over Data Associates,' zei Tom. 'Weet je, ik ben enkel trouwe klant gebleven omdat jij en Rick zo hecht bevriend waren...'

'Je hebt me nooit verteld dat je ontevreden over hen was,' snauwde ze.

'Nou ja, dan weet je het nu.' Zijn stem klonk nonchalant, verveeld zelfs, maar vooral ijzig. In de jaren dat Richie en ik getrouwd waren, ook voor de komst van Jessica, hadden we zo onze ruzies gehad. Knallende ruzies. Dan schreeuwde hij tegen me en liep wel tien keer de kamer uit, de deur achter zich dicht smijtend. En ik zei hem minstens zo vaak dat hij naar de hel kon lopen. Een keer heb ik zelfs een hele Grand Marnier soufflé naar zijn hoofd gesmeten en het enige dat me speet was dat hij die wist te ontwijken. Dagenlang spraken we alleen tegen elkaar als het echt noodzakelijk was. Maar ik was nooit met dergelijke kilheid bejegend: Tom en Hojo leken wel werknemers van een of ander groot bedrijf die elkaars bloed wel konden drinken maar toch, jaar na jaar, gedwongen waren samen te werken. Tom was, in tegenstelling tot Richie, die nooit moeite had gehad tegen mij te zeggen dat ik kon oprotten en doodvallen, uiterst beleefd tegen zijn vrouw.

Hojo blies een lange adem uit, die wellicht gepaard ging met een sliert rook. 'Vooruit dan maar,' zei ze.

'Leidt die mevrouw Stevenson het bedrijf beter dan hij deed?' Het enige dat mij ondertussen wakker hield, waren een vage hoop en mijn pijnlijke voeten. 'Jessica schijnt een zakelijk genie te zijn,' antwoordde Hojo. 'Rick zwoer dat zij een eenmansbedrijf in een internationale onderneming had omgetoverd.'

'Hij sliep met haar. Dan zal hij heus niet beweren dat ze een sufferd is.'

'Als je even nadenkt,' zei ze vermoeid, 'weet je dat hij pas sinds kort een verhouding met haar had. Hij werd praktisch van de ene op de andere dag smoorverliefd. Het duurde alleen een paar maanden voor hij zijn huisvrouwtje vaarwel kon kussen.' Ik had altijd een zekere genegenheid gevoeld voor deze broze vrouw met haar siliconenborsten, haar plastic jukbeenderen en haar trieste dwangimpuls om de vinger in haar keel te steken. Die vervloog ter plekke.

'Dus voor Rick en Jessica een verhouding hadden, werkten ze enkel goed samen?'

'Ja.'

'Werd stilzwijgend aangenomen dat als hem iets zou overkomen, zij het bedrijf zou overnemen?'

'Al sla je me dood.' Hojo liet een soort gegniffel horen. 'Erg inschikkelijk van Rick nietwaar, dat hij zich liet doodsteken om Jessica president-directeurtje te laten spelen.'

'Ik dacht dat je haar aardig vond.'

'Ze is goddelijk.'

'Je bent jaloers,' zei hij, een simpel feit constaterend.

'Doe niet zo onnozel, Tom. Rick was mijn vriend. Het geval wil dat ze hem bedroog en zijn hart brak.' Joan werd opeens koket. 'Wil je weten met wie, schattebout?'

'Waarom niet?'

'Nicky Hickson.'

'Die arrogante kwast?'

'Hij is toevallig heel charmant, en veel rijker dan jij. Rijkdom van de vierde generatie. Rick was wanhopig bezig zijn scheiding rond te krijgen, zodat hij met haar kon trouwen. Hij was ervan overtuigd dat hij haar voor zich kon winnen, als hij maar snel handelde.'

'Waarom moest hij zonodig terug naar zijn oude huis?'

'Je zult het niet geloven. Om de koopakte van een Twombly die hij voor Jessica had gekocht op te halen. Ze wilde het schilderij verkopen. Ze besloot dat het werk haar "verveelde". Snap je dat nou? Maar goed, het schilderij was ten minste drie miljoen waard.'

'Wist ze dat hij van plan was het huis in te sluipen?'

'Natuurlijk wist ze dat. Hij moest de papieren halen. Daarna zou ze het werk verkopen. En daarná zou ze hem de bons geven, maar natuurlijk werd hij pissig op mij toen ik hem daar op wees. Die man was volkomen hoteldebotel. Hij was er zeker van dat hij haar niet zou verliezen als hij maar precies deed wat ze van hem vroeg.'

'Was hij ook hoteldebotel van degene voor Jessica?'

'Lieve schat, tot over zijn oren. Hoewel dat maar kort standhield.' Hojo's matte stem kreeg opeens een erotische klank. 'En voor háár, had hij minstens tien jaar een affaire met zijn secretaresse, Brunhilde of hoe ze ook maar heette, tijdens kantooruren, na kantooruren en dat terwijl hij het vuur thuis ook brandende hield. Maar toen moeder de vrouw eenmaal begon te jammeren' – ze imiteerde een nasaal Brooklyn accent – ' "Rich-ie, al dat geld. Wat komt er zo terecht van onze normen en waarden?" Kort gezegd, hij gunde zichzelf een gevoelsmatige scheiding. Een tijdlang geloofde hij dat Brunhilde zijn ware liefde was, maar *merci Dieu* heb ik hem daar van af weten te brengen! Ik zei: "Kun je je voorstellen dat zij aan je zijde staat op het eerstvolgende liefdadigheidsfeest?" '

'Wie was die vrouw die hij meebracht toen we die keer uit eten zijn geweest?'

Hojo snoof en lachte tegelijk, wat een akelig geluid opleverde. 'Bedoel je die avond dat je besloot op mijn kledingtoelage te bezuinigen?'

'Ja.'

'Werkelijk, Tom, je kunt zo'n moralistische eikel zijn. Je gedrag liep echt de spuigaten uit. Thomas, de toorn van God.'

Hij vond het vervelend met haar te moeten praten, en hij had helemaal de smoor in dat ik meeluisterde; voor het eerst had zijn stem een hatelijke ondertoon. 'Wie was ze?'

'Je hebt de hele avond in haar gezelschap doorgebracht en je weet niet eens meer wie ze was?'

'Nee,' snauwde hij.

'Mijn hemel! Ze was de eerste met wie Rick een echte liefdesverhouding had. Nou ja, liefdesverhouding. Maar je moet toegeven dat ze acceptabel was. Meer dan acceptabel, eerlijk gezegd, hoewel slaapverwekkend saai. Weet je nog wel?'

'Nee.'

'Rick zocht gewoon een manier om aan dat verstikkende huwelijk te ontsnappen. Maar uiteindelijk is het niet meer geweest dan een generale repetitie voor zijn verhouding met Jessica. Hij viel nu eenmaal op protestantse, keurig opgevoede vrouwen... net als jij ooit, lieverd. Weet je nog?'

'Hoe heette ze nog maar weer?'

'Waarom is zij zo belangrijk?' Hojo's stem werd ineens ijziger dan die van Tom. 'Wou je haar een liefdesbriefje sturen, *mon ange*? Of haar een belletje geven?'

'Nee.'

'Je gedroeg je als een enorme klootzak. Hoe kun je dat vergeten zijn? Het is tenslotte niet zo dat we avond aan avond samen dineren, lieve.'

'Zeg dan hoe ze heette, Joan.'

De Driscolls mochten een huwelijk vol wederzijdse haat instandhouden, het was nog altijd een huwelijk; ze wist dat er iets in de lucht hing. 'Vanwaar die belangstelling?' Hij gaf geen antwoord. 'Waar gaat dit om? Wat heeft zij met Jessica te maken?' wilde Hojo weten.

Leg neer, smeekte ik in stilte. Ze heeft je door. Hij hoorde me. 'Ik deed een poging een normaal gesprek te voeren.'

'Mijn lieve mannie toch! Ik voel me gevleid. Een intíem echtelijk gesprekje. Straks wil je nog weer met me naar bed ook.'

Hij gooide de hoorn met een klap neer. Zij ook.

Tom moet geweten hebben dat hij de laatste was die ik op dat moment onder ogen wilde komen, reden waarom hij meteen riep: 'Kom uit die slaapkamer, Rosie!'

Wat kon ik tegen hem zeggen? Het spijt me dat jij en je eega het liefst de ingewanden uit elkaars lijf rukken. Of, gossie, wat was mijn echtgenoot toch een achterbakse smeerlap! In staat om drie minaressen tevreden te houden en tegelijkertijd een fortuin te vergaren. En dan naar huis te gaan en mij weten te bevredigen, op een manier waar Masters en Johnson een puntje aan hadden kunnen zuigen.

Al die maanden na Richies vertrek ging ik tekeer, treurde ik, maar zat ik vooral veel aan de keukentafel, mezelf vol proppend – meestal met Häagen-Dazs chocolade-ijs – en me afvragend: wat heb ik fout gedaan? Had ik moeten stoppen met lesgeven, zoals hij graag wilde, zodat we naar het centrum hadden kunnen verhuizen? Had ik mijn vinger in mijn keel moeten stoppen, zodat ik maatje 36 kreeg? Had ik een coupe soleil moeten nemen? Moeten beseffen dat ik een verstikkende invloed had op een man als hij en een vrij huwelijk moeten voorstellen?

Had ik nooit beseft hoe de wereld in elkaar stak? Elk jaar dwaalden duizenden in de steek gelaten vrouwen doelloos door winkelcentra, ontdaan van hun waardigheid en hun creditcards. Miljoenen vrouwen in de overgang, die niet meer verwarmd werden door de armen van hun echtgenoten, zochten een stukje intimiteit in de meelevende omhelzingen van een van de andere gescheiden vrouwen in het zelfhulp-groepje waarvan ze deel uitmaakten. Ze droomden niet meer van een romantische liefdesrelatie, maar hoopten enkel op kleinkinderen die hen in de toekomst wellicht wilden knuffelen. Hoe kon ik gedacht hebben dat mij zoiets níet kon overkomen?

'Rosie!' riep Tom nogmaals. Ik liep de presidentiële woonkamer in. Hij stond vlak bij de deur, zijn colbert weer aan, stropdas voor, porte-feuille in de hand en tellend hoeveel geld hij had. Zijn kaken waren opeengeklemd; het kon mijn verbeelding zijn, maar ik dacht dat ik hem hoorde knarsetanden. 'Ik ga.'

'Waarom?'

'Ik heb niet veel contant geld,' zei hij. 'Honderdtwintig dollar. Als je morgenvroeg op kantoor langs kunt komen, zal ik een envelop met inhoud klaarleggen bij de receptioniste. Op wiens naam moet ik het zetten?'

'Ik wil jouw geld helemaal niet.' Hij kon zich er niet toe brengen me aan te kijken. In plaats daarvan staarde hij naar de deurknop alsof die het meest begerenswaardige object ter wereld was. 'Ik heb je hulp no-dig, Tom.'

'Meer dan dit heb ik je niet te bieden,' zei hij tegen de deurknop.

'Denk je dat ik niet wist dat je een waardeloos huwelijk hebt? Denk je dat het me verbaast dat je niet meer met je vrouw slaapt? En denk je dat ik met al de problemen die ik momenteel heb ene moer om die van jou geef?' Hij draaide zich nu in elk geval wel om. Hij was niet echt knap, maar zijn magere, hoekige gezicht toonde karakter en diepgang en verdriet. 'Nou ja,' vervolgde ik, 'dat is niet helemaal waar. Het kan me wel degelijk schelen. Ik koester een gemene fantasie waarin blijkt dat Joan gek van jaloezie wordt vanwege Jessica en daarom Richie vermoordt. Dan ben ik van alle schuld verlost en kan ik verder leven.'

'En ik?'

'Jij zou het klooster in kunnen gaan.'

Hij begon te lachen. 'Misschien geen slecht idee.'

'Of de draad van je leven weer oppakken. Heb je iemand momen-teel?' vroeg ik. Ik geloof dat het me lukte nieuwsgierig en toch heel nonchalant te klinken. Hij schudde zijn hoofd. Ik wist niet waar ik het lef vandaan haalde, maar ik vroeg: 'En je seksuele verlangens dan?'

'Werk,' antwoordde hij uiteindelijk.

Het is mogelijk dat mijn onderbewustzijn een sprongetje van blijd-schap maakte dat hij niet antwoordde: 'Jongens.' Of erger nog: 'Een vierentwintigjarige minnares met een graad in econometrie.'

Tom keek op zijn horloge. 'Jezus, is het al zo laat.'

'Ik ben nog nooit zo moe geweest,' zei ik tegen hem. 'Ik moet een poosje slapen. Ik smeek je... Nee, dat is niet eerlijk. Ik hoop echt dat je blijft, want ik moet in contact zien te komen met Jessica en dat lukt niet zonder jouw hulp.' Ik zweeg even. 'Zie ik je morgenvroeg?'

'Ja,' antwoordde hij ten slotte, waarop hij zich omdraaide, in de andere slaapkamer van de suite verdween en de deur achter zich dichttrok.

Ik ging terug naar mijn kamer, liet me op bed vallen en wist nog net de dekens over mijn hoofd te trekken voor ik in een diepe slaap verzonk. Drie uur later, toen er in de kamer boven me een toilet werd doorgetrokken en de afvoerbuizen als gevolg daarvan luidruchtig protesteerden, schrok ik in paniek wakker, zozeer in de war wat betreft de plek waar ik me bevond dat ik heel even dacht dat ik door een beroerte was getroffen. Zelfs nadat ik het licht had aangedaan, bleef mijn hart als een razende bonken. Ik liet me weer op het warme plekje onder de dekens en de sprei glijden, maar ook dat hielp niet.

Het is vreselijk om als jong meisje de jongen van je dromen te ontmoeten, omdat iedereen vergeleken met hem in het niet valt. Zelfs nadat Richie en ik waren getrouwd, had ik naar Tom verlangd. Het was niet in de eerste plaats een seksueel verlangen. Waar ik naar hunkerde was de mysterieuze mengeling van rust en vreugde die ik voelde als ik na het vrijen in Toms armen lag. In die tijd waren zowel Tom als ik grote praters geweest; we spuiden altijd onze mening over kunst en de wereld, discussieerden over politiek en hoorden elkaar zodanig uit dat we elkaars biografie hadden kunnen schrijven.

Maar na het gepraat en de seks, waren we stil. Voor mij gaven die momenten betekenis aan het woord 'subliem'. Dan legde ik mijn hoofd te rusten op zijn schouder, waar ik de bitterzoete geur van zweet en Canoe after-shave kon ruiken en met volle teugen genoot van onze zwijgzaamheid.

Iedere vrouw heeft wel een liefde die haar is ontglipt. Maar wat een geweldige liefde was Tom Driscoll geweest! Wat een verdriet om zo'n fantastische jongen te verliezen en wat een schok om tot de ontdekking te komen dat je nooit, de rest van je leven niet, over de klap heen zult komen.

Ik liep door de woonkamer naar de deur van zijn slaapkamer, maar ik bleef plotseling staan, bang dat hij de deur op slot had gedaan nadat ik naar bed was gegaan. Als ik aan de knop draaide, had hij meteen in de gaten dat ik naar hem verlangde. Hij zou doen alsof hij sliep.

Maar als ik in de afgelopen week iets had geleerd was het dat ik, na al die jaren, een flinke dame was geworden. Nee, sterker nog: een moedige dame. Als het gisteren was geweest dat hij me vertelde dat hij Peggy zou meenemen naar dat vervloekte eindexamenbal van hem, had ik uitgeroepen: 'Wàt? Neem je een of andere Ierse maagd van de Queen of All Saintsschool mee? Ben je soms bang om te zeggen: "Dit is mijn vriendin, Rosie Bernstein van Madison High?" Verdomme, Tom! Je bent veel te goed om zo'n lafaard te zijn.' En dan zou ik, niet wetend of hij me zou volgen, de moed hebben gehad om me om te draaien en weg te lopen.

Tom was zo diep in slaap, dat hij me pas hoorde toen ik met mijn knie tegen het nachtkastje botste.

'Rosie?'

'Ik ben het,' zei ik. Het slechte nieuws was dat ik mijn knie had bezeerd. Het goede was dat het zo donker was dat hij de lichamelijke veranderingen die de tijd en twee zwangerschappen hadden bewerkstelligd niet kon zien. Ik vond het laken op de tast en tilde het op, zodat ik bij hem in bed kon kruipen voor hij me op beleefde wijze naar mijn kamer terug kon sturen. 'Weet je nog?'

'Ik weet het nog,' zei hij. Hij trok me tegen zich aan, zodat eerst onze lichamen, toen onze neuzen en ten slotte onze monden elkaar raakten. Onze kus voelde ongelooflijk vertrouwd aan, eerst die zachte drang en daarna de verkenning, die langzaam in hevigheid toenam. Het leek wel of onze laatste kus een paar uur geleden was.

'Ik ben uit vorm,' zei hij zachtjes.

'Dat is wel het laatste waar ik naar op zoek ben.'

Hij legde een hand tussen mijn schouderbladen, de andere op mijn achterste en trok me toen dichter tegen zich aan. Ik wreef met mijn wang langs de zijne, de ruwheid van zijn stoppelbaard koesterend.

'Ik heb zo vaak aan je gedacht, Rosie.'

'Ik ook aan jou, Tom.'

Onze timing was niet meer zoals vroeger. Onze bewegingen waren minder gracieus. En hij had gelijk: hij was werkelijk uit vorm. Maar het liefdesspel tussen ons was nooit heerlijker geweest. Na afloop rustten we uit, tot het ochtendgloren het presidentiële bed verlichtte. Het trof ons in elkaars armen, zwijgend en volmaakt gelukkig.

17

'Natuurlijk had ik geen bezwaar hierheen te komen!' verzekerde Jessica Tom. Ze sloeg haar benen over elkaar. 'We hebben elkaar eigenlijk alleen op gezellige avondjes ontmoet. Ik ben blij dat we nu eens de kans hebben echt te praten.' Vanaf de plek waar ik me verborg, kon ik enkel Toms linkersok en linkerschoen zien, plus een stukje van zijn bureau en, in een strategisch opgestelde fauteuil, Jessica van top tot teen. Ze leek absoluut niet onder de omstandigheden te lijden, maar zag er ronduit fantastisch uit in het donkerblauwe mantelpakje waarvan de kleur exact overeenkwam met die van Toms pak. 'De enige reden dat ik aarzelde was dat ik om negen uur een stafvergadering had belegd. Maar je klonk nogal bezorgd aan de telefoon, dus heb ik die uiteraard meteen afgelast.'

Ze zat rechtop maar niet verkrampt. Op haar gelaat lag de zakelijk-sympathieke uitdrukking die past bij een gesprek met een grote klant. Alleen haar handen, waarmee ze zich stevig aan de stoelleuningen vasthield, wezen op innerlijke spanning. Jessica was zonder meer scherpzinnig genoeg om te beseffen dat wanneer Tom Driscoll om 07.00 uur 's ochtends opbelde om op bitse toon te eisen dat ze om 09.00 uur bij hem op kantoor zou zijn, dit weinig goeds beloofde. Kennelijk werkte Toms zwijgen op haar zenuwen, want ze trommelde een paar keer met haar vingers en moest zich daarna beheersen. Ik zag dat de ontzagwekkende maar onvolmaakte Meyers-diamant niet meer aan haar vinger prijkte.

'Mijn relatie met Data Associates dateert van jaren her,' zei Tom ten slotte.

Jessica knikte. Het licht van de bronzen lamp die op de rand van Toms bureau stond, scheen op haar dure kousen. En ook daarnaast was er genoeg de moeite waard om belicht te worden; van haar pumps met naaldhakken tot het korte rokje van haar overigens keurig nette mantelpakje. Ze sloeg haar gekruiste been, waarmee ze af en toe even sexy had gezwaaid, terug en zette deze pal naast haar andere been. 'Ik mag hopen dat het voor beide partijen een lucratieve relatie is geweest,' reageerde ze.

Uit de manier waarop Jessica haar lichaam gebruikte, zou je denken dat ze Lauren Bacall in *Key Largo* twee jaar lang had bestudeerd in plaats van een graad in financieel beheer te hebben behaald. Maar als ik geld moest verwedden op wat ze had dat succesvolle mannen als Carter, Richie en Nicholas Hickson voor de bijl deed gaan, zou ik zeggen dat het erotische aspect – de benen, het sensuele loopje, de glanzende, voortdurend getuite lippen – daarvoor slechts voor de helft verantwoordelijk was. De andere vijftig procent van de aantrekkingskracht bestond uit een berekenend geweten dat zoveel leek op de gewetens van haar veroveringen dat ze, wanneer ze met haar naar bed gingen, als het ware de liefde met zichzelf bedreven.

'Lucratief voor jullie,' zei Tom. 'Niet voor mij.' Toen ze haar mond opende om haar ontzetting te verwoorden, sneed Tom haar de pas af. 'Ik heb altijd zaken gedaan met Rick, maar ik vind wel dat ik persoonlijk moet uitleggen waarom ik geen gebruik meer wens te maken van jullie diensten.'

'Pardon?' Tenminste ik geloof dat ze dat zei; haar stem was zo zwak dat ik het niet met zekerheid kon bepalen.

'Jullie onderzoek naar Star Microelectronics had ook door een tweederangs student op een willekeurige universiteit in het land uitgevoerd kunnen worden. En vergeleken met jullie zogenaamde diepgaande profielschetsen van de belangrijkste medewerkers bij Vancouver Associates was het Star-verslag geniaal.'

Jessica deed het onmogelijke en probeerde nog rechterop te gaan zitten. 'Dat kan ik niet geloven.'

'Precies, dat bedoel ik nou.'

'Wat bedoel je?'

'Dat je evenmin als je vriendje geschikt bent een onderzoeksbedrijf te leiden.'

Als ik in Jessica's pumps had gestaan, was ik in tranen uitgebarsten. Maar ere wie ere toekomt. Ze sloeg opnieuw haar benen over elkaar en leunde voorover. 'Ik ben het niet met je eens. Ik ben wel degelijk geschikt. Maar begrijp me goed: Rick bemoeide zich enkel met het onderzoek op zich. Zijn manier van leidinggeven liet, eerlijk gezegd, te wensen over.'

'Jij hebt een financieel-economische achtergrond, nietwaar? Wat geeft jou het idee dat je zo'n vijfhonderd academici in het gareel kunt houden?'

'Door de onderdirecteur enkel te belasten met kwaliteitsbevordering. Door elke dag een willekeurig rapport te selecteren en dat te laten lezen door twee andere deskundigen: één van jouw topmensen en mijzelf. Ik garandeer je dat...'

Tom onderbrak haar. 'Je kunt niets garanderen.'

'Geef me twee maanden,' pleitte Jessica. Tom moet zijn hoofd geschud hebben. 'Alsjeblíeft.'

'Niet tegen deze tarieven.'

Ze aarzelde niet eens. 'Vijfentwintig procent korting op alle rekeningen van de komende twee maanden. En na die proefperiode tien procent af van hetgeen je nu betaalt.' Ze haalde een keer diep adem. 'En ik ben bereid dat tarief voor de komende twee jaar te bevriezen.'

Tom lachte. 'Dat heb je berekend, al voor je hier binnenkwam.'

Ze schonk hem een glimlach die zei: we spreken dezelfde taal, jij en ik. 'Je klonk alsof je iets dwarszat, dus het leek me verstandig op het een en ander voorbereid te zijn.' Tom moet een glimlach of een ander toegeeflijk teken hebben getoond, want Jessica schoof ontspannen terug in haar stoel. Haar been begon kalmpjes heen en weer te zwaaien.

Ze was goed met geld, maar fantastisch in het verleidingsspel. Jessica bediende zich van alle trucs uit het prefeministische tijdperk – de we-hebben-samen-een-geheim-glimlach van een schoonheid uit het Zuiden, het strelen van nek en kuiten zoals een call-girl dat doet, het spelen met haar haar gelijk een tiener – die geen enkele geëmancipeerde vrouw zou durven gebruiken bij zakelijke onderhandelingen. Ongepast, zondig. Slim, doeltreffend. Het zou me niets verbaasd hebben als een gehypnotiseerde Tom haar op dat moment in zijn armen had genomen, de politie had gebeld om mij naar de bajes af te voeren, Hojo de scheidingsformulieren had gepresenteerd en voor hem en Jessica een suite in het Parijse Ritz-hotel had besproken voor een kennismakingsweekend.

'Het is een interessant voorstel,' reageerde hij. 'Ik zal erover nadenken.'

'Dank je.'

Ik voelde me zo nutteloos, schuilend in zijn praktische directietoilet – grijze tegels en een Ansel Adams-foto van besneeuwde bergtoppen boven de toiletpot – terwijl Jessica de vrijheid had om Jessica te zijn.

'Ik ben nogal direct als het op zaken aan komt,' zei Tom. 'Misschien iets te direct soms. Mijn excuses: ik had moeten vragen hoe het met je gaat. Dit moet een vervelende periode voor je zijn.'

Jessica zoog even op het vlezige gedeelte van haar duim. 'Het is een regelrechte hel geweest.' Ze bleef aan haar duim zuigen. 'Niet alleen vanwege Ricks dood, maar vanwege het feit dat hij is vermóórd.'

'En moet je nagaan wie ze beschuldigen,' zei Tom.

'Hoe hebben ze haar in godsnaam kunnen laten ontsnappen?' vroeg ze verontwaardigd. 'Ze wilden haar meteen na de begrafenis arresteren, maar uit fatsoen tegenover zijn zoons besloten ze het de volgende dag pas te doen. Snap jij dat ze zo stom konden zijn?'

'Vreselijk gewoon,' zei Tom meelevend. 'Is er al nieuws? Alhoewel, ik neem aan dat ik het vanmorgen wel op de radio had gehoord als ze haar hadden gevonden.'

'Ze zijn kennelijk niet in staat haar in te rekenen, waaruit maar weer blijkt dat ze volkomen incapabel zijn. Ze is niet gek, maar echt slim kan ze niet genoemd worden. Het is haar trouwens wel gelukt met een smoes mijn flatgebouw binnen te komen.'

'Dat meen je niet.'

'Jazeker. Ze deed alsof ze Rick's zuster was en die idioot van een portier heeft haar naar boven laten gaan.'

'Heeft ze je bedreigd?'

'Bedreigd? Ze heeft me geslagen!'

'Jezus Christus! Heeft ze je geslagen?' Ik had Tom verteld dat ik haar een mep had verkocht. En wat dan nog? Hij hoefde toch niet te doen alsof ik haar bewusteloos had geslagen. 'Heb je politiebescherming gekregen?'

'Dat stelt niets voor. Ik heb lijfwachten ingehuurd.'

'Heel verstandig.' Ik kreeg niet de tijd kwaad te worden om de vertrouwelijke 'zakenmagnaten-onder-elkaar'-toon, want Tom zette het gesprek alweer voort. 'Is ze nog ergens anders gezien?'

'Ja. Met een wapen zelfs.'

'Nee!'

'Ja! Ze bedreigde de vrouw die vroeger de p.r. voor ons deed. De vrouw heeft het wapen echter niet met eigen ogen gezien, dus onze briljante mannen in blauw namen haar verhaal aanvankelijk niet serieus. Maar toen dook ze – letterlijk – op achter in de auto van haar buurman, een oude kennis van me, degene die me ooit aan Rick heeft voorgesteld. En ze hield dit keer echt een pistool tegen zijn slaap!'

'Ik snap het niet. Ik ken haar van vroeger. We zijn samen opgegroeid.'

'Precies. Zij was degene die Rick naar jou toe loodste.' O ja, wilde ik roepen. 'Zij' heeft 'Rick' helemaal niet geloodst. 'Zij' was degene die Tom Driscoll, met intelligentie, welsprekendheid en twee lagen mascara, wist over te halen cliënt te worden bij Data Associates.

'Ze was zo'n aardige meid,' peinsde Tom hardop. 'Ondanks alles kan ik me niet voorstellen dat zij in staat is een dergelijke misdaad te plegen. Ik neem aan dat het een moment van verstandsverbijstering was.'

'Dus jij gaat ervan uit dat haar bewering dat Rick het huis is ingeslopen klopt?'

'Wat bedoel je daarmee?'

'Ik denk zelf dat ze hem met een of andere smoes naar huis heeft gelokt om hem te kunnen vermoorden.'

'Wil je beweren dat de Rosie Bernstein die ik kende met voorbedachten rade een koelbloedige moord heeft gepleegd?' Tom vond het duidelijk vermakelijk.

Jessica niet. 'Zeker weten.' Haar stem klonk opeens hees en vertrouwelijk. Ze liet haar hand vallen en begon sensueel haar enkel te masseren. 'Hoor eens, hij had haar voor mij verlaten. Ze was een oudere vrouw zonder toekomst.'

'Dat echtgenoten er de brui aan geven komt dagelijks voor, maar dat betekent niet dat hun vrouwen moordlustig worden,' wierp Tom tegen.

'Wat haar door het lint joeg, was het besef dat Rick...' Ze haalde diep en met tegenzin adem. 'Rick moest haar niet. Eerst die secretaresse. Dat heeft jarenlang standgehouden. Ze moet het geweten hebben. Goeie genade, iedereen op de zaak wist het. Hij heeft kennelijk nooit erg zijn best gedaan om het geheim te houden. Toen een vrouw die ergens bij hem in de buurt, op Long Island, woonde. Je kunt mij niet wijsmaken dat ze ook daar niets van heeft gemerkt. Weet je wat ik denk? Onder dat gewone, vriendelijke uiterlijk ging een vrouw schuil die langzamerhand gek is geworden. Ik denk dat ze het al jaren van plan was. Ik was eenvoudig de druppel die de emmer deed overlopen.'

'Dat geloof ik niet,' zei Tom tegen haar. 'Jij bent toch zeker meer dan een druppel.' Zijn stem had de warme klank van een man die wil paren. Jessica lachte bedeesd, waaruit haar waardering sprak dat Tom haar charmes erkende. Ik kon de gedachte niet uitstaan dat ik hem weer voor seks had weten te interesseren en dat Jessica daar de vruchten van zou plukken.

'Goed,' gaf Jessica bescheiden toe, 'ik ben misschien meer dan een druppel. Het verschil lag in het feit dat Rick verliefd op me werd. De anderen waren slechts... Ik heb dikwijls tegen hem gezegd dat toen het geld eenmaal begon binnen te rollen, hij zijn broek nauwelijks meer wist aan te houden.' Ze gniffelden allebei, gelijktijdig en geamuseerd.

'Enig idee waarom hij naar haar huis ging of waarmee ze hem heeft gelokt?' vroeg Tom terloops.

'Nee. Zodoende weet ik vrijwel zeker dat ze hem heeft gemanipuleerd. En met succes, want hij zou dat huis nóóit uit vrije wil hebben betreden.' Ze lachte. 'Je weet vast wel hoe hij en jouw echtgenote het noemden, of niet? Sociaal Vooruitstrevende Villa.'

'Hoe charmant.'

De kilte die plotseling in de lucht hing ontging Jessica niet. 'Zelf vond ik dat ook altijd een beetje gênant. Maar Rick verfoeide het huis.'

Tom werd ineens ernstig. 'Zeg het gerust als ik te persoonlijk word.' Jessica knikte, maar uit de manier waarop ze hem aankeek maakte ik op dat er geen categorie bestond die ze als 'te persoonlijk' zou aanmerken. 'Hoe komt iemand van jouw kaliber verzeild in een relatie met een man als hij? Was je niet bang dat hij even ontrouw zou blijven als vroeger?'

'Niet echt. Voor het eerst in zijn leven had hij een vrouw ontmoet die de overhand had.' Tom moet haar een wellustige blik hebben toegeworpen of in elk geval een bewonderende glimlach, want Jessica hield plotseling op haar enkel te strelen en begon – zo subtiel dat het minstens even doeltreffend was – haar middel- en wijsvinger te masseren. Ze deed het in zo'n verleidelijk tempo dat het me niets verbaasd zou hebben als ze plotseling waren klaargekomen. 'Ik hield echt van hem. Maar ik heb de laatste tijd veel nagedacht.'

'Waarover?'

'Was het wel echte liefde? Of was ik enkel geobsedeerd door zijn... Hoe noem je dat ook weer? Vitaliteit? Nee, viriliteit.' Ik kon mijn oren niet geloven! En als klap op de vuurpijl gleed ze met haar tong over haar lippen! 'Hij was een echte man, mijn Rick.' Net als Tom Driscoll, althans in haar ogen, en het feit dat ze herinneringen ophaalde aan Richies bekwaamheid was bedoeld om de boodschap over te brengen dat er een vrouw met capaciteit voor nodig was om alle kwaliteiten in een man van middelbare leeftijd naar boven te halen. Ik twijfelde er niet aan of Nicholas Hickson bestond, voor het moment althans, niet meer voor haar; Jessica had hem veroverd de dag dat hij erin toestemde zijn vrouw te zullen verlaten. Nu concentreerde ze zich op Tom. In tegenstelling tot Hickson hoorde hij misschien niet tot de vierde generatie rijkdom, zoals zijn vrouw hem duidelijk had gemaakt, maar hij was welvarend genoeg. Jonger ook dan pappielief en oneindig veel aantrekkelijker. Bovendien was hij getrouwd, zodat Jessica het genoegen een huwelijk te ontwrichten niet zou hoeven missen.

'Je weet dat mijn vrouw zich aangetrokken voelde tot Rick,' zei Tom, duidelijk geïrriteerd door haar gebrek aan inzicht.

'Ik weet het,' zei Jessica troostend. 'Maar er is nooit iets gebeurd tussen hen.'

'Dat weet ik ook wel,' reageerde hij koeltjes. 'Hij was niettemin een vrouwenjager. Niet dat je het aan hem afzag.'

Jessica staarde Tom aan. 'Rick gaf zijn vriendinnen wat de meeste vrouwen nooit krijgen. En het was niet enkel zijn manier van liefde bedrijven. Hij was geen Don Juan, niet in de zin dat hij onverzadigbaar was. Maar hij was een hopeloze flirt, en bedreven bovendien. Hij schonk een vrouw zijn aandacht en opeens leek haar leven tot bloei te komen. Hij gaf hun opwinding. Aandacht. Hij bracht hen tot leven. Maar zodra hij verveeld raakte, bestonden ze niet meer voor hem; ze hadden evengoed dood kunnen zijn. Zelfs al was het niet meer dan een flirt van zijn kant, ook dan was het vreselijk hem te moeten verliezen. Maar kun je je voorstellen dat hij radicaal een einde maakte aan een verhouding? Als zijn vrouw het niet had gedaan, had een van die andere twee vrouwen het wellicht gedaan. Geloof me: hij kon een vrouw het hoofd flink op hol brengen.'

'Het is een boeiende theorie.'

'Het is meer dan een theorie. Nadat hij zijn vrouw had verlaten en bij mij kwam wonen, begon ik walgelijke telefoontjes te krijgen.'

'Van Rosie?'

'Ik geloof het niet. Ik heb het gevoel dat de opbeller haar stem verdraaide, maar zelfs in dat geval deed deze in de verste verte niet aan Rosies stem denken. En trouwens, ik werd ook eens opgebeld toen zij en Rick een afspraak hadden op het kantoor van haar advocaat. Toen hij thuiskwam, heb ik gevraagd of ze de hele tijd samen waren geweest en hij antwoordde bevestigend. Ik herinner me dat hij lachte: geen haar op haar hoofd die eraan dacht een seconde van zijn gezelschap in te leveren. Triest.'

'Was het steeds dezelfde vrouw die je opbelde?' Jessica knikte. 'Heeft ze je bedreigd?'

'Als ik mijn relatie met Rick niet beëindigde, zou ze, nou ja, bepaalde delen van mijn lichaam afsnijden.'

Simpel zat: een nagelschaartje was toereikend geweest. Maar Tom klonk verbijsterd. 'Jezus!' riep hij uit.

'Ik zei toch dat hij het hoofd van een vrouw op hol kon brengen,' zei Jessica.

'Maar het jouwe niet,' merkte Tom op.

Hij moet zijn opgestaan, want Jessica sprong plotseling op uit haar stoel. 'Nee,' fluisterde ze. 'Het mijne niet.' Tom slenterde naar haar toe. 'Voor ik me gek laat maken, moet er heel wat gebeuren,' voegde ze eraan toe.

'Dat geloof ik graag,' antwoordde hij. Hij schudde haar de hand. 'Tussen twee haakjes, ik accepteer je voorstel. Over twee maanden spreken we elkaar nader.' Zijn stem werd een graadje donkerder, nog wellustiger. 'Na de proefperiode.'

'Ik zie er met veel genoegen naar uit,' mompelde ze terwijl hij haar de kamer uit begeleidde.

Ik kwam te voorschijn uit mijn schuilplaats en verwachtte dat Tom zwetend, moeizaam ademhalend en waarschijnlijk opgewonden terug zou keren. Maar hij was als een koude kikker. 'Weet je wat mijn oude Ierse moeder over een dergelijk meisje zou zeggen?'

'Vrouw. Wat zou ze erover zeggen?'

'Ze zou zeggen: "Dat is een door en door slecht meisje." ' Hij grinnikte. 'Wat een portret, die Jessica.'

'Verleidelijk?'

'Ik ben ook maar een mens.' Hij sloeg zijn arm om me heen, kuste me op mijn hoofd en voegde eraan toe: 'Van haar weet ik dat niet zo zeker.' Ik omhelsde hem even en liet mezelf toen op een kussen ploffen van wat mogelijk 's werelds grootste elementenzitbank was. De bank was bekleed met stemmig grijs dat terugkwam in de vloerbedekking en de grijs-bourgognerode gestreepte zittingen van de twee fauteuils. Het hele kantoor, inclusief de bourgognerood gelakte dossierkasten, was in elk geval niet ingericht door degene die het chique Europese appartement van de Driscolls had aangekleed. Het verried eerder de hand van een interieurverzorger die bij een kantoormeubelhandel werkte en wiens beperkte fantasie verder was beknot door de opdracht die hij of zij had gekregen: modern maar niet te modern, en vooral binnen het budget blijven. Tom kwam naast me zitten en we legden onze voeten op de lage bourgognerode salontafel.

'Denk je dat zij het heeft gedaan?' vroeg ik.

'Moeilijk te zeggen. Ik zal je zeggen wat me wel stoort. De politie is ervan overtuigd dat jij de dader bent. Waarom moet ze dan zo nodig nog eens uitleggen dat je de moord hebt gepleegd en het bovendien zorgvuldig had gepland? Ze deed alsof het onvermijdelijk was dat iedereen die onder zijn bekoring kwam het gedaan kon hebben omdat hij alle vrouwen gek maakte, maar dat jij het gekst van allemaal was omdat je het langst een relatie met hem hebt gehad.' Hij nam mijn hand tussen de zijne. 'Wat maakte hem eigenlijk zo bijzonder? Had hij zo'n excentrieke jongeheer?'

'Welnee. Hij was gewoon een geweldige minnaar: fantasierijk, ongeremd. Maar we waren onderhand vijfentwintig jaar getrouwd. Als ik nadat hij me verliet inderdaad door het lint ben gegaan, was dat niet omdat hij zo'n dekhengst was. Alhoewel, ik moet toegeven dat zijn vaardigheid in bed niet mis was. Maar wat echt pijn deed? Mijn gezin viel uit elkaar. Ik verloor mijn levensgezel. Als de persoon die het dichtst bij je staat, zegt "Nee, bedankt. Ik hoef je niet meer," is dat een heel wrede afwijzing.'

'Hij was niet goed snik, Rosie.'
O nee? Wat te denken van het feit dat jij me opzij schoof voor de Maagd Peggy, wilde ik bijna zeggen. Maar ik hield mijn mond. Ook wees ik hem er niet op dat, toen hij in zijn eerste jaar op Dartmouth voor Thanksgiving naar huis kwam, hij me niet eens opbelde. Ik wachtte en wachtte en toen ik eindelijk op zaterdagmiddag zelf de stoute schoenen aantrok, klonk hij verbaasd. Niet vanwege mijn brutaliteit om op te bellen, maar vanwege mijn bestaan. Hij zei dat hij me dolgraag wilde zien, maar al andere plannen had gemaakt.

Maar nu was hij mijn maatje, mijn mede-samenzweerder, dus zei ik eenvoudig: 'Dank je.'

'Wat nu?'

'Ik moet nadenken.' Ik deed mijn ogen dicht. Willekeurige beelden, uit het verband gerukte zinnen en onbestemde ideeën suisden door mijn hoofd. Ik herinnerde me een paar zwoele details uit mijn nacht met Tom. Ik vroeg me tobbend af of iemand thuis eraan had gedacht de opstellen over 'De invloed van liefde in *Pride and Prejudice*' die ik had nagekeken naar school te brengen en zaad in de vogelkooi te doen. Ik dacht aan de keer dat ik tijdens een dubbelspel tennis tegen Stephanie en Carter een matchpoint had gemist, omdat ik tijdelijk volledig in beslag werd genomen door de ongelooflijke intensiteit die Richie aan de dag legde, elke spier gespannen, enkel aan de overwinning denkend, en hoe hij met zijn racket tegen de paal van het net had geslagen, woedend vanwege mijn gestuntel. Ik verlangde stiekem naar een ontspannende gezichtsbehandeling door de schoonheidsspecialiste.

Maar toen ik eenmaal mijn ogen had geopend, wist ik precies wat me te doen stond. 'Ik moet terug naar Shorehaven, Tom. Ik moet Mandy vinden.'

Tussen zijn ogen ontstonden twee diepe groeven. 'Ik dacht dat we hadden afgesproken dat het te gevaarlijk voor je is om daarheen te gaan. Je bent daar te bekend.'

'We hadden afgesproken dat ik alles wat ik in de stad moest doen zou afronden en daarna terug zou gaan.'

'Je wordt geheid herkend! Iemand zal de politie waarschuwen.' Hij haalde werkelijk alles uit de kast. 'Je zult omsingeld worden door smerissen. Eentje van hen is misschien zo stom om zijn pistool te trekken en te schieten, om later te beweren dat hij dacht dat hij jou naar een wapen of iets dergelijks zag grijpen.' Hij begon zijn eigen verhaal zelfs te geloven; zijn handpalmen werden klam, toen nat.

'Dat gebeurt niet,' verzekerde ik hem.

'Hoe weet je dat verdorie zo zeker?' Hij liet mijn hand los.

'Het is onwaarschijnlijk. Oké?' Maar ik stond niet te springen om te gaan. Ik bleef rustig op de bank zitten. Ik had Toms heldere kijk op dingen nodig. En ik had hem nodig, klamme palmen en al. 'Jij weet alles wat ik weet,' zei ik tegen hem. 'Kunnen we het nog een keer samen doornemen?'

Uiteindelijk en met tegenzin, zei hij: 'Goed dan.' Hij pakte mijn hand opnieuw beet.

'Wie had er baat bij Richies dood?'

'Je bedoelt een echt motief en niet die onzin van door passie gedreven gekte?'

'Juist.'

'Nou, jij hebt er het meeste profijt van, omdat je nu zelf multimiljonaire bent en de touwtjes van Data Associates in handen hebt...'

'Dat slaat nergens op. Wat moet ik in vredesnaam met een bedrijf?' wilde ik weten, wat wellicht niet erg diplomatiek was tegenover iemand die zijn leven had gewijd aan bedrijfsovernames.

'Je zou het zelf kunnen leiden. Het kunnen verkopen. Jessica kunnen ontslaan. Wat je maar wilt. Bovendien heb je het gebruikelijke motief van de jaloerse echtgenote, althans zo zal de politie het bekijken. Jij was zijn vrouw en hij heeft je in de steek gelaten voor iemand anders.'

'Vooruit. Zeg het maar.'

Tom voldeed aan mijn verzoek. 'Voor een jongere vrouw. In hun ogen is dat een belangrijk motief.'

En terecht, gezien de keren dat het inderdaad de echtgenoot of echtgenote was die de ander neerschoot, in brand stak, wurgde, met een hamer bewerkte, afroste, in elkaar stompte of... doodstak. 'Ben je ervan overtuigd dat ik het niet heb gedaan, Tom?'

'Weet jij zeker dat ìk het niet heb gedaan?'

'Natuurlijk.'

'Ik ook. Wie zou er behalve jou bij gebaat zijn?' Hij beantwoordde zijn eigen vraag. 'Je zoons.' Ik reageerde niet. Hij wist voldoende om verder te zoeken. 'Dan hebben we Jessica. Vanwege alle redenen die je al hebt genoemd. Ook omdat, als ik een beetje kijk heb op gewiekste zakenmensen, ze vast en zeker een aantal voordelige clausules in de huwelijkse voorwaarden heeft laten opnemen. Waarschijnlijk een aandelenpakket zodat ze evenveel of bijna evenveel invloed op het bedrijf zou krijgen als hij, hoewel dat pas van kracht zou kunnen worden als ze een vooraf bepaalde periode getrouwd waren. Op dit moment geldt mogelijk een regeling waarin staat dat zij Data Associates zou gaan leiden, wanneer hem iets overkwam.'

'O, mijn God!'

'Als ze hem vermoord heeft, dan heeft ze het hele plan zorgvuldig uitgekiend en gezorgd dat jij de schuld kreeg. Perfect gedaan.' Tom speelde zwijgend een aftelspelletje op mijn hand en greep toen plotsklaps mijn pink. 'Nicholas Hickson. Jessica heeft mogelijk tegen hem gezegd dat Rick van plan was in te breken om de koopakte van het schilderij terug te halen.'

'Maar waarom zou hij Richie willen vermoorden?'

'Misschien was hij er niet van overtuigd dat Jessica Rick zou verlaten. Misschien had hij het gevoel dat ze enige aansporing nodig had om zijn vrouw te worden.'

'Denk je dat hij de kracht ertoe zou hebben? Hij was weliswaar lang, maar nogal mager.'

'Hij hoefde maar een keer goed uit te halen met het scherpe mes. Of misschien heeft hij wel iemand gestuurd om het voor hem te doen. Hickson heeft het geld en de nodige connecties. Hij zou een echte huurmoordenaar kunnen contracteren en niet zo'n sukkel die de volgende dag al wordt gepakt en doorslaat.' Tom staarde naar mijn hand, alsof mijn handpalm hem meer informatie zou kunnen verstrekken. 'Daarmee zijn mijn logische verklaringen uitgeput. Wil je de onlogische ook horen?'

'Graag.'

'Wraak van de p.r.-vrouw! De vrouw die hij meteen na Labor Day afdankte.' Ik schudde mijn hoofd. 'Wat te denken van de andere twee dames die onze vrouwenjager tot het uiterste dreef? Of de vriendjes c.q. echtgenoten van die minnaressen?'

'Mogelijk.'

'De secretaresse? En die Mandy dan? Waar komt zij in het verhaal voor?'

'Daarvoor moet ik juist terug.'

Tom vond dat maar niks, maar hij was objectief genoeg om nog even bij Long Island te blijven: 'Een andere mogelijkheid. Hoewel vergezocht.'

'Alles wat je hebt is welkom.'

Hij besloot dat dubbelzinnig op te vatten en knipoogde naar me. 'Carter Tillotson is mijn volgende kandidaat. Het antwoord dat hij gaf op jouw vraag waarom hij Rick die laatste dag had gebeld, over het onderzoek voor de operatie... Verzon hij dat ter plekke?'

'Ik weet het niet zeker. Hij aarzelde weliswaar, maar ik nam aan dat dat kwam doordat het hem verbaasde dat ik van het telefoontje af wist. Bovendien had ik een "pistool" op zijn slaap gericht, wat een vloeiende conversatie ook niet bepaald bevordert.' Ik kauwde een poosje op mijn onderlip. 'Ik zal zeggen wat ik wel vreemd vond. Die avond dat Carter en Stephanie langskwamen, schijnbaar om mij te condoleren. Hij gedroeg zich net als anders, schlemielig, hoewel mensen hem niet als een schlemiel beschouwen omdat hij lang en aantrekkelijk en arts is, tot hij opeens de zenuwen kreeg.'

'Ja. Je zei dat hij zijn vrouw de kamer uit sleurde en tegen jou zei dat je hen niet meer moest lastig vallen.' Ik knikte. 'Dat gedrag valt alleen te verklaren als hij werkelijk dacht dat jij een psychopaat was die elk moment weer kon toeslaan. Maar als dat het geval was, waarom kwam hij dan in de eerste plaats op bezoek?'

'Ik denk dat Stephanie hem ertoe had overgehaald.'

'Waarom gedroeg hij zich dan niet als een heer, zolang het duurde?'

'Dat begrijp ik ook niet. Hij voelde zich steeds minder op zijn gemak tot hij letterlijk stijf stond van de zenuwen.'

'Haal je de situatie nog eens voor ogen. Wanneer ging hij precies over de rooie?'

Ik kon het niet met zekerheid zeggen. 'Misschien toen Stephanie het erover had dat ze mij aan een andere advocaat zou helpen.'

'Luister, Rosie. Ik heb de man ontmoet. Hij klimt op de sociale ladder, althans dat probeert hij: cocktailparty's, dinertjes, hier en daar een liefdadigheidsevenement. Hij probeert de lieveling van de hogere kringen te worden, de plastisch chirurg met de beste reputatie, en hij lijkt vooruitgang te boeken. Alle vriendinnen van mijn vrouw consulteren hem. Hij behandelt zelfs vrouwen met wie mijn eega in de nabije toekomst vriendschapsbanden hoopt aan te knopen. En mijn echtgenote zelf heeft hem praktisch op de loonlijst staan. Nu moet ik toegeven dat hij en ik niet meer dan een paar woorden hebben gewisseld, maar hij leek me allesbehalve prikkelbaar. En zeker geen onderdrukt type dat plotseling uit zijn vel springt.'

'Dat zei ik toch: hij is een schlemiel.'

'Maar sinds die bewuste namiddag is hij in elk geval een schlemiel die zich uitermate opwindt over jou, om wat voor reden dan ook. En na de laatste ontmoeting die je met hem had, zal hij wel niet snel zeggen: "Goh, die Rosie is me toch plezierig in de omgang!" ' Tom haalde een paar keer diep adem; hij wilde de juiste toon zetten. 'Ik weet dat ik je de wet niet kan voorschrijven, maar ik hoop hartgrondig dat je bij hem uit de buurt zult blijven. Of hij is een gevaarlijke gek of hij is ervan overtuigd dat jij levensgevaarlijk bent. Hij is een man die balanceert op het randje. Het is onmogelijk te voorspellen wat zo iemand zal doen.'

'Ik weet het.' Ik meende het. Echt.

Tom liep naar zijn bureau, pakte de hoorn op en ratelde tegenover zijn secretaresse een verhaal af dat hij die ochtend vroeg – voor zevenen – was gekomen, samen met zijn schoonzus Marge uit Seattle. De echtgenote van Joe. Kennelijk was de secretaresse geheel op de hoogte van de eeuwigdurende sage met betrekking tot Joe Driscoll. En of ze alsjeblieft koffie naar binnen zou willen brengen? Tom vroeg het en voegde er zachtjes aan toe: zeg al mijn afspraken voor vandaag af. De stilzwijgende gevolgtrekking was dat, in welke netelige situatie Joe zich ook bevond, er sprake was van een noodgeval waarbij onmiddellijk moest worden ingegrepen. Ik vond het naar dat zijn broer Joe telkens in de problemen zat. Ik herinnerde me hem als een lieve, dromerige jongen die ooit tweede werd in de spellingswedstrijd van New York City.

Even later kwam de secretaresse binnen, een kieskeurige vrouw die deed voorkomen alsof er geen detail zo onbelangrijk was of ze bekommerde zich erom. Ze zette een dienblad neer met daarop gevouwen linnen servetten, porseleinen kopjes en een koffiepot. Of ze verder nog van dienst kon zijn, meneer Driscoll? Ze had me kortaf goedemorgen gewenst, maar vermeed bewust mijn – naar ze vermoedde – door tranen geteisterde gezicht. Uitstekend: Tom had de enige persoon op kantoor die het vreemd zou vinden dat hij zo vroeg was – vóór haar – en met een mysterieuze bezoekster bovendien afdoende ingelicht.

Tom schonk zichzelf een kop koffie in en ik vluchtte in mijn eigen gedachten. In zekere zin, had ik het goed aangepakt. Ik had meer informatie verkregen dan ik ooit voor mogelijk had gehouden. Maar in plaats van het probleem – Wie heeft Richie Meyers vermoord? – overzichtelijker te maken, dreigde het antwoord door al die gegevens steeds ingewikkelder te worden.

'Rosie.' Ik schrok op. Ik was zo met mezelf bezig dat ik was vergeten dat zich nog iemand in de kamer bevond. 'Heb jij ooit bedreigende telefoontjes gehad?'

'Wat?'

'Weet je nog wat Jessica zei over die misselijke telefoontjes die ze kreeg?'

'Ja, dat weet ik nog. Nee. Niemand heeft mij ooit lastig gevallen.'

'Hij heeft niet alleen jou voor Jessica verlaten, hij heeft ook een ander voor haar in de steek gelaten. En toen hij dat deed... Misschien werd die vrouw uitzinnig van woede.'

'En als hij haar voor Jessica inruilde, moet dat de vrouw zijn die vóór haar kwam, degene die het gat in zijn leven vulde. Dat moet Mandy zijn!'

'Misschien,' zei hij. 'Verheug je niet te vroeg. Het ergste wat je kunt doen, is zeggen: "Aha, dat is de schuldige!" en vervolgens andere potentiële daders uit te sluiten. De naam zou op toeval kunnen berusten. We weten van de Mandy waarover Ricks secretaresse je vertelde. De Mandy in Shorehaven kan iemand anders zijn.'

'Nee, Tom. Het moet iemand uit Shorehaven zijn geweest. Het klopt precies. In die periode kwam Richie altijd vroeg thuis. Ik vond het geweldig. Ik dacht echt dat hij zijn best deed van zijn werkverslaving te genezen. Hij was weer als de Richie van vroeger. Maar hij bedroog me kennelijk nog steeds; hij sloeg alleen het drankje en het diner over.'

Tom wreef even over zijn voorhoofd. 'Goed. Laten we eens bedenken waarom hij relatief vroeg thuiskwam. Niet omdat hij zo'n honger had. De vrouw moet getrouwd zijn geweest. Ze moest op tijd terug zijn bij haar man – in Shorehaven.'

'Maar wie was ze dan?' mompelde ik.

'We moeten erheen. We moeten het uitzoeken.'

Op dat moment moest ik de man op wie ik voor de tweede maal verliefd was geworden uitleggen dat er geen sprake van 'we' kon zijn.

18

Tom Driscoll werd afstandelijk tijdens zijn eerste semester op de universiteit van Dartmouth. In de jaren daarna was hij zo eenzelvig geworden, dat ik vergat dat hij van nature erg opvliegend kon zijn. Maar hij hielp me eraan herinneren toen hij met zijn vuist op de salontafel sloeg en blafte 'Doe verdomme niet zo idioot!' toen ik weigerde nog meer hulp op het criminele pad van hem te accepteren: hij mocht niet mee naar Shorehaven.

'Als ik word gepakt, ben jij ook de klos,' legde ik op schoolse toon uit.

'Denk je dat ik me daar druk om maak,' schreeuwde hij. Hij stond op en schopte tegen de bank. Zijn gezicht was rood aangelopen, maar onder het masker van woede zag ik het enthousiasme van een sportman die zojuist een geweldige wedstrijd heeft gespeeld. Toms herontdekking van zijn driftbuien was niet enkel bevredigend voor hem; het maakte hem opgewekt. 'Sterker nog,' vervolgde hij, 'het kan me verdomme geen ene moer schelen!'

'Als je vijf tot tien jaar moet zitten, piep je wel anders!'

Het kostte me een ogenblik om weer tot bedaren te komen en vervolgens de logica van mijn plan uit te leggen. Ik zou een New York City taxi nemen naar Great Neck, ongeveer vijftien kilometer ten westen van Shorehaven. Zodra de duisternis inviel, zou ik naar het treinstation slenteren en net als zoveel forenzen en dagjesmensen een voorstedelijke taxi naar huis nemen. 'Shorehaven,' zou ik vermoeid zeggen.

Tom streek neer op de rand van zijn bureau en zwiepend met zijn been probeerde hij zichzelf eraan te herinneren hoe onverstoorbaar hij normaalgesproken was. 'Je wilt drie of vier mensen spreken,' zei hij, ineens de rust zelve. 'Je bent niet dom, Rosie. Gebruik de hersenen die God je heeft gegeven. Denk na: hoe kun je dit in je eentje klaren?' Hij klonk zo redelijk. 'We moeten iets bedenken waarbij je op mij kunt terugvallen, mocht dat nodig zijn.' Ik schudde mijn hoofd. 'Waarom doe je zo achterlijk?' riep hij uit.

'Ik ben juist heel slim!'

Hij schopte een keer driftig tegen zijn bureau; de bank had kennelijk geen voldoening gegeven. 'Je bent ook zo godvergeten eigenwijs! Snap je dan niet dat de politie de woningen van je vriendinnen nauwlettend in de gaten houdt?'

'Dat hoeft niet per se.'

'Ben je Carter soms vergeten? Die staat zonder meer op de uitkijk. En denk je dat zijn vrouw lief en aardig tegen je zal zijn nadat je hem met een pistool hebt bedreigd?'

'Het was een speelgoedpistool!'

'Hoe moet zij dat in vredesnaam weten? En die mafkees van een vriendin die onzinnige gedichten schrijft dan? Denk je dat ze een paar martini's zal inschenken nadat je haar huis bent ingeslopen?'

Ik moet toegeven dat de bezwaren die Tom aandroeg me allerminst op mijn gemak stelden. Sterker nog, ze maakten me doodnerveus. Ik was het zat. Het enige wat ik nog wilde, was een plastisch chirurg vinden die bereid was mij een Elizabeth Taylor-neus aan te meten om me daarna terug te trekken op een plek waar palmbomen groeiden.

Ik had zo snel geleefd de afgelopen tijd dat het me niet was opgevallen dat ik mijn laatste reserves al zo'n drie dagen geleden had opgebruikt. Ik was op. Rust tegen elke prijs. Heel even stond ik mezelf toe te dagdromen: Tom kuste Hojo en zijn bedrijf vaarwel en zou de rest van zijn leven met mij doorbrengen op een klein eiland, in een huis op een klif boven het strand, met witte, in de tropische wind wapperende gordijnen en een grandioze bibliotheek.

Maar langer dan een seconde kon ik mezelf niet voor de gek houden. Tom Driscolls Grote Avontuur had inmiddels bijna vierentwintig uur geduurd. Het was dertig jaar geleden dat hij een wilde, sexy scholier was. Nu was hij gewoon een vooraanstaand man die tijdelijk tegen beter weten in handelde. De breuk met zijn gezonde verstand zou wellicht niet veel langer duren dan tot middernacht.

Al gold zijn aanbod om mij financieel te steunen nog steeds, wat zou ik voor leven hebben met mijn nieuwe neus in een of ander palmrijk oord? Hoe kwam ik te weten of Ben met Wantrouwige Miep zou trouwen en jengelende kinderen kreeg die lactose-intolerant waren of dat hij verliefd zou worden op een levendige, liefdevolle vrouw? Wie zou me vertellen of Alex het maakte in de muziekwereld of dat hij in de goot eindigde... of in een driedelig streepjespak megacontracten afsloot voor popsterren?

'Ik heb er lang over nagedacht of ik terug zou gaan naar Shorehaven, Tom. En je hebt gelijk: ik heb hulp nodig als ik daar eenmaal ben. Daarom ga ik mijn vriendin Cass bellen.'

Dit keer nam hij niet de moeite te schreeuwen. 'Rosie, het is van groot belang dat je naar me luistert.'

'Ik luister.'

'Je vriendin is een gezagsgetrouw iemand. Ze is al te ver gegaan door jou te beschermen. Ze zal nu wel naar de politie moeten stappen. Misschien heeft ze hen al gebeld om te melden dat jij contact met haar hebt gezocht. Die telefoon op school die jullie gebruiken, kan inmiddels afgetapt worden!'

'Ik weet dat het niet zonder risico is, maar ik vertrouw haar. Heus.'

'Moet ik je eraan herinneren dat jij ook de echtgenote was die haar man vertrouwde?'

Ik weet niet hoe lang de besluiteloosheid me verlamde, maar uiteindelijk stemde ik erin toe dat ik Cass niet zou vertellen dat ik naar Shorehaven kwam maar alleen zou vragen of er nieuws was. Tom verklaarde, gestimuleerd door mijn voorzichtigheid, dat hij bereid was de school op te bellen en zich voor te doen als meneer Thomas, de architect van Cass, die de afspraak om halfelf de komende zaterdag wilde verzetten. Ik bad stilletjes dat Cass voor halfelf haar postvakje op het secretariaat zou komen legen.

Om halfelf belde ik de munttelefoon nabij de kantine.

'Hallo,' zei Cass, op vragende toon bijna.

'Het is met mij,' zei ik, een grammaticale zonde begaan.

'Hoe kun je dat over je lippen krijgen?' Kom nou, hield ik mezelf voor: dit is geen dubbelspion die samenwerkt met de politie en beloofd heeft me aan de praat te houden zodat ze me kunnen traceren en oppakken. 'Ben je er nog?'

'Met mij, en ja, ik ben er nog.'

Cass' stem sloeg niet over, maar klonk erg hoog alsof ze haar best deed niet in snikken uit te barsten. 'Rosie, er gaat geen uur voorbij zonder dat ik treur omdat ik je kwijt ben, dat ik me zorgen om je maak.'

Ik draaide me om. Ik wilde Tom niet zien. Zo diep schaamde ik me dat ik aan haar had getwijfeld. Ik herinnerde me een zin in een leerboek dat ik een jaar eerder in de lessen tekstverklaring had gebruikt, een citaat van een of andere Franse schrijver: 'Het is beschamender om vrienden te wantrouwen dan dat uw vertrouwen door hen wordt beschaamd.'

'Ik mis jou ook, Cass. Je weet niet half hoeveel.'

'Natuurlijk weet ik dat,' riep ze uit, duidelijk weer enigszins tot zichzelf gekomen. 'Ik zal je vertellen wat ik van Stephanie te weten ben

248

gekomen: bar weinig. Maar ze zat zichtbaar in de zenuwen. Je zou denken dat haar blanke, protestantse zenuwstelsel voldoende ontwikkeld was om onrust te registreren, maar dat is een vergissing. Ik ben direct na schooltijd bij haar langsgegaan en ik had amper mijn jas uitgetrokken of ze kwam al met de drankentrolley aanzetten. Let wel: de Stephanie van de "wij-drinken-nooit-voor-vijven-Tillotsons!" Ik nam een glaasje sherry en zij schonk zichzelf minimaal een dubbele wodka met ijs in. Ik had haar nog nooit zo bleek gezien. Die vrouw was witter dan sneeuw, witter dan haar overgewaardeerde amandelpudding, witter dan –'

'Witter dan jij. In hemelsnaam, ik weet wel dat ze blank is. Vertel nou maar wat ze zei.'

'Dat ze gespannen was. Waarom, zul je je afvragen. Ze heeft het echtpaar ontslagen en nu kan ze geen kinderjuffrouw vinden en ook geen "geschikte" huishoudster zoals ze dat noemt en we weten allebei wat ze met geschikt bedoeld.'

'Ze mag niet donkerder zijn dan haar amandelpudding. Zei ze nog iets over Carter?'

'O, Rosie! Wat bezielde je? Was het pistool echt?'

'Natuurlijk niet. Wat zei ze daarover?'

'Sinds het voorval heeft hij doorlopend last van buikloop.'

'Mooi zo. Hij verdient het. Heeft ze iets gezegd over Carter en Richie?'

'Enkel dat ze in de eerste plaats sportvrienden waren, samen tennisten, samen naar basketbal- en hockeywedstrijden gingen. Ik heb geprobeerd haar wat loslippiger te maken over Carter door te vertellen hoe schokkend Theodore de moord vond: een gewelddadig misdrijf in een ruim opgezette villawijk! Ik liet doorschemeren dat hij er slecht van sliep.'

'Is dat echt zo?'

'Natuurlijk niet. Theodore is een stomkop; hij voelt zich onaantastbaar. Hij slaapt als een baby. Maar raad eens wie er minder goed slaapt?'

'Carter?'

'Stephanie gaf toe dat hij zichzelf niet is sinds die bewuste avond.'

'Alsof hij "zichzelf" kan zijn,' riep ik uit. 'Carter Tillotson is karakterloos geboren. Stephanies krulvarens zijn boeiender dan hij.'

'Ik weet zeker dat je gelijk hebt, maar zij is ervan overtuigd dat hem iets dwarszit. Ze zei tegen hem dat het beter was "dingen uit te praten", maar hij wilde enkel met rust gelaten worden en aldus is geschied. Sinds zijn joyride met jou brengt hij de nachten op zijn werk door.'

'Gezien zijn maag- en darmproblemen is dat waarschijnlijk een zegen.'

'Zonder twijfel. Hij zit daar ook omdat de politie zijn auto uitkamt op zoek naar aanwijzingen die hen naar jouw verblijfplaats kunnen leiden, en om een of andere duistere reden die wel met mannelijke trots te maken zal hebben weigert hij Stephanies BMW te gebruiken. Uiteraard raakt Stephanie steeds meer in de stress nu ze niemand heeft om voor te koken. Ze heeft de kleine rakker uitbesteed aan de huishoudster van haar moeder. Ze zegt dat ze nauwelijks uit haar kas komt, omdat die haar enige troost is momenteel.' Cass haalde diep adem en zei: 'Eigenlijk heb ik met haar te doen.'

'Heb je het onderwerp Jessica nog aangesneden?'

'Alleen om te vragen of zij haar had gezien op de begrafenis. Ze zei van niet, maar ze had wel gehoord dat Jessica in grijze kleding was verschenen – wat ze nogal zelfbewust vond. Ze wilde het niet over Jessica hebben. Ze was zo onvermurwbaar dat ik vermoed dat ze op de hoogte was van Carters verhouding, hoewel ik het niet met zekerheid kan zeggen. Eerlijk gezegd was ze veel te zenuwachtig om vast te stellen wat ze precies allemaal weet. Als ik moet raden, zou ik zeggen dat ze uitermate bezorgd is over haar man. Elke keer dat ik zijn naam uitsprak... Ik bedoel, ik zag geen daadwerkelijke verandering in haar maar ik voelde het. Maar wie weet is hij doorgaans zo onverstoorbaar dat elke uiting van emotie haar afschrikt.'

Ik deed de hoorn aan mijn andere oor. 'Misschien is ze bang dat nu Jessica vrij is, Carter haar weer het hof zal gaan maken.'

Ik wierp even een blik op Tom. Voor ik Cass opbelde, had ik – als tegenprestatie – voorgesteld dat hij mee zou luisteren. Maar in tegenstelling tot mij had hij geweigerd ons gesprek af te luisteren, geheel in strijd met zijn oude Brooklyn-instincten; Dartmouth had de nodige schade aangericht. Natuurlijk was hij inmiddels zo nieuwsgierig dat hij nauwelijks kon blijven zitten. Met zijn lippen vormde hij de woorden: 'Wàt? Wat nou?' Ik schudde mijn hoofd – niet nu – en wuifde met mijn hand in de lucht: dit gesprek is te ingewikkeld om zo even door te seinen. Ik schonk hem naar wat ik hoopte een verontschuldigende blik was en draaide hem mijn rug weer toe.

Ik besloot zijn waarschuwing te negeren. Goed, ik had me in Richie vergist. Misschien had ik me in andere mensen ook vergist. Maar ik moest het erop wagen met Cass. Ik wilde niet leven in een wereld waarin je je beste vrienden niet meer kon vertrouwen.

'Cass, Richie had een verhouding met iemand uit onze buurt. Ik moet haar vinden. Ik moet met haar praten.' Aan de andere kant van de lijn viel Cass van verbijstering stil. Aan mijn kant zette Tom, die zichzelf de zoveelste kop koffie in had geschonken, de koffiepot met zo'n harde klap op tafel dat de bodem barstte; koffie stroomde over de tafel op het tapijt. Ik had bijna tegen Cass gezegd dat ze even moest blijven hangen, toen ik me plotseling realiseerde dat Sojourner Truth en Elizabeth Cady Stanton[1] niet hadden geleefd opdat ik een gesprek waarvan mijn leven mogelijk afhing zou onderbreken om direct naar de badkamer te racen, een doekje te pakken en de rommel van een man achter zijn kont op te ruimen. 'Heb je gehoord wat ik zei, Cass?' vroeg ik.

'Ja. Weet je het zeker?'

'Absoluut.' Tom zag een minuut lang aan hoe de koffie op de grond sijpelde en liep toen naar de badkamer. 'Ik zoek iemand die Mandy heet. Volgens mijn bronnen is zij de vrouw met wie Richie iets had voor hij een verhouding met Jessica begon. Ik ben er vrijwel zeker van dat ze in Shorehaven woont.'

'Mandy?' vroeg Cass zich hardop af. 'Er werkt een Mindy Lowenthal in de leeszaal van de bibliotheek.'

'Nee. Ik weet praktisch zeker dat ze Mandy heet.' Tom keerde terug met een doos tissues en begon de gemorste koffie op te ruimen, alhoewel niet zonder hier en daar natte, bruine Kleenex-resten op het tapijt achter te laten. 'Ik denk zelf aan de advocate met wie Stephanie wel eens hardliep 's avonds. Vraag Stephanie ernaar, maar wees alsjeblieft omzichtig. Ik wil niet dat iemand weet dat wij contact hebben. Men moet denken dat ik in mijn uppie werk.'

'Wanneer ben ik niet omzichtig? Ik zal met Stephanie gaan praten en ook in mijn kennissenkring nagaan of iemand een zekere Mandy – of Amanda – kent.'

'Ze zal vermoedelijk tussen de twintig en de veertig zijn, maar Richie kennende moet je niemand onder de vijfenzeventig bij voorbaat uitsluiten.' Ik kneep mijn ogen dicht om een leugen te bedenken die Cass kon gebruiken. Het duurde maar even of ik had een kanjer; ik begon bedreven te worden. 'Je kunt tegen Stephanie zeggen dat brigadier Gevinski bij je op bezoek is geweest om te informeren of jij wist waar ik zat, en dat hij tijdens jullie gesprek werd opgebeld. Dat je hem hoorde praten over Richie en een of andere Mandy.'

'Een perfecte leugen!' riep Cass vol bewondering uit.

'Dank je. Kun je dat zo snel mogelijk doen? Het is erg belangrijk.'

'Ik voel ineens een zere keel en hoge koorts opkomen. Ik zal onmiddellijk naar huis moeten.' Zolang ze les had gegeven, had Cass de school maar één keer voortijdig verlaten en dat was toen ze moest

[1] Voorvechtsters van vrouwenemancipatie.

bevallen. 'Kun je me vanavond om zes uur thuis opbellen? Tegen die tijd weet ik ongetwijfeld meer, als er tenminste iets te weten valt.'

'Misschien kan ik langskomen,' fluisterde ik.

'Rosie, nee! Je kunt hier niet naar toe komen!'

'Denk je dat ik niet weet dat ik voorzichtig moet zijn?'

'Je kunt niet voorzichtig genoeg zijn! Ik heb Alex vanmorgen gesproken.'

'Wanneer?'

'Toen ik de heuvel opliep om met Madeline en Stephanie te gaan hardlopen.'

'Wat deed hij zo vroeg op?'

'Ik heb geen idee. Ik moet trouwens zeggen dat hij, nu ik zijn lerares niet meer ben, best aangenaam is in de omgang. Sterker nog, ik begin hem echt aardig te vinden. We spreken elkaar elke dag, Rosie. Hij heeft me verteld dat jullie huis voortdurend onder bewaking staat. En ik heb zelf kunnen constateren dat er buitensporig veel surveillancewagens door de Estates rijden. Je moet niet terugkomen; het risico is te groot.'

Tom wist dat mijn besluit vaststond. Hij ontstak niet in woede. We stonden naast de natte plek in het tapijt en hielden elkaar vast. Mijn hoofd rustte op een volmaakte plek, daar waar zijn borstkas en schouder bijeenkwamen. Hij vroeg me of mijn beslissing om alleen te gaan definitief was. Ik bevestigde het. Hij zei dat hij voor me zou bidden. Ik zei dat ik elk gebed dat hij wist op te zeggen kon gebruiken. Hij wreef tussen mijn schouderbladen over mijn rug en zei dat wanneer dit alles tot het verleden behoorde, ik zijn rug mocht strelen. Ik zei dat hij niet te veel van me moest verwachten, zelfs geen rugstrelingen; hij was tenslotte een getrouwd man.

Hij zei dat als ik hem nodig had, ik zijn privé-nummer moest bellen en zeggen dat ik zijn schoonzus Marge was. Zijn telefonische antwoorddienst kon hem binnen een paar minuten bereiken; dag of nacht, hij zou me te hulp schieten. Daarna deed hij een van zijn kasten open, draaide aan het slot van een kleine brandkast en nam er een stapel bankbiljetten uit. Toen hij tien briefjes van honderd dollar had uitgeteld, riep ik dat dat meer dan genoeg was en hoopte dat ik, zodra deze toestand achter de rug was, de kans zou krijgen hem terug te betalen.

Hij liep samen met mij, langs zijn secretaresse en een receptioniste, door een lange grijze gang naar de lift. Toen de lift voorstond, probeerde hij het een laatste keer: 'Vooruit, Rosie. Laat me met je meegaan.'

Het is mogelijk dat ik stond te huilen. Maar mijn zelfbeheersing verloor ik pertinent niet. Ik stapte de lift in, drukte op 'P' en zei wat ik op de middelbare school nooit had durven zeggen omdat ik had gewacht tot hij het zei. 'Hé, Tom.'

'Wat?'

'Ik hou van je.'

De deur sloot voor we de kans kregen afscheid te nemen.

Bijna even eng als een auto huren met Danny's nagemaakte creditcard en rijbewijs, was dat ik mijn eigen haar moest knippen. Ik droeg het meestal naar achteren gekamd, mijn haar was lang genoeg voor een paardestaart tijdens het joggen of voor een chic knoetje bij formele gelegenheden. Niettemin kocht ik een schaar en knipte ik, op het toilet van een winkel aan Madison Avenue die gespecialiseerd was in extravagante en afgrijselijke sportkleding – zwart met olijfgroene joggingpakken voorzien van zoveel metalen oogjes, spijkerkoppen en kettinkjes dat het de meest kieskeurige sadist zou behagen – zo'n stuk van mijn haar dat ik, toen ik mezelf in de spiegel bekeek, een andere vrouw zag, eentje met een kort, asymmetrisch kapsel.

Na mijn wimpers en mijn benen, had ik mijn voorhoofd altijd als mijn fraaiste karakteristiek beschouwd. Vooruit, het kon misschien niet aan dat van Athene tippen, maar het straalde evengoed wijsheid uit en zelfs een zekere verhevenheid. Dat werd nu aan het zicht onttrokken door een pony.

Ik spoelde de lokken haar in de wasbak weg en propte het speelgoedpistool dat ik tussen mijn borsten had gedragen diep weg in de zak van mijn nieuwe joggingbroek. Daarna zette ik de capuchon op van een ziekelijk groene sweater met grove ritsen in mouwen en kraag. Het was het minst uitdagende kledingstuk dat ik in de winkel kon vinden. Eenmaal in Shorehaven zou ik niet meer opvallen, daar kon ik zelfs doorgaan voor een modebewust iemand, tenzij ik me tussen de echte modefreaks waagde.

Ik bestudeerde mezelf in de spiegel. Mijn groene teint weerspiegelde de kleur van de sweater en de misselijkheid die zich van mij meester had gemaakt, maar als je die erwtensoepachtige gelaatskleur buiten beschouwing liet, zag ik er zonder meer exotisch uit. Het liefdeskind van een Siciliaan en een Cherokee. Wat een boeiend gezicht! Als ik niet nog misselijker was geworden door de gedachte aan mijn plannen en was beginnen te kokhalzen, had ik mijn nieuwe ego misschien oogverblindend gevonden.

Ik reed mijn nieuwe ik over de Fifty-ninth Street Bridge naar Queens. De zilverkleurige Sedan de Ville die ik had gehuurd was het type auto dat doorgaans in het bezit was van zakenmagnaten, wier armen doorgaans dezelfde lengte hadden als de sigaar in hun mond. Mijn keus was op deze auto gevallen vanwege de theorie dat, wanneer ik hem ergens illegaal in een straat in de Shorehaven Estates moest parkeren, de politie een degelijke Chevrolet wellicht veel eerder verdacht zou vinden dan een absurd luxueus uitgevoerde Sedan de Ville.

Eenmaal over de brug, kwam ik vast te zitten in wat nog het meest leek op een langverwachte reünie van vrachtwagenchauffeurs, zodat ik pas om drie uur 's middags Long Island City achter me kon laten. Op de snelweg kwam ik terecht in het begin van de spitsdrukte. Gelukkig zond een van de klassieke muziekzenders een eerbetoon aan Bizet uit, waardoor de kwelling minder erg was dan gewoonlijk. Ik zong zelfs mee met de uitvoering van Carmen. Tegen de tijd dat ik in Nassau County arriveerde, had Bizet me zo'n heerlijke tijd bezorgd dat ik, toen ik de radio uitdeed, mijn maag zelfs hoorde rammelen van de honger.

Ik nam plaats aan een tafeltje achter in een Pizza Hut. Hoewel ik het gevoel had dat het misschien dom was om uitgebreid een grote kaaspizza met salami te gaan zitten verorberen, besloot ik het te riskeren. Mijn theorie was dat de autoriteiten van New York wellicht wetten kenden waarin het verboden werd om schuldig bevonden misdadigers die tot levenslang waren veroordeeld onder het eten te arresteren. Ik nam ook twee glazen Coke, geen light dit keer. Na het eten reed ik naar Vinnie Carosella's kantoor, zo'n vijftien kilometer verderop, dat zich bevond in een van die gebouwen uit baksteen en glas die uitkeken op nog meer gebouwen van glas en baksteen, baksteen en glas.

De receptioniste, een struise vrouw met gefriseerd haar, van het type dat in een tamponreclame kon doorgaan voor de begrijpende oudere zus, leek mijn verhaal dat ik een vriendin was van Rose Meyers te slikken. Ik zei dat mijn naam Christine Peterson was, zoals dat ook op mijn rijbewijs stond. Ze accepteerde de naam en zelfs mijn joggingpak, met de al even afgrijselijke, bijpassende bodywarmer. Ik was opgetogen! Mijn nieuwe kapsel was een succes. Ze bracht me naar de kamer van Vinnie. 'Mr. C,' riep ze. Hij keek op van zijn aantekeningen. 'Mevrouw Peterson. Rose Meyers heeft haar gestuurd.'

De pony kon Vinnie niet om de tuin leiden. '*Peterson?*' riep hij ongelovig, nadat hij de deur had dichtgedaan. 'Als je jezelf voor iemand anders wilt uitgeven, neem dan een naam als Russo. Garcia misschien. Peterson is overdreven, Rosie.'

Bureau, tafels, stoelen, boekenkasten – met uitzondering van de stoel waarop hij zelf zat – waren bedekt met stapels brieven, aktenenveloppen, dossiers, memo's en van Post-it voorziene rapporten. Grote elastieken hielden de stapels bij elkaar, om een echte chaos te voorkomen. Vinnie maakte een stoel voor me vrij door een stapel papieren op de grond te vegen. Hij hield de stoel galant vast tot ik zat. 'Wat kan ik voor je doen?' vroeg hij.

'Ik kom je een voorschot brengen. Ik heb niet veel, maar...'

'Laat maar,' onderbrak hij me. 'Het is allemaal geregeld. Een politieman die me het een en ander was verschuldigd, heeft aan je kinderen doorgegeven dat alles goed met je was en dat je mij had ingehuurd. Ze zijn een paar dagen geleden langs geweest. Aardige knapen. Gisteren heb ik van de oudste tienduizend in contanten gekregen.' Voor ik het kon vragen, voegde hij eraan toe: 'Had zijn auto verkocht. Ze maken het allebei goed. Op de universiteit doen ze niet moeilijk dat hij zijn studie medicijnen even laat voor wat die is. Je jongste zoon moest een concert in een rockclub afslaan, maar de manager interpreteerde zijn afwijzing als zijnde een gevolg van de gestegen populariteit van de band en vroeg hem voor een groot concert vlak voor kerst.

Dat zit dus wel goed, Rosie. Het rapport met betrekking tot de bandensporen heb ik helaas niet uit het politielaboratorium kunnen smokkelen, hoewel dat ook weer niet het eind van de wereld is omdat een vriend me mondeling de hoofdlijnen heeft doorgegeven.' Vinnie liep naar een fauteuil, bladerde door een stapel paperassen op de zitting en trok er een geel A4tje tussenuit. 'De autobandensporen die je naast de auto van je echtgenoot gezien dacht te hebben? Welnu, je hallucineerde niet, zoveel is wel duidelijk. Ze waren afkomstig van Michelin MXV banden en zijn waarschijnlijk gemaakt rond de tijd dat de auto van je man daar stond.' Hij liet zijn ogen vlug over het papier dwalen. 'Zijn auto heeft Pirelli P-zero banden.'

Onwillekeurig schoot een golf van hoop door me heen. Ik durfde het bijna niet te vragen: 'Is dat goed nieuws, Vinnie?'

'Het is geen slecht nieuws. Ik bedoel, het is niet zo dat zijn vriendin, die Jessica, zich opeens schuldig is gaan voelen en de politie heeft gebeld om een volledige verklaring op video af te leggen, maar het helpt. Iemand anders was waarschijnlijk ook in de buurt toen hij daar was.'

'Het bekrachtigt een deel van mijn verhaal.'

'Een klein deel, om eerlijk te zijn. Maar het is een begin.' Op de hoek van zijn bureau, onder een opengeslagen wetboek, stond een enorm cognacglas met snoep. Het glas was tot de rand gevuld met Mini-Amandelmarsen, verschillende Hershey-repen, Snickers, Milky Ways en Drie Musketiersrepen. Hij schoof het boek opzij, pakte er een handvol uit en bood ze me aan alsof ik mijn Halloweenronde deed en nog niets in mijn grote, lege boodschappentas had gekregen. Toen ik de traktatie afsloeg, liet hij alles op zijn bureau vallen en koos zelf een Hershey Krackel uit. Hij ontdeed de reep van de verpakking met de handigheid van een oude geliefde. Daarna propte hij het snoepgoed in zijn mond.

'Wat voor auto's hebben dat soort Michelinbanden?' vroeg ik.

'Ik dacht wel dat je dat zou vragen. Het antwoord is: dure auto's. Saabs, BMW's, Volvo's, Mercedessen.' Ik zag een chocoladebruin schoonheidsvlekje vlak naast zijn mond.

'Ik heb een Saab,' zei ik tegen hem. 'Twee vriendinnen van me – Cass en Stephanie – hebben een BMW. Stephanies man heeft een Mercedes. Madeline heeft een Volvo. Iedereen rijdt in dat soort auto's.' Om een of andere, mogelijk verachtelijke reden verkozen de bewoners van de Estates in Arische auto's te rijden; er rolden ongetwijfeld elke dag duizenden Michelin MXV banden over de oprijlanen. 'En er is een vrouw die Mandy heet. Joost mag weten waarin zij rijdt, maar al is het een driewieler ik wil wedden dat er Michelin MXV banden onder zitten.'

'En wat bedoel je daar precies mee?' informeerde Vinnie.

Het duurde even, omdat Vinnie me voortdurend onderbrak om vragen te stellen en chocolade uit te pakken, maar uiteindelijk had ik hem alles verteld wat er was voorgevallen sinds onze ontmoeting in het Washington Square Park, wat alweer eeuwen geleden leek. Eeuwen? De moord op Richie: dat was eeuwen geleden... alleen was het in werkelijkheid pas een week na dato.

'Eens kijken,' zei Vinnie. 'De Michelin-dame – aangenomen dat het een dame is – rijdt in haar auto, ze achtervolgt jouw echtgenoot of ze passeert misschien toevallig. Hoe dan ook, ze ziet waar hij zijn auto heeft geparkeerd. Ze rijdt ernaartoe en parkeert een eind verderop, ofwel om te kijken waarom zijn auto daar staat ofwel omdat ze haar eigen wagen verdekt wil opstellen aangezien ze hem heeft zien uitstappen en naar jouw huis heeft zien wandelen.'

'Op een plek die dieper het bos in ligt,' hielp ik hem herinneren. 'Misschien was het daar toch modderig, zoals dat wel voorkomt op plaatsen waar de bomen dicht op elkaar staan. Misschien kreeg ze modder aan haar schoenen. Er lag immers modder op mijn keukenvloer, weet je nog?'

'Niemand kan zoveel modder aan de schoenen meenemen, helemaal niet als ze rechtstreeks uit het bos komen en dezelfde route naar het huis nemen als jouw man deed.' Vinnie verzonk, wrijvend over de rug van zijn neus, even in gedachten. 'Ik speel even de officier van justitie, goed? Weet je wat ik zou doen met datgene wat jij me net hebt verteld? Zodra de deskundige van het onderzoekslaboratorium als getuige werd gehoord, zou ik erachter komen dat de grond in de buurt van de andere bandensporen ook niet erg nat was. Dat de modder afkomstig was van jouw echtgenoot.'

'Maar hij heeft geen voetsporen in de buurt van zijn auto achtergelaten! Daar lag geen modder.'

'Er zat een beetje modder op zijn gympies en uit het oogpunt van de officier van justitie is dat voldoende. Er is geen bewijs dat er een derde partij aanwezig was.'

'Kan hij dat zonder gerede twijfel bewijzen?'

'Mogelijk kan ik tijdens het kruisverhoor enige verwarring zaaien wat dit punt betreft. Het lijkt erop dat de mensen van het laboratorium de opdracht hebben gekregen zich op de auto van jouw man te concentreren. Ze zijn niet bepaald nauwkeurig geweest in het onderzoek naar andere sporen en de grond daaromheen. Dat zou in ons voordeel kunnen zijn – een beetje.'

Ik schoof naar het puntje van mijn stoel. 'Wat vind je van deze theorie. Als hij/zij – de moordenaar – uit Shorehaven komt, met name uit de Estates, of als hij/zij een keer bij ons thuis of bij de Tillotsons is geweest, kent die persoon de plek waar Richie zijn auto had geparkeerd. Waar is de moordenaar dan precies vandaan gekomen? Als je niet op de weg gezien wilt worden, kun je de korte route via het bos nemen; dan kom je uit bij het pad dat naar het tennisveld van de Tillotsons leidt. Maar vergeet niet dat het half oktober is en midden in de nacht. Het is erg onwaarschijnlijk dat iemand een smal pad als dat zou beklimmen, zich zou verstoppen op een tennisbaan die wordt omgeven door bomen en vervolgens wacht tot Richie terugkeert bij zijn auto. Bovendien er staan zoveel bomen daar dat je hem mogelijk niet eens zou ontdekken als hij terugkwam.'

'Puur uit nieuwsgierigheid, kun je jullie huis zien vanaf de tennisbaan? Kan iemand gezien hebben dat je man daar liep of dat hij binnen, in de keuken, rondsnuffelde?'

Nee, tenzij je een verrekijker hebt. Maar moet je horen wat de andere optie is als je niet gezien wilt worden. Vergeet de tennisbaan. Je parkeert zodanig dat Richies auto het zicht op de jouwe ontneemt, oké? Of je hebt hem gevolgd of je stuit toevallig op zijn auto en wilt weten wat er gaande is, of Richie erin zit. Niet dus, maar je kunt wel raden wat zijn doel is. Zelf wil je echter niet gezien worden en als je hem niet achtervolgde, kun je niet riskeren de weg te nemen en via de oprijlaan te komen, omdat je mij tegen zou kunnen komen, nietwaar? Of Richie: je weet niet of hij alleen is.'

'Juist,' zei Vinnie instemmend.

'Dus wat doe je als je Richie wilt zien, zonder dat hij of iemand anders jou ziet?'

'Je gaat binnendoor, via het bos,' antwoordde Vinnie. 'Maar jij hebt me zelf verteld dat dat bos wel een jungle lijkt, zo moeilijk begaanbaar.'

'Maar niet onmogelijk, Vinnie! Luister, ik heb het ook gepresteerd. Geloof me, het was ploeteren. Mijn laarzen zaten onder de modder. Overal om me heen hingen klimplanten, als touwen – of stroppen. Ik bleef haken aan struiken en kreeg allemaal takjes op mijn kleren en mijn haar. Natuurlijk gaat niemand voor zijn plezier 's avonds dat bos doorkruisen. Maar ik wist waar ik naartoe wilde, dus lukte het. En weet je waarom?'

'Waarom?'

'Omdat het oorlog was, Vinnie, en ik was wanhopig.'

Vinnie Carosella knikte. 'Net als de moordenaar.'

Ik leunde achterover en staarde naar zijn chocolademond en zijn chocoladebruine ogen. Hij schonk me een brede chocoladeglimlach. 'Vinnie, je wilt toch niet zeggen...'

'Ja, Rosie, het is waar. Je hebt me overtuigd. Jij hebt het niet gedaan. Iemand die van plan was een moord te plegen, heeft die avond een bezoekje gebracht aan jouw keuken. Je bent onschuldig. Onheus behandeld.'

'Dank je.' Ik stond op om te gaan.

'Of,' vervolgde hij, 'je bent de meest overtuigende, getalenteerde leugenaar die ik ooit in mijn leven heb ontmoet. In beide gevallen...' Vinnie nam denkbeeldig een hoed van zijn hoofd, zwaaide ermee door de lucht en drukte hem tegen zijn hart. 'Sta ik tot uw dienst, Miss Rosie. Wat ik nu allereerst ga doen, is me naar de officier van justitie begeven om een babbeltje met hem te maken. Misschien kan ik ervoor zorgen dat hij je vriend Gevinski een belletje geeft. Over banden praten. Over andere aanwijzingen praten, zoals routes door het bos en modder op de schoenen. Praten over schoenen die sporen hadden moeten achterlaten, maar dat niet deden. Ik ga praten over alle bewijzen die ze niet nader hebben onderzocht, omdat ze er zo gebrand op waren jou te arresteren. En weet je wat jij ondertussen gaat doen?'

'Nou?'

'Je gedeisd houden!'

Tuurlijk, Vinnie.

19

Theodore Tuttle Higbee III, gekleed in een kamerjas met satijnen re-
vers, stampte de tabak in zijn pijp aan en inhaleerde. Tevreden leunde
hij achterover in zijn gemakkelijke stoel in de met eikehout gelambrizeerde werkkamer en, met een rood potlood in de aanslag, richtte hij
zijn aandacht wederom op de pagina's van zijn stomme tijdschrift,
Standards. Aan zijn voeten had hij fluwelen pantoffels met goudkleurige blazoenen. Naast zijn voeten lag zijn beste vriend, zijn collie, Ronnie.

Ik hield mijn vingers gekruist dat ik op Ronnie kon rekenen. De
aard van het beest vertoonde nogal wat overeenkomsten met die van
de president naar wie hij was genoemd. En inderdaad, vlak voor ik me
bukte om onder het raam door te kruipen keek de collie op en kwis-
pelde vol verwachting met zijn staart: aha, iemand om mijn kop te
krabben. Even later gaapte hij en viel, vergetend wat hem ineens zo
blij had gemaakt, weer in slaap.

Terwijl ik me een weg baande door de smalle ruimte tussen de
breeduit groeiende jeneverbesstruiken en het gastenhuis van de Higbees, probeerde ik te bepalen welke van de diverse ramen met dichtgetrokken gordijnen van Cass' studeerkamer was. Dit moet het zijn,
zei ik bij mezelf. Ik zag een vaag silhouet: was het Cass die aan haar
bureau zat? Een grote tafellamp? Ik wachtte, tot ik bij de passage 'But
thy eternal summer shall not fade' in Sonnet 18 kwam en de figuur van
positie veranderde. Ik gooide een kiezelsteentje tegen het raam. Ping!
Er gebeurde niets. Als Cass verdiept was in een boek, had ik een kei
nodig om haar aandacht te trekken. Anderzijds, als ze in bad lag te
relaxen en de silhouet bleek haar neurotische huishoudster te zijn die
net bezig was vingervlekken van het meubilair te boenen, kon ik wel
eens dieper in de stront zitten dan het hoopje van Ronnie waar ik een
paar meter terug in was gestapt.

Mijn hart bonkte. Ik had de Cadillac op de meest onopvallende plek die ik kon bedenken verstopt: op zo'n vierhonderd meter afstand, aan het eind van de kronkelende, boomrijke oprijlaan van buren die het grootste deel van het jaar in Florida doorbrachten. Slim bedacht, maar het gaf me wel te denken. Stel dat ik onverwacht moest vluchten? En dat was niet mijn enige zorg. Stel dat ik een futiel gevaar over het hoofd had gezien dat, als het niet werd onderzocht, groter en groter zou worden en mij uiteindelijk de das om zou doen? Of stel dat er gevaar dreigde – Cass zelf misschien? Ik vermande mezelf: je loopt echt niet in een val. Je kunt je leven rustig aan Cassandra Higbee toevertrouwen. Ze zal de politie niet bellen. Ik smeet nog een kiezel tegen het raam, en een derde. De silhouet kwam in beweging! Een hand schoof, tergend langzaam zo leek het, de gordijnen opzij. Voor ze die zover had opengeschoven dat ik haar gezicht kon zien, herkende ik haar geliefde leeskleren, een pluizig wollen vest, robijnrood van kleur, en met diepe zakken voor haar leesbril en pepermuntjes.

Cass twijfelde niet dat ik het was die zich daarbuiten verschool, hoewel ik nog altijd gehurkt tussen de jeneverbesstruiken zat. Ze gebaarde met haar duim: die kant op. Een minuut later ging de garagedeur open en stond ik binnen, tussen haar BMW en Theodore's Porsche. Cass omhelsde me. Daarna hield ze me op armslengte en gaapte naar mijn haar. 'Je ziet eruit als Zelda Fitzgerald!'

'Dank je.'

'Nee, nee. Ik bedoel nádat ze geestelijk gestoord was verklaard.' Ze liet haar ogen naar beneden dwalen. Ze richtte zich tot haar volle lengte van een meter zestig op. 'Uiteraard is je kapsel van grote schoonheid vergeleken met dat pak dat je draagt.'

'Helaas heb ik geen tijd voor een metamorfose.'

'Jammer dan. Welnu, laat me je vertellen wat ik te weten ben gekomen op het Mandy/Amanda-front.'

Cass' verstand werkte watervlug, maar de rest van haar was altijd traag en bewoog zich alleen wanneer het echt noodzakelijk was. Hardlopen deed ze enkel onder druk van mij, Theodore en haar huisarts. Ze was niet iemand die bleef staan als ze kon zitten, en dus opende ze het portier van haar auto. Ik liep naar de passagierskant en we namen plaats op de ijskoude leren zittingen.

'Voor ik uit school naar huis ging,' vertelde ze, 'heb ik Faith en Vivian van Onderwijsbegeleiding gesproken. Ze konden zich twee leerlingen herinneren die Mandy heetten.' Ze zocht in haar vestzak tot ze een informatie-aanvraagformulier van de afdeling Onderwijsbegeleiding had gevonden; ze las haar aantekeningen na. 'Twee jaar geleden heeft een zekere Mandy Daley examen gedaan en zij is later naar Oberlin gegaan. Ze was celliste; ze gaan ervan uit dat ze nog steeds in

Ohio musiceert. De andere is ouder, halverwege de twintig. Zij heet Mandy Springer...'

'Haar naam kan ik me herinneren uit een oud klasseboek. Volgens mij is ze tegelijk met Ben begonnen.'

'Ik had haar met Amerikaanse literatuur in de klas. Volgens de schooldossiers, overwoog ze tandarts te worden maar ze heeft zich nooit voor de universiteit ingeschreven. De school heeft althans nooit een verzoek om een studieafschrift ontvangen. Het is niet bekend waar ze momenteel woont. In het telefoonboek staan geen Springers. Als ik me het goed herinner was ze een alledaags type, verlegen, met studieresultaten die onder het gemiddelde lagen. Ik kan me niet voorstellen dat Richie iets met zo'n meisje zou hebben. Jij wel?'

'Wat hem betreft, kan ik me onderhand alles voorstellen. Maar... ik geloof niet dat ik mijn tijd moet verdoen met deze Mandy's. Heb ik gelijk?'

'Ik heb geen idee, Rosie.'

Cass draaide haar hoofd weg en keek naar de deur die de verbinding vormde tussen de garage en de keuken. Ik kalmeerde mezelf door te redeneren dat ze de strijdkrachten niet had ingeschakeld; ze was simpelweg nerveus dat, hoe klein die kans ook was, Theodore naar de garage besloot te komen om de brandstofinjectie in zijn Porsche te liefkozen.

'Wat heb je verder voor Mandy's gevonden?' vroeg ik. Ze legde haar aantekeningen op het dashboard.

'Geen...'

'Geen één?'

'Mag ik even uitpraten alsjeblieft? Dank je. Ik heb talloze telefoontjes gepleegd. Het is wonderlijk: de meeste mensen menen stellig dat ze een Amanda kennen. Maar zodra je doorvraagt, kunnen ze er niet eentje noemen. Het volgende heb ik gevonden' – ze pakte haar notities weer op – 'een Amanda Huber, in de zestig, bedient de stoompers van Shore Dry Cleaners; een Amanda Chase, zevenenzeventig en de steun en toeverlaat van de cursus creatief schrijven voor ouderen; een Amanda Conti, dertien lentes jong en verspringkampioen van alle onderbouwklassen in de regio. Geen advocates die Amanda heten. En al helemaal geen andere Mandy's, tot ik Stephanie een uur geleden te pakken kreeg.'

'Waar had ze zolang gezeten?'

'Bij een wedstrijd van haar tuiniersvereniging, waarbij de deelnemers tafelstukken moesten maken waarin hulst, bloemen en groente zaten verwerkt. De wedstrijd was "geweldig" zei ze, maar goed, "geweldig" is zo'n beetje het enige bijvoeglijk naamwoord dat ze kent.'

'Afgezien van "akelig" dan.'

'Klopt.' Cass, die zelden een extra calorie verbruikte tenzij ze daartoe gedwongen werd, begon onrustig te worden. Ze speelde met de richtingaanwijzer en de hendel van de ruitewissers, veegde denkbeeldig stof van de ventilatieroosters en maakte de radiocassetterecorder schoon met de mouw van haar vest.

'Wie is Mandy?' vroeg ik ongeduldig.

Ze drukte een klein knopje in, waardoor de dagteller onder de kilometerteller weer op een rij nullen sprong. 'Mandy Anderson.' Ze hoefde niet op haar aantekeningen te kijken. 'Een advocate die faillissementen doet, van Stephanies leeftijd. Ze hebben elkaar ontmoet toen Stephanie nog bij Johnson, Plumley en Whitbred werkte.'

'Werkt Mandy daar ook?'

'Dat heb ik niet gevraagd. Ik neem aan van wel. Hoe dan ook, toen Stephanie eenmaal was gestopt met werken, leken ze geen tijd voor elkaar te kunnen vrijmaken. Om dat dilemma te verhelpen, besloten ze 's avonds samen te gaan hardlopen.'

'Hebben ze dat onlangs nog gedaan?'

'Nee. Er valt grof geld te verdienen in de wereld van faillissementen; deze Mandy schijnt elke dag tot elf, twaalf uur 's avonds te werken. Stephanie beweert dat de vrouw "geweldig in de stress" zit. Ze hebben elkaar in geen tijden gezien.'

'Waar woont ze?' vroeg ik.

'Hier, in de stad.'

'Ja, dat weet ik. Maar waar?'

'Sorry,' zei Cass. 'Niet gevraagd.' Ze gluurde even in haar achteruitkijkspiegel alsof ze er een prachtig panorama in ontwaarde.

'Cass,' drong ik aan.

'Ze zei dat Mandy erg aardig is. En slim. Mandy weet precies hoe het toegaat in de advocatuur.'

'Knap?'

'Volgens Stephanie niet,' antwoordde Cass. 'Vreemd eigenlijk, nu ik erover nadenk.'

'Dat is inderdaad vreemd,' beaamde ik. 'Stephanie roept altijd hoe mooi en knap iedereen is.'

'Dat is een van de vervloekingen van echte schoonheid: ze voelt zich verplicht om elke vrouw, al is ze nog zo lelijk, met een zekere aantrekkelijkheid te begunstigen. Op die manier krijgen mensen de indruk dat ze sympathiek is en onbewust van haar eigen charmes. Kun jij je voorstellen dat je tegenover anderen moet bewijzen dat je niet stiekem de spot drijft met hun uiterlijk?'

'Dus Mandy Anderson is een slinkse vos?' vroeg ik.

'Of misschien mag Stephanie haar gewoon niet. Dat zou haar de ruimte geven om kritisch en kleingeestig te zijn, zoals wij. Waarom zou ze geen hekel aan die vrouw hebben? Hoe kan wie dan ook iemand aardig vinden die 's avonds laat acht kilometer wil hardlopen?'

'Maar Stephanie loopt toch 's avonds ook hard en haar vinden we wel aardig,' reageerde ik. Cass trok een zuur mondje. 'Zéker vinden we haar aardig.'

'Als jij het zegt.'

Ergens in mijn achterhoofd schoot me iets te binnen. Iets over Mandy. Ik deed de ritsen van twee zakjes in mijn bodywarmer open en stak mijn handen erin. 'Mandy Anderson,' dacht ik hardop.

'Hemeltje!' riep Cass uit. 'Bijna vergeten. Er staan zeventien Andersons in het telefoonboek van Shorehaven; ze lijken zich als konijnen voort te planten. Ik heb ze stuk voor stuk opgebeld.'

'En?'

'Niet één Mandy. Het kan natuurlijk zijn dat ze een geheim nummer heeft. Of wie weet is Anderson haar meisjesnaam. Tussen de failliete boedels is ze misschien mevrouw Anderson, terwijl ze hier in de stad als mevrouw J. Harcourt Goldfleigel door het leven gaat. We zullen het nooit weten.'

'Natuurlijk wel' – ik klom uit de auto – 'wacht maar tot ik Stephanie heb gesproken.'

Cass sprong meteen ook uit de wagen. 'Daar kun je niet heen!' riep ze uit. 'De politie die jouw huis bewaakt, houdt dat van haar net zo goed in de gaten.'

De garagedeur stond open; voorbij de schijnwerpers was het aardedonker. 'Ik ben nu al zo ver gekomen. Ik moet wel met Stephanie praten.'

'O, Rosie. Ben je niet bang?'

'Natuurlijk wel. Ik ben bang vanaf het moment dat ik over dat grote, lompe ding op mijn keukenvloer struikelde en erachter kwam dat het mijn echtgenoot was. Sinds die tijd zitten mijn *kishkes* compleet in de knoop. Maar als je risico's neemt, leer je leven met dat soort knopen.'

Cass sloeg haar handen onder haar kin in elkaar en dacht na over wat ik had gezegd. 'Ik begrijp het. Je hebt al een risico genomen door hier te komen.'

Ik had dat radicaal kunnen ontkennen, maar ik zei eenvoudig: 'Een kleintje.'

'Je hebt een wijs besluit genomen, hoewel je daar nu nog niet zeker van kunt zijn. Luister, Rosie. Dit is een avond vol potentieel gevaar. Je zult hulp nodig hebben.'

'Ik wilde jou er liever buiten laten, als het enigszins mogelijk is.' We liepen richting openstaande deur. 'Ik weet niet of ik kans zie om bij een telefoon te komen. Hoe kan ik je bereiken?'

'Weet je de trap van ons souterrain? Ik zal die deur openlaten en tegen Theodore zeggen... Ja! Ik zal zeggen dat ik vreselijk last heb van mijn ongesteldheid. Hij zal bezorgd zijn, maar alleen de gedachte al aan wat hij "vrouwenproblemen" noemt maakt dat hij zich onbehaaglijk voelt, de druiloor. Hij zal me met alle plezier mijden.'

'Weet je, je houdt gewoon van hcm. Dat is jouw eigen valse geheimpje, Cass. Daarom blijf je bij hem.'

'Larie.'

'Je doet alleen altijd voorkomen alsof hij de grootste dwaas ter wereld is.'

'Dat is hij ook. Hij is zo'n man die niet vreemd zou opkijken wanneer een vrouw een kudde geiten zou offeren aan de godin van de menstruatie als het die tijd van de maand is. Hij zal er absoluut geen aandacht aan besteden als ik me buitenissig gedraag. Ik zal om het kwartier in het souterrain gaan kijken totdat hij naar bed gaat. Daarna blijf ik beneden om op je te wachten, ongeacht hoe lang het duurt.'

Er is niets zo duister en gevaarlijk als een rijke buurt zonder straatlantaarns. Tieners die de kortste weg via de achtertuin nemen en over schuttingen klimmen om vervolgens in een onzichtbaar, leeggepompt zwembad van zwart marmer te vallen. Barsten in kwalitatief slecht verharde, maar gladde nouveau riche asfaltwegen die de afmetingen van een kloof hebben aangenomen en automobilisten onaangenaam verrassen. Inbrekers die niet alleen door de regelmatige politiesurveillances worden afgeschrikt, maar evenzeer door de angst om over een omgevallen treurboom te struikelen en in een open afvoer te belanden terwijl de Chardonnay-nippers in hun woonhuizen – honderden meters van de doorgaande weg – hun gekrijs niet kunnen horen. Ik sloeg Hill Road in, de weg die naar het huis van de Tillotsons voerde, en knalde tegen een brievenbus in de vorm van een wilde eend.

Ik keek richting Gulls' Haven. In een van de slaapkamers verspreidde een lamp een gouden gloed. Als dit een film was, zou een enkele viool nu de eerste tonen inzetten van 'There's No Place Like Home'. Maar sentimentaliteit kon nu fataal zijn; als ik me voorstelde hoe ik de ruwe wangen van mijn jongens streelde of dat we voor een knappend open haardvuur zaten en een schaal popcorn deelden, terwijl ze me vertelden over de vreselijke dingen die ze op school hadden moeten doorstaan, zou mijn gemoed zodanig volschieten dat ik de komende nacht niet zou overleven.

Toen ik het eind van Stephanies oprijlaan bereikte, bleek de wind te zijn gaan liggen en hield een uil zich lang genoeg stil om het geschreeuw van agenten die Gulls' Haven bewaakten met de koude avondlucht mee te voeren: 'Hé! Jim? Ben jij dat?' 'Hou je kop!' Ik maakte een omtrekkende beweging rond een bosje dennen en bestudeerde de voorzijde en de zijgevel van Stephanies huis. Niets wees erop dat er gepatrouilleerd werd op het terrein rond haar woning; ik hoorde geen voetstappen, zag geen licht van een zaklantaarn over het gazon fladderen. De buitenkant van het grote, geldverslindende tudorhuis, verlicht door schijnwerpers, leek vlak, alsof het een toneeldecor betrof voor een miljoenenproduktie. Maar ineens rook ik kookgeuren, iets zoetigs, iets appelachtigs, en Stephanies huis kreeg dimensie.

Binnen was alleen het licht beneden aan. Ik ontweek een spar en begaf me in een bosje van dunne, witte berken dat nauwelijks bescherming bood. Naarmate het huis beter in zicht kwam, zag ik ook Stephanies broeikas. Hoe kon ik die over het hoofd zien? Het ding was zo helder verlicht dat het kon doorgaan voor een paviljoen waar Assepoester graag ging dansen. Het glas fonkelde als diamanten; groeilampen veroorzaakten overal kleurige spikkels. Stephanie stond in haar denim tuinoverall bij de gootsteen en was bezig de harige wortels van een pot die ze optilde af te knippen.

Ik sloop dichterbij, langs grote terracotta potten met daarin planten die ze deze herfst had geplant: groene en paarse sierkolen en paarse hangplanten. Een vrouw die planten kweekt en koestert, bakt, kookt, fijne borduurwerkjes maakt, weeft, leest, naar operamuziek luistert, alle tweejarigen uit de buurt uitnodigt om te komen vingerverven en tegen vervuiling van het grondwater strijdt, moet in haar hart een goed mens zijn, zo hield ik mezelf voor. Ze zal in mij geloven. Ze zal me helpen.

Anderzijds had ik haar echtgenoot ontvoerd en met een pistool bedreigd. Mogelijk was ze er niet echt gelukkig mee dat ik me tot haar wendde in deze tijd van nood.

Ik naderde de tuindeur van de broeikas op handen en voeten. Het gras was droog en stekelig, maar het pad was geëffend door de vele malen dat ze naar de tuin was gelopen. Ik hees mezelf omhoog en strekte mijn hand uit om de kruk van de houten deur beet te pakken. Eén klik van de klink was voldoende. Stephanie sprong op alsof er een alarm was afgegaan. Ik trok me terug en ging plat op de grond liggen, loodrecht op het pad, en met mijn hoofd ongeveer een halve meter van de deur verwijderd.

Stephanies tuinklompen klosten mijn kant uit. Ik tilde mijn hoofd een paar centimeter op toen de deur openging. Ze keek in het rond en naar beneden, maar niet ver genoeg om mij te kunnen zien. 'Rosie?' fluisterde ze in de nacht. Het kunstmatige schijnsel van de kaslampen op haar volmaakt ovale gezicht bracht niet één onvolkomenheid aan het licht; vergeleken met haar huid was porselein grof van structuur. Het was een lief gezicht, een mooi gezicht ook; als ik de uitdrukking op haar gelaat goed interpreteerde, leek ze me niet zozeer bezorgd over zichzelf maar eerder over mij. 'Hallo?' Ik hoorde de spanning in haar stem. 'Rosie, ben jij het?'

Trouwens, als ze mij werkelijk een bedreiging vond dan had ze altijd nog haar tuingereedschap, waar je iemand behoorlijk mee zou kunnen toetakelen. Ikzelf had het speelgoedpistool dat ik bij haar man had gebruikt paraat.

Ik drukte mezelf op tot hurkzit, klaar om op te springen en haar te begroeten. Ha, het voordeel van de verrassing! Voor een zevenenveertigjarige lerares Engels is een dergelijke sprong in de lucht echter eerder een gedachtenkronkel dan een reële gebeurtenis. Tegen de tijd dat ik mijn handen op mijn knieën had gezet en mezelf opdrukte, stond Stephanie naast me en hielp me omhoog.

'Hoe is het met je?' vroeg ze. Ze was bijna een meter tachtig lang en atletisch gebouwd. Een scherpe, kwaadaardig uitziende bollenplanter die uit een van haar borstzakken stak, wees recht op mijn keel.

'Prima,' zei ik, achteruitdeinzend.

'Wat is er?'

'Niets. Ik wil alleen niet zo dicht bij de deuropening staan, als je het niet erg vindt. Ik zou zo helder verlicht zijn dat de politie me van verre zou ontdekken.' Met een hand veegde ik mijn joggingpak schoon. Met de andere zocht ik naar mijn pistool; het zat nog steeds in mijn broekzak.

'Dan kunnen we beter naar binnen gaan. Ik maak een *dartois aux pommes*. Luchtig bladerdeeg met appels, appelsaus...'

'Alsjeblieft, Stephanie!'

Ze sloeg zich met de hand op het voorhoofd. 'Begrijp je dat nou? Ik weet niet wat me bezielde. Je moet vergaan van de kou. Het spijt me. Vergeet de *dartois*. Wat dacht je van een glaasje armagnac? Kom binnen.' Persoonlijk had ik het warm zat in mijn joggingpak, bodywarmer, handschoenen, dikke sokken en een paar splinternieuwe sportschoenen. Zij droeg alleen een tuinoverall en een katoenen colshirt.

'Wat kan ik voor je halen?'

'Nee niets, dank je. Ik heb niet veel tijd.' Ik wierp een vluchtige blik op het huis. Als de politie binnen was, hadden ze uiteraard geen slingers en ballonnen opgehangen om mij te verwelkomen; dan zouden ze zich verstoppen. Hoe dan ook, Stephanie had geen blik in die richting geworpen, iets wat ze misschien wel gedaan had als ze wist dat er op enkele meters afstand hulptroepen gelegerd waren. Ook had ze geen spoor van angst vertoond tegenover mij: geen op-de-spoorrails-vastgeketende-heldinnekreet geslaakt toen ze mij in de gaten kreeg. 'Laten we hier blijven en even bijkletsen.'

'Ook goed. Ik moet alleen even mijn jas ophalen.' Ze begreep mijn bezwaar voor ik het had geuit. 'Hoor eens, Rosie, ik weet dat je hyper-nerveus moet zijn. Mijn jas hangt hier in de kas, aan die arme dode magnolia. Zie je hem? Binnen een minuut ben ik terug.' Terwijl ik bleef aarzelen, sloeg ze haar armen om zich heen. 'Laat ook maar,' zei ze. 'Ik red me wel.'

'Stephanie, het spijt me wat ik Carter heb aangedaan.'

Ze knikte, maar wendde haar hoofd af. Het is niet eenvoudig een sociaal aanvaardbare reactie te geven wanneer een vriendin haar ex-cuses aanbiedt omdat ze je man met een wapen heeft bedreigd. 'Ik neem aan dat je onder grote druk stond,' zei ze ten slotte.

'Dat klopt.'

Haar grootmoedigheid maakte plaats voor een zekere korzeligheid – niet dat ik het haar kwalijk nam. 'Hoe ben je in godsnaam aan een pistool gekomen?'

'Van een van mijn oud-leerlingen die op het verkeerde pad is ge-raakt,' loog ik.

Stephanie was ruim tien centimeter langer dan ik en keek op mij neer, het toonbeeld van rust. 'Weet je hoeveel dodelijke ongelukken er jaarlijks gebeuren met onrechtmatig verkregen handwapens?'

'Ik ben al dood. Hoewel dat niet veroorzaakt is door een wapen. En het was ook geen ongeluk.'

Stephanie huiverde zo intens dat het wel een stuiptrekking leek. 'Heb je het gedaan, Rosie?' vroeg ze. De wind deed haar stem prak-tisch teniet.

'Nee!' Rustig nou, waarschuwde ik mezelf. Ze is doodsbang. Je moet voorkomen dat ze op de vlucht slaat of om de politie gaat gillen. Je hebt haar nodig.

Althans, je dènkt dat je haar nodig hebt. Maar stel dat Jessica het mis had? Stel dat Jessica zelf de moordenaar was en haar verhaal te-genover Tom een grote vergaarbak van leugens was? Stel dat ik op het verkeerde spoor zat en het antwoord in de stad lag?

'Heb je enig idee wie het dan wel heeft gedaan?' Stephanie klonk nog steeds benauwd.

'Vertel me eens wat meer over je vriendin Mandy.'

'Waarom vraagt iedereen toch steeds naar Mandy?' wilde Stepha-

267

nie weten. Ze bleef rillen, zag ik. Ze sloeg haar armen over elkaar en drukte ze zo stevig tegen zich aan dat de bollenplanter bijna uit haar borstzak viel.

'Wat bedoel je met "iedereen"?' vroeg ik.

'Jij en Cass. Waarom zijn jullie zo geïnteresseerd in haar?'

'Richie had een verhouding met haar, vlak voor hij met Jessica iets begon.'

'Wat? Met Mandy? Daar geloof ik niets van.'

'Mandy Anderson,' zei ik.

'Zo heet ze, ja, maar... Geen sprake van, Rosie. Geen sprake van. Ten eerste ziet ze er heel alledaags uit. Niets bijzonders. Ze heeft een mooi figuur, maar een schots en scheef gebit en een akelig huidje met joekels van poriën. En een compleet mislukte neuscorrectie. Carter beweert dat ze eruitziet alsof ze elk moment "knor-knor" zal gaan zeggen.' Ze stond op het punt te gniffelen om dit staaltje van rinoplastieke humor, maar hield zich in toen ze de uitdrukking op mijn gezicht zag. 'Het spijt me. Ik bedoel, vanwege die opmerking maar ook vanwege alle leed dat je hebt geleden. Ken je die stress-indexen waarin traumatische ervaringen een cijfer tussen een en tien krijgen? Ik wil wedden dat jij...'

'Dat valt niet te berekenen,' kapte ik af. 'Wat is Mandy voor iemand?'

'Heel aardig. Ik mag haar graag. Bijdehand. Ze is net bevorderd tot vennoot bij het bedrijf waar ze werkt, plus dat ze zelf werk binnenhaalt. Het doet me goed dat een vrouw ook zakelijk succesvol kan zijn.'

'Heeft ze Richie ooit genoemd?'

'Nee. Natuurlijk niet. Ik betwijfel of ze hem eigenlijk wel kende. Ik bedoel, ze is een echte workaholic. De advocatuur is haar leven. Ze is totaal niet actief in de gemeenschap; ze zijn hier pas een jaar geleden komen wonen.'

'Werkt ze voor het kantoor waar jij vroeger werkte?'

'Nee.'

'Welk kantoor dan?'

'Een gigant op Wall Street.'

'Welke?'

'Kendrick, McDonald.'

'Is ze getrouwd?'

'Rosie, ik had misschien geen hechte band met Richie. Maar toen jij me vertelde dat hij verliefd was op iemand anders, dat hij je ging verlaten, dacht ik dat ik zou flauwvallen. Richie Meyers? Ik kende hem goed genoeg om te weten dat hij nooit, in geen miljoen jaar...'

'Stephanie, Richard Meyers was een man vol verrassingen. Alsjeblieft, geef gewoon antwoord op mijn vragen.' Ze knikte instemmend. 'Hoe ziet Mandy's huwelijksleven eruit?'
'Ze is getrouwd met een belastingadvocaat.'
'Hoe heet hij?'
'Jim. Ik ken hem nauwelijks. Ik bedoel, Mandy en ik zagen elkaar eigenlijk alleen op de vergaderingen van het Genootschap van Vrouwelijke Advocaten en als we gingen hardlopen.' De wind maakte Stephanies haar in de war; ze streek er met haar hand doorheen en het zat – uiteraard – meteen weer keurig in model. Perfectie. Ze was eigenlijk zo volmaakt dat het leek alsof ze uit perzikwit plastic was geboetseerd, niet uit vlees en bloed. 'Jim is veel aantrekkelijker dan zij,' voegde ze eraan toe.
'Kinderen?'
'Tot dusver niet. Ze is pas tweeëndertig. Ze wilde wachten tot ze vennoot was gemaakt en daarna pas zwanger raken, maar zoals ze momenteel leeft en werkt, zal ze zich niet zo snel door een baby laten binden.'
'Waar woont ze?'
Stephanie zoog haar longen vol. 'Eens denken.' Ik wachtte. Waarom duurde het zo lang? Kom op nou. 'Ze komt altijd hiernaartoe, dus ik moet even goed nadenken. O ja, in Shorehaven Acres, aan Crabapple Road.'
'Weet je het nummer ook?'
Ze schudde haar hoofd. 'Het is ongelijkvloers. Vanaf hier is het de tweede straat, ik denk het derde of vierde huis links, maar pin me daar niet op vast.' Ze greep me plotseling bij mijn armen. 'Rosie, doe alsjeblieft geen overhaaste dingen.'
'Ik doe niets wat niet absoluut noodzakelijk is. Vertel eens hoe Carter Jessica Stevenson kende.'
'Wat?' riep Stephanie uit, uit het veld geslagen omdat ik zo resoluut van onderwerp veranderde en haar man noemde. Ze draaide met haar hoofd, alsof ze op zoek was naar iemand die het antwoord had. 'Ik zweer je, Rosie, dat toen Richie jou heeft verlaten en jij mij over Jessica hebt verteld, ik zweer je' – ze stak haar rechterhand in de lucht – 'dat ik niet eens wist dat Carter haar kende. Je moet me geloven.' Dat deed ik niet, hoewel ik ze eigenlijk heel geloofwaardig overkwam. 'Ze werkte bij dezelfde beleggingsbank als een van zijn patiënten. Een man: Carter had zijn ogen en kaken behandeld. In elk geval was ze op een feestje dat die man gaf. Ze vertelde Carter over haar werk, dat ze het liefst kleine bedrijven groot en kapitaalkrachtig hielp worden. Het leek precies in Richies straatje te passen en dus stelde Carter hen aan elkaar voor. Da's alles.'

'Was Carter met haar bevriend?'

'Nee!' In Stephanies ontkenning lag meer bezieling dan ze ooit had getoond. 'Absoluut niet!' Dus ze was wel op de hoogte van de relatie Carter-Jessica. 'Als hij haar al ontmoette in de tijd dat ze bij Data Associates werkte, waren dat de keren dat hij Richie voor een wedstrijd van de Knicks of weet ik wat kwam ophalen van kantoor.'

Ik wilde haar niet vernederen door haar toe te laten geven dat Carter een verhouding had, dus nam ik de tijd voor ik het gesprek continueerde. 'Was Carter overstuur toen hij het hoorde van Richie en Jessica?'

'Ja, ik denk het wel. Ik bedoel, ja. Je weet wel, overstuur vanwege jou, overstuur dat Richie jou in de steek had gelaten.'

'Heeft hij er iets over gezegd, iets in het bijzonder?'

'Niets. Ik bedoel, je kent onze Carter Tillotson, een man van weinig woorden.' Ze was luchthartig, bijna giechelig. '"Verduveld jammer" of iets van die strekking.' Ze pakte me plotsklaps beet bij mijn bodywarmer en trok me naar zich toe. 'Laten we naar binnen gaan, Rosie! Toe, voor mijn *dartois* helemaal uitdroogt in de oven.' Ik greep haar pols en rukte haar hand los. 'Het spijt me,' verontschuldigde ze zich. 'Ik bedoelde er niets mee. Ik wil je alleen maar helpen. En het is zo koud hier. Het moet vreselijk voor je zijn. En...'

'En wat?'

'Ik ben zo bang dat je gearresteerd wordt, Rosie.' Haar levendige ogen begonnen te glinsteren. 'Ik weet wat! Je kunt de suite van Gunnar en Inger nemen, beneden, vlak achter Astors Nintendo-kamer. Een perfect idee! Onopvallend. Carter komt toch niet voor elven thuis, dus als je nu mee naar binnen gaat heeft hij er geen flauw benul van dat je hier bent! Het ziet er echt énig uit; ik heb het helemaal met blauw linnen gestoffeerd. Je kunt uitrusten. Ik kan wat voor je koken, en dan bedenken we samen wel een oplossing.'

Ze rekte zich opnieuw naar me uit, dit keer pakte ze me niet beet maar nodigde ze me eenvoudig uit, met een open, uitgestrekte hand. Maar ik moest nog veel doen en aangezien de kaaspizza met salami me zwaar op de maag lag, kon ik het niet verdragen dat Stephanie om me heen hing met een verwachtingsvolle lach op haar volmaakte lippen, wachtend tot ik haar *dartois* de hemel in zou prijzen. Bovendien had ik zo mijn bedenkingen om met haar mee naar binnen te gaan; ik was er niet van overtuigd dat ze iets voor Carter geheim kon houden.

'Rosie,' zei ze, haar andere hand ook uitstrekkend. Kom, laat me voor je zorgen, leek het gebaar te zeggen. Een edelmoedige geste.

'Vooruit dan,' stemde ik uiteindelijk toe. 'Ga je jas maar halen, dan maken we een wandeling om het huis. Niets persoonlijks, Stephanie,

maar ik moet mezelf er eerst van verzekeren dat er geen smerissen rondzwerven hier. Voor mijn eigen gemoedsrust.'
'Ik begrijp het. Je hoeft je niet te excuseren,' reageerde ze, waarop ze in de kas verdween. Had ze me werkelijk vergeven voor wat ik Carter had geflikt? Was ze werkelijk zo begripvol? Of zou ze me vastbinden op het bed met blauw linnengoed en snel de politie bellen?
Als een gek ging ik ervandoor, terug het bos in.

Ik had tegenover Cass toegegeven dat ik voortdurend bang was. Goed, tijdens de paar uur die ik met Toms armen om me heen in het luchthavenmotel had doorgebracht was de angst een tijdje minder erg, maar daarvoor in de plaats kwam de vrees voor het onvermijdelijke vervolg van mijn speurtocht: verdriet ook, dat het plekje dat ik al die jaren diep in mijn hart voor Tom vrij had gehouden niet meer waard was dan de liefde van één nacht.
Niettemin raakte ik die angst kwijt tussen het moment dat ik Stephanie ontvluchtte, door de dicht beboste rand van het woud snelde, de Estates achter me liet en de tijd dat ik de achthonderd meter naar Madeline in Shorehaven Gardens had afgelegd.
Waarom? Hoe? Tja, de enige verklaring die ik kon bedenken was een vergelijking te maken met een veldslag. Het is middernacht. Een vrouwelijke soldaat in een loopgraaf weet dat de beschietingen niet zullen staken. Ze weet dat ze voor het ochtendgloren kan sterven. Deze reële mogelijkheid accepterend en tevens accepterend dat het lot haar tot dusver gunstig gezind is geweest omdat ze nog leeft, gooit ze haar hoofd in haar nek en staart naar de sterrenhemel, duizelig en dankbaar. Hé, God! Ik leef! Op dat moment erkent ze dat ze slechts een heel klein rolletje speelt in de bepaling van haar eigen lot. Maar wat kon het schelen, God had haar tot dusver niet in de steek gelaten. Niettemin duurt het lang voor de ochtend komt. Ze weet welke vreselijke dingen haar kunnen overkomen tussen nu en die nabije toekomst. Wat moet ze doen? Zich overgeven? Zelfmoord plegen? Deze soldaat niet! Ze heeft geen keus. Even weet ze, in de vorm van een brede grijns, een dankgebed te produceren. Dan grijpt ze haar wapen en vecht door. Misschien redt ze het. Misschien sneuvelt ze. Maar ze is tenminste niet bang tijdens die eindeloos lijkende nacht.

Madeline en Myron Michael Berkowitz, tandarts, hadden een huis laten bouwen waar Anne Hathaway zich volkomen thuis had kunnen voelen als ze van Shakespeare was gescheiden, alimentatie had gekregen en naar Long Island was verhuisd. Het huis had kruiselingse balken, glas-in-loodramen en een imitatierieten dak dat voldeed aan de voorschriften van de Nassau County-brandweer. Toen Myron zijn biezen pakte, had hij het huis op haar naam overgeschreven. Het jaar daarop zakte de huizenmarkt als een kaartenhuis in elkaar. Een paar kopers waren komen kijken, maar behalve het echtpaar Berkowitz leek niemand het goede leven te willen definiëren als zijnde een Engelse plattelandsbungalow met een in de grond verzakt bubbelbad in de achtertuin. Madeline zat ermee in de maag.

Net als ik: ik probeerde een creatieve manier te bedenken om haar te besluipen, maar ik begon verkouden te worden en moest sowieso mijn uiterste best doen om haar niet met een luid 'Hatsjoe!' te alarmeren. Uiteindelijk nam ik eenvoudig het pad naar de voordeur en belde aan.

'Wie is daar?' riep Madeline via de intercom, precies wat ik had gehoopt. Het was niet echt laat maar haar stem klonk slaperig. Overal in het huis zaten luidsprekers van het intercomsysteem; in de laatste jaren van hun huwelijk, lukte het haar en Myron enkel als ze in afzonderlijke kamers waren een beschaafd gesprek te voeren.

'Ik ben het, Cassandra,' verkondigde ik. Een reactie bleef uit, dus ik voegde eraan toe: 'Ik heb nieuws' – ik sprak het ietwat nasaal uit, zoals Cass dat altijd deed – 'over Rosie.'

Toen Madeline de deur opendeed, zag ze – nog voor ze besefte wie ik was – dat ik blank was en dus niet de zwarte persoon die ze verwachtte, waarop ze onmiddellijk een keel opzette. Schreeuwend van laag naar hoog – 'Aaaaaaaaaa!' – en ondertussen proberend de deur dicht te drukken. Toen riep ze 'Rosie' en viel praktisch flauw; haar gekrijs stopte, haar lichaam werd slap en ik drong haar woning binnen. Ze herstelde onaanvaardbaar snel. 'Aaaaaaaaa!' Haar grijze haar, warrig van het kussen, stond alle kanten uit, zodat het leek alsof ze een helm op had. Haar kaftan, een tent van flessegroen fluweel die ze had overgehouden aan de tijd dat ze als hostess werkte, was verfomfaaid. Kennelijk had ze erin liggen slapen. 'Aaaa...'

'Godallemachtig, Madeline. Beheers je!' Ik smeet de deur achter me dicht.

'De politie is boven!'

'Niet waar.'

Dat was waarschijnlijk de verstandigste opmerking die ik kon maken. Op haar gezicht, dat glom van de nachtcrème, verscheen een willoze uitdrukking. Haar ogen vulden zich met tranen, beseffend dat haar ondergang onontkoombaar was. Het enige wat ze kon uitbrengen was: 'Alsjeblieft...'

'Madeline, rustig nou maar. Als ik echt een moordlustige maniak was, was je allang dood.'

'Dood?' jammerde ze. Achteruitdeinzend struikelde ze over de drempel tussen de hal en de gastenbadkamer. Ik ving haar op zodat ze niet op de grond zou vallen. Ze probeerde me op de neus te slaan, maar omdat ze uit balans was raakte ze niets dan lucht. Zodra ze weer veilig met twee benen op de grond stond, liet ik haar los en deed een paar stappen terug.

'Ik moet met je praten, Madeline.'

'Ik heb een spuitbus met traangas gekocht,' mompelde ze, eerder in zichzelf dan tegen mij. 'Ik heb gehoord wat je Carter hebt aangedaan.'

'Waar is het?'

'Waar is wat?'

'Het traangas.'

'Denk je dat ik dat aan jou vertel?' De spuitbus stond waarschijnlijk boven, op haar nachtkastje.

'Jij en ik hebben geen traangas nodig.'

Ze lachte ironisch, zoals dichters dat kunnen. 'Natuurlijk niet.'

'Ik heb Richie niet vermoord, Madeline.'

'Zal wel.' Ze liep verder achteruit tot ze tegen de wastafel botste; deze had de vorm van een oester op een voetstuk.

'Denk na, Madeline. Als ik schuldig was, zou ik dan niet vluchten tot ik ergens een veilige schuilplaats had gevonden? Waarom zou ik in hemelsnaam hier blijven rondhangen, proberen erachter te komen wie de werkelijke dader is?'

Ze was heel even met stomheid geslagen. 'Je zoekt gewoon iemand anders op wie je de schuld kunt schuiven.'

'Hoe kan ik dat doen als alle bewijzen in mijn richting wijzen?' Of ze was uitermate op haar hoede of ze kon geen weerwoord vinden op mijn snedige repliek. Ze leunde met haar heup tegen de wasbak. Ze ademde moeizaam. Ze kon geen antwoord bedenken. 'Voor Richie met Jessica begon te flikflooien, had hij een verhouding met iemand anders.'

'O?' merkte ze sarcastisch op. 'Verbaast je dat?'

'Dat deed het wel, ja. Ik neem aan dat het voor jou geen verrassing was.'

'Word eens een keer volwassen. Zo zijn ze nu eenmaal.'

Het leek me niet echt het juiste moment om op te merken dat je alle mannen niet over een kam kon scheren. 'Voor zijn relatie met Jessica had hij een verhouding met een vrouw die Mandy heet.' Madeline legde haar hand tegen haar wang. Toen ze de vettige substantie van haar vochtinbrengende crème voelde, trok ze een stuk toiletpapier van de rol en veegde die van haar gezicht. 'Ken jij een Mandy?' Madeline schudde ontkennend haar hoofd. 'Die vrouw die 's avonds altijd met Stephanie hardliep.'

'Ik heb haar nooit ontmoet.'

'Wat weet je over haar?'

'Stephanie beweert dat ze een geweldige advocate is. En dat ze een taille heeft van 58 centimeter. Ik weet zeker dat Jessica veel meer te bieden heeft dan die Mandy. Maar het zijn vergelijkbare types, nietwaar?' Haar angst ebde weg; haar oude, vertrouwde woede laaide op. 'Tweelingen, bijna. Kordaat. Plukken de vruchten van de vrouwenemancipatie, maar hebben hun schuld nooit ingelost. Jong. Blank. Protestant. Arrogant.'

Op dat moment schoot me iets te binnen dat Hojo tegen Tom had gezegd. Ze had het over Richie gehad. Richie en wie? Mandy? Iets over Mandy? Nee, over Richie en Jessica: 'Hij heeft ze het liefst protestant en goed opgevoed...'

'O ja,' voegde Madeline eraan toe: 'Stephanie zegt dat Mandy de meest oversekste vrouw is die ze ooit heeft ontmoet.'

20

Ik verliet Madelines huis met een handvol tissues en allerlei twijfels. Moest ik de Cadillac halen en naar Shorehaven Acres scheuren om Mandy te zoeken? Moest ik Stephanie confronteren? Ze had geweten van de verhouding tussen Carter en Jessica en had dat niet aan mij toevertrouwd. Haar goed recht. Maar zou ze ook van Mandy en Richie op de hoogte zijn geweest? Lange afstanden lopen op donkere avonden creëerde een vertrouwelijke sfeer; zou haar collega-advocaat Mandy zo gesloten kunnen zijn dat ze zweeg over een affaire met Stephanies naaste buurman?

Ik had in bed moeten liggen met een warm citroendrankje en *Bleak House* opnieuw moeten lezen. Mijn hoofd zat compleet verstopt, mijn keel voelde aan als schuurpapier, mijn ogen traanden en, eerlijk gezegd, had ik er genoeg van de heldin te spelen. Ik snoot mijn neus zonder al te veel lawaai te veroorzaken, bewoog mijn kaak een paar keer op en neer om de buisjes tussen oor en keel vrij te maken en sloop naar Madelines gereedschapsschuurtje.

De anti-sliplaag van de rubberen deurmat maakte een akelig smakkend geluid, alsof uit de monden van honderd baby's ineens de fopspenen werden gerukt. De sleutel lag er, precies zoals ik me herinnerde. In het schuurtje schuifelde ik op de tast door het spinnewebachtige duister, vastbesloten niet te denken aan kruipende beestjes en harige spinnen. Uiteindelijk vond ik de fietsen van de familie Berkowitz. Als een huisvrouw die kantaloepen op rijpheid test, kneep ik in alle banden. Ik pikte er een exemplaar uit dat later een mountainbike bleek te zijn en verdween in de duisternis.

Natuurlijk viel het niet mee om heuvelopwaarts terug naar Stephanie te rijden, te meer niet omdat ik sinds mijn tweede jaar op James Madison High School niet meer had gefietst toen ik mijn geliefde Schwinn had geparkeerd om een pakje roggebrood voor mijn moeder te kopen en er een vrachtwagen overheen reed. Met mijn hoofd omlaag en trappend als een gek zag ik er waarschijnlijk uit als Miss Gulch in de *Wizard of Oz*. Het was dan ook niet eenvoudig met een druipneus de fiets in het donker over bobbels en door gaten te manoeuvreren. Gelukkig hoefde ik niet heuvelafwaarts, want dan zou ik vast en zeker de macht over het stuur hebben verloren en naar beneden zijn gestuiterd, vliegend door de nacht, om te eindigen in iemands kunstig aangelegde Joods-Japanse wilgen/rots/mos/bosbeekje met brug en kabbelend water om daar te verdrinken. Mijn Schwinn had geen versnellingen gehad, maar toen ik de slag eenmaal te pakken had, was ik in ongeveer anderhalve minuut op de top.

Agenten! Het krioelde er van de agenten. Stephanie moet ze vanuit de broeikas gealarmeerd hebben, meteen nadat ik er als een schicht vandoor was gegaan. Ik sleepte de fiets het bos in, pufte leunend tegen een boom even uit en bestudeerde de ingang van Emerald Point, dertig meter verderop. De politie gaf nou niet bepaald ruchtbaarheid aan haar aanwezigheid. Dat wil zeggen, er klonk niet één sirene. Aan beide zijden van de hoge pilaren bij de ingang stonden evenwel zoveel surveillancewagens met hysterisch flikkerende zwaailichten dat het zo voor de ontknopingsscène van een *Dirty Harry*-film kon doorgaan. Ik wist niet of het een list of pure wanorde was, maar nog drie officiële voertuigen scheurden langs me heen met een snelheid die de bladeren hoog deed opdwarrelen. Met gierende remmen passeerden de auto's de openstaande ijzeren hekken, op weg naar de Tillotsons.

Bij de toegang tot de oprijlaan, op de weg, ijsbeerden agenten met walkie-talkies die zich nu en dan omdraaiden om in het donker te turen. Degenen zonder walkie-talkies voelden zich zichtbaar achtergesteld en keken voortdurend jaloers naar hun collega's. Aan de overkant van de weg verzamelden zich buren, zo dik verpakt in L.L. Bean- en Eddie Bauer-kleding dat ze zo een poolexpeditie konden gaan ondernemen. De huishoudster van een van hen zou zo dadelijk hete cider en doughnuts serveren.

Ik staarde de heuvel af: twee mannen renden naar boven, richting de agenten. Alex en Ben? Ja! Ze holden langs de plek tussen ons huis en dat van de Tillotsons waar Richie zijn Lamborghini voor de allerlaatste keer had geparkeerd. Ben, de gespierde universiteitsatleet, raakte achterop. Alex, die kleiner was en leniger en wiens lange haren achter hem aan wapperden, haalde zijn broer in en kwam uiteindelijk tot stilstand in het verblindende licht van de politie. Ze waren zo dichtbij! In minder dan twee seconden zou ik hen kunnen aanraken! Uiteraard zou ik in die twee seconden ook een menselijk vergiet kunnen zijn, met al die schietgrage smerissen in de buurt.

Mandy. Ik moest me concentreren op Mandy. Wat had ik toch over haar te horen gekregen? Ik legde de fiets plat op de grond, gooide wat bladeren en dennetakken op de glimmende handvatten en begon door het bos te lopen, weg van mijn jongens en weg van de Tillotsons. Iets over Mandy... Was het iets dat Stephanie had gezegd? Wat het ook was, het strookte niet met de waarheid. Waarom niet? Omdat het iets dat Tom over Mandy had gezegd tegensprak en alles wat Tom zei was, ipso facto, waar.

Ik kwam maar langzaam vooruit nu, omdat ik dieper in het bos moest blijven. Hoewel ik absoluut terug moest naar Cass, kon ik niet het risico nemen in een lichtbundel van een politieauto te worden gesnapt. Het leek alsof kwaadwillige handen mijn borstkas en rug tegen elkaar drukten en mijn laatste adem eruit persten. Buiten adem ging ik op een omgevallen boom zitten. De dode schors hechtte zich meteen aan de dikke katoen van mijn joggingbroek. Rustig aan, berispte ik mezelf. Het antwoord komt vanzelf als je je ontspant. Stel de vraag nog eens.

Goed, wat had Tom precies over Mandy gezegd?

Het verstand is allerminst een perfect instrument. Wat me te binnen schoot, waren geen onthullende zinnen tussen aanhalingstekens maar de herinnering aan het moment dat ik in Toms armen in slaap viel, zijn lange been om mijn heup geslagen. Een troostrijke gedachte, maar niet erg relevant. Opnieuw: welke informatie had Tom Driscoll me over Mandy Anderson verstrekt? Had hij Hojo over haar horen praten? Haar naam horen vallen in een of ander gesprek? Was hij Mandy misschien een keer tegengekomen? Verdorie! Was dit mijn noodlot: dat een grijs celletje waarin essentiële informatie lag opgeslagen verantwoordelijk zou zijn voor het feit dat ik van ouderdom zou sterven dertig jaar voor mijn lichaam heen zou gaan?

Maar opeens zei ik wauw! Wauw in het kwadraat. Ik had het! En ik vloog tussen de bomen door naar het huis van Cass, sneller dan iemand ter wereld ooit had gedaan.

'Stephanie heeft tegen ons allebei gezegd hoe onaantrekkelijk Mandy is, nietwaar?'

'Klopt,' beaamde Cass. Tegelijkertijd legden we onze voeten op de stoelen voor ons. Toen de kinderen van de Higbees nog jong waren, jaren voor ze naar kostschool vertrokken, hadden Cass en Theodore het achterste deel van het souterrain omgebouwd tot een theater, met een verhoogd podium achter een blauw douchegordijn en drie rijen banken voor toeschouwers.

'Oké,' begon ik. 'Stel dat deze Mandy inderdaad reusachtige poriën en een varkenssnuit heeft, denk hier dan eens over na: toen Tom met zijn vrouw praatte...'

'Wie is Tom?'

'Tom Driscoll. Tom van de middelbare school, weet je nog wel? Tom, de grootste klant van Richie...'

'Snelvoetige Tom met lange vingers en twee donkere poelen als ogen?' vroeg Cass nadrukkelijk. De zegen en de vloek die gepaard gaat met je beste vriendin in vertrouwen nemen over je verleden, is dat ze onthoudt wat je haar hebt verteld.

'Toe, hou op.'

'Hoe weet je wat Tom met zijn vrouw besprak?'

'Omdat ik meeluisterde, maar daar zal ik je later alles over vertellen. Als er sprake is van later. Hoe dan ook, dit jaar, hoogstwaarschijnlijk in februari of maart – vóór het Jessica-tijdperk – regelde Toms vrouw een etentje met Richie in een of ander restaurant. Ze zei tegen Tom dat ze voor vier personen had besproken en aangezien ze wellicht neerlegden drie komma twee uur per maand aan elkaar besteedden en hij haar nog tijd was verschuldigd, ging hij mee. Maar raad eens wie hij verwachtte en wie er niet bij was... omdat ze niet was uitgenodigd? Raad eens wie Richie in mijn plaats meenam?'

'Die schoft, die schoft van een vent! Heeft hij een vriendin meegenomen?'

'Ja, en ik zal je zeggen wie het was: de vrouw die dat gat in Richies leven opvulde. Tom zei dat ze dol op Richie leek te zijn. Welnu, laten we haar vooralsnog even Mandy noemen, want rond die tijd, toen Dol-op-Richie samen met hem en de Driscolls haar kaviaar naar binnen lepelde, belde er overdag een Mandy naar zijn kantoor die vroeg of ze met hem kon worden doorverbonden, en wel op zo'n onverbloemde manier dat het Richies secretaresse niet kon ontgaan dat hij een nieuw liefje had gevonden.'

'Grof.'

'Maar correct. Bovendien past Mandy Anderson perfect in deze context. Haar intrede valt samen met het moment waarop Richie vroeg thuis begon te komen. Weet je nog wel, acht of negen maanden geleden, toen ik mezelf ervan overtuigde dat we in onze "Met jou wil ik oud worden! / Het beste moet nog komen"-fase terecht waren gekomen?'

'Ja, ik weet het nog. Je overtuigde mij ook.'

'De reden dat Richie zo vroeg thuis kon zijn was omdat zijn minnares, zijn Mandy, hier vlakbij woonde. Zíj kon haar tijd niet verdoen 's avonds, aangezien er thuis een echtgenoot op haar zat te wachten.'

'Maar die avond dat ze à quatre uit eten waren dan?' vroeg Cass. 'Geldt dat niet als een avondvullende tijdverspilling?'

'Een vrouw die nu en dan met haar vriendinnen op stap gaat, zal de achterdocht van haar echtgenoot niet opwekken, zeker niet bij de man van een geëmancipeerde vrouw.'

Cass staarde naar het tragediemasker dat haar kinderen op de linkerhelft van het toneelgewelf hadden geschilderd. De omgekeerde u-vormige grimas liet geen twijfel mogelijk. 'Dat weet ik niet zo zeker.'

'Laat me je overtuigen. Het enige wat Tom zich in eerste instantie van die avond kon herinneren was dat hij zich zo slecht op zijn gemak voelde, hoe vulgair hij het vond dat Richie zijn minnares had meegenomen: dezelfde schoft-van-een-vent-reactie die jij daarnet toonde. Maar hij herinnerde zich ook nog iets anders. De vrouw was knap.'

Cass greep naar haar kin, voor haar kaak helemaal openviel. 'En Mandy is dat niet!'

'Precies! Welnu, voordat Tom en Hojo hun normale niveau van hatelijkheden bereikten en neerlegden, maakte ze een aantal interessante opmerkingen. Een daarvan was dat dit Richies eerste echte liefdesverhouding was, in tegenstelling tot de eerdere puur seksuele relaties. Of, als het geen echte liefde was, dan toch zeker een redelijke kopie, de generale repetitie voor de ware liefde.'

'Waarbij Jessica de rol van ware liefde op zich neemt?'

'Precies,' beaamde ik. Goed, het deed nog altijd zeer. Maar na verloop van tijd zou ik mijn jaren met Richie misschien als een langgerekte misrekening gaan zien. Nou ja, het huwelijk had me in elk geval twee kinderen opgeleverd van wie ik zielsveel hield, een prachtige carrière en een rode cabriolet. Vrouwen hadden het er wel slechter afgebracht. En als ik het geluk had een toekomst te hebben, wie weet kon ik dan nog veel goedmaken.

'Maar ook al was die dame bij dat diner niet de ware liefde,' vervolgde ik, 'ze was niet zomaar een stoeipoes. Hojo zei dat ze meer dan acceptabel was. En nog iets: ze was keurig opgevoed en protestant.'

'Over haar opvoeding, of liever gezegd haar gebrek daaraan, kan ik weinig zeggen,' merkte Cass op. 'De naam Mandy Anderson klinkt me echter niet bepaald Letlands in de oren; waarom zou Mandy niet de vrouw kunnen zijn die bij dat diner was?'

'Omdat Mandy Anderson eruitziet als Miss Piggy. De dame met wie Tom uit eten was, was knap. Dus ofwel Tom heeft een slechte smaak qua vrouwen of de bewuste dame was niet Mandy, of...' Ik wachtte tot Cass me zou aanvullen.

'Of Stephanie liegt! Mandy is wel knap.'

'Exact! Cass, je weet dat Stephanie liever dan wat ook een volmaakt universum om zich heen heeft. Schitterende huizen, prachtig opgemaakt voedsel, adembenemende tuinen – en knappe stellen, twee mensen die elkaar volkomen aanbidden. Het moet haar hart gebroken hebben dat Carter een relatie had met Jessica, maar heeft ze haar hart gelucht bij mij?'

'Nee.'

'Waarom niet?'

'Omdat het vervelend was. Ja, dat klinkt heel logisch. Ontkenning van de vervelende dingen in haar leven. Net als het levenswerk van haar man: een kruistocht tegen de realiteit, het scheppen van wat hij schoonheid noemt.'

'Stephanie heeft er alles voor over om heibel te voorkomen. Hoe kon ze mij dus vertellen dat mijn echtgenoot me niet alleen met Jessica ontrouw was? Toen ze eenmaal wist dat ik daar ook achter was, deed ze wat ze beschouwde als een vriendendienst: ze maakte van Mandy een lelijk schepsel. Jessica is jong en knap, en Stephanie wilde niet dat ik me een oud wijf voelde dat niet één maar twee keer opzij was gezet voor een intelligente, fraai ogende dame van in de dertig. Ze beschermde me.'

Ik stond op en strekte mijn benen. Het was moeilijk te zeggen vanwege de wijde joggingbroek, maar ik was er zeker van dat mijn dijen in de afgelopen week geslonken waren. Ik liep naar de telefoon aan de muur, draaide het nummer van Inlichtingen Manhattan en vroeg het nummer van Kendrick, McDonald op. 'Ze zeggen altijd dat ze zich suf werken bij die grote advocatenkantoren op Wall Street,' zei ik tegen Cass. 'Eens kijken hoe hard ze precies werken.' Maar ik kreeg geen gehoor.

'Cassandra!' bulderde Theodore. Ik zocht naarstig naar een plekje om me te verstoppen. Nergens een deur om achter te schuilen, het douchegordijn van het toneel was doorzichtig en het toneel zelf had geen coulissen. 'Ik heb chocolademelk gemaakt, Cassandra!' riep hij.

'Ik kom eraan.'

'Mijn God!' riep Theodore uit. We draaiden ons abrupt om en daar stond hij, onder aan de trap, als bevroren terwijl zijn ogen tussen mij en Cass heen en weer sprongen, alsof hij een of ander schokkend debat volgde. Voor ik kon bedenken wat ik moest doen, rende hij door de lange kamer op me af. Struikelend probeerde ik weg te komen, maar hij greep mijn armen en draaide ze achter mijn rug in een simpele maar effectieve worstelhouding. 'Stribbel niet tegen!' En tegen Cass riep hij: 'Ik heb haar. Bel de politie!'

Theodore mocht dan mager zijn, hij had een ijzeren greep! Ik probeerde me alle tijdschriftartikelen over zelfverdediging te herinneren die ik ooit had gelezen, maar aangezien hij achter me stond, beschermd door de bank waarop ik had gezeten, kon ik hem niet tegen zijn ballen trappen. 'Theodore, laat me dit uitleggen.'

'Cassandra!' schreeuwde Theodore. 'Sta daar niet zo dom! Ren naar de telefoon!'

'Laat haar gaan,' zei Cass kalm.

'Wat?' vroeg hij, niet-begrijpend.

'Laat haar gaan.' Zijn duimen boorden zich dieper in de zwakke plekken vlak boven mijn ellebogen. 'Rosie en ik hebben plannen voor vanavond.'

'Heb je je verstand soms verloren?' vroeg hij haar, steeds harder knijpend. 'Nou?'

'Au!' Dat was ik.

'Helemaal niet. Rosie is onschuldig. Ik ga haar helpen dat te bewijzen.'

Theodore stapte over de bank heen, kennelijk om mij mee te sleuren naar de trap. Ik tilde mijn voet op om op zijn wreef te stampen; ik zou kunnen ontsnappen terwijl hij lag te kronkelen van de pijn. Ik miste. 'Je helpt haar níet,' beval hij Cass. 'Ze is niet onschuldig. Je weet toch wat ze Carter Tillotson heeft geflikt. Ze is gek. Een moordenaar.'

Mijn onderarmen begonnen gevoelloos te worden. 'Is ze gewapend?'

Ik draaide mijn hoofd plotsklaps om. 'Ja. Ik draag een kleine neutronenbom.'

Net toen het tot Theodore doordrong dat zijn vrouw me uit eigen beweging in huis had gelaten en niet onder dwang, verkondigde Cass: 'Als je ook maar één poging doet de politie te waarschuwen of ons op enigerlei wijze dwarsboomt, verlaat ik je en doe ik tevens afstand van mijn recht op voogdijschap van de kinderen. Denk aan Thanksgiving. Nee, denk aan Kerstmis. Jij met een kale Noorse denneboom en drie knorrige pubers, terwijl ik...' Ze peinsde even. '... ik een gevierde persoonlijkheid in Oxford zal zijn.'

'Oxford?' Hij lachte gemaakt. 'Wie wil er nou in hemelsnaam naar Oxford?' Maar hij wist heel goed wie dat wilde. Hij liet me los.

Heel voorzichtig masseerde ik mijn ellebogen. 'Laten we even rustig gaan zitten,' zei ik. 'Alsjeblieft. Ik heb iets te zeggen.'

Cass gaf gehoor aan mijn verzoek. 'Geloof je in mijn gezonde verstand, Theodore?' Met tegenzin knikte hij haar toe. 'Ik sta voor Rosie in. Luister naar haar.' Hij streek de kreukels uit zijn kamerjas en ging naast haar zitten.

'In de week na zijn dood ben ik meer over Richie te weten gekomen dan in al die jaren dat we man en vrouw waren,' begon ik. 'Ik heb de waarheid geaccepteerd: hij wilde de voorstad uit, had er genoeg van een doorsnee vent te zijn. Hij wilde al veel langer onder ons huwelijk uit.

Ik heb hem gedwongen te blijven. Weet je, vorige zomer wilde hij een villa in Toscane kopen. Ik lachte hem uit. Ik dreef de spot met hem: wíj in een Italiaanse villa? Ik lachte omdat ik hem ervan wilde overtuigen dat hij nog steeds dezelfde Richie uit Queens was. Maar hij was gegroeid op een manier die voor mij onnavolgbaar was. Hij was een man geworden die wel degelijk in een villa zou passen. Maar laat me je dit zeggen: hij was niet gewoon boos dat ik hem op de boerderij wilde houden. Hij was woedend. Hij had de pest aan Richie, de aanvoerder van de burgermannetjes. Hij had er zijn buik vol van een wiskundeleraar te zijn die door stom geluk een stoot poen had verdiend. Hij verlangde er wanhopig naar Rick te zijn. En het enige wat hem weerhield het leven te leiden dat hij wenste, was een burgerlijke lerares met een licht Brooklyn-accent.

Die laatste dag liet ik me door zijn tranen bedotten. Niet dat ze niet echt waren; ik weet zeker dat het afscheid nemen hem niet licht viel. Maar hij wilde me niet enkel verlaten en zijn eigen leven leven. Hij wilde me laten boeten dat ik joods, van de laagste middenklasse en afkomstig uit de buitenwijken was, en vooral voor het feit dat ik hem nooit kon laten vergeten dat dat ook voor hem gold. Hij voelde zich genoodzaakt mij te kwetsen en te vernederen.

Moet je nagaan hoe hij een huwelijk van vijfentwintig jaar aan de wilgen hangt. Niet met spijt. Niet eens afstandelijk. Maar met een klap in mijn gezicht. Hij moedigde me aan een feest te organiseren wat uitmondde in die schertsvertoning van een zilveren huwelijksfeest met vrienden, familie, buren en zakenrelaties. En weet je nog, toen hij een toast op me uitbracht? "Rosie, al vijfentwintig jaar. Wat moet ik daaraan toevoegen?" Ik geloof dat hij er heel wat aan toe wilde voegen, maar hij stikte er bijna in, die arme jongen. En twaalf uur later was het opeens: tot ziens, Rosie. Beter kwijt dan rijk. Ik moet toegeven, hij heeft zich die morgen niet aan zijn ouderlijke plichten onttrokken. Hij trok er maar liefst een uur voor uit om het aan de jongens uit te leggen. Daarna heeft hij zijn bureau leeggeruimd, hoewel hij klaarblijkelijk het een en ander vergat mee te nemen. En daarmee was hij klaar voor vertrek.

Weet je wat ik nog steeds niet begrijp? Zijn kwaadwilligheid. Hij liet het aan mij over om alle mensen die belden en "Bedankt! Fantastisch feest!" uitriepen, op de hoogte te stellen dat het toch allemaal wat minder fantastisch was verlopen. Hij liet het aan mij over om alle cadeaus die hij en ik de vorige avond samen hadden uitgepakt weer in te pakken en terug te sturen. Waarom deed hij me dat aan? We hadden tot twee uur 's nachts – alleen wij tweeën – papier losgescheurd, strikjes in de lucht gegooid, gelachen, plezier gehad.'

'Zes sapcentrifuges,' wist Cass nog. Ze kon zich dat met name herinneren omdat ik haar had verteld dat Richie en ik vurig – als pasgetrouwden – de liefde hadden bedreven van twee uur tot ver na drieën. 'Zeven sapcentrifuges. Ik zeg niet dat het zijn eerste prioriteit was mij te vernederen. Maar het stond hoog op de lijst.' Ik lachte de Higbees toe. Ze lachten terug.

Ze dachten dat ik dapper probeerde te zijn. Wat ik in werkelijkheid deed, was nadenken over hoe Richie, een dag nadat hij me had verlaten en we elkaar ontmoetten op het kantoor van mijn advocate waar we luidruchtig bekvechtten over het feit of ik Data Associates al dan niet van de grond had geholpen, opeens het tactische besluit nam zich rustig te houden. Hij strekte zijn hand uit over de vergadertafel en ik nam hem, met evenveel valsheid en ook een beetje verlangen, aan. Met een tederheid die hij in geen tien jaar had laten zien, zei hij: 'Je komt vast een fantastische nieuwe relatie tegen, Rosie,' in de geruststellende wetenschap dat dit niet zou gebeuren.

Ik dacht aan het plezier dat ik met Danny had gehad. Ik dacht aan mijn nacht met Tom en hoe hij na afloop van dat genoeglijk samenzijn mijn gezicht met zijn vinger had gestreeld, mijn wang had gekust en had gezegd: 'Je bent mijn liefste, Rosie.' Hij hield me de hele nacht in zijn armen. Richie, jij morsdode klootzak, dacht ik, in die paar uur heeft hij me gegeven wat jij nooit kon, in geen vijfentwintig jaar.

'Tijd om te gaan,' zei Cass.

'Wat gaan we doen?'

'We moeten uitzoeken wat Stephanie weet over Mandy en Richie.'

'En als ze dat gedaan heeft, moet ze ons voorstellen aan de bewuste dame.'

De lach op Theodore's gezicht verdween. Hij maakte zijn arm los van die van zijn vrouw en streek met zijn duim en wijsvinger over zijn Clark Gable-snor. 'Wat je ook doet, Rosie, Cass gaat niet met je mee.'

Cass deed een stap naar me toe. 'Let niet op hem. Je weet dat hij niet serieus genomen kan worden.'

'Je kunt me dit keer beter wel serieus nemen,' waarschuwde Theodore haar.

'Alsjeblieft zeg! Je leest alleen romans van William F. Buckley. Hoe kan ik je dan in vredesnaam serieus nemen?'

'Wees gewaarschuwd, Cassandra.' Met die woorden draaide Theodore Higbee zich om en liep stampvoetend over het gangpad langs de bankjes door het souterrain en vervolgens de trap op naar boven. Een ogenblik later zag ik Cass' grijze pantalon en donkerrode trui haastig achter hem aan verdwijnen.

Zo nu en dan zijn clichés nodig omdat ze een gevoel zo perfect omschrijven. Kortom: het hart zonk me in de schoenen. Dat zinken had niets te maken met onze vriendschap en ook niet met begrip of warmte; onderhand wist ik wel dat ik de nacht zonder die dingen kon doorkomen. Echter, zonder Cass zou ik nooit langs de smerissen en bij Stephanie kunnen komen.

Maar voor mijn hart de kans kreeg echt te breken, riep Cass me van boven toe: 'Theodore heeft me op zijn woord beloofd dat hij de politie niet belt. Hij is te vertrouwen. Ik ga nu mijn jas halen.' En heel zachtjes, zodat ik haar nauwelijks kon verstaan. 'En een wapen.'

'De sectie Engels van Shorehaven High School beleeft een moeilijke periode nu jij afwezig bent,' zei Cass. 'Als we allebei worden gearresteerd, zitten we echt tot onze nek in de puree.' Daarop sloot ze me op in de kofferruimte van haar BMW.

We waren het er over eens dat er geen alternatief bestond. Ik kon niet plat achter in de auto gaan liggen, zoals ik bij Carter had gedaan, niet nu tientallen agenten met zwaaiende zaklantaarns op de uitkijk stonden. En na elf uur 's avonds was een hoornen bril met een valse neus eraan moeilijk te krijgen op Long Island, dus een poging om me, vermomd als een rondreizende accountant, bij Stephanie op de stoep te presenteren was op zijn minst twijfelachtig.

In de film springen de karakters altijd in kofferbakken om zich te verstoppen, of ze worden erin geduwd voor de laatste rit op weg naar de betonmolen. Maar noch het beeld van een kofferbakdeksel die het gehele filmdoek beslaat noch de keiharde soundtrack met woeste gevechten en gemompelde verzoeken om genade kan de gruwel van het opgesloten zijn benaderen.

Ik beleefde de dood die me de meeste angst inboezemde: niet het einde van het bewustzijn, maar volkomen machteloos het koppige bewustzijn te verdragen, een levende dood. Zelfs de meest zwarte hemel heeft een lichtpuntje in de vorm van een willekeurige ster, maar ik was omgeven door duisternis.

De kofferbak rook zoals een goede buurt in de hel moest ruiken, een mengeling van schimmelende pocketboeken, een kapotte paraplu die nooit goed was opgedroogd, en wat radijsblad dat een jaar geleden van de groenteman onderweg naar huis was beginnen te rotten, van vast in vloeibaar was veranderd en nu op het punt stond gas te worden. Maar de bedorvenheid die mijn keel schroeide bewees in elk geval dat er nog steeds lucht was om te ademen.

Ik lag op mijn zij, mijn armen beschermend om mijn hoofd gedrapeerd terwijl ik bij elke hobbel in de weg tegen de zijkant van de kofferruimte botste. Ik brak mijn hoofd over Cass' voorliefde voor kaastosties; ze had een elektrisch apparaat op haar kantoor en maakte

vrijwel elke dag tosties met Zwitserse kaas en tomaten, met uitzonde
ring van de keren dat we met een groepje gingen lunchen. Dan aten we
groente op pitabrood, maar zij bestelde cornedbeef. Je bloedvaten
slibben dicht, zo had ik haar al duizend keer gewaarschuwd. Denk aan
je hart. Een flinke schok kon fataal zijn. Een glimp van de agenten met
hun gevechtsuitrusting en ze begreep dat ze uiteindelijk toch beter
naar Theodore had kunnen luisteren en thuis had kunnen blijven.
Maar tegen die tijd zou haar arme hart het al hebben begeven; het kon
de opwinding die de gezusters Brontë boden weerstaan, maar deze
avond was eenvoudig te spannend voor iemand met een doctoraat van
Columbia. Ze zou het niet overleven.

Ze zouden me een week later vinden. Cass' oudste kind, Kate, thuis
voor de rouwperiode, zou de kofferbak opendoen om er een zak hon-
devoer voor Ronnie in te gooien en 'Arrrgh!' krijsen.

Ik werd ineens naar voren gesmeten. Een stuk metaal, mogelijk een
onderdeel van de krik, sneed door mijn joggingbroek en verwondde
mijn knie. Ik zou in tranen zijn uitgebarsten vanwege alle ellende,
maar plotseling hoorde ik het kraken van grind en besefte dat we ons
op de stijgende oprit naar het huis van de Tillotsons bevonden! Ik
rolde opeens naar voren. We hadden het plateau bereikt. Cass bracht
de auto uiteindelijk met een lichte beweging van haar voet tot stilstand, een voorzichtigheid betrachtend die ik in al de jaren dat ik met
haar meereed niet had meegemaakt.

We hadden gerepeteerd wat ze zou gaan zeggen: agent, mijn naam is
Cassandra Higbee. Ik woon aan Bridal Path Way en ben een vriendin
van mevrouw Tillotson. Cass zou de politieman haar rijbewijs tonen
en eraan toevoegen: ik was ook bevriend met mevrouw Meyers en ze
was daarnet bij me thuis. Hé, inspecteur, zou de agent roepen, waarop
verschillende politiemannen zich rond het portier zouden scharen.
Cass zou, als voorzitter van de sectie Engels, haar verhaal doen tegenover degene die de leiding had. Ik wist dat de politie hier was, zou ze
zeggen, dus ik besloot dat ik u beter zelf kon gaan waarschuwen dan
het telefonisch te doen. Mevrouw Meyers heeft mijn huis ongeveer
twee minuten geleden verlaten. In de tijd dat ze er was, vroeg ze mij
voortdurend naar wijlen haar echtgenoot en een zekere Mandy; ik
antwoordde dat ik er niets vanaf wist. Op dit punt zou Cass misschien
een hand op haar borst leggen en een keer diep ademhalen om zoge-
naamd tot zichzelf te komen. Mevrouw Meyers was tamelijk opgewonden, zou ze vervolgen. En dat ze had gevraagd of ze mij op een of
andere manier kon helpen en dat ik nee had gezegd, omdat ik terug
moest naar de stad. Ze had aangeboden mij naar het station te brengen, maar ik had dat afgewezen omdat ik een huurauto bij me had.
Een Cadillac, meende ze.

Op dat punt zou Cass een paar seconden pauze inlassen. Waarna zou ze uitroepen: o ja, bijna vergeten. Mevrouw Meyers vertelde dat ze haar auto bij de Rothenbergs had geparkeerd. Die grote hereboerderij aan East Road. Die mensen zitten zelf in Florida.

Cass en ik hadden besloten dat de auto, met overal vingerafdrukken van mij, Gevinski en zijn mannen voorlopig tevreden zou stellen en, belangrijker nog, een aantal mannen zou weglokken bij het huis van de Tillotsons. Het was de moeite waard mijn vluchtauto daarvoor op te geven. Een vage kreet dat Rosie Meyers ergens in de buurt was, zou niet voldoende aanleiding voor de politie zijn om een serieus onderzoek in te stellen.

Als de ontdekking van de Cadillac de opschudding zou veroorzaken die we ervan verwachtten, zou Cass uitstappen en een van de agenten die wegsnelde vragen of ze alsjeblieft mevrouw Tillotson mocht bezoeken. Wat een schok voor ons allemaal, zou ze tegen hem zeggen. Met een beetje geluk zou de politieman dankbaar zijn dat Cass juist nu langskwam of hij zou geen nee durven zeggen omdat hij bang was voor een racist uitgemaakt te worden door iemand die er zelfbewust, zelfstandig en welgesteld uitzag.

Cass zou de auto alleen laten. Zodra de kust veilig was, zou ze het slot van de kofferbak opendoen, zodanig dat deze een paar centimeter open kwam te staan. Ze zou naar de voordeur lopen. En als het echt veilig was, dat wil zeggen als Stephanie en niet een politieman in zicht kwam, zou Cass Stephanies volledige naam hardop zeggen: Stephanie Tillotson!

Ik zou als een speer de kofferruimte verlaten. Cass zou geschokt en geërgerd reageren – Wat? Rosie? In mijn kofferbak? – terwijl ik hen met zachte drang naar binnen duwde. Stond Stephanie echter onder politiebescherming, dan zou Cass enkel haar voornaam gebruiken: Stephanie, wat een nachtmerrie! In dat geval moest ik in de kofferbak blijven zitten. Cass zou wegrijden zodra ze daar de kans toe zag.

Waarom duurde het zo lang? Ik kwam tot 'Deep into that darkness peering, long I stood there, wondering, fearing...' uit 'The Raven'. Het sombere gedicht was een onverstandige keus, hoewel ik voor het eerst de geest van Poe's goddeloze angst kon begrijpen.

Klik! Cass maakte mijn gevangenis open. Een heerlijke stroom frisse lucht sloeg me in het gezicht. Er verscheen een smal streepje middernachtblauw en hoewel ik niet echt iets kon zien, hoorde ik de bariton- en basstemmen van de politiemannen. Gelukkig niet al te dichtbij. De lage tonen van hun stemmen werden al snel opgevolgd door het geklingel van Stephanies voordeurbel.

Ik reikte in mijn linker broekzak en tilde het vrijwel gewichtloze speelgoedpistool op. Het wapen in mijn rechterzak hoefde ik niet aan te raken, dat zware gewicht voelde ik zo wel.

Cass had het wapen voor me gegapt. Hier, had ze gezegd, toen ze terugkeerde in het souterrain. Ik heb het niet nodig, reageerde ik. Ik heb mijn neppistool bewaard. Ik klopte op mijn broekzak. Ze schudde haar hoofd. Misschien heb je Carter voor de gek weten te houden omdat je het tegen zijn slaap hield en hij het pistool dus niet echt kon zien. Maar als de politie ons overrompelt, zien ze onmiddellijk dat het een speelgoedpistool is. We zwegen allebei. De politie bedreigen met een wapen leek niet echt een behoedzame benadering. Laat maar dan, had Cass gezegd. Ze hing de revolver aan een haakje aan het rek met biljartkeus. Hij zag er werkelijk zeer authentiek uit.

Nee, sprak ik haar tegen. Laten we hem wel meenemen, tenzij Theodore hem zal missen. Hij is waarschijnlijk vergeten dat hij een revolver heeft, stelde Cass. Hij bewaart hem in een geldkist in zijn bureau, samen met ongegomde postzegels. Hij heeft de revolver enkel gekocht omdat het in de mode is onder reactionaire, clowneske NRA-liefhebbers. Hij verstopt de kogels op de bovenste plank van de linnenkast, naast zijn snorkelmasker. Inbrekers en de Ku Klux Klan bellen uiteraard eerst op voor ze langskomen, wat hem voldoende tijd geeft om het ding te laden. Daarna voegde ze eraan toe: ik heb niet de moeite genomen de kogels mee te nemen, Rosie; ik ging ervan uit dat je liever geen geladen revolver wilde hanteren.

Een zware deur werd opengedaan. 'Blij je weer eens te zien!' hoorde ik Cass zeggen. Een vrouw antwoordde mompelend. 'De politie waakt zeker over je?' vroeg Cass. Een lang, uitweidend antwoord werd gemompeld. En toen: 'Wat een afschuwelijke ervaring moet het voor je geweest zijn. Arme Stephanie Tillotson!'

Vlug sprong ik uit de kofferbak.

21

'Alsjeblieft,' smeekte ik Stephanie, 'schreeuw niet om hulp. Ik zweer dat ik je geen haar krenk.'

'Rosie is onschuldig,' zei Cass. 'Ik sta voor haar in.'

'Hoe is dat mogelijk?' wilde Stephanie weten. Haar gelaat was doodsbleek. Zelfs in het gedempte licht waren de parelachtig blauwe aderen op haar slapen te zien. Naast haar rechteroog trok een spiertje. Even dacht ik dat ze naar me knipoogde. Ik had het mis. 'Tot vanavond heb ik haar niet eens van de moord verdacht. Maar toen besloop ze me ineens! Ik was zo bang, Cass, vooral omdat ik wist wat ze Carter had aangedaan.'

'Daar heb ik mijn excuses voor aangeboden,' fluisterde ik uit voorzichtigheid en ook vanwege mijn zere keel. Als ik niet op het beslissende moment van mijn leven stond, had ik mezelf teruggetrokken om te gorgelen. 'En het spijt me dat ik de benen nam. Ik weet niet waarom ik het deed.'

'Dat heeft ze gedaan omdat ze een zenuwinstorting nabij is,' legde Cass aan ons beiden uit. 'Moet je haar zien!'

De aangeboren verschillen in schoonheid buiten beschouwing gelaten zag ik er op dat moment veel beter uit dan Stephanie. Het was niet alleen haar bleke gezicht. Haar handen waren vuil van het werken in de kas. Ze had bovendien op haar nagels gebeten en er zaten stukjes potgrond rond haar mond en kin.

Stephanie durfde me uiteindelijk in de ogen te kijken. 'Ik heb de politie gebeld,' zei ze.

'Dat zie ik, ja. Er lopen er minstens honderd rond.'

'Wat had je dan van me verwacht? Toen je het bos in rende...'

'Hoe heb je in hemelsnaam kunnen denken dat ik schuldig was? Je bent advocaat, Stephanie. Je wordt verondersteld rationeel te zijn. Als ik Richie had vermoord, had ik toch geen enkel motief om achter in Carters auto te kruipen en informatie van hem los te peuteren?'

'Ik weet het niet!' Haar stem echode tegen de stenen muren van de hal.

'Ssst!' sisten Cass en ik tegelijkertijd.

De hal was een spelonkachtige ruimte met slechts een kroonluchter die aan het acht meter hoge plafond hing en een groot gebrandschilderd raam boven de voordeur. Het was zo'n imponerende, plechtige plek dat als iemand er een kruisbeeld had opgehangen, Thomas à Beckett er de mis had kunnen lezen.

'Sorry dat ik schreeuwde,' fluisterde ze.

'Mevrouw Tillotson?' riep een politieagent, die zich waarschijnlijk in de muziekkamer bevond.

'Zeg dat het een buurvrouw is die komt kijken hoe het met je gaat,' zei ik. Stephanie slikte moeizaam. 'Alsjeblieft, Stephanie, wees overtuigend!'

Ze keek naar Cass, zoekend naar geruststelling. Cass knikte haar bemoedigend toe en zei: 'Toe maar.'

Stephanie herhaalde wat ik had gezegd, hoewel niet erg overtuigend. Haar stem sloeg te vaak over. Ze veegde haar handen af aan haar tuinoverall, waardoor een donkerbruine vlek ontstond op de lichtere vegen die al op haar broek zaten.

'Zeg tegen hem dat je naar boven gaat om een bad te nemen, proberen wilt je te ontspannen,' drong ik aan. 'Dan kunnen we praten. Vlùg.'

We stonden op het punt naar boven te sluipen, toen ik opeens bedacht dat de muziekkamer waarin de agent zich ophield misschien wel recht tegenover de trap lag. Ik keek om me heen in de enorme, lege hal. 'Mevrouw Tillotson?' riep de politieman opnieuw.

'Vooruit!' zei ik, terwijl ik hen de inloopkast in manoeuvreerde. Luttele seconden voor de agent opnieuw 'Mevrouw Tillotson? Waar bent u?' riep, trok ik de deur dicht. 'Mevrouw Tillotson!' Hoewel gedempt, leek de stem dichterbij dit keer. 'Bent u daar?' Luider. Die stem! Gevinski! Langzamerhand nam het volume af, verdween het in de richting van de trap.

Ik liet de deur op een kier staan, zodat het licht niet zou doven. Niettemin was het waarschijnlijk een hel voor Cass en Stephanie. Voor mij, na mijn avontuur in de kofferbak, voelde het aan als de Radio City Music Hall. Cass nestelde zich in een hoek. Stephanie schoof voetje voor voetje naar de achterwand van de kast, tot ze tegen haar jas van rood vossebont liep en niet verder achteruit kon. Ik hield de deurknop stevig vast, om er zeker van te zijn dat de deur niet zou openwaaien.

'We hebben informatie nodig, Stephanie.'

'Ik heb geen informatie.'

'Vertel ons nog eens over Mandy,' zei ik.

'Alweer?' De lange vosseharen irriteerden Stephanie; ze schudde voortdurend met haar hoofd en schouders om van het gekietel af te zijn. 'Ik heb toch over haar verteld, aan jullie allebei.'

'Je hebt gezegd dat Mandy lelijk was. Dat is niet waar.'

'Hoe weet jij hoe ze eruitziet?'

'Geloof me,' zei ik, mogelijk enigszins ijzig. 'Ik weet het. En ik weet dat ze een verhouding had met Richie.'

'Rosie, ik heb toch gezegd dat Richie nooit iets zou beginnen met iemand als Mandy.' Ze oogde niet kwaad, maar ze beet de woorden er zo venijnig uit dat ze het wel moest zijn. 'Kun je het niet laten rusten?'

'Nee, dat kan ik niet. Luister naar me, Stephanie. Het kan me niet schelen als wat je te zeggen hebt leuk of vervelend is. Ik wil gewoon de waarheid horen. Vertel me nou over die verhouding.'

'Er valt niets te vertellen. Zelfs al hadden ze een verhouding...'

'Je hoeft je geen zorgen te maken dát je Rosie kwetst,' mengde Cass zich in het gesprek. 'Ze heeft een pak slaag gehad en het overleefd. Ze overleeft Mandy ook wel.' Op een gegeven ogenblik had Cass haar trui uitgetrokken. Ik had niet gezien dat ze het deed, maar de trui hing nu om haar schouders met aan de voorzijde een knoop die alleen mensen die voorbereidend onderwijs hebben gevolgd machtig zijn.

'Waar woont Mandy?' vroeg ik. In de kast rook het naar abrikozen. De muren waren behangen met goudkleurige folie. De geparfumeerde hangers waren verpakt in abrikooskleurig satijn. Kleine ronde en hartvormige kussentjes van kant met daarin naar abrikozen ruikende potpourri hingen her en der aan piepkleine bronzen haakjes.

'In de Acres. Dat heb ik al verteld. Aan Crabapple.'

'Kun je ons daarheen brengen?' vroeg Cass.

'Wat?' Stephanie leek stomverbaasd.

'Niet nu,' zei ik vlug. Cass liep te hard van stapel. Het zou moeilijk genoeg worden om Stephanie te laten bekennen dat ze had gelogen. Er was tijd voor nodig om de warmte van onze oude vriendschap te hervinden, zodat wanneer we Mandy gingen opzoeken we als de Drie Musketiers konden gaan. 'Werkt ze in het centrum?'

'Ja. Ze is net vennoot geworden. Ze doet de faillissementszaken.'

'Juist. Dat heb je me geloof ik verteld.'

'Hoe reist ze op en neer?' onderbrak Cass me, net toen Stephanie zich weer een beetje op haar gemak begon te voelen. Ik kon haar wel een mep verkopen. 'Met de auto of de trein?'

'Auto,' antwoordde Stephanie. 'We reden altijd samen, tot ik stopte met werken.'

'Kan er een reden zijn waarom ze hier in de Estates heeft rondgereden op de avond dat Richie is vermoord?' vroeg Cass. Het was een goede vraag, maar het zinde me niet dat ik het gesprek niet beheerste.

'Ik zou het niet weten,' antwoordde Stephanie. 'Maar ik heb haar in geen tijden gezien. Het enige wat ze doet is werken, werken en nog eens werken.'

Cass vroeg: 'Wat doet haar man als ze werkt?'

'Hij werkt ook.'

'Waar werkt hij?'

'Kendrick, McDonald. Een grote firma. Meer dan vijfhonderd advocaten.'

'Rijdt hij 's avonds met haar naar huis?'

'Nee.' Zonder aanleiding begon mijn hart te bonzen. Er is niet voldoende lucht hier, dacht ik. Door de gloed van de folie leek Stephanie net een goudkleurig standbeeld. 'Hun werktijden komen niet overeen, en hij zit meestal op Wall Street.' Ze draaide me de rug toe en schoof de vossebontjas naar de verste hoek van de kast, maar omdat daar haar nertsbontmantel en een jas van schapeleer hingen veerde hij terug.

'Met andere woorden...' begon Cass.

'Wacht even,' zei ik. 'Niet zo doordrammen, Cass.'

'Ik dram helemaal niet, en doe niet zo geïrriteerd.'

'Kunnen we hier weg?' stelde Stephanie voor. 'Luister. De brigadier loopt me boven te zoeken.' We hoorden zijn zware voetstappen boven ons. 'Ik weet het! We kunnen via de keuken naar het zwembad sluipen. Ons verstoppen in de sauna!'

'Wacht nou even,' zei ik. 'Je beweerde daarnet dat je altijd met Mandy meereed tot je stopte met werken.'

'Ja,' antwoordde Stephanie, die verlangend naar de deur keek. 'Ik denk dat ik last heb van claustrofobie.'

'Je werkte bij die Forrest Newel, aan Park Avenue.'

'Já.' Claustrofobisch en kwaad. De zoete geur van abrikozen begon overrijp te worden.

'Dus momenteel is het zo,' drong ik aan, 'dat Mandy zakelijk partner is van Forrest Newel.' Stephanie knikte geërgerd. 'Dat is interessant.'

'Rosie, je verdoet je tijd. Ik hoor hem niet meer daarboven. Hij kan elk moment...'

'Maak je geen zorgen.'

'Ik ben niet degene die zich zorgen zou moeten maken.'

'Stephanie, hoe kan ze samenwerken met Forrest Newel? Je hebt me verteld dat Mandy bij Kendrick, MacDonald werkte.'

'Dat is niet waar.'

'Wel waar.'

Stephanie keek naar Cass en toen naar mij. 'Haar man Jim werkt bij Kendrick, McDonald,' zei ze beslist.

'Dat is níet waar, Stephanie,' zei ik met klem. Ik zag haar verstrakken en ik voelde dat Cass, in haar hoekje, ook verstijfde. 'Ik moet de waarheid horen. Het wordt tijd dat je eerlijk tegenover me bent.' Plotseling deed Stephanie een uitval naar de kastdeur. Ze was sterk, maar aangezien ik al een week lang een bedreiging voor de maatschappij vormde was ik voorbereid.

'Doe me dit niet aan, Rosie. Laat me gaan. Je hebt het recht niet me hier vast te houden.'

Ik hield de deurknop stevig vast, trok er zo hard mogelijk aan en keek langs haar heen naar Cass. 'Hou haar vast!'

'Rosie!' sputterde Cass tegen.

'Hou haar vast, verdomme!'

Cass greep de bandjes van Stephanies tuinoverall en verontschuldigde zich meteen: 'Sorry hoor, voor deze toestand.'

'Je hoeft geen sorry te zeggen, Cass,' zei ik, terwijl Stephanie tegenspartelde. 'Op dit moment zouden jij en ik naar Shorehaven Acres kunnen rijden en bij elke deur aan Crabapple Road aankloppen. We zouden Johnston, Plumley en Whitbred èn Kendrick, McDonald kunnen opbellen en weet je wat? We zouden nergens een Mandy Anderson kunnen vinden.'

'Ze is niet goed snik!' riep Stephanie uit.

'Stil,' snauwde Cass.

'Er is geen Mandy,' zei ik.

'Luister niet naar haar, Cass!' smeekte Stephanie.

'Waar heb je het over?' vroeg Cass aan mij.

'Alles wat we over Mandy weten is afkomstig van Stephanie. Nietwaar, Stephanie?' Cass hield de banden van haar overall even stevig vast als ik de deurknop. 'Ik wil de waarheid, Stephanie, en wel nu meteen,' zei ik tegen haar.

Stephanie bewoog heel even haar voet en ik dacht dat ze me ging trappen, maar ineens hield ze op zich te verzetten. Ze stak haar neus in de lucht, zodat het leek alsof ze tegen de drie abrikooskleurige hoededozen die daar op een plank stonden praatte. 'Mandy bestaat niet,' gaf ze toe tegenover de dozen. 'Ik had een excuus nodig om 's avonds de deur uit te kunnen. Toen we in het centrum woonden, liep ik ook altijd hard in het park, maar Carter vond het niet goed. Dus toen heb ik Mandy verzonnen.'

'Maar waarom heb je ons ook het Mandy-verhaal wijsgemaakt?' vroeg Cass. 'Denk je dat het Rosie of mij wat kan schelen dat je 's avonds alleen wilt hardlopen?'

'Ik schaamde me rot! Hoe kon ik tegenover jullie bekennen dat ik mijn man niet eens durfde trotseren?' Ze sloeg de bontjas nog eens bij zich vandaan.

'Dus er is nooit een Mandy geweest,' merkte ik op.

'Ik had niet moeten liegen,' zei Stephanie, nu naar haar sokken starend. Ze moest haar klompen in de kas gelaten hebben. 'Het was een leugentje dat onbedoeld groeide.' Ze nam een hartvormig potpourrikussentje van een haakje en inhaleerde de geur. 'Het spijt me ontzettend, Rosie.'

Ik koos mijn woorden zorgvuldig. 'Dus als ik het goed begrijp, de vrouw hier in de stad met wie Richie een affaire had...'

'Dat was Mandy niet,' gaf ze toe, opgelucht. 'Er is geen Mandy.'

'Is dat niet vreemd?' merkte ik op.

'Wat is vreemd?' vroeg Cass. 'Rosie, ik kan je niet volgen.'

'Is het niet raar,' zei ik, 'dat als Mandy niet bestaat, Richie op kantoor wel voortdurend door ene Mandy werd gebeld?'

'Juist ja,' reageerde Cass.

'Er zijn meer Mandy's in de wereld,' sprak Stephanie bedeesd.

'Uit wat ik heb begrepen,' zei Cass tegen haar, 'voelde Richies secretaresse – die ook jaren zijn minnares was – dat deze vrouw, Mandy, op een bezitterige manier belangstelling voor Richie toonde. Ze had sterk het vermoeden dat deze Mandy belde om een afspraak te maken of te bevestigen.'

Stephanie zweeg in alle talen. Ik zei tegen Cass: 'Stephanie heeft als strafpleiter gewerkt. Ze werd betaald om de confrontatie aan te gaan. Denk je echt dat ze tegen Carter moest liegen om 's avonds te kunnen hardlopen?'

'Nee,' antwoordde Cass. 'Ze zou het gewoon doen!'

'Precies. Je moet "Mandy" in het juiste licht zien, Cass: een alibi dat Stephanie heeft verzonnen om uit te gaan zonder achterdocht op te wekken. Ze wuifde haar Scandinavische echtpaar gedag, strikte haar gymschoenen en verdween naar buiten. Om een uur later met een lach op haar gezicht terug te keren.'

'Nee!' riep Stephanie uit.

'En wat dan nog als ze er wat slordig uitzag?' zei ik tegen Cass. 'En wat dan nog als het langer dan een uur duurde en ze buiten adem thuiskwam, nadat Carter van zijn werk was thuisgekomen? Geen probleem. Hij zou het viergangendiner dat ze had bereid eenvoudig in de magnetron zetten. Tuurlijk, ze zou puffend binnengekomen zijn, maar die gloed op haar gezicht! Ze heeft waarschijnlijk gezegd: "Carter, dit is de manier om fit te blijven!" Snap je het nog niet? Mandy is Stephanie. En Stephanie heeft Richie vermoord.'

Stephanie gilde en hoewel haar kreten door al het bont gedempt hadden moeten worden, werd de deurknop seconden later uit mijn hand gerukt – door brigadier Gevinski. Hij richtte zijn pistool op mijn neus. 'Eruit!' beval hij.

Maar ik had Theodore's revolver in mijn hand en die was gericht op Stephanies hart. 'Na u,' zei ik tegen hem.

Ik had de touwtjes in handen, dus we bleven vijf minuten zwijgend zitten. Toen begon het. 'Waar is dokter Tillotson?' vroeg ik Gevinski. 'Daar waar de kleine mcid logeert.'

'Bij mijn moeder,' legde Stephanie uit. Haar toon was zo vriendelijk dat een buitenstaander gedacht kon hebben dat we bij elkaar waren om gezamenlijk een notentaart te bakken. 'Hij wilde haar welterusten kussen, ook al sliep ze waarschijnlijk al.' Ze leek op de oude, vertrouwde Stephanie: gemakkelijk in de omgang, intelligent maar niet op een uitdagende manier, energiek, mooi. Ik moest mezelf waarschuwen: dit is een briljante list. Laat je niet tweemaal voor de gek houden. Deze uiterst vriendelijke vrouw met wie je strudeldeeg hebt staan uitrollen heeft je vriendschap misbruikt en je echtgenoot vermoord.

Een glimlach sierde Gevinski's vollemaansgezicht terwijl Stephanie sprak. Even later keek hij mij strak aan. Maar zijn kwade blik veranderde al snel in neutraal gestaar, overeenkomstig de politievoorschriften die gelden wanneer men onderhandelt met een gewapende psychopaat. 'Mevrouw Meyers,' zei hij, overdreven kalm. Hij verlegde zijn aandacht naar zijn wapen, dat nu onder mijn linkerhand op tafel lag. 'Een paar uur geleden, op het kantoor van de officier van justitie, werd ik opgebeld door uw advocaat. Ik heb eerder met hem te maken gehad; hij is erg slim. Hij heeft een aantal overtuigende argumenten te berde gebracht. Misschien heb ik een aantal dingen inderdaad verkeerd geïnterpreteerd. Misschien hebt u voor veel dingen een geloofwaardige verklaring.'

'Dat klopt,' beaamde ik.

'Mooi,' zei hij. We zouden vier goede vrienden kunnen zijn, die een spelletje scrabble speelden aan de kaarttafel in Stephanies speelkamer. Nou ja, de wapens buiten beschouwing gelaten. En ondanks haar laten-we-amandelkoekjes-bakken hartelijkheid, transpireerde Stephanie zo hevig dat een zweetdruppel van haar gezicht op het tafelblad viel. 'Ik zou die verklaring graag horen,' zei Gevinski tegen me.

'Met alle plezier.'

'Het enige dat ik zou willen,' zei hij, met bijna heilige sereniteit, 'is dat u uw wapen op tafel legt. U zou de beide wapens nog steeds in uw macht hebben, maar we zouden allemaal wat minder gespannen...'

'Nee.'

'Hoor eens, elk moment kan een van mijn mannen naar me op zoek gaan.'

'Zeg tegen hem dat u bezig bent.'

'Denkt u dat hij daar in trapt?'

'Zeg dan maar dat ik jullie alledrie onder schot heb. Hij zal zich gedeisd moeten houden tot de gijzelingsonderhandelaar komt. Ondertussen kunnen wij praten.'

Ik liet de arm waarin ik de revolver hield op het donkerrode vilt van de kaarttafel rusten. We bevonden ons in de Shorehaven Estates, dus het was geen gewone kaarttafel; het was een achttiende-eeuwse speeltafel waarvan het vilt op voldoende plaatsen was gescheurd om echt indrukwekkend te zijn. Behalve een leren bank en een elektrische kroonluchter afkomstig uit de biljartzaal van een of andere hertog, was de kamer praktisch leeg. De biljarttafel die Stephanie op het oog had kostte minstens vier borstvergrotingen plus een maand van chemische peelingbehandelingen en de Chippendale eettafelstoelen en een vloerkleed voor de woonkamer stonden vooralsnog hoger op de lijst van prioriteiten.

'Ik zal u vertellen over Stephanies brioches,' begon ik. 'Heerlijk. We bakten ze altijd samen. Ik ben goed, maar zij heeft echt talent.' Gevinski lette niet op. Hij had het te druk met het in de gaten houden van zijn pistool, dus pakte ik het van de tafel en legde het op mijn schoot. 'Luister naar me, alstublieft. Een brioche is een soort Frans brood gemaakt van eieren. Meestal maken mensen kleine brioches ter grootte van een theekopje, met een deegkrul bovenop. Ze zijn lekker voor bij het ontbijt.'

'Rosie?' Cass keek me bezorgd aan.

'Ik vond Richies lichaam om ongeveer halfvier 's nachts. Jij' – ik sprak Cass aan – 'kwam om ongeveer kwart voor zeven langs, nadat brigadier Gevinski me had ondervraagd. Je had met Madeline en Stephanie afgesproken om te gaan joggen, maar toen je te horen kreeg wat er was gebeurd, ben je meteen gekomen. Ongeveer een uur later, moest je naar school, maar ik was nog steeds een emotioneel wrak.'

'Begrijpelijk.'

'Dus een poosje later, rond een uur of halfnegen, negen uur ben ik de heuvel opgelopen. Ik denk dat ik troost hoopte te vinden bij Stephanie.'

Ik wendde me tot Gevinski. 'Onderweg naar Stephanies huis zag ik twee mannen van uw gerechtelijke eenheid of hoe ze ook maar heten.'

'Laboratorium,' mompelde hij.

'Ze maakten gipsafdrukken van de bandensporen rondom Richies auto. Hun aandacht ging voornamelijk uit naar de sporen van de Lamborghini, maar er waren ook andere sporen. Dat moet u maar met hen kortsluiten; ze zullen bevestigen dat er twee verschillende sporen wa-

295

ren.' Hij knikte, allerminst verbaasd dat ik het onderwerp autosporen aanhaalde. Op dat moment wist ik zeker dat hij serieus had gepraat met de officier en Vinnie Carosella. 'Het ene stel sporen was van de Lamborghini-banden, van het merk Pirelli P-zeros. De andere sporen waren gemaakt door Michelin MXV banden. Die zitten voornamelijk onder luxeauto's zoals Jaguars, Mercedessen, BMW's.

Stephanie schraapte haar keel. 'Andere zie je ook niet in deze buurt; luxeauto's zijn hier heel normaal. Cass en ik hebben BMW's, jij hebt een...'

'Stephanie, dit is geen gezellig onderonsje. Dit is een monoloog.' Ik keek naar Gevinski. 'Ik heb een idee. Als dokter Tillotson thuiskomt, belt u een van uw mensen op het laboratorium en laat u zijn Mercedes... en haar BMW onderzoeken. Banden zijn bijna even uniek als vingerafdrukken, nietwaar? U zult het zien: een van hun auto's heeft Michelin MXV banden die overeenkomen met de sporen naast Richies wagen. Enig idee welke?' Cass begreep waar ik heen wilde; ze zat vrijwel onophoudelijk te knikken.

'Mevrouw Meyers,' begon Gevinski behoedzaam. 'Dit zal best interessant zijn. Maar wat dan nog? Niemand is die nacht met zijn auto uw huis binnengescheurd, of wel soms? Uw man had een mes tussen zijn ribben. Banden of geen banden, u en uw man waren de enige twee personen die in huis waren toen het gebeurde.'

'Brigadier Gevinski, u en ik weten dat zowel meneer als mevrouw Tillotson ontkend heeft iets te weten over Richies aanwezigheid in de buurt die nacht. Dus als een van hun auto's naast de zijne heeft gestaan, wijst dat erop dat een van twee heeft gelogen. Dat is meer dan interessant.'

Gevinski reageerde niet. Stephanie zoog haar wangen vol lucht en ademde langzaam door haar getuite lippen uit. Ik wachtte tot ze zichzelf zou gaan verdedigen, maar ze deed niets dan moeizaam ademen en zweten.

'Straks de kern van mijn betoog. Maar laat me eerst even uitspreken over wat er gebeurde toen ik die ochtend hier arriveerde. De huisman, Gunnar – hij is Noors – deed open. Hij spreekt nauwelijks Engels, maar hij liet me binnen zodat ik Stephanie kon bezoeken. Later bracht zijn vrouw Inger een schaal met brioches binnen.'

'Oké,' zei Gevinski.

'Nog niet. Waar zijn Gunnar en Inger gebleven, Stephanie?'

'Ze hebben ontslag genomen.' Een dreigende blik verdoezelde haar immer aanwezige beminnelijkheid. 'Dat heb ik je verteld.'

'Wanneer zijn ze vertrokken?'

'Dat weet ik niet meer.'

'Het is pas een week geleden. Was het de dag dat Richie werd vermoord? Of de dag daarna?'

Gevinski keek naar Stephanie, maar niet sceptisch genoeg voor mijn gemoedsrust. 'Ik kan het niet exact zeggen,' zei ze tegen hem. 'Ze kregen een ander aanbod, een baan waarin ze veel meer verdienden dan wij bereid waren te betalen. Ze hebben hun koffers gepakt en zijn op slag vertrokken.' Ze leunde, heel onopvallend, een stukje naar Gevinski toe. 'Ik heb ze niet weggestuurd. Ze doet voorkomen alsof hun vertrek deel uitmaakt van een of andere misdadige samenzwering, maar het was een normale, alledaagse gebeurtenis. Bedienden komen en gaan tegenwoordig. Gunnar stelde me voor een voldongen feit. Ze namen ontslag. Ik aanvaardde dat.' Ze klonk zo redelijk – en zo hoffelijk – dat Gevinski me aankeek alsof ik een deskundige op het gebied van samenzweringen was die Stephanie Tillotson in verband probeerde te brengen met Lee Harvey Oswald.

'Hoe heetten Gunnar en Inger van hun achternaam?' vroeg ik haar.

'Ik weet het niet,' beet Stephanie me toe. 'Olsen? Jensen? Zoiets. Moet je Carter vragen.'

'Tekende hij de cheques?' vroeg Gevinski.

'Eerlijk gezegd betaalden we hen contant. Zo wilden ze dat graag. Maar ik weet zeker dat Carter het weet.'

'Mocht hij het niet weten,' onderbrak ik, 'dan kunnen we altijd het uitzendbureau bellen dat hen heeft gestuurd. Cloverleaf? Cloverdale?' Stephanie liet haar tanden niet zien; sterker nog, ze knikte zo meewerkend dat Gevinski's brein opnieuw in pulp leek te veranderen. 'Ik heb ook mensen via hen aangenomen. Belooft u hen te bellen om te vragen of ze ontslag hebben genomen?' vroeg ik Gevinski. 'Ik denk namelijk van niet. Ik denk dat ze hen heeft ontslagen. Misschien omdat ze iets gezien hebben.'

'Ik zal hen bellen,' verzekerde hij me. 'Ik beloof het.' Maar ja, ik had twee wapens en hij niet een. 'Eierbrood?' spoorde hij me aan.

'Brioche. Toen ik bij Stephanie kwam, zei ze dat ze speciaal voor mij brioches had gemaakt.' Deze opmerking leek geen beroering te veroorzaken rond de tafel. 'Ik dacht: wat lief van haar. Maar de betékenis ervan drong niet tot me door. Natuurlijk had ik Richies lijk pas gevonden, dus ik was niet in topvorm. Nu wel. Luister: ik maak brioches op de snelle manier, een karwei dat van begin tot eind drie uur in beslag neemt. Maar Stephanie zou nooit die verkorte route nemen.'

'Ik weet dat je een pistool hebt,' zei Stephanie krassend. 'Maar dat kan me geen moer schelen. Dit is zo stupide dat ik mijn oren niet geloof.'

'Het klassieke recept kost je minimaal zeven uur van begin tot eind. Het deeg moet drie keer rijzen.'

'Wat zijn dit voor nònsens?' schreeuwde Stephanie. Cass wierp haar een woedende blik toe.

'Als Stephanie die morgen om halfnegen brioches in de oven had, moet ze uiterlijk om halftwee begonnen zijn met de voorbereiding, misschien zelfs voor twaalven.' Mijn arm werd moe van het pistool dat ik omhoog hield. Ik liet het op de tafel rusten en realiseerde me toen ineens, een tel voor Gevinski, dat hij me met een beweging zou kunnen ontwapenen. Ik schoof achteruit en richtte weer op Stephanies hart. 'Hoe komt het dat je zo laat die avond nog stond te bakken?' vroeg ik haar. 'Kon je niet slapen soms?'

Ze schudde haar hoofd, alsof ze medelijden voelde in plaats van woede. 'Het brood was bevroren,' legde ze aan Gevinski uit. 'Ik heb het uit de vriezer genomen en het een halfuur in de oven gelegd.' Hij knikte.

'Het was niet bevroren!' zei ik met klem. 'Ze vriest kaasstengels in en mogelijk *bouchées* – schelpjes van bladerdeeg – maar ze zou brioches nooit in de diepvries doen. Het is maar een week houdbaar. En bovendien is ze zo traditioneel wat bakken betreft dat invriezen niet eens bij haar op zou komen.'

Ik had Cass overtuigd. Maar Gevinski liet zijn ogen honderdtachtig graden in het rond rollen.

Stephanie vouwde haar handen alsof ze ging bidden; haar nagelriemen waren vuil van het woelen in potgrond. 'Wat wil je daar in vredesnaam mee zeggen?' snauwde ze. Ze was eindelijk echt en openlijk woest. 'Dat ik een verhouding had met jouw echtgenoot, hem heb vermoord en naar huis ben gegaan om brioches te bakken?'

'Ja.'

'Jíj bent anders degene die in staat van beschuldiging is gesteld. Jíj bent degene die op de vlucht is geslagen. Jíj bent degene die met een wapen dreigt.'

'Dat weet ik.'

'Denk je nu werkelijk dat de brigadier – of de officier van justitie of willekeurig wie – serieus overweegt om brioches als bewijsmateriaal in een moordzaak toe te laten? Ik kan niet geloven dat ik dit moet ondergaan.' Ze wendde zich tot Gevinski. 'Het is sadistisch.'

'Ben ik sadistisch?' vroeg ik lachend. 'Het is sadistisch om een verhouding aan te gaan met de man van je vriendin. Het is sadistisch dat je hem doodsteekt en je vriendin ervoor laat opdraaien.'

Ze praatte niet meer tegen mij. 'Het is gewoon schunnig,' verklaarde ze tegenover Gevinski en Cass.

'Heb je soms geen relatie met Richie gehad?' wilde ik weten.

'Natuurlijk niet! Ik heb met niemand een verhouding gehad.'

'Dus toen je erachter kwam dat hij mij verliet om met Jessica Stevenson te trouwen, was je niet geschokt.'
'Natuurlijk was ik geschokt,' zei ze tegen Gevinski. 'Als een goede vriend zijn vrouw verlaat is dat schokkend.'
'Je voelde je niet verraden toen je hoorde dat Richie verliefd was op Jessica?' vroeg ik.
'Nee!'
Ik richtte me tot Gevinski. Hij stak zijn hand tussen de boord van zijn overhemd en krabbelde in zijn nek. 'Stel dat Richie een verhouding met Stephanie had en haar meedeelde dat het te gevaarlijk werd, dat hij dacht dat Carter of ik achterdochtig begon te worden? Stel dat hij tegen haar zei dat zijn vijfentwintigjarig huwelijksfeest eraan zat te komen en hij zich verplicht voelde daarbij te zijn en dat ze elkaar beter een tijdje niet konden zien? Het was niet Richies stijl om te zeggen waar het op stond: dat hij verliefd was geworden op iemand anders. Ik denk dat Stephanie zich volkomen wegcijferde – en nooit meer wat van hem heeft gehoord. Ze zag hem op ons huwelijksfeest, maar daar kon ze uiteraard geen stennis schoppen, zelfs niet nadat ze hem zag dansen in de armen van de vrouw met wie haar echtgenoot een verhouding had, Jessica Stevenson. Denkt u nou echt dat ze zich niet belazerd voelde?'
Stephanie keek mij woedend aan en glimlachte naar Gevinski. 'Dit is lachwekkend. Echt lachwekkend,' herhaalde ze tegen Cass.
'Denkt u dat ze niet precies wist wie Jessica Stevenson was? Vraag het dokter Tillotson maar,' stelde ik voor. 'Hij zal bevestigen dat hij een verhouding met haar had. Tussen twee haakjes, hij is contact blijven houden met Jessica. Als hij dat ontkent, moet u het Jessica maar vragen. Zij is niet bepaald een eerlijk type, maar ze zal de waarheid wel moeten vertellen. Ze kan niet beweren dat het niet is gebeurd, omdat er te veel mensen zijn die van die verhouding op de hoogte waren.' Gevinski maakte zijn oranje gevlamde stropdas en het bovenste knoopje van zijn overhemd los. 'De dag na het feest,' zei ik tegen Stephanie, 'toen ik je belde en zei: "Stephanie, kom alsjeblieft. Richie heeft me verlaten. Hij gaat tróuwen met iemand van de zaak, een zeker Jessica Stevenson," voelde jij je toen niet bedrogen?'
'Verdorie, doe iets!' riep Stephanie tegen Gevinski.
'Mevrouw Tillotson, ze heeft twee wapens. Kalm nou maar.'
Mijn hoofd bonkte. Mijn voeten waren warm; ik wilde dolgraag mijn nieuwe gymschoenen uittrekken. Maar stel dat ik opnieuw zou moeten vluchten? En zelfs al vond ik de kracht om te ontsnappen, waar moest ik dan dit keer heen?
De scherpe roffel op de deur deed ons allemaal opschrikken. We keken alledrie naar Gevinski. 'Brigadier?' Het was een donkere stem.

Ik richtte de revolver op Gevinski, stond op het punt hem instructies te geven, maar hij keek naar de deur. 'Turner? Ben jij dat?'
'Ja.'
Hij deed zijn ogen dicht en vouwde zijn handen achter zijn hoofd. 'Ik ben bezig. Geef me nog een minuut of wat.'
'Oké.'
'Is de echtgenoot al thuis?'
'Nee.'
'Klop even op de deur als hij binnenkomt.' Hij wachtte tot het geschuifel van voeten wegstierf. 'Mevrouw Meyers, mevrouw Tillotson is advocate. Ze kan u vertellen dat wat u ons vertelt een grote verzameling... details zijn die bij een rechtszaak nauwelijks gewicht hebben.' Stephanie wist een waterig glimlachje op haar gelaat te toveren. 'Zelfs al kunt u er een samenhangend geheel van maken, waar ik eerlijk gezegd aan twijfel, staat u zo zwak – ik bedoel, we praten over onbeduidende indirecte bewijzen – dat de officier van justitie u van hier tot ginder zal uitlachen.' Hij imiteerde een hysterisch lachende officier en sloeg ten slotte zelfs op tafel van de nagespeelde pret. 'Heb ik gelijk, mevrouw Tillotson?'
'Absoluut.' Stephanie was te intelligent om te proberen hem in te palmen, maar ze schonk hem wel een honderd watt lach. Niet te veel, maar net genoeg om oprecht en zeer dankbaar over te komen.
Niettemin voelde ik op dat moment een bijna onmerkbare verandering in de sfeer optreden. Ik denk dat we het allemaal voelden. Het was niet zo dat Gevinski mij begon te geloven; ik had de briocheverwikkelingen misschien minder nadrukkelijk moeten brengen. En het was ook niet zo dat hij dacht dat Stephanie loog. Het kwam eenvoudig doordat hij meer dan nieuwsgierig was geworden. Hij was bereid naar me te luisteren, zelfs al bedreigde ik hem niet met een revolver.
'En u beweert nog steeds een samenhangend verhaal te hebben?' vroeg Gevinski.
'Ja.'
'Vertel verder dan.'
'Ik heb veel onderzoek gedaan. Wat ik u nu ga voorleggen is een synthese.'
'De samenstelling van afzonderlijk elementen tot een nieuw geheel,' merkte Cass spontaan op.
'Ze is voorzitter van de sectie Engels,' legde ik aan Gevinski uit.
'Ik heb dr. Higbee een aantal malen gesproken,' zei hij. 'Ik ken haar taalgebruik onderhand. Doe uw synthese maar eens uit de doeken.'
'Stephanie had een verhouding met mijn man. Ik weet niet wanneer

die is begonnen, maar tegen februari waren ze goed op dreef. Ze glipte 's avonds het huis uit met de smoes dat ze met haar advocatenvriendin Mandy ging hardlopen. Ze heeft tegenover Cass en mij toegegeven dat ze die Mandy heeft verzonnen.

Richie parkeerde zijn auto op dezelfde plek waar jullie deze nu aantroffen. Misschien vonden hun ontmoetingen plaats in de auto wat me, mijn echtgenoot kennende, niet zou verbazen maar wat gezien Stephanie's lengte zeer onwaarschijnlijk is. Ze reden wellicht naar een motel in de buurt.'

'Naar een van die etablissementen aan Northern Boulevard zeker.' Cass snoof luidruchtig. 'Iemand met een beetje gezond verstand zou zich daar niet tussen de lakens wagen.'

'Ik weet zeker dat als u wat rondvraagt, iemand in het bewuste motel Richie en zijn opzichtige auto zal kunnen identificeren,' zei ik tegen Gevinski. 'En met een beetje geluk was die persoon nieuwsgierig van aard en kan hij zelfs Stephanie uit een rij vrouwen pikken.'

'Je kijkt te veel televisie,' snauwde Stephanie.

'Tweederangs films zul je bedoelen,' corrigeerde ik haar. 'Hoe dan ook, in april hield Richies bedrijf een werkconferentie in Sante Fe. Ik had talloze proefwerken te corrigeren, dus kon ik niet mee. Dat weekend is hij voor Jessica gevallen. Hij werd stapelverliefd; iedereen schijnt het erover eens te zijn dat hij halsoverkop verliefd op haar werd, dat ze de grote liefde van zijn leven was. Als u de datum van dat werkweekend nagaat, weet u ook meteen wanneer de verhouding met Stephanie ten einde was.'

'Wat wilt u hier precies mee zeggen?' vroeg Gevinski. 'Dat mevrouw Tillotson hem naar jullie huis lokte en...'

'Nee. Ik weet zeker dat ze niet van zijn komst op de hoogte was. Ik zal uitleggen wat hij kwam doen. Hij had een absurd duur schilderij gekocht – à drie miljoen dollar – en dat aan Jessica cadeau gedaan. Er was maar één probleem. Of misschien twee.'

'Moet dit echt?' riep Stephanie uit.

Gevinski sprak op een fluistertoon, alsof hij alleen haar iets toevertrouwde. 'Het is beter als ze haar hart even helemaal lucht.' Daarna vestigde hij zijn aandacht weer op mij.

'Jessica wilde het schilderij verkopen. Ze was erop uitgekeken. Ze was trouwens ook op Richie uitgekeken, maar dat is een ander verhaal. Het probleem was dat ze het niet kon verkopen voor hij in het bezit was van de koopakte om te bewijzen dat het kunstwerk van hem was. Hij was zo overhaast vertrokken dat hij enkele belangrijke documenten had vergeten.'

Buiten de kamer, in de hal, begon een klok te slaan. Het klonk gedempt, vergeefs, maar het onderbrak ons gesprek. Het was elf of, waarschijnlijker, twaalf uur. Zonder aanwijsbare reden staarden we allemaal naar de deur.

'Richie en ik communiceerden niet meer. Het zou hem moeilijk gevallen zijn mij op te bellen en zichzelf uit te nodigen voor een bezoekje. Bovendien was hij bang dat ik achter de aankoop van dat schilderij zou komen; het zou drie miljoen aan onze gezamenlijke bezittingen hebben toegevoegd en de wettigheid van het cadeau in twijfel hebben getrokken.'

'Dus?' vroeg Gevinski.

'Nou ja, ik weet niet hoe laat hij is binnengekomen, omdat ik die avond ergens tussen halftien en tien naar bed ben gegaan. Het moet rond halfelf geweest zijn.'

'Als hij van plan was bij je in te breken,' zei Stephanie hatelijk, 'waarom zou hij dan zo vroeg komen?'

'Omdat hij wist dat ik vroeg naar bed ga als ik de volgende dag moet lesgeven. Hij kende mijn gewoonten. Zodra alle licht beneden uit was, sliep ik of was ik in elk geval boven. Hij wist ook dat onze hond was overleden, dus hij zou geen last hebben van een blaffend waakdier. Het huis is groot zat, zolang het alarm niet afging zou ik er geen idee van hebben dat er iemand in de keuken rondsnuffelde. En als ik om een of andere reden wel naar beneden kwam, nou ja, dan weet ik zeker dat Richie zelfverzekerd genoeg was om ook dat probleem op te lossen. Hij zou zeggen dat hij vreselijk naar huis had verlangd, wat ik vervolgens geïnterpreteerd zou hebben als een verlangen naar mij. Als het nodig was, zou hij zelfs de liefde met me hebben bedreven.'

Gevinski keek alsof hij wilde dat ik dat laatste niet had gezegd. Hij zuchtte en zei: 'Als dit uw verhaal is, moet ik zeggen dat het inderdaad nergens op slaat dat hij zo vroeg kwam. Waarom wachtte hij niet tot een later tijdstip?'

'Omdat hij zo snel mogelijk terug naar de stad wilde. Hij wist dat Jessica iemand anders...'

'Had ze ook nog iemand anders?' mompelde Gevinski.

'... iemand anders op het oog had en hij durfde haar geen nacht alleen te laten. Hij stond onder grote druk en had er alles voor over om de scheidingsovereenkomst zo snel mogelijk te tekenen, zodat hij vrij zou zijn. Jessica had vooruitzichten op een veelbelovend huwelijk en hij was panisch dat ze op een of andere wijze onder hun verloving uit wilde. Maar dat terzijde, laten we aannemen dat hij zo tegen halfelf is gekomen. Is dat in strijd met het tijdstip dat in het lijkschouwingsrapport wordt vermeld?'

'Nee,' antwoordde hij, zonder veel tegenzin.

'Dat was ook ongeveer het tijdstip dat Stephanie thuiskwam.'
'Waar heb je het over?' wilde ze weten. 'Ik was thuis.'
'Jij was naar je tuiniersclub om over groene kamerplanten te praten.'
Ze gaf zich gewonnen en knikte Gevinski toe. 'Dat is zo. Was ik even vergeten. Sorry.'
'Geeft niet.' Hij lachte haar toe.
Voor hij besloot haar in de wang te knijpen, vervolgde ik mijn betoog. 'Ze reed de heuvel op, toen ze uit haar ooghoek de zijreflector van Richies auto zag. Ik weet dat ze op dat moment dolgelukkig was. Ze parkeerde haar wagen op de bewuste plek, naast de zijne. Vergeet niet haar banden te controleren.' Ik wachtte tot Stephanie me zou onderbreken, maar ze zat er uitdrukkingsloos bij; ze had een paspop kunnen zijn. 'Ze wachtte waarschijnlijk tot hij uit zijn auto zou springen om haar innig te begroeten. Er gebeurde niets. Ze stapte uit en keek in zijn auto. Er zat niemand in. Mogelijk heeft ze zijn naam geroepen: "Richie".'
Stephanie ging verzitten in haar stoel. 'Wat een verhaal,' zei ze tegen Gevinski, een blik vol afgrijzen op haar gezicht.
'Ja, wat een verhaal,' beaamde hij.
Cass trommelde op de rand van de tafel. We schoten allemaal rechtop. 'Een verhaal is fictie,' verklaarde ze. 'En dit betreft nonfictie.'
'Stephanie moest Richie vinden,' vervolgde ik, 'maar ze was formeel gekleed vanwege die bijeenkomst. Ze reed naar huis en kleedde zich om en zei waarschijnlijk tegen Inger, die wel Engels sprak, dat Mandy voor de verandering "vroeg" thuis was en ze gingen hardlopen.
Zonder twijfel heeft ze de hele buurt uitgekamd, zonder Richie te vinden. Waar kon hij zijn? Kennelijk in zijn eigen huis, in mijn huis. Ze kon de weg nemen of de verkorte route langs het strand. Maar in beide gevallen zou ze gezien kunnen worden. Carter zou haar kunnen betrappen op weg naar huis of als hij de lampen achter het huis ontstak en uit het raam keek. Ik denk zelf dat ze door het bos is gekomen. Als iemand de bossen kent, dan is het Stephanie wel. Ze loopt daar altijd bessen en denneappels te zoeken voor haar bloemstukken. Hoe dan ook, ze kwam bij mijn huis en zag dat er licht brandde.'
'In de keuken?'
'Ik weet niet zeker waar Richie zich op dat moment bevond. Hij zou de koopakte van dat schilderij nooit in de keuken hebben opgeborgen; dat was mijn terrein. Maar hij heeft zonder meer de keukendeur gebruikt; die ingang ligt het verst verwijderd van mijn slaapkamer. En

er is geen enkele reden dat hij daar het licht niet durfde aandoen. Het zou mij niet opvallen en iemand anders ook niet; het huis ligt vrij geïsoleerd.

Misschien heeft ze op het raam geklopt waarop hij haar binnenliet. Misschien heeft ze zichzelf binnengelaten. Of wie weet heeft ze gewacht tot hij de deur opendeed om te vertrekken. Maar ze moeten gepraat hebben. Misschien hebben ze vreselijke ruzie gehad. Of misschien scheepte hij haar af. "Ben je mal? Ik Jessica verlaten? Voor jóu?"

Stephanie heeft haar baan zonder al te veel berouw opgegeven. Ik denk dat ze haar verteld hebben dat ze geen vennoot zou worden. Haar leven als huisvrouw en moeder was zeer druk – en eenzaam. Maar Richie was een opwindende man. Die paar maanden dat het duurde, moet ze gevoeld hebben wat het is om echt te leven.' Stephanie staarde naar mijn revolver. Ik verstevigde mijn greep. 'Wat had ze nog toen hij haar als een baksteen liet vallen? Een tig aantal potplanten, een mixer met een deeghaak, een kind dat haar niet bepaald interesseerde en een echtgenoot die alleen passie voor een ander kon opbrengen. Toen Richie haar in de steek liet, viel haar geluk aan diggelen. En die laatste keer ontnam hij haar het enige dat ze nog koesterde: hoop. En dus griste Stephanie een van mijn keukenmessen weg en stak hem neer.'

Stephanie wilde kennelijk een snoevend geluid uiten, maar ik vond dat het er als zacht gejank uitkwam, een stilzwijgende bekentenis. Ik wierp een blik op Gevinski. Hij had duidelijk wat anders gehoord dan ik. Hij hield zijn armen voor zijn borst gekruist, alsof hij wachtte op het vervolg.

'Is dat alles wat je te zeggen hebt?' wilde Stephanie weten, die klaarblijkelijk moed putte uit Gevinski's reactie. En ik moet toegeven, ze zag er nog steeds relatief bedaard uit. Het gedrein had ook van haperend sanitair afkomstig kunnen zijn. 'Is dat je hele verhaal?'

'Nee,' zei ik tegen haar. 'Dat is de proloog.'

22

'Als een vrouw de man die ze liefheeft met een vleesmes doodsteekt, zou je denken dat ze gespannen is,' zei ik. 'Dat was zonder twijfel ook bij Stephanie het geval. Maar ze verloor haar zelfbeheersing niet compleet. Ik denk dat ze snel handelde. Ze had geen tijd om zich af te vragen of Richie dood was. Een blik en ze zou geweten hebben wat ik niet wilde aanvaarden: het was voorbij.'

We keken alledrie naar de wezenloze blik op Stephanies gezicht. Misschien herinnerde ze zich het afschuwelijke moment dat ze in Richies ogen keek, donker en dood, wijd opengesperd zodat je de kromming van de oogbal kon zien, maar haar perfecte gelaatstrekken bleven uitdrukkingsloos. Voor hetzelfde geld zat ze te bedenken hoeveel verschillende soorten sla ze in het voorjaar zou gaan planten. Cass grabbelde in een van de zakjes van de kaarttafel, hoogstwaarschijnlijk onbewust op zoek naar een achtergebleven cashewnoot. Maar Gevinski bleef honderd procent alert.

'Tenzij Stephanie ons uit de droom helpt,' vervolgde ik, 'zullen we nooit weten of ze overwoog te bekennen. Het enige dat we weten is dat ze in mijn keuken stond en, als een amateuristische crimineel die had gehandeld zonder na te denken, zich realiseerde dat ze vingerafdrukken en voetsporen had achtergelaten. Hebt u veel vingerafdrukken gevonden?' vroeg ik Gevinski.

'Denkt u dat ik dat aan u zal vertellen?'

'U zult het toch aan mijn advocaat moeten vertellen voor het proces begint, nietwaar?'

'Maar ik hoef het nu niet aan u te vertellen.'

'Wilt u niet liever alle misverstanden uit de weg ruimen?' vroeg ik.

'Nee.'

'Verschuif uw stoel eens vijf centimeter mijn kant op,' instrueerde ik hem. 'Zo ja. Niet verder.' Ik vroeg hem op zijn handen te gaan zitten, opdat hij mijn wapen niet kon weggrissen, en met zijn hoofd naar voren te leunen.

'Brigadier Gevinski, vindt u niet dat ik een kans verdien?'

'Waarom?'

'Zelfs al vindt u mijn verhaal niet overtuigend, u moet ernstige twijfels hebben over Stephanie. U verklapt geen staatsgeheimen als u me meer informatie geeft over de vingerafdrukken. Uw superieuren op het hoofdkantoor, de pers... ze zullen allemaal napluizen hoe de zaak is afgehandeld. Als ik schuldig blijk, hebt u niets te verliezen gehad. Als ik onschuldig blijk, kan uw openheid nu ertoe bijdragen dat ze u later niet van wraakzuchtigheid beschuldigen. U mag uw stoel terugschuiven.'

Stephanie praatte zo snel dat haar zin als een lang woord klonk. 'Zolang zij de wapens heeft, lopen wij gevaar. Maar ik smeek u: zwicht niet voor haar dreigementen. Concessies werken nooit. Ze zal steeds meer willen weten.'

'Laat mij maar begaan, mevrouw Tillotson.' Hij wriemelde met zijn vingers; misschien waren zijn handen gevoelloos omdat hij erop had gezeten. 'Ik geef niets prijs wat uw advocaat niet op eigen houtje kan achterhalen,' zei hij, tegen mij, tegen Stephanie, de officiële regels in acht houdend. 'Op de deurknop aan de buitenkant zaten geen vingerafdrukken.'

'Zelfs niet van mijn man?'

'Zelfs die niet. Natuurlijk kan hij op een andere manier zijn binnengekomen.'

'Hebt u de knoppen van het alarmsysteem gecontroleerd?'

'Een vage afdruk op een ervan,' mompelde hij, mogelijk in de hoop dat ik hem niet zou verstaan.

'Van wie?'

'Het betrof de rechter wijsvinger van meneer Meyers.' De stoelen waren nogal smal voor een man van zijn postuur en hij schoof wat heen en weer om een evenwichtig middelpunt te vinden. 'De afdruk kan gemaakt zijn in de tijd dat hij er nog woonde.'

'U weet best dat dat onzin is,' sprak ik hem tegen. 'Hij was sinds juni niet meer bij me thuis geweest. Ik heb het alarm elke avond gebruikt. Mijn kinderen gebruiken het als ze thuis zijn. Hoe kunnen zijn afdrukken dan nog zichtbaar zijn?'

'Laten we verder kijken,' stelde Gevinski voor. 'Het aanrecht was schoon. De andere messen en dat houten ding waar ze in staan waren schoon. Er zaten veel vingerafdrukken – met name die van u – op de kachel, de oven, de magnetron, de koelkast. En dat was het wel zo ongeveer.'

'Behalve dan het mes in Richie.'

'De enige afdrukken daarop waren van u,' zei hij tegen me.

'Ik heb toch verteld dat ik geprobeerd heb het mes te verwijderen.'
'Maar dat lukte niet, of wel?'
'Nee. Als mijn vingerafdrukken niet op het mes hadden gestaan, had u me dan ook verdacht van moord?'
'Mogelijk. Ik kan niet zweren dat ik voldoende bewijs zou hebben gehad om de officier van justitie te overtuigen er een rechtszaak van te maken, maar ik zou het zeker geprobeerd hebben.'
'Wilt u weten wat er werkelijk na de moord gebeurde?'
'U bent gewapend, u bent de baas.' Hij glimlachte minzaam.
'Stephanie heeft elk oppervlak dat ze mogelijk had aangeraakt schoongeveegd, waaronder het messeheft,' legde ik uit. 'Ze deed dat waarschijnlijk door met een handdoek of oude lap het lemmet bovenaan stevig te houden, zodat ze het heft goed kon schoonmaken. Ze stond gebukt over hem heen of zat gehurkt of geknield naast hem, waardoor haar gewicht het mes dieper in zijn lichaam drong.' Ik wendde me tot Stephanie.

Stephanie maakte haar horlogebandje los en wreef over haar pols. 'Ik geloof niet dat je van plan was de schuld op mij te schuiven,' zei ik tegen haar. 'Op dat moment nog niet. Je wilde enkel jezelf redden. Ik heb je een handje geholpen door te proberen het mes eruit te trekken.'

'Ze heeft dit verhaal niet zomaar vanavond verzonnen,' verklaarde Stephanie tegenover Gevinski. 'Ze heeft er de hele week op gebroed!'

Ik probeerde haar te dwingen op mij te reageren. 'Als ik niet de enige verdachte was geweest, als de politie de moeite had genomen Richies leven na te pluizen, twijfel je er dan maar een seconde aan dat jouw naam boven was komen drijven?'

'Die hele "verhouding" komt alleen voor in haar verbeelding!' zei Stephanie tegen Gevinski. 'We waren vríenden. Wij vieren waren bevriend.'

'Nadat ze de vingerafdrukken had verwijderd,' vervolgde ik, 'wist ze dat ervandoor moest. Op dat punt moet de modder die ze naar binnen had gelopen haar zijn opgevallen. Die zat in de groeven van haar gymschoenen. Richies voetzolen waren schoon. Ze heeft de modder met haar schoenen uitgeveegd of haar voetsporen met tissues of keukenpapier uitgewist. Daarna is ze naar buiten gerend – waarschijnlijk naar de plek waar zijn auto stond – om meer modder te halen. Het was een groot risico maar nam ze dat niet, dan zou de politie beseffen dat iemand van buitenaf hem had vermoord.'

Cass richtte zich tot haar volle lengte op. Kennelijk was dit een kwestie die een doctorstitel vereiste; mijn doctorandusgraad voldeed in deze omstandigheden niet. 'Op zichzelf,' declameerde ze, 'was het modderspoor niet bedreigend. Het kon afkomstig zijn van een inbre-

307

ker of van een misdadiger die Richie vanuit Manhattan had gevolgd. Er was geen enkele reden waarom de politie zou denken dat het spoor door een buur was achtergelaten. Waarom zouden ze? In een dergelijk vermoeden school geen enkele logica. Niettemin beseft de moordenaar inmiddels wel hoe belangrijk het modderspoor kan worden. Er moest een verklaring zijn voor de aanwezigheid ervan; als de dader de autoriteiten kon doen geloven dat Richie de modder naar binnen had gelopen, zouden ze niet verder dan Gulls' Haven zelf kijken. De moordenaar heeft toen de keuze gemaakt: ik leg de schuld bij Rosie. Volledige veiligheid was enkel gegarandeerd als de moord op iemand binnenshuis geschoven kon worden.'

'Denk je echt dat ik het heb gedaan, Cass?' vroeg Stephanie ongelovig.

'Inderdaad, Stephanie. Als ik het mis heb, zal ik mijn verontschuldigingen aanbieden, hoewel ik natuurlijk geen uitnodiging meer zal verwachten voor jullie open huis op nieuwjaarsdag.' Ze richtte zich tot mij. 'Neem me niet kwalijk dat ik je onderbrak, Rosie. Je had het over moddersporen.'

'Dank je. Stephanie heeft modder gehaald en die in de zolen van Richies gymschoenen gedrukt. Ze heeft misschien hier en daar nog wat op de vloer gestrooid, ter aanvulling op datgene wat ze zelf naar binnen had gelopen. En dan nog iets: het modderspoor loopt niet verder de keuken in. Het eindigt bij Richies voeten. Betekent dat dat hij niet heeft gevonden waarvoor hij kwam? Dat Stephanie hem betrapte toen hij teleurgesteld en met lege handen wilde vertrekken?'

Gevinski masseerde zijn kin in een neerwaartse beweging, alsof hij langs een denkbeeldig sikje streek. 'Misschien was hij er nog maar net,' mompelde hij.

'Misschien. Hoe dan ook, Stephanies taak in mijn huis zat erop. Wat haar restte was naar huis te rennen, zich te fatsoeneren en de thuiskomst van manlief af te wachten. Carter beweert dat hij even voor elven thuiskwam. Dus als Stephanie Richies auto aanvankelijk pas om halfelf zag staan, had ze voldoende tijd om hem te vermoorden, de vingerafdrukken te verwijderen, wat modder rond te strooien en toch nog op tijd thuis te zijn om een simpele vinaigrette te maken.'

Gevinski's gezicht leek baardeloos behalve wat roodbruine stoppels die in een ovaal rond zijn mond zaten. Ik moest er telkens naar staren. Het zag eruit alsof hij van die goedkope lippenstiften had uitgeprobeerd die de meiden in de onderbouw droegen – Cherry Blossom – en vreselijk had gesmeerd.

Gevinski bleef neutraal. Ik moest hem aan mijn kant zien te krijgen. Wat had ik te bieden dat meer gewicht in de schaal legde dan mijn brioche-theorie? Wat te denken van het diner dat Stephanie, Madeline en Cass mij, de jongens en Wantrouwige Miep hadden voorgeschoteld? Alex was zoals gewoonlijk laat thuisgekomen, zijn haar strak achterover gekamd; Cass en Madeline hadden versteld gestaan dat hij zo op Richie leek. En Stephanie? Die was ronduit geschokt, gebiologeerd bij de aanblik van mijn zoon.

Wat te denken van het feit dat ze me Forrest Newel, de meest waardeloze strafpleiter van Amerika, had aangesmeerd en er zelfs op had aangedrongen hem niet aan de kant te zetten. 'Hij schijnt de beste op zijn vakgebied te zijn,' had ze me verzekerd. En waarom dwong ze Carter samen met haar een condoléancebezoek af te leggen om mij een lijstje met andere advocaten (waarschijnlijk de overige negen in de Top Tien van incapabele pleitbezorgers) te overhandigen en aan te bieden mij te vergezellen als ik hen bezocht? Wat een ideale manier om, zonder de aandacht op zichzelf te vestigen door te grote nieuwsgierigheid, op de hoogte te blijven van de details in het politieonderzoek tegen mij en de verdediging die mijn advocaat voorbereidde.

Of kon ik me beter beperken tot harde bewijzen en Gevinski een overtuigende, ongeëmotioneerde opsomming van feiten presenteren? Ja, besloot ik, zo moest ik het aanpakken.

Maar voor ik van wal kon steken, begon Stephanie ineens te huilen. Klaaglijk snikken, een stortvloed van tranen. Gevinski tastte in zijn achterbroekzak en bood haar een gebroken witte zakdoek aan. Ze schudde de zakdoek open en verborg haar gezicht erin.

'Ik ben geen vrouw die tranen gebruikt om...' De rest van de zin ging, uiteraard, verloren in een huilbui.

'Ik weet het,' zei Gevinski.

Stephanie wist haar tranen uiteindelijk te onderdrukken met een laatste huivering die haar brede, atletische schouders deed schokken. 'Ik wil mezelf verdedigen, maar hoe kan ik dat doen als er een pistool op me is gericht?'

'Ik begrijp het,' zei Gevinski, op een toon die zo christelijk meelevend klonk dat hij zo de rol van Max von Sydow in *The Greatest Story Ever Told* had kunnen overnemen. 'Uw beurt komt nog wel. Dat beloof ik, mevrouw Tillotson.'

'Ik heb met niemand een verhouding gehad,' zei ze tegen hem. 'Zeker niet met Richie Meyers...' Je zou denken dat ze het over anale seks met een rioolrat had, zo vies keek ze. 'Ik wou dat ik wist waarom ze mij als zondebok heeft uitgekozen. Ik neem aan dat ze, nadat ze was gevlucht, besefte dat het slechts een kwestie van tijd was voor ze gepakt zou worden. Ze móest wel met een andere verdachte op de proppen komen. En dus verzon ze de zaak Stephanie Tillotson. Ik moet toegeven dat bepaalde details heel overtuigend klinken. Maar het hele verhaal? Waanzin. Naar buiten gaan voor modder om die onder de schoenen van de man te plakken? Brigadier, alstublíeft: dat is toch krankzinnig?'

'Waar zijn je gymschoenen en je sportkleren van die avond, Stephanie?' vroeg ik.

Vanzelfsprekend negeerde ze me. 'En dat idiote verhaal dat ik de hele nacht ben opgebleven om brioches te maken? Het is gewoonweg het produkt van een verziekte geest.'

'Heeft mijn verziekte geest soms ook bandensporen achtergelaten naast Richies auto? Heeft hij de sporen gemaakt die – daar durf ik alles om verwedden – heel toevallig exact overeenkomen met het profiel van jouw autobanden?'

'Ze blijft maar hameren op díe banden,' zei Stephanie tegen Gevinski, haar armen om zich heen slaand alsof ze zich wilde beschermen tegen de verschrikking van wat komen ging. 'Voor mijn part heeft ze mijn auto die avond gejat en hem naast Richies wagen geparkeerd. Weet u, ik heb steeds gedacht dat ze dit relaas de afgelopen week pas heeft verzonnen. Maar wie weet had ze de moord al tijden gepland!'

Mijn voortreffelijke weerwoord zou nooit gehoord worden, omdat iemand op dat moment met zijn vuist op de deur begon te timmeren en zei: 'Brigadier. De echtgenoot is gearriveerd.' Ik stond op het punt Gevinski op te dragen Carter binnen te laten, toen de deur openging. En waarachtig daar stond Carter, vergezeld van een agent in burger die zijn blikje sinas bijna liet vallen toen hij mij zag. 'Goeie genade!' bulderde de agent toen hij de revolver in mijn hand ontdekte.

'Wacht buiten, Turner,' zei Gevinski.

'Brigadier...?'

Gevinski gebaarde dat hij de deur moest dichttrekken.

'Waarom laat je hem gaan?' riep Carter uit.

'In godsnaam!' zei Stephanie op exact hetzelfde moment.

De Tillotsons wachtten op uitleg. Hoe kunt u? Ze waren verbijsterd.

Maar ik besefte dat dit geen overwinning was. Wie wist wat er in Gevinski's hoofd omging? Tenslotte had Turner zijn handen vrij. De tijd drong. Ik zag al voor me hoe een arrestatieteam van mannen in zwarte geribbelde coltruien door de ramen kwamen gestormd. Of kon een eenvoudiger handeling de gebeurtenissen tot stilstand brengen, bijvoorbeeld een Turner die de kamer opnieuw binnenwandelde en mij tussen de ogen schoot?

Ik vroeg Cass om plaats te nemen op de divan en gebaarde dat Carter de stoel van Cass aan tafel mocht innemen. 'Gunnar en Inger,' zei ik. 'Heb jij hen gesproken voor ze hier vertrokken?' Hij perste zijn lippen op elkaar en gaf hoofdschuddend aan: nee, ik zeg niets! 'Carter, ben je gek geworden?' vroeg ik. 'Geef antwoord. Ik ben gewapend.' Hij opende zijn lippen net ver genoeg om te zeggen: 'Ik laat me niet nog eens zo behandelen. Ga je gang. Schiet me maar overhoop.' Er is niets irritanter dan een schlemiel die de held probeert uit te hangen. Als ik op dat moment 'boe' had geroepen, had hij het waarschijnlijk in zijn broek gedaan.

Ik stond op het punt zijn snoeverij af te bluffen. Ik wierp een blik op de revolver, zoekend naar het onderdeeltje dat je met je duim naar achteren trekt voor je schiet en niet wetend of dit wapen er wel eentje had, toen Gevinski zich erin mengde: 'Vertel haar wat ze wil weten, dokter.'

'Wat?' Carter was op en top de Grof Beledigde Burger.

'U zult de vraag vroeger of later toch moeten beantwoorden, da's gewoon een routinekwestie,' zei Gevinski redelijk. 'Aangezien ze het onderwerp nu ter sprake brengt, kunt u gerust antwoorden. We hebben geen haast.'

Carter probeerde tijd te rekken door zijn vingers door zijn haar te halen, maar daarvoor was het eigenlijk te kort. 'Ik heb Gunnar en Inger niet meer gezien voor hun vertrek.'

'Wat was hun achternaam?'

De vraag verwonderde hem. 'Dat soort dingen moet je mij niet vragen.' Hij keek naar Stephanie, maar die had al haar aandacht op Gevinski gevestigd.

'Mevrouw Meyers, dit alles is in een mum van tijd achter de rug als u me toestaat die namen door een van mijn mannen te laten verifiëren,' opperde Gevinski.

Uiteindelijk werden we het eens dat Cass de tweede telefoonlijn van de Tillotsons zou benutten om Turner op de andere lijn te bellen en hem te zeggen dat hij de eigenaars van het Cloverleaf of Cloverdale uitzendbureau in Manhattan moest opsporen en moest informeren naar de achternaam van Gunnar en Inger, alsmede naar hun telefoonnummer. Zeg tegen Turner dat hij het z.s.m. doet, instrueerde Gevinski Cass. 'Z.s.m.?' vroeg ze ijzig. 'Laat maar,' reageerde Gevinski.

'Heb je toen je op de avond van de moord thuiskwam,' vroeg ik aan Carter, 'Richies auto zien staan?'

'Wat?' vroeg hij, alsof de vraag te ingewikkeld voor hem was. 'O, zijn auto bij de tennisbaan. Nee.'

Hij had geaarzeld alvorens te antwoorden en zijn antwoord was een leugen. Ik wist het. Ik voelde het. Het probleem was dat ik niet kon bedenken hoe ik de waarheid uit hem moest krijgen. Wat kon ik doen?

Hem gevangenisstraf in het vooruitzicht stellen? Hem voor leugenaar uitmaken? De revolver in zijn oor steken?

'Mag ik even onderbreken?' vroeg Gevinski. Ik knikte. 'Misschien is het een beter idee dat ik de vragen stel, mevrouw Meyers. En misschien is het voor de Tillotsons minder moeilijk als ik hen apart ondervraag. Ik garandeer u dat u het voor het zeggen houdt. Maar een van hen zou bijvoorbeeld in de verste hoek van de kamer kunnen wachten, terwijl ik de ander...'

Ik was te vermoeid om precies te bedenken wat hij van plan was, maar ik begreep wel dat er iets op til was. 'We blijven hier allemaal keurig zitten,' zei ik. 'Maar u mag gerust een paar vragen stellen als u dat wilt.'

Door de schouders op te halen maakte Gevinski duidelijk dat ik een enorme blunder beging, waarop hij zijn vollemaansgezicht tot Carter wendde. 'Klaar, dokter?'

'Ik moet om acht uur morgenvroeg weer opereren.'

'Ik doe mijn best. Welnu, we hebben al heel wat bepraat hier, dus u moet maar even meegaan ook al klinkt het onlogisch in uw oren.'

'Prima,' zei Carter.

'U hebt Jessica Stevenson aan Richard Meyers voorgesteld?'

'Ja.'

'Hoe goed kende u mevrouw Stevenson?'

'Niet echt goed. We hadden elkaar ontmoet op een borrel van een van mijn patiënten. Ze vertelde me over haar werk. Ik stelde voor dat ze maar eens met Richie moest gaan praten.'

'Dat was alles?' vroeg Gevinski.

'Kort gezegd, ja.'

'U hebt geen verhouding gehad met Jessica Stevenson?'

Ineens zag ik het voordeel dat school in het afzonderlijk verhoren van de Tillotsons. 'Dat meent u toch niet?' vroeg Carter hem.

'Jazeker,' antwoordde Gevinski. 'Dat meen ik wel.'

'Nee. Ik heb geen verhouding met haar gehad.'

'Waarom belt u Jessica Stevenson niet op, dan kunt u het haarzelf vragen?' drong ik aan.

'Het is laat en u hebt een wapen in handen, mevrouw Meyers,' zei Gevinski. 'Het is misschien geen slecht idee om uw zenuwen wat rust te gunnen en te zwijgen. Ik heb nog een aantal vragen; laat me die eerst stellen.' Hij vouwde zijn handen op tafel ineen en leunde voorover. Vermoedelijk wilde hij met deze houding oprechtheid uitstralen. 'Het spijt me dat ik dit moet doen, dokter, mevrouw Tillotson. Het is vervelend, maar zo zit dit vak nu eenmaal in elkaar: je krijgt afschuwelijke dingen onder ogen en moet mensen pijnlijke vragen stellen. Kortom...

dokter, heeft uw vrouw bij uw weten ooit een verhouding gehad met Richie Meyers?'

Carters mond viel open, maar het was Stephanie die het woord nam. 'Carter, je weet dat je niet één van zijn vragen hoeft te beantwoorden. Dat weet je toch, of niet soms?' Het was minder direct dan een klap in het gezicht, maar het leek dezelfde krachtige uitwerking te hebben.

'Ik weet dat dit een beroerde vraag is om te beantwoorden,' zei Gevinski tegen Carter. 'Ik begrijp dat u in een moeilijk parket zit. Maar dit is geen zaak tussen man en vrouw. Dit is een moordonderzoek, dus als u wat dat betreft niets te verbergen hebt, kunt u echt beter uw mond opendoen.'

Carters reactie was even kort als zijn kapsel. 'Ik weet zeker dat Stephanie me nooit ontrouw zou zijn.'

'Mooi zo!' riep Gevinski kennelijk verheugd uit. 'Mooi zo!' Maar in plaats van de volgende vraag te stellen, begon hij aan de manchetten van zijn overhemd te sjorren totdat ze een centimeter onder de mouwen van zijn uniformjasje uitstaken. Dat Stephanie en Carter elkaar beurtelings aankeken en hun blik afwendden, viel hem blijkbaar niet op.

Op dat moment zag ik iets uit mijn ooghoek. Een flits voor het raam. Wat was het. Niets, stelde ik mezelf gerust, op die niet overtuigende manier waarbij je ontkent wat je niet wenst te zien, zoals de muis die door de keuken schiet en onder de koelkast verdwijnt – een schaduw, zeg je bij jezelf. Maar ik zag het opnieuw. Niks schaduw. Een lichtstreep.

Buiten verzamelden zich talloze agenten. Onderzochten ze de locatie? Bereidden ze een slotoffensief voor? Gevinski had het licht ook gezien en heel even overwoog hij de te volgen tactiek: moest hij een uitval doen naar mijn wapens? Zijn lichaam voor Stephanie gooien in het kader van regels die golden voor de bescherming van getuigen?

Een schijf van licht – een zaklantaarn die naar beneden scheen – danste over het gras. En opeens was het verdwenen. 'Mooi,' zei Gevinski nog eens, niet om de een of andere reden maar omdat de stilte hem kennelijk opviel en hij niet wilde dat we ons gingen afvragen wat er buiten gaande was. 'Waar hadden we het over?' mompelde hij.

'Stephanie,' sprak Cass vanaf de divan. Een ogenblik verwarde het Gevinski dat er uit onverwachte hoek geluid kwam. 'Waarom vertel je de waarheid niet?' vroeg Cass aan Stephanie. 'Als je een verhouding met Richie hebt gehad, wil dat niet automatisch zeggen dat je hem hebt vermoord. Overspel heeft veel vaker irritaties en zinloos aangeschafte jarretels tot gevolg dan moord.'

'Ik hèb geen verhouding gehad,' beet Stephanie haar toe. 'Het gaat je bovendien niets aan.'

'Ben je nooit met hem naar een motel geweest?' hield Cass vol. Laat maar zitten, wilde ik tegen haar zeggen, maar de energie die ik nog had richtte zich volkomen op het zwarte gat, waar ik even eerder licht had gezien.

'Nee.'

'Je bent nooit met hem uit eten geweest?'

'Nee. Hou nou toch op, Cass!'

'Geen etentjes,' overpeinsde Gevinski hardop. Maar ik kende Cass; die peinsde niet hardop zonder reden. 'Geen...'

Etentje! Natuurlijk!

'En die keer dat je samen met Richie en de Driscolls hebt gedineerd dan?' vroeg ik.

Ik dacht dat Stephanie te slim was om stommetje te spelen, maar ze zei: 'Waar heb je het over?' Waarop ik dacht: stel dat het inderdaad iemand anders was? 'Knap' was de enige eigenschap die Tom zich had weten te herinneren. En Hojo had alleen iets gezegd in de trant van 'protestant' en 'keurig opgevoed'. Daarmee werd de keuze beperkt tot ongeveer een half miljoen vrouwen in New York.

'Waar hebben jullie het over?' mompelde Gevinski.

'Weer zo'n leugen van haar,' siste Stephanie.

Het was goed mogelijk dat buiten een heel peloton politiemensen de zaklantaarn had neergelegd en het geweer in de aanslag had terwijl ik me afvroeg of mevrouw Knap en Protestant een amazone uit Lloyd's Neck, een één meter zestig lange congregationalistische predikante van Park Avenue of een apotheker uit Rye was of... Stephanie Tillotson. Kort gezegd, ik moest dat hardmaken of mijn mond houden. 'In februari,' begon ik, 'is Stephanie samen met Richie en een belangrijke cliënt van hem, te weten Tom Driscoll, uit eten geweest. Driscolls echtgenote was een goede vriendin van Richie.' Ik richtte me tot Carter. 'Joan Driscoll. Een van jouw patiënten, nietwaar?' Carter slikte, hoewel dat zeer moeizaam leek te gaan. Ik besloot me rechtstreeks tot Stephanie te wenden. 'Het is mogelijk dat Joan jou eerder had ontmoet, op een of andere cocktailparty. Maar Richie vertrouwde alles over zijn liefdesverhoudingen aan Joan toe, dus of ze jou nu ontmoet had of niet, ze wist alles over je, Stephanie, nog voor je met haar uit eten ging. En toen ze je eenmaal in levenden lijve zag, wist ze zonder twijfel exact wie je was. Carters vrouw. Richies minnares.'

'Gelogen,' zei ze zachtjes.

'Kennelijk raakte je met haar bevriend of iets dergelijks.' Toen ik Hojo's agenda had doorgebladerd was ik het telefoonnummer thuis van de Tillotsons immers tegengekomen. Ik had toen al moeten beseffen hoe vreemd dat was. Hojo's relatie met Carter was puur zakelijk.

Als ze hem nodig had, zou ze hem in de praktijk bellen. Nee, ze had dat nummer op Long Island genoteerd opdat ze in contact kon komen met de dierbare vriendin van haar dierbare vriend: Stephanie. 'Je hebt Joan van die bloemstukjes gegeven die je altijd maakt. Van die fraaie planten waarin je een buisje steekt en waarin een bloem past. Heeft ze je wel eens verteld dat ze orchideeën in de hare stopt?'

Gevinski's ogen waren half dichtgeknepen en zijn mond hing er slapjes bij; een afwezige, slaperige uitdrukking op het gezicht en een houding waaruit onverschilligheid spreekt, terwijl hij in feite zeer geboeid was. 'Hebt u hier iets op te zeggen, mevrouw Tillotson?' vroeg hij.

'Niets, behalve dat ik het ontken.'

'Wat ontkent u precies? Het diner? De planten?'

'Alles. Rose Meyers heeft haar man vermoord. En meer zeg ik niet.'

Gevinski ging er eens breeduit voor zitten. Hij schoof zijn stoel naar achteren en strekte zijn benen uit. Als hij een glas bier in zijn hand had gehad, kon hij zo deel uitmaken van het clubje joviale kameraden in de achtergrond van een reclamespot voor pick-ups. 'Ik weet dat u advocate bent, mevrouw Tillotson. Het laatste wat ik zou willen is een gemene streek uithalen. Maar u kunt dit beter nu ophelderen, zodat we al die details tijdens haar proces niet weer hoeven op te halen. Als u meewerkt, hoeft de vuile was later niet buiten te worden gehangen.'

Ik wierp een vluchtige blik op Cass om te kijken of ze voelde wat ik voelde: dat Gevinski nu aan onze kant stond. 'Steph!' brulde Carter ineens, toen Stephanie de kaarttafel over me heen gooide en naar het raam vluchtte.

Gevinski's pistool viel op de grond. Toen ik het wilde pakken en de tafel recht probeerde te zetten, diende Gevinski mijn sleutelbeen een karateslag toe. 'Wat krijgen we nou?' riep ik uit. 'Pak haar!' Hij reageerde met een fikse klap op mijn zonnevlecht. Ik ging tegen de grond, happend naar lucht. Ik sloeg dubbel in een poging de pijn te verzachten.

'Steph!' Carter jammerde keer op keer. 'Steph, niet doen!' Ik weet niet wat er toen precies gebeurde, maar Stephanie stond plotseling bij het raam en schopte het glas eruit. Maar de houten dwarslatten gaven nauwelijks mee. Ze was nog niet ontkomen.

Mijn ademhaling haperde. Het koude zweet brak me uit en in paniek probeerde ik om hulp te roepen, maar ik kreeg geen woord over mijn lippen. Cass boog zich over me heen.

Gevinski schreeuwde. 'Hier komen! Hier komen verdomme!'

Tegen de tijd dat ik in staat was weer adem te halen, hielden vier geüniformeerde agenten Stephanie in bedwang. Een tel later zag ik weinig meer, omdat twaalf in blauwe stof gestoken benen en zes getrokken pistolen me omsingelden. Een van de agenten hielp me omhoog en bracht me naar een stoel. Gevinski zette de tafel rechtop en kwam naast me zitten. Hij had zijn eigen zakdoek aan Stephanie gegeven om haar tranen te drogen, dus moest hij die van Turner lenen om de vingerafdrukken die ik op de revolver had achtergelaten niet uit te wissen. Hij opende het magazijn, riep uit: 'Shit! Het ding was niet eens geladen,' en overhandigde hem toen aan Turner.

'Je hebt me geslagen!' wist ik hijgend uit te brengen.

'Ik heb je hoofd verdomme niet in tweeën gespleten, of wel soms? Je zou godverdomme dankbaar moeten zijn.' Gelukkig stuurde Gevinski wel een aantal van de agenten weg, waardoor ik nog maar twee wapens op me gericht had.

Degenen die Stephanie bewaakten leken zich te schamen dat ze zo'n prachtvrouw in bedwang moesten houden; ze wilden niet dat zij van mening was dat ze haar ruw behandelden en dus mompelden ze 'sorry' en 'neem me niet kwalijk' elke keer als ze zich uit hun greep probeerde te bevrijden.

'Zullen we nog eens rustig een praatje maken, mevrouw Tillotson?' vroeg Gevinski. Hij liet een ogenblik lang toe dat ze hem negeerde en wendde zich toen tot Carter. 'Dokter,' zei hij gewichtig, 'dit is een ernstige zaak. Ga zitten.' Carter stond ongeveer anderhalve meter bij Stephanie en haar politiemannen vandaan en staarde naar hen alsof ze een museumstuk waren. 'Ga zitten!' bulderde Gevinski. Carter ging aan de andere kant naast me zitten, zodat hij recht tegenover Gevinski zat en mij niet recht in de ogen hoefde kijken. Een perfect geknoopte stropdas, een keurig geknipt kapsel en geen druppeltje zweet: maar achter de uitdrukkingsloze grijze ogen zag Carter eruit alsof hij een beeld had gezien dat aangrijpender was dan alles wat hij ooit bij de eerste hulp had aanschouwd. 'Dokter, hebt u Richard Meyers' auto zien staan op de avond dat hij werd vermoord?'

'Ja.'

'Hou je kop, Carter!' riep Stephanie uit. 'Zeg niets. Eis dat je eerst een advocaat wilt spreken.' Ik durfde wedden dat ze Forrest Newel dit keer niet zou aanbevelen.

'Ik zag de rode zijreflector op zijn wagen toen ik naar huis reed.'

'Hou verdomme je kop dicht!' schreeuwde Stephanie.

'Doe me een plezier,' zei Gevinski tegen het groepje dat Stephanie in toom hield. 'Mevrouw Tillotson is overstuur. Neem haar even mee naar een andere kamer. Hou haar gezelschap.' Hij klonk sympathiek, bij het vrolijke af, tot hij eraan toevoegde: 'Neem ook een paar vrouwelijke agenten mee, voor het geval mevrouw naar het toilet moet.

Als er problemen zijn en jullie denken dat ze op een veiliger plek moet worden vastgehouden, moet je me waarschuwen.'

Terwijl ze Stephanie naar buiten leidden, sloeg Carter zijn handen voor zijn gezicht. Hij huilde niet; ik denk dat wat er gebeurde te pijnlijk voor hem was om te aanschouwen. Stephanie wierp hem een minachtende blik toe toen ze hem passeerde. Bij de deur gekomen, draaide ze zich om en zei tegen Gevinski: 'Hij zal u niets nieuws kunnen vertellen.'

'Je weet maar nooit,' antwoordde Gevinski.

'Ik weet het, en u weet het ook. Een man kan niet tegen zijn echtgenote getuigen.' Met die woorden schreed ze de kamer uit, een koningin met haar lijfwachten.

'Ze had zich tegenover jou wel kunnen verontschuldigen, Rosie,' zei Cass. 'Zo niet uit berouw, dan toch zeker uit beleefdheid.'

'Bent u van plan te blijven, dr. Higbee?' vroeg Gevinski.

'Als het kan, graag.'

'Dan moet ik u verzoeken stil te zijn, al vind ik uw manier van spreken nog zo aangenaam. Akkoord?'

'Akkoord.'

'Mooi.' Hij nam een spiraalgebonden schrijfblokje en een pen uit de binnenzak van zijn jas en wendde zich opnieuw tot Carter. 'Dokter, ik zal aantekeningen maken maar we hebben een ruggesteuntje nodig.' Nonchalant seinde hij naar een agent met een baseball-petje achterstevoren op zijn hoofd en een jack met een ritssluiting. De agent haastte zich de kamer uit. Even later was hij terug en overhandigde hij Gevinski een cassetterecorder ter grootte van een pakje kaarten. 'Laat u hierdoor niet afschrikken, dokter. Het is standaardprocedure. We gebruiken ze altijd.' Hij schakelde de recorder in. 'U zei daarnet dat u de auto van Richard Meyers op weg naar huis had gezien, dokter Tillotson. De avond dat hij werd vermoord. Laten we de draad daar oppakken.'

'Ik was over mijn toeren omdat ik dacht dat het weer opnieuw begon.'

'De verhouding tussen uw vrouw en Meyers?'

'Ja.'

'Wanneer wist u daarvan?'

'Nadat het voorbij was. Maar het was desondanks een hele schok.'

'Hoe kwam u erachter?'

'Jessica vertelde het.'

'Jessica Stevenson?'

'Ja.'

'Hebt u er ruzie over gemaakt of het met mevrouw Tillotson besproken?'

Carter schudde zijn hoofd. 'Ze was erachter gekomen dat ik een relatie had met Jessica en wilde me dat betaald zetten.' Gevinski hoefde niet te vragen hoe, Carter gaf uit eigen beweging antwoord. 'Privé-detectives,' zei hij. 'Ik werkte weliswaar vaak over, maar ik denk dat vrouwen hier toch een neus voor hebben. Ze huren detectives in. Maar aan Stephanies verhouding met Richie kwam een eind omdat híj verliefd werd op Jessica.'

'Weet u of mevrouw Tillotson het zich erg aantrok, dat hij haar liet vallen?'

'Ik denk het wel. Ze... keerde in zichzelf, zou je kunnen zeggen. En later deed ze het tegenovergestelde. Was superactief. Sliep niet meer. Deed overdreven opgewekt.'

'Wat gebeurde er toen u die avond thuiskwam?' vroeg Gevinski. 'Was uw vrouw thuis?'

'Ja, maar dat was doorgaans het geval, zelfs in de tijd dat ze een verhouding had. Ze was bezig een fles wijn te openen. Was erg blij me te zien. Overdreven blij. Ik ging me douchen, trok mijn pyjama, mijn kamerjas aan – dat doe ik altijd als ik thuiskom – en toen kwam ik Inger Jensen tegen.'

Gevinski stootte een van de agenten die mij bewaakte aan. 'Zeg tegen Turner dat de achternaam van het huishoud-echtpaar Jensen was en zeg dat hij als de wiedeweerga contact opneemt met de mensen van dat uitzendbureau.' Hij steunde met beide ellebogen op tafel en leunde voorover, richting Carter. 'Hebben ze hun nieuwe adres achtergelaten, dokter?'

'Inger belde me op kantoor over de ontslagpremie. Ik heb gezegd dat ik een cheque zou opsturen. Mijn doktersassistente kan u het adres geven.'

Carter pakte een klein leren boekje uit de binnenzak van zijn jas en gaf Gevinski het privé-nummer van de assistente. Gevinski stuurde een andere politieman ermee weg. 'En wat gebeurde er toen u deze Inger tegen het lijf liep?' vroeg Gevinski.

'Ze mompelde dat mevrouw weer had hardgelopen. Ik denk dat ze wel wist wat dat hardlopen precies inhield. Het was haar manier om mij te waarschuwen dat Stephanie weer bezig was.'

'En de volgende dag hebben ze ontslag genomen?'

'Nee. Steph heeft hen ontslagen. Ze ontsloeg de huishoudelijke hulp om de haverklap, dus ik zocht er niets achter. Ze is een perfectioniste. Als advocate werkte ze dag en nacht. Toen ze besloot thuis te blijven en moeder te worden, deed ze precies hetzelfde.'

Ik voelde een scherpe pijn in de buurt van mijn sleutelbeen en een ondefinieerbare pijn tussen mijn ribben. Maar ik ademde weer vrijwel normaal. Ik besloot te proberen wat te zeggen. 'Wanneer hoorde je van de moord?' vroeg ik.

'Zwijg,' gromde Gevinski. 'Wanneer hoorde u van de moord, dokter?'

'Ik keek naar het actualiteitenprogramma *Today* waarin ook lokaal nieuws wordt uitgezonden. Ik rende naar beneden. Maar Stephanie was met haar vriendinnen gaan joggen.' Hij bestudeerde zijn kort afgeknipte chirurgennagels. 'Ik geloof dat het toen tot me doordrong.'

'Dat ze hem had vermoord?'

'Ja. Al snel daarna kwam ze thuis, vol van de hele toestand. Praatte honderduit. Over de politie, en wat we voor Rosie zouden kunnen doen.' Hij sprak mijn naam uit alsof ik iemand was die zijn vrouw eens vaag had genoemd. Hij keek me niet aan. 'Ik wachtte. Na het ontbijt ging ze zich boven omkleden. Ik begon overal naar het mes te zoeken. Op de televisie hadden ze vermeld dat hij met messteken om het leven was gebracht. Ik realiseerde me niet dat het mes nog in hem stak. Ik verkeerde in de veronderstelling dat ze het hierheen had meegenomen. Het is een groot huis. Ze moet gedacht hebben dat ik naar mijn werk was, omdat ik haar naar de broeikas hoorde gaan. Maar ik bleef en ging door met zoeken.'

'Wat hebt u gevonden?'

'Alleen een joggingbroek en een jasje. In de wasruimte. Ze lagen op een stapel met gevouwen wasgoed. Maar ik weet niet of dat de kleren waren die ze had gedragen.'

'Weet u waar die kledingstukken nu zijn?'

'Ik neem aan dat ze ze heeft verstopt. We hebben nog geen nieuwe hulp, dus ze heeft het huishouden zelf gedaan.'

'Hebt u haar gymschoenen ook gevonden?'

'Steph is vrij sportief. Ze heeft vier of vijf paar sportschoenen in haar kast staan. Ik weet niet in welke ze hardloopt.'

'U hebt me verzocht te zwijgen,' zei Cass tegen Gevinski, 'maar ik moet toch even wat kwijt. Stephanie loopt namelijk altijd in schoenen van het merk Sauconys.'

Gevinski mompelde een benepen bedankje richting Cass en rende toen naar de deur. 'Ik heb Turner nodig,' brulde hij. Turner keerde terug, een grote koffievlek op zijn rechtermouw en een geteisterde blik op zijn gezicht.

'De eigenaar van het uitzendbureau zit op het bureau, brigadier. De doktersassistente is op weg naar de praktijk van dokter Tillotson voor het adres van de Jensens, maar ze woont in de Bronx, niet naast de deur dus. Zodra ik meer weet, stel ik u op de hoogte.'

'Je wist het aldoor,' zei ik tegen Carter, maar hij keek naar een hoek boven zich, waar twee muren bij het plafond kwamen. 'En je beschermde haar niet eens omdat je zoveel van haar houdt. Want je houdt van Jessica. Maar je was bereid mij de rest van mijn leven in de gevangenis te laten boeten.'

'Zwijg,' gebood Gevinski.

'Ik neem aan dat je veronderstelde dat de publiciteit negatieve gevolgen voor je praktijk had,' vervolgde ik. Carter bestudeerde het plafond alsof hij alleen in de kamer was, wachtend tot er iets interessants zou gebeuren. 'Je moet als de dood zijn geweest voor Stephanie. Daarom heb je Astor naar je moeder gebracht. Daarom ben je op je werk blijven slapen. Maar toen ze mij eenmaal gearresteerd hadden, redeneerde je dat ze wel afgekoeld zou zijn. Heb ik gelijk, Carter? Je kon de draad van je oude leventje zo weer oppakken.'

'Kop dicht!' Gevinski wendde zijn blik af en keek naar Turner. 'Ik heb een arrestatiebevel nodig. Bel de assistent-officier op.' Turner gebruikte de telefoon in de speelkamer en overhandigde de hoorn aan Gevinski, die een heftige conversatie van twee minuten met de assistent-officier van justitie beëindigde met: 'Ik wil de handtekening van de rechter op die stippellijn, binnen een halfuur nadat ik ophang.' Hij smeet de hoorn neer en slenterde terug naar waar ik zat. 'Wat dacht u van een wandeling, mevrouw Meyers?'

Langs bosjes nieuwsgierige agenten liepen we de stenen trap naar het strand af. 'Doet het zeer waar ik u heb geslagen?' vroeg Gevinski.

'Zodra ik mijn advocate heb gesproken, zal ik u vertellen hoe zeer,' antwoordde ik. De wind was als een lange ademhaling uit het noorden en veroorzaakte schuimkoppen op de golven. 'Mag ik mijn kinderen nu opzoeken?'

'Nee. Wanneer we terug zijn mag u bellen om te zeggen hoe het gaat, maar daarna heb ik uw verklaring nodig. En juich niet te vroeg. U bent nog niet van ons af. U nam de benen.'

'Jullie stonden op het punt de verkeerde persoon in de bak te gooien en u wilt mij wijsmaken dat ik nog niet van jullie af ben? Ik heb zojuist uw carrière gered.'

'U hebt mij en de anderen tegen hun wil vastgehouden. Dat heet gijzelen.'

We liepen over mosselschelpen; elke stap veroorzaakte een luid knerpend geluid. 'Hoe zouden u en de mensen op het hoofdbureau het vinden als ik mijn verhaal verkoop aan een van die gruwelijke sensatieprogramma's op de televisie? Kun je mooi naar me kijken. Ik met een fantastisch nieuw kapsel en schitterend opgemaakt. En daarbij snotter ik af en toe in een zakdoek in een poging me goed te houden terwijl ze een opname laten zien van de hoofdcommissaris en de officier van justitie die hun mond vol hebben over Rosie Meyers, dat gevaar voor de mensheid, met wie het is afgelopen als ze eenmaal is gearresteerd omdat u van die waterdichte bewijzen tegen haar hebt verzameld. Wat vindt u daarvan?'

Gevinski schopte een krab het water in. 'U hebt te veel stijl om in een dergelijke show te verschijnen.'

'Welnee, helemaal niet.'

'Wel waar. En als u bij hen uit de buurt blijft, zou ik de officier van justitie kunnen adviseren geen aanklacht tegen u in te dienen.'

'Als mijn advocate daarmee akkoord gaat, ga ik ook akkoord.'

Vanaf het strand leek Emerald Point een kasteel dat was verlicht voor een balavond. De lampen in de kas brandden nog steeds fel.

'Al dat geld...' mompelde Gevinski. Hij wachtte tot ik zou zeggen dat geluk uiteindelijk niet te koop was.

In plaats daarvan stompte ik zo hard ik kon tegen zijn arm. Het voelde geweldig! 'Wat krijgen we verdomme nou?' blafte hij.

'Ik probeer uw aandacht te trekken. Zeg eens: wat doen moordenaars over het algemeen met hun wapens en hun bebloede kleding?'

'U doet me zeer!'

'Mooi. Geef dan nu antwoord op mijn vraag.'

'Ik weet het niet. Als ze dom zijn, gaan ze meteen na de moord met hun spullen naar een of andere grote brug, je weet wel zoals die kolossen die naar het centrum leiden, waar ze de hele handel in het water smijten. Slimmeriken verstoppen hun spullen op een slimme plaats totdat het politieonderzoek wordt gestaakt, omdat ze doodsbang zijn dat ze worden gepakt. Ze herinneren zich *Quincy*, de mannen van de wet zijn dol op sporenonderzoek. En weet u wat? Dan blijken de domkoppen ineens slim te zijn geweest, want zelfs al heeft iemand gezien dat ze een pakketje in het water gooiden hoe groot is de kans dat het wordt teruggevonden? Maar de slimmeriken... Om eerlijk te zijn, hoop ik daarop wat mevrouw Tillotson betreft. Dat ze zo intelligent is dat ze toch eigenlijk dom blijkt.' Hij staarde naar de drie verdiepingen tellende villa; schijnwerpers beschenen het huis schitterend. Ze onttrokken de sterren aan het zicht. 'Het zal een wonder zijn als we iets vinden. Neem me de woorden niet kwalijk, maar het is ook zo'n verdomde grote joekel van een huis.'

'Verdomd groot,' beaamde ik. 'Maar wedden om tien dollar dat ik weet waar de gymschoenen zijn?'

Ze hadden alle acht sweaters, drie trainingsjasjes en een stapel tricot sportbroeken van Stephanie verzameld om ze naar het gerechtelijk laboratorium te brengen, maar volgens Gevinski was er zo op het blote oog op geen enkel kledingstuk een spoortje bloed te vinden.

Nadat het arrestatiebevel was afgegeven, duurde het nog bijna een uur voordat Stephanies gymschoenen uiteindelijk aantroffen werden in de potgrond van een enorme Nieuwzeelandse boomvaren. In de broeikas, waar ik hen naar had verwezen. Een jonge politieman kwam rennend naar Gevinski, die juist bezig was mijn verklaring vast te leggen; Vinnie Carosella zat naast me. Gevinski haastte zich de kamer uit. Omdat hij vergat ons uit te nodigen mee naar de kas te gaan, besloten Vinnie en ik hem uit eigen beweging te volgen.

'Ik weet niet of we sporen zullen aantreffen,' zei de laborante tegen Gevinski. Ze hield de Sauconys-schoenen aan de veters tegen het licht omhoog en schudde wat van de potgrond af die aan de schoenen zat gekleefd. Ze keek niet erg optimistisch. 'Ziet u die aangekoekte potgrond? Weet u waarom dat zo is? Omdat de schoenen vochtig zijn. Het kan zijn dat dat komt omdat de boom begoten is, brigadier, maar de kans is groot...'

'Dat ze de schoenen heeft afgewassen voor ze die hier verstopte,' vulde Gevinski hoofdschuddend aan. 'Godverdommeseklerezooi!'

Ik zei het hem stilletjes na.

'Ik vraag me af hoe sterk jullie hiermee staan,' merkte Vinnie ietwat kregel op tegen Gevinski. 'Een goede advocaat haalt het waarschijnlijk onderuit.' Vinnie stond met zijn rug naar de boomvaren. Hij bestudeerde Stephanies knolbegonia's en leek nogal onder de indruk. 'Geen vingerafdrukken, niets.' Gevinski deed alsof hij niet luisterde. 'Goed, ze had misschien een verhouding en verzweeg die tegenover de politie. Goed, het Noorse echtpaar kan bevestigen dat ze die avond ging hardlopen. Goed, ze heeft haar auto naast die van hem geparkeerd. Ik zou me flink kunnen uitleven op een zaak als deze.' Hij klopte even op mijn hand. 'Maar dit is veel beter, Rosie. Dit is het beste nieuws. Jij bent vrij!'

'Krijg de tering nog aan toe!' bulderde Gevinski. 'Laat me die vervloekte dingen eens zien.' De technisch laborante overhandigde de uiteinden van de gymschoenveters aan hem. Gevinski hield de schoenen recht boven zijn neus, maar even later vertrok zijn mond van afschuw.

'Pure pech,' zei Vinnie.

'Sjezus, ja.'

'Wilt u haar joggingkleren ook zien?' vroeg de laborante.

'Later.'

'Waarom niet nu?' vroeg ik. 'U hebt niet bepaald overdreven veel andere bewijzen.'

Vinnie fluisterde me uit zijn mondhoek toe. 'Laten we ze niet al te zeer onder druk zetten.'

Gevinski wierp me een afkerige blik toe, maar hij nam het bundeltje sportkleren wel aan van de technisch medewerker. Daarna moest hij wachten tot een agent een stuk plastic had gevonden om de vuile vloer mee te bedekken. Alsof hij een heerlijke picknick wilde klaarzetten, beval hij de agent om het stuk plastic uit te spreiden. Vervolgens legde hij Stephanies sweaters, sportbroeken en jasjes erop. Nadat hij een stap achteruit had gedaan, bestudeerde hij de kleding. 'Jullie kunnen naar binnen als jullie willen,' mompelde hij.

'Dat zit wel goed,' zei ik.

'We blijven liever in de buurt,' beaamde Vinnie.

We keken toe hoe Gevinski de kleren in ogenschouw nam. 'Als ze 's avonds hardliep, had ze wellicht een jasje aan,' adviseerde ik hem. 'En niet die met een reflecterende streep. Want ze wilde niet gezien worden.'

Ik wees op twee andere trainingsjassen. Gevinski nam een vergrootglas van de laborante aan en bestudeerde ze van alle kanten. 'Noppes. Knoeide ze nooit eens wat over zichzelf heen?' Hij ritste de zakken open. 'Ook noppes.'

'We zijn er tenminste achter wie de dader is en ik ben vrij,' zei ik, in een poging hem op te vrolijken.

'Ja,' mompelde Gevinski, niet bar enthousiast. Maar even later fleurde hij plotseling op. Hij haalde een pen uit zijn jaszak en haalde, heel voorzichtig en geduldig, een stukje papier te voorschijn. 'Tissue,' gromde hij.

'Gelukkig geen gebruikte,' zei de laborante.

'Je kunt niet altijd winnen, Carl,' zei Vinnie tegen hem.

Gevinski begon het tweede jasje, een donkergroene die bijna zwart leek, te onderzoeken. 'Pincet!' bulderde hij ineens. De laborante sloeg hem er eentje in de hand. Uit de rechter jaszak trok hij een opgevouwen papiertje.

'Wat heb je daar?' vroeg de laborante.

'Kop dicht! Laat me met rust! Smeer 'm.' Ze verroerde zich niet. Langzaam opende Gevinski het stukje papier met de pincet en de punt van zijn pen. 'Moet je kijken, Rosie,' riep hij triomfantelijk uit. 'Moet je kijken!'

Dun wit papier laat zich niet goed wassen. Het was in zeven stukken gescheurd, gebleekt in de wasmachine en gerafeld en deels verpulverd in de droger. Bovenaan stond een gebleekt logo gedrukt: Knightsbridge Gallery. Een op de computer uitgedraaide verkoopakte. De datum van verkoop was opgelost en iets wat op een veilingnummer leek was praktisch even wit en onleesbaar als het papier zelf.

'Moet je dit zien!' zei Gevinski. Het was de beschrijving van een schilderij in olieverf, kleurpotlood en potlood, vervaardigd door een kunstenaar wiens naam in het spoelprogramma verloren was gegaan. 'Ze moet het uit Richies hand hebben gepakt!' riep ik verheugd uit. 'En het in haar jaszak hebben gestopt!' Gevinski gooide zijn hoofd in zijn nek en brulde, een leeuw die zijn hulpeloze prooi aan zijn voeten weet.

Vinnie, die achter me stond, begon te loeien. De naam van de koper was perfect leesbaar. Richie Meyers, Gulls' Haven, Shorehaven, New York. De prijs was ook duidelijk zichtbaar. Twee miljoen komma achthonderdduizend dollar. Exclusief BTW.

Vinnie bracht me lopend naar huis. 'Mooi huis heb je,' merkte hij op toen we bij het begin van de oprijlaan kwamen. In de ochtendschemering leken de bakstenen wijnrood. De lucht rook zoutig en heerlijk. Krijsende meeuwen schoten op en neer boven het dak. 'Als je wilt blijven om wat van de vrije natuur te genieten,' zei ik tegen hem, 'hou je hoofd dan in de gaten. Ze mikken perfect 's ochtends vroeg.' Zonder na te denken, zocht ik in mijn broekzak naar mijn sleutels. 'O, ik zal moeten aanbellen. Ik heb tegen de jongens gezegd dat ze maar moesten proberen wat te slapen. Dit is een vreselijk periode voor ze geweest. Eerst dat ze hun vader verloren en toen de ellende dat iedereen beweerde dat ik de dader was. Vervelend nou toch dat ik hen moet wakker maken.'

'Rosie, ik denk niet dat ze het erg zullen vinden.'

Ze sliepen niet. De voordeurbel galmde nog na toen de deur al werd opengerukt. Ben was als eerste bij me. Hij tilde me van de grond en omhelsde me. Tegen de tijd dat hij me neerzette, stond hij te huilen. 'Lieve schat,' zei ik, mijn hand uitstrekkend om hem troostend op zijn hoofd te kloppen.

'Mam.'

'Je moet iets aan je voeten doen. De vloer moet ijskoud zijn.'

Alex wurmde zich op dat moment tussen ons in, maar Ben liet mijn hand niet los. Alex kuste me op de wang. 'Ha die mam,' zei hij. Zijn haar was net gewassen; het rook naar een van Richies dure shampoos en viel in vochtige donkere krullen over zijn schouders. Hij schonk me een verlegen, lieve glimlach die ik niet meer bij hem had gezien sinds hij bij de padvinderij zat. 'Alles goed, mam?'

'Geef me een knuffel, dan voel ik me een stuk beter.'

Hij deed het en het lukte. Althans bijna.

Vinnie zei dat we elkaar later nog wel zouden spreken. Gedrieën deden we de deur achter ons dicht. 'Ik nam aan dat je wel honger zou hebben en iets "stevigs" zou lusten,' zei Ben.

'Weet je nog dat ze ons altijd aan tafel riep,' vroeg Alex hem, 'en zei: "Dit is pas heerlijke stevige winterkost!"?' Hij stak zijn vinger in zijn keel: 'Lamsstoofpot!'

'Stamppot!' overtrof Ben hem. 'Met van die vieze bonen.'

'Jullie weten niet wat goed voor je is,' reageerde ik.

'Ik heb gebakken ziti voor je gemaakt,' zei Ben.

'Ik heb de Parmezaanse kaas geraspt,' kwam Alex terug. 'Maar als je wilt, kunnen we wat anders maken. O hemel, mam. Vind je het erg om in de k...' Zijn stem stierf weg.

'Is het goed als we in de keuken eten, mam?' vroeg Ben.

Ik pakte hen allebei bij de hand. 'Vooruit, op naar de keuken.'

Gelukkig zei ik ja, want toen we in de keuken kwamen, stond Tom Driscoll daar bij de tafel, wachtend op mij.

23

De Twilight Gardenia badolie vormde een vlek die roze en geel glinsterde in het ochtendlicht. Ik lag onderuit in het zalig ruikende, dampende water en keek naar de meeuwen die in de Long Island Sound doken.

Hoe kwam het dat niemand ooit iets had gemerkt, zelfs geen hint had opgevangen, van wat zich in haar afspeelde? Was onze gedachtengang, wauw, als ze er van buiten zo mooi uitziet, hoe fraai moet haar innerlijk dan wel niet zijn? Waren we na een tiental jaren van algehele verloedering en hebzucht en kleingeestigheid dan nog zo dom om te denken dat blauw bloed een garantie was voor deugdzaamheid? Lieten we ons nog steeds intimideren door de rechtse kletspraat dat een vrouw die basilicum snoeit en carpoolt gewetensvoller en goedaardiger is dan een vrouw die in het volle leven staat?

Melodieuze klanken van een elektrische gitaar stegen via het badwater omhoog. Ik tilde mijn hoofd op en hoorde Alex zingen, waarbij zijn prachtige stem eerst zachtjes klonk en daarna aanzwol. Hij was bezig te oefenen voor de demo die ze wilden maken. Tom had een vriend die in het management van Columbia Records zat.

Hoe kon ze, de moord even buiten beschouwing gelaten, vijf ochtenden per week met me hardlopen, op vrijdagmiddag samen met me bakken en tegelijkertijd 's avonds mijn man neuken? Als ze mijn vriendschap zo lichtvaardig naast zich neerlegde, waar hechtte ze dan wel waarde aan?

Ik dacht aan de getrouwde man beneden. Toen ik ze op de veranda had achtergelaten, vroeg Tom Ben naar zijn slechte knie te kijken waarna Ben, nadat hij had gevoeld en gedrukt en naar Toms medische geschiedenis had gevraagd, dezelfde diagnose stelde als Toms huisarts: osteoartritis.

Nou en? Een spoortje van aftakeling. Ik wilde die man. En wat weerhield me ervan hem op te eisen? Hojo was geenszins mijn vriendin. Was ik haar afgezien daarvan iets verschuldigd? Nee.

Maar was God in een jovialere bui geweest toen hij de regel U Zult Geen Overspel Plegen bedacht dan toen hij moord verbood? Ik wikkelde een handdoek om mijn hoofd en stapte uit de badkuip; er waren te veel spiegels. Het was nergens voor nodig mijn afzichtelijke kapsel nog eens te moeten aanschouwen voor ik ging slapen. Was ze ziek? Had iemand ooit bij zichzelf gedacht – al was het maar heel even – hé, er is iets mis met deze dame? Integendeel, iedereen dacht dat ze de goedheid zelve was. Misschien was ze inderdaad ziek. Maar hoe viel dat te rijmen met de kwaadaardigheid in haar? Of was kwaadaardigheid niet relevant. Had Hitlers vader hem misbruikt? Was Pol Pots moeder totaal in zichzelf opgegaan? Misschien verklaarde dat hun gedrag. Misschien had niemand ergens schuld aan? Maar dat geloofde ik niet.

'Rosie Posie,' zei Danny Reese, 'je hebt de koppen weer gehaald! Wie is dat kreng?' Ondanks zijn uitgelatenheid klonk zijn stem heel slaperig. Maar goed, het was nog voor negen uur 's ochtends.
'Ik wilde je even bedanken.'
'We hebben best plezier gehad, niet dan?'
Ik dacht na over die vraag. Plezier? 'Daar kom ik dadelijk op terug.'
Ik wreef White Rapture bodylotion op mijn voeten, maar na zeven dagen van armoe was het niet eenvoudig weer weg te dromen in de luxe van honderd procent katoenen lakens.
'Denk er nog maar eens goed over na,' zei hij, vol vertrouwen. 'En als je toch bezig bent, denk dan aan jou en mij.'
'Dat was inderdaad plezierig,' gaf ik toe. 'Maar afgezien daarvan was je een fantastische en trouwe vriend. Ik zal nooit vergeten wat je voor me hebt gedaan, Danny.'
'Het was niets.'
'Ik wil je betalen voor het rijbewijs en de creditcard.'
'Ben je mal?'
'Ik heb er enorm veel aan gehad.'
'Goeie genade! Heb je ze werkelijk gebruikt?' Mijn zwijgen was zijn antwoord. 'Je hebt verdomd veel mazzel gehad, Rosie.'
'In godsnaam, jij zei toch dat ze betrouwbaar waren?'
'Het hangt ervan af hoe je "betrouwbaar" definieert. Ze waren niet link.'
'O, Danny!'
'Nou ja, niet echt link.'
Nu ik daar niet meer zat, moest ik glimlachen bij de gedachte aan zijn woning en de weerzinwekkende badkamer. Mijn glimlach werd een lach toen ik aan Danny dacht: die groene ogen en dat schitterende kontje. 'Ik heb een voorstel.'

Zijn stem klonk fluweelzacht. 'Ik luister.'

'Nee, het is veel beter dan waar jij nu aan denkt. Het is een aanbod met voorwaarden.'

'Ik heb de pest aan voorwaarden.'

'Als je teruggaat naar de universiteit en afstudeert...'

'Bespaar me dat, Rosie.'

'Koop ik bij je afstuderen wat je maar wilt.'

'Wat ik maar wil? Een nieuwe stereo-installatie?'

'Geen probleem. Of de auto van je dromen. Een reis waarheen je maar wilt. Of ik koop een eigen flatje voor je.'

Danny was sprakeloos, maar niet lang. 'Dus ik moet echt afstuderen?'

'De doctorandus-graad en zodra ik het diploma met eigen ogen heb gezien, ga ik naar het faculteitssecretariaat om te controleren of het echt is.'

'Je bent en blijft een lerares!' riep Danny uit.

'Ik weet het,' zei ik, verheugd.

Gelukkig, gezien de staat waarin mijn zenuwstelsel verkeerde, riep niemand 'Verrassing!' Gelukkig ook had ik tien uur geslapen en me gehuld in een zijden pantalon, een blauwe zijden blouse en genoeg make-up opgedaan om de indruk te wekken dat ik eigenlijk geen make-up nodig had, want mijn zoons hadden een welkom-thuis feestje georganiseerd.

Cass droeg een betoverend mooi auberginekleurig broekpak en diamanten oorbellen. Ze zei dat ze van me hield en dat ik de rest van de week vrij mocht nemen. Theodore omhelsde me en zei dat hij zijn eerstvolgende maandelijkse column, 'Right Turn' zou wijden aan Rosie Meyers en haar vrijheidsgezinde geest. Ik herinnerde hem eraan dat ik geen vrijheidsgezinde geest had, maar in feite, zoals hij heel goed wist, een liberaal-democraat was. Hij lachte erom.

Wantrouwige Miep had speciaal het hele eind van huis gereden om bij het feestje te zijn, maar gelukkig kuste ze me niet, wat ik als een hoopvol teken beschouwde. Madeline, die gekleed was in een soort Lord Byron-kostuum, kuste me wel, wat ik prima vond, vooral omdat ze een doos pure chocolaatjes had meegebracht en geen gedichten.

Vinnie Carosella droeg een blauwe blazer en een gestippelde stropdas. Hij vertelde me, terwijl hij begerig naar Madelines chocolaatjes gluurde, dat hij had gehoord dat een zekere buurvrouw van me niet op borgtocht zou worden vrijgelaten. Daarna overhandigde hij me een fles champagne met de vermelding dat hij die niet in rekening zou brengen. Ik nam hem even terzijde, bekende dat ik Theodore's revolver had gestolen en vroeg of hij die terug zou willen vorderen van de politie als onderdeel van ons vredesverdrag. En als hij toch bezig was, kon hij dan misschien ook mijn tas – en de saffieren ring daarin – van Jane Berger terug vragen. Makkie, antwoordde hij.

Tom Driscoll had het overgrote deel van de dag aan de telefoon gehangen en was naar de officier van justitie geweest om te vertellen over het diner dat hij samen met Richie en Stephanie had genuttigd. Tussen de bedrijven door deed hij een dutje op de divan in de bibliotheek. Ik stelde hem voor als een oude vriend van Richie uit Brooklyn, die tevens klant was van Data Associates. Zelfs Wantrouwige Miep trapte daar niet in; net als de meeste anderen keek ze naar zijn linkerhand waarna ze verward en gepikeerd leek omdat ze daar een trouwring ontwaarde.

Alex en Ben hadden de ziti verrijkt met een saus van een plaatselijke huisvrouw die het tot beroemd cuisinier had geschopt. Ze hadden haar met alle plezier de vrije hand gegeven; ik verbleekte toen ik een deken van truffelschaafsel op de plakjes rundvlees zag liggen. Waarop Alex zei: 'Rustig nou, mam. We hebben iets te vieren.' En Ben voegde daar aan toe: 'We kunnen sandwiches maken van de restjes.'

Pas na het dessert – pompoenmousse, in verband met de Halloweenviering over een paar dagen – kon ik me ertoe brengen mijn verhaal te vertellen. Ik schrapte de seks, liet de hatelijkheden tussen Tom en Hojo achterwege en vermeed Theodore Higbee's revolver en Danny's handel in gestolen creditcards te noemen. Omdat de ober van het cateringbedrijf uiteindelijk liet merken dat hij graag wilde afruimen en vertrekken, stelde ik voor dat we ons voor de koffie in de bibliotheek terugtrokken.

Vinnie Carosella was een kei. Hij schonk de cognac in, nipte van zijn koffie en pareerde vragen met zoveel zelfverzekerdheid dat ik had kunnen zweren dat een cameraploeg van *60 Minutes* alles opnam. 'Ze moet vergeten hebben dat de koopakte van het schilderij in haar jaszak zat,' legde hij uit. 'Ze had geen enkele reden om dat te wassen en te drogen.'

'Waarom heeft ze die kwitantie eigenlijk meegenomen?' vroeg Ben.

'Ze is advocate,' antwoordde Vinnie. 'Ze moet vrijwel onmiddellijk de waarde ervan aangevoeld hebben. Misschien heeft je vader haar verteld waarom hij hier was. Of misschien had ze het zelf al uitgedokterd: als hij had ingebroken, deed hij dat niet om een of ander onbeduidend kladje op te halen. Dit was van enorm belang.'

'Net als de prijs van het schilderij,' merkte Tom op. 'Ze realiseerde zich waarschijnlijk dat het een bezit was dat hij liever geheim wilde houden. Als ze inderdaad zo slim is als iedereen beweert, had ze wel in de gaten dat Rick het kunstwerk wilde verkopen. Stephanie heeft mogelijk gedacht dat als het schilderij bij Jessica hing, zij tweeën misschien een aantrekkelijke overeenkomst konden sluiten.'

'Stephanie deed altijd alsof ze in armoede leefden,' zei Madeline.

'De spijker op zijn kop!' zei Vinnie, terwijl hij haar toelachte. 'En ze wist dat vijftig procent van drie miljoen een flink aantal nullen behelsde. Ik vermoed echter dat ze vrijwel meteen doorhad dat het veel te riskant was het zo te spelen.' Tom knikte beamend.

'Hoe kon ze vergeten dat het in haar zak zat?' vroeg Theodore.

'Ze had veel aan haar hoofd,' antwoordde Cass. 'Toen ze het idee om snel winst te maken eenmaal van zich af had gezet, had ze het papiertje niet meer nodig.'

'Ze had het zich uiteindelijk wel weer herinnerd,' suggereerde ik. 'Zodra de gemoederen tot rust waren gekomen.'

'Zodra jij op weg was naar de gevangenis!' riep Madeline verbolgen. 'Deze zaak zet de vrouwenbeweging een eeuw terug in haar ontwikkeling!' Die opmerking was zo buitengewoon absurd, dat noch Cass noch ik erop reageerde. Ik strekte mijn hand uit en pakte een van haar chocolaatjes en voelde me onmiddellijk een stuk milder tegenover haar.

'De officier van justitie zou een redelijke kans van slagen maken ook al was het document nooit gevonden,' zei Vinnie, vol verlangen wachtend tot ik de doos met snoepgoed aan hem zou doorgeven. 'Heerlijke chocolade!' complimenteerde hij Madeline. 'Waar koopt u die?'

Ze schonk hem een Mona Lisa-glimlach. 'Ik zal u een doosje toesturen.' Vinnie keek haar stralend van genoegen aan.

'Hebt u de officier vandaag gesproken?' informeerde Alex.

'Wat?' vroeg Vinnie, die nog steeds straalde. 'O, ja, de officier. We hebben minstens een uur gepraat. Hij is driftig bezig bewijzen te verzamelen. De Jensens – het echtpaar dat voor de familie Tillotson werkte – zijn bereid te getuigen dat Stephanie rond halfelf thuiskwam en even later is gaan hardlopen. Mevrouw Jensen kan het jasje dat Stephanie droeg omschrijven, waaruit blijkt dat het hetzelfde jasje is als die waarin de koopakte is gevonden. En Tom heeft Stephanie in een confrontatie herkend. Hij kan zeggen hoe het diner verliep dat hij met haar, Richie en zijn vrouw heeft genuttigd.'

'De bandensporen,' souffleerde ik.

'Juist ja,' zei Vinnie. 'Ze zullen alle reguliere laboratoriumonderzoeken moeten uitvoeren alvorens de bevindingen als wettelijk bewijs worden toegelaten, maar alles wijst erop dat de sporen van haar BMW afkomstig waren.'

'Mooi,' zei Alex. Hij zat op een ottomane en keek naar mij en Tom. De anderen vermoedden mogelijk iets. Alex wist het.

'En dan de toegift,' vervolgde Vinnie. 'De Lamborghini zat op slot. De portierhendel en het gebied daaromheen waren schoongepoetst. Maar Stephanies vingerafdrukken zaten wel op de voorruit, wat strookt met het feit dat ze zich al bukkend vasthield om in de auto te kijken.'

'Maar dat bewijst niet dat ze hem heeft vermoord,' merkte Madeline op.

'Dat klopt,' beaamde Vinnie, kennelijk onder de indruk van haar deductieve kwaliteiten. 'Maar het bewijst wel dat ze op de bewuste locatie aanwezig was. Het is opnieuw een fraai stukje indirect bewijs.' Vinnie schonk zichzelf een tweede glas cognac in en liet hem door het glas draaien. Hij ging achterover zitten en nam een slokje. Iedereen keek hem vol verwachting aan; hij was een briljant showman. 'En verder zijn er natuurlijk de telefoontjes.'

'Welke telefoontjes?' wilde ik weten. Ik wilde uit mijn stoel opspringen, maar ik zat naast Tom. 'De dreigtelefoontjes die Jessica ontving?'

'Nee. Gevinski zal ook die natrekken, maar hij gaat ervan uit dat ze zo slim was om die vanuit een telefooncel te plegen. Ik heb het over haar telefoontjes naar het kantoor van Richie Meyers, op zijn privé-lijn.'

'Lieve hemel!' zei Theodore, vol genoegen.

'Ze hebben nog niet alles achterhaald, maar het telefoonbedrijf meldde dat sommige telefoontjes bijna een uur duurden. En ze controleren ook of Richie haar opbelde via zijn privé-lijn.'

Vinnie zag dat ik hem strak aankeek, waarop hij een vluchtige blik op de jongens wierp. 'Alex, Ben,' zei ik, 'willen jullie even kijken of de man van het cateringbedrijf de vuilnis buiten heeft gezet. En controleer of hij de vuilnisbakken goed heeft afgesloten. De wasberen zijn de laatste tijd weer actief.'

Toen ze de kamer hadden verlaten, zei Vinnie: 'Hij was hun vader. Onnodig om het hen in te peperen. Mevrouw Driscolls verklaring is van grote waarde. Ze was de stad uit maar heeft de eerste vlucht terug genomen en was vanmiddag laat op het hoofdkantoor van politie. Zij en Richie waren goede vrienden. Hij had haar alles over zijn verhouding met Stephanie verteld, hoewel die vertrouwelijkheden onder de noemer geruchten als bewijsmateriaal kunnen worden afgewezen. Wat echter wel toegelaten zal worden is mevrouw Driscolls verklaring dat ze zich kan herinneren dat Richie zich tijdens dat bewuste diner zeer genegen ten opzichte van Stephanie gedroeg, onder meer door haar herhaaldelijk in de nek te kussen. De verdediging zal moeite hebben dat als een vriendschappelijk gebaar af te doen.

Bovendien had Richie een diamanten armband voor haar gekocht. Aangezien geen van beiden kon riskeren het juweel in huis te hebben, bewaarde hij het in zijn kluis op kantoor en nam hij de armband mee elke keer dat ze elkaar ontmoetten.'

'Hoe weet u dat?' vroeg Cass.

'Omdat ze erover opschepten en lachten om hun geheimpjes tijdens dat diner. Mevrouw Driscoll weet het zich exact voor de geest te halen.'

Iedereen wendde zich tot Tom. 'Ik herinner me inderdaad dat ze het hadden over een armband die ze droeg,' zei hij, 'maar dat is alles. Want zodra ik het restaurant binnenkwam en hem daar met die vrouw zag zitten, had ik besloten me de rest van de avond afzijdig te houden.'

Toen de jongens terugkeerden, vertelde Vinnie hen dat hij nog niet kon zeggen wanneer Stephanies rechtszaak zou voorkomen of wanneer er een regeling kon worden getroffen.

'Een regeling betekent toch wel dat ze in de gevangenis belandt, of niet?' vroeg Ben.

'Zonder twijfel,' antwoordde Vinnie.

Theodore keek me aan en schudde zijn hoofd. 'Jullie domme liberalen ook! Stel je voor hoe blij je zou zijn als de doodstraf nog bestond in New York, Rosie.'

Cass gaf hem een tikje op de wang en wendde zich toen tot mij. 'Je gelooft me nooit als ik zeg wat een ezel deze man is. Nu zie je hem in zijn ware gedaante – hoewel hij zijn imitatie van een veroordeelde in de elektrische stoel dit keer gelukkig achterwege liet.'

Theodore pakte haar hand en keek haar liefdevol aan. 'Laten we naar huis gaan, Cassandra.'

Nadat de gasten waren vertrokken en de jongens naar bed waren gegaan, zei ik tegen Tom dat hij ook maar eens moest opstappen.

'Waar heb je het over?'

'Weet je nog van toen?'

'Wanneer?'

'Op de middelbare school. We hadden zo onze ruzies, maar hoe kwaad ik ook was, je hoefde me maar in je armen te nemen en dan was alles weer goed.'

'Was dat zo erg?' vroeg hij, terwijl hij mijn blouse openknoopte.

'Ik ben datzelfde meisje niet meer,' zei ik tegen hem, mijn knopen weer dichtdoend. 'Ik ben niet zo inschikkelijk meer.'

'Je bent een harde, doorgewinterde tante?' Hij lachte.

'Nee. Alleen niet inschikkelijk.'

'Je zei dat je van me hield, Rosie,' zei hij, gepikeerd. 'Hoor eens, ik kan ermee leven als we de nacht niet samen doorbrengen. Maar waarom stuur je me naar huis?'

'Je bent getrouwd. Ik wil geen getrouwde man.'

'Je weet dat ik niets meer voor haar voel. En dat is wederzijds. We zijn enkel bij elkaar gebleven, omdat er geen reden was voor het tegenovergestelde. Maar nu... Geloof je niet dat ik het officieel zal beëindigen?'

'Ik hoop het wel. Maar laat me je dit zeggen. Je bent ongeveer even lang bij die vrouw geweest als ik bij Richie. Het zal haar wellicht niet verrassen, maar het kan desalniettemin pijnlijk zijn. Pijnlijk voor jullie allebei.'

'We brengen ongeveer twee weken per jaar door als man en vrouw en zelfs dan zijn er meestal anderen bij. We zijn soms weken achtereen allebei in New York en toch zien we elkaar nauwelijks.'

'Ze moet toch gevoelens hebben.'

'Die heeft ze ook, alleen liefde maakt daar geen onderdeel van uit, althans liefde voor mij niet. Ze heeft alleen het idee dat het hebben van een echtgenoot haar een zeker sociaal prestige verleent, en ik denk dat ze daarin gelijk heeft. Ik zie er representatief uit en gedraag me fatsoenlijk, wat haar waarschijnlijk goed bevalt. Natuurlijk, als ik biljonair zou zijn, zou ik kunnen spugen tijdens de conversatie en mijn ballen in het openbaar mogen krabben en nog zou het haar niets uitmaken. Maar dat ben ik niet, hoewel ik de rekeningen keurig op tijd betaal. Dat vindt ze erg belangrijk. Maar Joan is een geraffineerd type; ze beseft heel goed dat ik de rekeningen de rest van haar leven zal blijven betalen, wat er ook gebeurt.'

Tom trok zijn colbert uit, voorbereid om te blijven. Ik liep naar de telefoon. Hij keek me met staalharde blik aan toen ik het taxibedrijf opbelde en vroeg of ze een auto konden sturen om een gast terug naar de stad te vervoeren.

'Ik hou van je,' zei ik tegen hem.

'Ik ook van jou.' Hij nam me in zijn armen. Onze lichamen waren zodanig gevormd dat ze nog altijd perfect bij elkaar pasten. Tom tilde mijn gezicht op en kuste de pony van mijn afgrijselijke kapsel.

'Het spijt me als je boos bent dat ik je wegstuur,' zei ik. 'Maar ik wil je pas als je vrij en onbezwaard bent.'

'Ik ben morgenmiddag of morgenavond terug. Vrij en onbezwaard. Nou ja, behalve de nodige paperassen dan.'

Toen kuste hij me tot de taxi arriveerde. Ik was vergeten hoe fijn en duizelig het me maakte als we, ik op mijn tenen staand en met mijn hoofd ver in mijn nek, elkaars lippen vonden.

333

'Mijn liefste,' zei hij zachtjes. De taxichauffeur knipperde met zijn koplampen – Vooruit. Schiet op. Ik sta te wachten, man – maar wij stonden in de deuropening en hielden elkaar vast. 'We zullen een geweldig stel vormen,' verzekerde hij me.

'Laten we het maar proberen,' zei ik.

'Is het niet fantastisch, Rosie? Dat we een tweede kans krijgen?'

'Na al die jaren.'

'Ja,' beaamde Tom. 'Maar dit keer is het anders.'

'Hoe bedoel je, anders? Je gaat toch niet beweren dat we ouder en wijzer zijn?'

'Nee. Ik wilde zeggen dat we dit keer beseffen dat we het niet beter kunnen krijgen.'

We liepen hand in hand naar de taxi. Ik draaide me om, zodra hij was ingestapt, omdat ik het niet kon aanzien dat hij vertrok.

'Rosie!' Ik keek om. Hij draaide het raampje naar beneden.

Stel dat hij van gedachten veranderde? Ach, ook dat zou ik wel overleven.

'Ja?'

'Sorry van het eindexamenbal.'

'Je was een mispunt.'

'Ik weet het. Vergeef je me?'

Ik moest lachen. 'Natuurlijk vergeef ik je.'

De taxi trok al op, maar ik hoorde Tom nog roepen: 'Ik zie je morgen!'

En hij kreeg gelijk.